gli elefanti
storia

Werner Keller

La civiltà etrusca

Garzanti

In questa collana
prima edizione: aprile 1999

Traduzione dal tedesco di
Gianni Pilone-Colombo

Titolo originale dell'opera:
Den sie entzündeten das Licht

ISBN 88-11-67670-3

Chi non sa darsi conto di tremila anni, resta all'oscuro, ignaro, vive alla giornata.

Goethe, 1788

PREMESSA

Non v'è popolo europeo che sia stato tanto maltrattato quanto gli etruschi; non popolo, la cui eredità sia stata così sistematicamente distrutta. Quasi come se la posterità si sia ripromessa di spegnere ogni traccia del ricordo di una nazione che un tempo scrisse, con la sua azione pionieristica, il primo grande capitolo della storia dell'Occidente. La situazione non è sostanzialmente cambiata neppure quando nel secolo scorso gli scavi portarono a un numero stupefacente di ritrovamenti. Chiedete l'anno di fondazione di Roma, e vi diranno una data, da lungo ed erroneamente ripetuta (presente ancora in ogni testo o manuale scolastico): 753 a.C. Domandate il nome del fondatore, e vi risponderanno, altrettanto erroneamente, come avrebbe fatto uno scolaretto romano duemila anni fa: Romolo.

Ora, è scientificamente comprovato che la città eterna fu fondata da un re etrusco – Tarquinio Prisco – nel 575 a.C. Ma questo dato di fatto storico restò a lungo ignoto, confinato nelle torri d'avorio dell'alta cultura. E non questo solo: perché la fondazione e l'edificazione della città tiberina a opera degli etruschi, e solo più tardi divenuta romana, non è che una delle ammirevoli e grandi imprese compiute da questo popolo singolare, che molto prima di Roma edificò sul suolo italico un impero forte di grandi città, industrie, artigianato e commercio d'ampiezza mondiale. Ma anche di questo il grosso pubblico non sa una parola. Chi poi volesse informarsi sull'argomento, andrebbe incontro a un disinganno. La nostra affermazione è facilmente provabile.

Entrate in una libreria o in una biblioteca e chiedete una Storia degli etruschi; o anche cercate sui libri di storia, nella bibliografia, compendi sugli etruschi. Vedrete che vana fatica! Sì, certo, troverete serie di saggi e di opere sull'enigma della provenienza e della lingua di questo popolo, e anche sui siti di scavo e sul mistero della sua religione; e, da qualche anno in qua, montagne di volumi illustrati sulla loro arte. Ma sulla storia etrusca...?

Quando parla del suo passato, l'Europa cita l'Ellade e Roma:

solo gli « antichi greci » e gli « antichi romani » sono i grandi popoli delle origini, i costruttori che gettarono un giorno le fondamenta dell'Occidente futuro. Essi soltanto sono ammirati, celebrati, venerati e studiati: libri di storia e trattati ne sono pieni. E la persona colta parla orgogliosamente dell'età di Pèricle o di quella d'Augusto. Ma gli etruschi ne restano esclusi. Quasi non fossero mai storicamente esistiti, essi che vissero e operarono per più di settecento anni su suolo europeo. Si tratta, come ha notato lo storico americano Will Durant, « del provincialismo di una storiografia tradizionale, che fa cominciare l'Europa con la Grecia ».

Così si coniò, dal medioevo fino al più recente passato, un'immagine univoca, incompleta, e pertanto anche sbagliata; perché vi campeggia un'enorme lacuna: il grande capitolo degli etruschi, il primo e il più stimolante della storia, rimane una pagina vuota, in bianco.

Per lunghi secoli si ebbe una giustificazione valida: la mancanza di tradizioni autentiche e particolareggiate. Di etrusco, nulla s'è conservato sulla storia etrusca: la loro letteratura cronachistica, le *Tuscae historiae*, andarono distrutte; e anche andarono perduti i venti volumi *Tyrrhenikà*, scritti più tardi dall'imperatore Claudio. Unica fonte, le scarne notizie di alcuni classici greci e romani; ma mancavano i nomi di sovrani e di personalità, resoconti di gesta e di opere, narrazioni ed episodi: in breve, tutto quello che fa viva e palpabile l'immagine della vita d'un popolo.

E i luoghi dove i testimoni dell'antica grandezza di Etruria avevano riposato, erano stati sistematicamente distrutti. Per circa due millenni, a cominciare dai romani per finire con la nobiltà latifondista e gli scavatori clandestini del XIX secolo, le gigantesche necropoli furono depredate dei loro favolosi tesori. Barbaramente, dietro l'unico stimolo del guadagno, si aprirono, a decine di migliaia, le antichissime camere tombali; s'arraffarono avidamente gemme preziose, suppellettili d'oro, d'argento e di bronzo, oggetti di lusso e squisite ceramiche; si distrusse quanto appariva privo d'interesse: si rinterrarono le tombe, perché non se ne individuasse più la posizione.

Quando finalmente nel secolo scorso, destatosi l'interesse scientifico, si giunse a scavi precisi, il ritrovamento di una tomba intatta divenne quindi una rarità. Tuttavia il lavoro indefesso degli archeologi portò a una stupefacente ricchezza di scoperte e di ritrovamenti, alcuni veramente sensazionali.

A poco a poco — parallelamente ai successi ottenuti dalle ricerche nel mondo dell'Oriente antico, dell'Asia Minore e dell'Egitto — emerse dalle tenebre dell'oblio, per la prima volta, il volto dell'Etruria antica. Da un mosaico di innumerevoli documenti e monumenti cominciò a delinearsi il quadro della vita e delle opere di quel popolo avvolto in tanti enigmi e misteri. Mancano però ancora ricerche sistematiche sulle città etrusche in se stesse: solo ciò che nel frattempo è riemerso alla luce e può considerarsi assodato, consente di guardare in un passato di cui abbiamo avuto sinora soltanto una vaghissima idea, e ci forza a rivedere il quadro storico che ci è stato finora familiare.

Furono gli etruschi coloro che, molto prima di Roma, nel momento del trapasso fra preistoria e storia, edificarono nel cuore d'Italia un'alta civiltà, ponendo le fondamenta della futura ascesa dell'Europa. Furono gli etruschi che, partecipi dell'eredità dell'antico Oriente con la sua avanzata civiltà, la trasferirono sul suolo dell'Occidente europeo.

Raccogliere le affascinanti scoperte e i nuovi ritrovamenti e inserire il tutto negli eventi della storia a quel mondo contemporanea, parve a me, pubblicista dagli interessi scientifici, un compito seducente. Dominare questa materia doveva comportare più fatica e tempo di quanto non immaginassi. Mentre scrivo questa premessa, ho alle spalle un lungo viaggio di più d'un decennio, fattosi esperienza indimenticabile. Tale viaggio mi condusse in tutti i luoghi dove si trovano antichità etrusche: alle innumerevoli località di scavo, rovine e necropoli in lungo e in largo per l'Italia: da Spina un tempo famosa ad Adria, attraverso la superba, antica terra dei Tuscii fra l'Arno e il Tevere, sin giù in Campania, a Pompei un tempo etrusca; in tutti i musei, d'Europa e d'America, che abbiano importanti raccolte etrusche: nelle terre dove vissero un giorno amici e nemici del grande popolo – dall'antica Cartagine alla Grecia e al vicino Oriente.

Il mio grazie al professor Ambros Josef Pfiffig, docente d'etruscologia e di antichità italiche presso l'Università degli Studi di Perugia, che ha riveduto il manoscritto e mi ha dato validi suggerimenti. Grato sono anche a mia moglie Helga, instancabile collaboratrice in questo lavoro.

Werner Keller

I · QUANDO L'OCCIDENTE DORMIVA ANCORA

L'Asia considera gli etruschi un popolo asiatico.

M. Porcio Catone (II secolo a.C.)

La storia di Roma, e con essa lo sviluppo culturale dell'intero Occidente, non si può intendere se non si conosce la civiltà dell'Oriente, presa e adattata dagli etruschi alla loro tradizione e al loro genio.

Axel Boethius (1958)

EX ORIENTE LUX

Quando la lancetta dell'orologio cosmico, superato l'anno 1000 prima della nostra èra, si dispone a scorrere incontro al secolo IX, ci troviamo alla vigilia di una nuova epoca della storia umana. S'avvicina il tempo in cui Ereb, la « terra nel buio » come la chiamavano i fenici, vale a dire l'Europa, fecondata dall'eredità dell'antico Oriente, dopo un dormiveglia durato millenni verrà strappata al suo sonno. Un nuovo mondo batte alle porte, destinato a durare più di duemilacinquecento anni, fino ai nostri giorni, e a influire sull'evoluzione dell'umanità più profondamente di tutti quanti l'hanno preceduto: il mondo dell'Occidente.

I campi ondulati e i sinuosi lidi dei paesi mediterranei divengono teatro di un grande movimento, che si avvia d'un balzo simile a uragano che improvviso si levi. In spazi inondati di sole, annunciato da spostamenti di popoli e di tribù, si prepara l'avvenire.

Dall'estrema punta orientale del *Mare Mediterraneum*, dall'Ellesponto, dove Europa e Asia sono separate soltanto da poche centinaia di metri, doveva venire l'impulso vivificante a infondere nuova vita a zone dell'Occidente mediterraneo ancora prive di storia.

Nei porti dell'Asia minore, davanti alle coste della Grecia e alle innumerevoli isole che fanno da ponte, schiere di velieri e di navi a remi levarono le ancore, pronte a viaggi audaci e avventurosi verso lontananze ancora ignote, irte di pericoli. Imbarcazioni isolate e in intere flottiglie volsero le prue, varcato l'Ionio, incontro al sole calante, là dove si stendono le spiagge e le insenature della grande penisola appenninica e all'isola di Sicilia, che guarda la costa africana.

La loro venuta generò la svolta. Dovunque i nuovi arrivati misero piede, le popolazioni e le tribù occidentali autoctone si trovarono coinvolte nella sfera e nel ritmo di un mondo estraneo altamente civilizzato.

In nessun'altra regione dell'Occidente, però, una nuova civiltà e una nuova cultura – sotto influssi venuti dalle terre e dai regni a oriente del grande mare – avanzò, potente e impetuosa, come nel cuore d'Italia. Vivida, nel buio d'una lunga preistoria, s'accese, fra il Tevere e l'Arno, la luce.

Al tempo che in Occidente il futuro stava appena iniziando, l'Oriente aveva già dietro di sé una storia lunga, movimentata, luminosa. Nella grande mezzaluna che, partendo giù dal Golfo Persico, passa per la Mesopotamia e tocca Siria e Palestina, per abbracciare gli infuocati deserti d'Arabia sino alle rive del Nilo, mentre gli abitanti del continente europeo giacevano ancora in un profondo sopore, sorsero le prime grandi culture dell'umanità.

Da duemila anni ormai le terre attorno al Tigri e all'Eufrate avevano visto l'avvento e il crollo, l'ascesa e il tramonto di stati potenti. All'antichissimo popolo dei sumeri – creatori dell'epopea di Gilgamesh e artefici delle prime torri a gradini – avevan tenuto dietro i grandi imperi dei conquistatori semiti, avidi di potenza, gli assiri e i babilonesi; quindi, proseguendo verso occidente, in Asia minore, l'impero degl'ittìti. E in un passato più remoto ancora affondavano le origini della prima struttura statale, nella terra dei costruttori delle piramidi, sul Nilo; poiché proprio attorno al 3000 a.C. era iniziata, con la prima dinastia, la signoria dei faraoni.

Il seme venuto a maturazione in quella parte del mondo sarebbe stato di giovamento a tutte le stirpi della terra. Alla smisurata riserva dell'Oriente antico, per lunghe epoche – a partire dall'età della pietra – soprattutto le genti europee avrebbero attinto sempre e di nuovo. L'Oriente li avrebbe fecondati, stimolati, tratti grado a grado da un'esistenza ancora arretrata, primitiva. Quasi incalcolabili appaiono i progressi e gli sviluppi, le scoperte e le innovazioni che la « mezzaluna fertile » donò allora al mondo, il numero infinito delle gesta pionieristiche, delle scoperte e delle audaci imprese, che allora per la prima volta s'imposero e furono attuate. Esse abbracciano ogni campo della vita.

Molto presto s'era sviluppata una vivace vita cittadina ed erano sorte anche le prime gigantesche metropoli. Nell'edificazione di palazzi fiabeschi e di templi a colonnato, adorni di rilievi e di affreschi, l'architettura celebrava trionfi unici; l'attività mineraria produceva metalli preziosi: rame dalle miniere del Sinai, argento dai monti del Tauro. L'artigianato – monili d'oro e avorio intagliato, fusione del bronzo, falegnameria domestica e tessitura – prese un impulso inimmaginabile, che diede vita a una vivace economia di scambi e al primo commercio con terre lontane.

Da tempo si conoscono calendari e orologi, la divisione dell'anno in trecentosessanta giorni e del giorno in ventiquattro ore, lettere di credito e trattati con impronte di sigillo. Il re di Babilonia, Hammurabi, creava la prima legislazione organica; fattorie e vaste piantagioni dotate di sistemi d'irrigazione artificiale e di un'ampia rete di canali nelle piane del Nilo, dell'Eufrate e del Tigri, producevano in sovrabbondanza cereali, verdure d'ogni genere e frutta delle più pregiate. Come le arti (scultura e pittura, poesia e musica), anche le scienze empiriche (astronomia e medicina, geometria, matematica e linguistica) conoscono un'ascesa straordinaria. E già da tempo l'arte di leggere e scrivere aveva fatto il suo ingresso (coi geroglifici e la scrittura cuneiforme, l'uso del papiro e dell'inchiostro), dando origine a libri, biblioteche e scuole.

Un'enciclopedia sull'Oriente antico – scritta attorno all'anno 1000 prima della grande svolta – avrebbe richiesto molti volumi anche solo per registrare i progressi più significativi, le realizzazioni e le cose mirabili accadute nelle terre dell'Eufrate e del Tigri, sul Nilo e sull'Oronte; per l'Occidente, invece, per l'Europa, sarebbero bastate poche pagine, con la nota: terra inospitale, rozza ancora e barbara, coperta di fitte foreste, dove, di là da alte catene montuose, dimorano genti ignote e senza nome, che non conoscono né città né templi né edifici di pietra, e neppure posseggono monumenti scritti o d'altro genere, né torni da vasaio né macine girevoli da mulino.

Non erano per nulla degli artefici creatori gli abitanti di quelle zone settentrionali nelle quali più tardi sarebbe sorto il celebrato Occidente: quasi nullo il loro contributo ai progressi dell'umanità. Tutte le iniziative e le innovazioni di cui già disponevano – dal bronzo ai manufatti di metallo, dal cavallo animale domestico alla ruota e al carro – le dovevano ad altri popoli; lungo le vie del commercio, che seguivano le grandi correnti, glieli avevano portati stranieri dalle terre nel sud e nell'est, dal Mediterraneo e dall'Asia anteriore.

All'inizio del secondo millennio a.C. era scaturita in Oriente, per comunicarsi ai lidi costellati di isole, una prima scintilla vivificatrice: nel mare Egeo l'Asia era stata madrina della nascita d'una civiltà singolare. Leggende remote serbavano il ricordo di questo evento: per la prima volta affiorava in esse il nome del continente che si stendeva a ovest.

Sulle rive della Fenicia, così narravano, era vissuta una bellissima principessa, dalla pelle chiara, di nome Europa, figlia del re Agènore. Il massimo dio dei greci, Zeus, un giorno la vide e ne fu preso di grande amore. In forma di toro candido come neve, s'accostò alla vergine che indugiava sulla spiaggia con le compagne, riuscendo a guadagnarne la fiducia. Senza sospettare di nulla, ella gli salì in groppa; ma Zeus si precipitò con lei fra le onde e nuotò dalla costa asiatica fino a Creta, dove si mutò in aquila e generò, con Europa, quattro figli. Il primo ricevette il nome di Minosse. La grande isola alla quale aveva approdato il toro divino con la principessa rapita, doveva diventare la prima grande fecondatrice dell'Occidente.

Sottoposta alle influenze più varie – orientali, egizie, nord-mesopotamiche e siriache – si sviluppò a Creta una cultura superiore. Qui sorse, agli inizi del secondo millennio a.C., il regno dei leggendari re di Cnosso, artefici dei superbi palazzi frescati delle metropoli di Cnosso e Festo, Mallia e Kato Zakro, e fondatori della prima talassocrazia storica. Le loro flotte dominarono ben presto il mar Egeo e il mar del Levante, esercitando il commercio dal Bosforo al

Sfinge di pietra dell'edificio tombale a più piani di « Poggio Gaiella » presso Chiusi.

Nilo. Primi, sembra, osarono i cretesi attraversare il mar Ionio, facendo vela verso ovest: ancora in epoca classica, i greci serbavano il ricordo di Minosse II, nipote del fondatore del regno, morto mentre navigava alla volta della Sicilia. Solo verso la fine del secolo scorso gli scavi dell'archeologo inglese Arthur Evans rivelarono un panorama esatto della civiltà e dell'economia del regno cretese. L'economia era passata dalla semplice coltivazione della terra alla coltura fruttuosa dell'olivo. L'industria e l'artigianato – lavorazione dei metalli, anzitutto, e arte della ceramica – avevano messo a punto sistemi di lavoro molto complessi. Per la fabbricazione di utensili, armi e oggetti ornamentali esistevano stampi e forni fusori; le prime grandi aziende cominciarono a produrre per l'interno e per l'esportazione. Il commercio era regolato da un sistema ben preciso di pesi e di unità monetarie basate su barre d'oro e di rame. Vi era pure un sistema decimale e, incisa su tavolette o scritta a inchiostro, una scrittura sillabica.

La prosperità economica e i ricchi introiti del vivace commercio oltremarino portarono a un raffinamento singolare del modo di vita: i palazzi avevano vasche da bagno, tubazioni e fognature; giochi sportivi, come il pugilato e il salto dei tori, servivano d'irrobustimento fisico e di divertimento. Cerimonie magico-religiose, cui prendevano parte anche le donne, determinavano il culto; la doppia ascia era simbolo sacro. Quanto alla sepoltura dei morti, appaiono ben presto grandi tombe a tholos: monumentali costruzioni a cupola erette con strati di pietra aggettanti. Come gli egizi, anche i cretesi padroneggiavano la tecnica di sollevare e muovere enormi blocchi di pietra...

Creta, germoglio e avamposto del mondo dell'Oriente antico nell'Egèo, divenne la grande mediatrice fra Asia ed Europa.

A partire dal 1700 a.C., delegazioni commerciali cretesi, avide di nuovi mercati e depositi, presero a visitare sempre più di frequente le coste della vicina Ellade, i cui abitanti, gli achei, erano i discendenti di una prima ondata di tribù indoeuropee, venute dal nord subito dopo il 1900 a.C., e insediatesi nel paese: guerrieri ancora barbari, rozzi e primitivi nel modo di vivere e nei costumi, come del resto tutte le altre genti dell'Europa.

A contatto con il civilissimo impero commerciale minoico, gli achei si mostrano tuttavia ben presto discepoli straordinariamente ricettivi: emulando i cretesi, anch'essi costruiscono navi e affrontano l'oceano per commerciare. Stimolata e influenzata dalla varietà dei modelli della grande isola, fiorisce sul continente greco una prima, più alta civiltà indoeuropea. Grazie ai commerci Micene, la capitale achea, diviene una città le cui ricchezze in oro sono cantate ancora da Omero; e sorgono palazzi, i primi su territorio europeo, sul modello di quelli minoici. I morti vengono sepolti in tombe imponenti a volta, a parallelepipedo, simili alle tombe a tholos della Creta meridionale. Primi tra gli indoeuropei apprendono a leggere e scrivere; e assumono la scrittura sillabica cretese.

Senza saperlo, i cretesi avevano acceso un fuoco pericoloso che alla fine li avrebbe condotti alla rovina. Da ovest, dalla Grecia continentale, rifluiva l'ondata venuta da oriente dell'Egeo; e da Micene si propagò una prima, stupefacente espansione.

Dotati di potenti forze, gli achei si danno, subito dopo il 1500 a.C., a nuove avventure, ampliando la loro sfera d'influenza. Dopo terremoti e maremoti che avevano causato devastazioni terribili a Creta, le loro truppe sbarcano sulla spiaggia di Cnosso e si impossessano dell'isola. Il regno minoico ebbe così una rapida fine.

Nel commercio, nella navigazione e nel dominio marittimo, Micene sottentra a Creta, crescendo a potente impero economico. Le sue flotte incrociano dinanzi a tutte le isole, a tutte le coste del Mediterraneo orientale, dalla Tessaglia all'Ellesponto; i suoi mercanti fondano colonie a Mileto e a Focèa, e aprono uffici nell'antico porto fenicio di Ugarit; a ovest attraversano per la prima volta lo Ionio. Gli archeologi ne hanno scoperto le tracce: cocci di ceramiche micenee vennero in luce a Ischia e alle Lipari, in Sicilia e in Italia meridionale, ma soprattutto a Taranto.

Il regno di Micene stese le sue antenne anche nella Grecia continentale, e su, per tutta l'Europa: le tracce di fiorenti scambi commerciali ci portano sino allo Jutland e al Baltico, in Scandinavia e nell'estremo Occidente. Lo sappiamo dai gioielli di ambra nelle tombe a fossa e a cupola tornate alla luce nel Peloponneso, così come dai motivi micenei a spirale su else danesi e le doppie asce nelle tombe dei capi sulla Saale. E venne al sud anche l'oro dell'Europa centrale e persino lo stagno delle lontane Isole britanniche.

Micene batté per prima le strade dell'economia e divenne importante fattore di stimolo e di sviluppo per gli abitanti delle terre dell'ovest e del nord. Per le vie commerciali da essi aperte, oggetti d'uso comune e di lusso, usciti dalle officine e dalle fonderie sull'Egeo, raggiungevano « Ereb », e con essi s'introdusse la conoscenza della lavorazione artistica dei metalli: iniziava l'età del bronzo nella Germania del nord!

Inizio che, per quanto colmo di speranze, si perdette nel nulla ancor prima della fine del millennio.

Verso il 1200 a.C., l'invasione dei « popoli del mare » portò a un periodo di terribili sconvolgimenti nell'Egeo: masse di genti in movimento irruppero, simili a un uragano, mettendo tutto a ferro e fuoco, dall'Asia minore alla Palestina, passando per la Siria. Sotto i loro colpi crollò l'impero ittita, caddero Efeso, Ugarit e Mileto, e Cipro tutta fu devastata. Solo alle porte dell'Egitto gli eserciti faraonici riuscirono a por fine, in due battaglie per mare e per terra, alla penetrazione dei conquistatori.

Anche la Grecia fu annientata poche generazioni più tardi: come gli achei un tempo, irruppe dal nord della penisola balcanica, tutto distruggendo, una nuova ondata di tribù barbare indoeuropee: i dori.

Dopo la catastrofe furono le rovine là dove, nel lembo sudorientale d'Europa, era stata una grande fioritura. Il regno di Micene, piegato dall'invasione dei popoli del mare e dei dori, vide la sua economia distrutta e annientata la navigazione, e con essa la supremazia greca sul mare.

Ma il posto di Micene non restò vuoto. Sulle coste opposte del Mediterraneo orientale, partendo dal Levante, la navigazione conobbe un nuovo, inatteso balzo in avanti: i fenici del Libano proseguirono l'eredità achea sul mare.

Un porto fra gli altri ebbe, come potenza commerciale e marittima, un'ascesa favolosa: la famosa Tiro. La città, « che giace in faccia al mare e tratta con molte isole dei popoli », com'è scritto nella Bibbia, aprì un nuovo, stimolante capitolo nella navigazione. Per più di duemila anni la grande storia si era svolta esclusivamente nella parte orientale del bacino mediterraneo. Di là dallo Ionio, cessato il mondo « conosciuto », sembrava esistesse un confine che nessuno osava varcare. Tiro ruppe l'incantesimo, e si fece ardita esploratrice, allestendo navi che in traversate audaci lasciarono per la prima volta il sicuro « mare interno » avventurandosi per i campi procellosi dell'Occidente.

Uomini di Cana, ci informa lo storico greco Tucidide, furono tra i primi a fondare empori tutt'attorno alla Sicilia, su lingue di terra e isole. Alla caccia di nuovi tesori e beni per il loro commercio mondiale, i fenici si spinsero sempre più lontano nelle loro esplorazioni: seguendo le coste africane, giunsero con le loro flotte al confine estremo del mare Mediterraneo.

Alle porte dell'oceano Atlantico scoprirono il leggendario regno di Tartesso in Andalusia: una Eldorado dell'antichità, ricca di prodotti agricoli e soprattutto di argento, estratto dalle miniere spagnole, e di zinco, giunto per antichissime vie commerciali dalle misteriose « isole cassiterèe » del mare del Nord.

Gli ospitali sovrani del paese permisero ai fenici di insediare una colonia a Gades, l'odierna Cadice. E sulla costa africana dirimpetto i tirii fondarono la base di Lixus. Melkart, il nume tutelare della città, divenne il protettore dello stretto, che fu severamente guardato: nessuna vela straniera poteva superare la via d'acqua tra le « colonne d'Ercole ». Fu stesa così un'intera catena di empori, depositi e approdi sulle coste africane, stazioni di scalo e transito a protezione e tutela dei tratti di mare fra le nuove colonie. Alle pendici dell'Atlante, nella Tunisia odierna, là dove il Medjerda sfocia in mare, sorse la città di Utica con un porto protetto. Aristotele ne pone la fondazione attorno al 1000 a.C.

Per secoli i fenici furono gli unici a solcare il gran mare occidentale e a conservare, incontrastati, il loro monopolio commerciale con « la terra d'argento di Tartesso ». Non avevano concorrenti, perché la navigazione greca si limitava ancora all'Egeo. La loro posizione di predominio si rafforzò ulteriormente allorché fuggiaschi di Tiro (sotto la pressione di conquistatori assiri) fondarono una colonia nell'Africa settentrionale. Guidati dalla principessa Didone, avevano lasciato la loro patria e, nell'814 a.C., vicino a Utica, ai piedi della Byrsa, la rupe fortificata alta una sessantina di metri, posero le fondamenta di Cartagine.

Solo un secolo più tardi la situazione nel mare occidentale appare del tutto mutata, col sorgere inatteso al di là dello Ionio di una pericolosa rivale al monopolio commerciale di fenici e cartaginesi.

Che cosa era accaduto?

Non molto tempo dopo la fondazione della colonia cartaginese, un'altra potente migrazione aveva preso il via muovendo dall'Ellade al di là del mare. Per più di quattrocento anni dalle invasioni dei popoli del mare e dei dori nell'Egeo, non s'era più parlato di greci: la tempesta barbarica venuta dal nord aveva precipitato di nuovo tutto nella primitività.

Nulla si era salvato, nulla si era conservato dell'alta civiltà micenea, neppure in Attica, dove gli ioni avevano resistito all'invasione dorica. Non erano stati più costruiti né palazzi né monumentali edifici di pietra: si era tornati ad abitare in capanne d'argilla. Le grandi officine appartenevano ormai al passato; perfino la scrittura era caduta in oblio: come nell'epoca arcaica, vigeva la pura e semplice economia di natura; si viveva della coltura dei campi e dell'allevamento del bestiame. Semplice e umile come i costumi di vita divenne anche l'arte. A decoro della ceramica si diffuse uno stile sobrio, severamente geometrico.

Non nella madrepatria greca, ma sulle rive opposte dell'Egeo, in Asia minore, si venne infine a un nuovo inizio pieno di fermenti. E di nuovo (come un millennio prima, appunto, sotto l'influsso della cultura minoica), solo uno stretto contatto con i molteplici stimoli e influenze dell'Oriente antico, dell'Anatolia e della Fenicia, doveva portare al risorgere dell'Ellade.

Sui luoghi di località distrutte come Efeso, Mileto e molte altre, dove i greci già in epoca micenea avevano fondato colonie commerciali, presero a rinascere città, colonie e porti, che ebbero a fondatori, in massima parte, quegli esuli di lingua ionica che avevano lasciato numerosi la madrepatria alla calata dei dori.

Già nel IX secolo si stese lungo la costa una vera catena di colonie in rapida fioritura, da Smirne sin quasi ad Alicarnasso. Anche le isole di Chio e di Samo videro insediamenti ionici. Il commercio conobbe un impulso straordinario. L'Asia minore e la vicina Siria erano i punti terminali delle grandi carovaniere, sulle quali viaggiavano merci e beni provenienti dai paesi dell'Asia anteriore, soprattutto dalla Mesopotamia. Da Mileto e da Focea, alle foci dei due massimi fiumi della penisola, il Meandro e l'Ermo, le due principali vie commerciali portavano dal mar Egeo su fino all'altipiano anatolico.

Mentre nella madrepatria greca tutto taceva ancora e anche Atene seguitava a vivere nell'ombra, partì dalla Ionia l'iniziativa che doveva preparare il futuro. Le sue città divennero grandi e ricche; dai suoi porti navi mercantili ripresero a solcare l'Egeo. Industria e artigianato si svilupparono (lavorazione dei metalli e della ceramica, soprattutto), e si diedero a produrre per l'esportazione.

Dalla Ionia risuonò, verso il 750 a.C., la voce di Omero; su suolo asiatico sorsero le sue intramontabili epopee. L'*Iliade* ridestava le battaglie attorno a Troia, il ricordo di una preistoria eroica, di un mondo di cavalieri che vivevano di guerre e battaglie. L'*Odissea*, invece, echeggiava un motivo diverso, più moderno: era il cantico dell'abile e audace navigatore che supera i pericoli più incredibili, come a riaccendere il desiderio di una nuova grande impresa sul mare.

Con il secolo in cui il grande cantore creava i suoi versi, cominciò un'èra di robusta espansione.

L'Ellade tutta parve d'improvviso presa d'inquietudine, colta da una smania di iniziative e di rivolgimenti. Dalle colonie dell'Asia minore, dalla madrepatria come dalle isole, ripresero a salpare le navi, isolate e in convogli, le une alla ricerca di nuovi guadagni, le altre di una nuova patria su cui impiantare colonie. Sovrappopolazione, crisi sociali e desiderio di ampliare il mercato ne erano le cause.

Nel bacino dell'Egeo non c'era più una terra libera; alla Siria e al Libano sbarravano l'accesso assiri e fenici: solo a occidente, all'altro lato del mar Ionio, v'erano zone ancora scarsamente popolate, sulla penisola appenninica, che divenne la meta di questi emigranti.

Prima isolatamente, a sondare il terreno, quindi a schiere approdarono alle coste dell'Italia meridionale le navi dei greci affamati di terra. Una delle prime flottiglie riuscì a passare lo stretto di Messina e, raggiunta Ischia, vi fondò una colonia; due decenni più tardi, verso il 750 a.C., i nuovi abitanti fondavano in faccia all'isola a nord del Vesuvio, Kyme, la futura Cumae dei romani.

Nello spazio di pochi decenni, si riversarono sull'Italia meridionale e sulla Sicilia schiere sempre nuove di emigranti. Fra i coloni

Esseri zoocefali e favolose figure esotiche corrono in rilievo intorno a una brocca, sul cui manico e collo stanno maschere con la lingua in fuori. Bucchero pesante di Chiusi, uno dei principali luoghi di produzione di questo tipo di ceramica.

erano tutte le stirpi elleniche: ioni, dori e achei. Nel 735, coloni ionici di Calcide in Eubea si stanziarono ai piedi dell'Etna; l'anno dopo si stabilirono nell'isola di Ortigia dei corinzi dorici, ponendo le fondamenta della futura Siracusa, destinata a diventare celebre e forte, governata da tiranni. Nel 729 furono fondate Leontini e Katane, l'odierna Catania; e come sulla grande isola, così anche sul tacco d'Italia, in Puglia e in Calabria, sorse una città dopo l'altra: nel 720 Sibari e nel 710 Crotone – colonie achee – verso il 708 Taranto, colonia spartana.

Nel giro di un secolo o poco più, le coste dello Ionio – dal golfo di Taranto a est sino allo stretto – e, dall'altro lato, quelle della Sicilia orientale e meridionale – da capo Peloro a capo Lilibeo – si coprono di una ghirlanda di colonie greche. Si era venuti a possedere un territorio che, per ampiezza, non era inferiore a quello della madrepatria a sud delle Termopili. Era nata la Magna Grecia.

Tardi, troppo più tardi, Cartagine si rese conto della pericolosa concorrenza venutasi ad accumulare contro il suo impero mercantile nel Mediterraneo orientale, con la colonizzazione e il commercio di questi greci. Venne il momento allora di cercare di salvare il salvabile, per assicurarsi almeno l'ancora incontrastata signoria marittima lungo le spiagge nordafricane verso Tarsi.

Con abile mossa, Cartagine occupa la Sardegna; quindi dispone truppe nelle Baleari, importante scalo sulla via della Spagna. In Sicilia, dove i greci avevano ormai preso piede sulle coste meridionali e orientali, si prepara il contrattacco dall'estremità occidentale dell'isola, dalle piazzeforti di Motye, Libyaion, Panormos e Soloeis.

Nel bel mezzo di questi eventi e di queste risoluzioni che cominciavano a delinearsi e a prendere minacciosamente consistenza in una lotta su vastissima scala tra greci e cartaginesi per empori, colonie e basi di materie prime, di terreni coloniali e di mercati d'importanza vitale nell'ambito del Mediterraneo occidentale dove l'Italia meridionale e la Sicilia erano i punti focali, cade per l'Europa il fatto più importante della prima metà del millennio precedente la grande svolta: un fatto che influirà profondissimamente sul futuro dell'intero continente e i cui sviluppi sono inimmaginabili: comincia ora, nel cuore della penisola appenninica, la storia – solo da questo momento per noi scrutabile – di un popolo avvolto *ab antiquo* da enigmi e misteri, un tempo ammirato e temuto quanto frainteso: la storia del popolo etrusco...

ITALIA, LA « TERRA DEI VITELLI »

Bagnata dalle onde di quel mare le cui spiagge, in oriente, avevano già da tempo assistito al sorgere di splendide civiltà, l'Italia – la « terra dei vitelli », come la chiamavano i greci – restò per millenni un angolo dimenticato, non sfiorato dagli eventi del resto del mondo. Agli archeologi che ne frugarono il suolo alla ricerca di tracce del più remoto passato, di testimonianze preistoriche e protostoriche, non era riservato neppure un reperto che compensasse della dura fatica: non vennero in luce né palazzi né fondamenta di fortificazioni, non templi né tesori; e neppure si scoprirono fondamenta di città o anche solo resti di case di mattoni: nessuna traccia di edifici in muratura.

Nelle vetrine delle raccolte preistoriche, a Perugia, a Bologna e altrove, si trova ciò che vanga e piccone riuscirono a scovare. Riuniti in molte sale, si allineano i risultati d'un lungo, faticoso lavoro di ricerca di innumerevoli scienziati: resti di alloggi e di tombe, vasi e monili, utensili e armi. Incalcolabile quasi il numero dei reperti, testimonianze di millenni, che risalgono al tempo più antico e remoto, quando la pietra serviva ancora da utensile e da arma. Un senso di monotonia grava sull'ampio arco del passato umano che esso abbraccia. Le indicazioni dei relitti sono scarse, e spesso sollevano più problemi di quanti non ne risolvano. Non un rigo di scrittura, non una rappresentazione figurativa che conservi la forma o l'aspetto dei loro creatori. Semplice e opaca come i cocci dei vasi, primitiva come gli utensili doveva essere la vita degli abitanti di cui essi testimoniano: priva di eventi, scorrente in un tono eternamente monotono, generazione dopo generazione. Naturale, dunque, che la preistoria della penisola appenninica procuri dei rompicapi agli storici del periodo, accendendo altrettante contese su interpretazioni e datazioni. Essa è rimasta sempre imperscrutabile, colma di problemi irrisolti, e si è limitata a svelare soltanto una prima immagine emergente da confusi contorni.

I liguri, vissuti attorno a Genova e nella valle padana, e annoverati fra gli abitanti più antichi, facevano parte di una primitiva popolazione mediterranea imparentata con gli iberi. Nella parte orientale della penisola, nel Piceno, in Apulia e nella Sicilia orientale, dimoravano stirpi da alcuni autori dette « pelasgi », cioè di un popolo anticamente stanziato nell'area egea e in Asia minore. Le caverne erano i rifugi di queste genti preistoriche, che seppellivano i morti in posizione rannicchiata, insieme ad armi di pietra rozzamente lavorata, utensili di corno e d'osso, monili di conchiglie o di denti d'animali. Solo nel Neolitico si cominciarono a coltivare i campi. Appaiono semplici, grossolani vasi di argilla foggiati a mano, poiché il tornio, in uso ormai da millenni sul Nilo e in Mesopotamia, è qui ancora ignoto. Tardi, e proveniente dall'est, fa il suo ingresso l'età del metallo: i primi utensili di bronzo compaiono a partire dal 1800 a.C.

Nel nord, ai piedi delle Alpi, si affaccia per la prima volta un tipo di cultura fin qui sconosciuto. Nella valle padana fino ai contrafforti appenninici vicino a Bologna si stanziano nuove popolazioni, che costruiscono palafitte e praticano l'incinerazione dei morti. Valli o fossati cingono i villaggi di questi « terramaricoli », e cintati sono pure i loro luoghi di sepoltura, dove vengono tumulate urne con le ceneri dei defunti. I terramaricoli allevano bestiame e mettono i campi a coltura, producono ceramiche di buona fattura e si dimostrano abili lavoratori dei metalli.

Passano però molti secoli ancora prima che la vita in Italia assuma un ritmo più veloce. Solo verso il 1200 a.C., al declinare dell'età del bronzo, vedremo all'opera (come ci mostra chiaramente l'archeologia) nuove popolazioni, penetrate dall'esterno. Sulla loro origine e appartenenza non v'è, fra gli scienziati, dubbio di sorta: si tratta – ed è la prima volta che è dimostrabile con sicurezza – di emigranti indoeuropei, venuti a ondate successive.

Ampie parti della penisola ricevettero un'impronta decisiva, destinata a durare in futuro: perché con loro vennero gli antenati di quelle popolazioni italiche il cui nome ci è noto in epoca storica.

Fra le prime sono da annoverarsi le stirpi latine insediatesi attorno al Tevere, e i loro vicini, i falisci. Esse apparvero intorno al 1000 a.C. non molto dopo che in Grecia rovinava sotto i colpi dei dori il regno di Micene. Al volgere del millennio le seguirono altri gruppi di popolazioni, umbre e sabelliche. Grado a grado esse presero possesso della terra lungo la catena appenninica: a nord sino al Tevere gli umbri, nell'Italia centrale stirpi sabelliche, a sud nelle alte valli dell'Abruzzo oschi e sanniti.

Al loro apparire si mette in moto il pigro fiume degli eventi e ben presto si fanno visibili mutamenti decisivi nei costumi e nel modo di vivere: si sente un più forte bisogno di cultura e di formazione artistica. I primitivi vasi di argilla dove si ponevano le ceneri dei cadaveri cremati, assumono forme più aggraziate. Compaiono grandi urne cinerarie di forma conica ai due lati inferiore e superiore, spesso coperte in cima da una ciotola o dall'elmo di un guerriero caduto. Contemporaneamente fa il suo ingresso in Italia, acquisizione della massima importanza, una nuova età dei metalli con l'impiego del ferro. Essa prese il nome da Villanova, villaggio poco distante da Bologna, dove gli archeologi s'imbatterono per la prima volta in testimonianze della nuova civiltà: una vasta area cimiteriale. Le sue tracce si lasciano quindi seguire sin nel Lazio passando per la Toscana; e se ne incontrano le propaggini ancora più a sud, nella provincia di Salerno.

Le creazioni di questi invasori indoeuropei si dispiegarono al massimo lungo la costa tirrenica, in Toscana. Dovunque, in questo territorio, gli archeologi scoprirono le testimonianze di importanti progressi, tracce di mutamenti decisivi. E venne in luce una quantità stupefacente di ceramiche e di utensili di bronzo, che rivelava la nascita di un nuovo stile artistico: i vasi infatti erano adorni di decorazioni sobriamente geometriche (linee rette o a zig-zag, triangoli e croci uncinate).

Da tempo immemorabile gli abitanti della penisola appenninica avevano condotto una vita instabile, gli allevatori come i pastori e le stesse tribù di agricoltori, fermandosi in un luogo per ripartirne poco dopo. Ora tutto questo ebbe fine: i villanoviani divennero sedentari. E, a partire dal IX secolo, si vedono nel Lazio e in Toscana gli inizi di stanziamenti durevoli. Spuntano colonie, la cui posizione e forma è determinata dalle protezioni naturali del luogo. Altipiani cinti da profondi corsi d'acqua o da ripide gole non scalabili sono i siti prescelti, così come le cime arrotondate di alti monti, o colline di non

Quest'urna cineraria riproduce una capanna circolare tipica degli stanziamenti degli italici indoeuropei. Sopra l'entrata, l'apertura per la canna fumaria. Reperto del IX/VIII secolo a.C.

facile accesso in mezzo a terreni paludosi, com'è il caso del Palatino. Vicino alle dimore dei vivi – gruppi di semplici capanne di paglia e d'argilla – sorgono, crescendo di generazione in generazione, vasti cimiteri. Due sono i tipi di sepoltura: quella a « pozzo », dove sono raccolte in urne le ceneri del morto cremato, e quella a « fossa », dove si seppellivano le salme.

Accanto ai morti si ponevano soprattutto armi: lance dalla punta di bronzo e di ferro, elmi bronzei, lunghe daghe e coltelli o spade di ferro. Le tombe di donne contengono invece monili: fermagli, pettini d'osso e talora d'avorio intagliato e altri gioielli. Vicino al morto si mettevano anche i vasi d'uso quotidiano: pentole – ancora fatte a mano – o recipienti di bronzo. Accanto ai prodotti del lavoro locale si vedono sporadicamente anche oggetti di origine straniera: scarabei e figurine egee, egizie o del vicino Oriente; segno sicuro questo, che le coste italiche erano frequentate già da mercanti di altri paesi, fenici e greci.

Nel Lazio e anche a nord del Tevere, le urne cinerarie erano spesso costruite in forma che riproduceva le dimore dei vivi. « Urne a capanna » vennero in luce numerose sui colli Albani e anche a Roma; insieme alle fondamenta e ai frammenti di parete venuti in luce, esse ci danno un'idea degli insediamenti del tempo. L'abitazione poggiava direttamente sul terreno; la pianta variava da quadrata a rettangolare a circolare. Le pareti erano di graticcio legato con argilla, il tetto coperto di paglia o di canne. Un pilastrino trasportabile per cucinare serviva da focolare e un'apertura triangolare sopra l'entrata forniva l'aerazione. Le pareti esterne erano adorne di motivi geometrici incisi e ripassati in bianco.

« Ai navigatori provenienti da oriente, » dice lo scienziato svedese Axel Boethius, « la terra dei villanoviani (come anche il resto dell'Italia, d'altra parte) dovette sembrare una costa di barbari. Dovunque incontravano ‹selvaggi› – come forse ricorda, nella leggenda, il nome Agrios (selvatico) che Esiodo diede a uno di loro nella sua *Teogonia.* Come Ulisse nell'isola di Circe, anch'essi presero lance e spade, salirono ‹sulla più vicina collina› per esplorare con lo sguardo opera d'uomini o veder fumo levarsi dalla spessa macchia dei boschi.

« Coltivazione dei campi e allevamento sono le principali occupazioni, e si ha l'impressione – come canteranno i poeti del tempo di Augusto, rimpiangendola fra il chiasso assordante della metropoli – di una vita semplice in modeste capanne su colline silenti, vicino a rivi sussurranti tra macchie verdi e fresche, dove sacrificare a divinità senza nome su altari all'aperto.

« Nella Roma imperiale, la capanna di Romolo sul Palatino ricordava quel passato. Dionigi di Alicarnasso la descrive esattamente della stessa forma delle dimore dell'età del ferro, e nota che essa fu ricostruita sempre identica ogni volta che il fuoco la distruggeva. Tutto questo rimanda a uno stadio di civiltà della preistoria stessa di Roma, le cui tracce si possono rinvenire soltanto in epoca villanoviana. »

E tuttavia non v'era da ingannarsi: i nuovi coloni, per umile che possa sembrare la loro vita, non erano semplici allevatori e contadini, ma possedevano alte doti artigianali e mostravano una notevole perizia tecnica nella lavorazione del metallo (utensili d'uso domestico e armi). Corazze di bronzo e scudi rotondi servivano di difesa; un'alta cuspide e un cimiero sventolante ornavano l'elmo.

I villanoviani con tutta probabilità avevano anche imparato a procurarsi nel paese stesso la materia prima necessaria per un così vasto fabbisogno di metallo. Fu un caso se l'agricoltura conobbe il suo più imponente sviluppo proprio nelle località meridionali della Toscana? E soprattutto là dove sarebbe sorta la città-madre dell'Etruria, Tarquinia? Non lontano di qui, a un giorno di marcia, si levano i monti della Tolfa, che celano un tesoro prezioso e ambitissimo per quel tempo: vene metallifere. Ricerche archeologiche condotte in loco non lasciano dubbi: le tracce di una prima attività mineraria risalgono a epoca villanoviana. Si cominciava allora in Italia, anche se su scala ridotta, a estrarre minerali metalliferi.

Eppure, malgrado tutti i mutamenti e progressi penetrati con le nuove popolazioni, il suolo italico continuava a restare senza storia. Era solo un preludio, un primo passo fuori del letargo, fuori dal dormiveglia privo di eventi di un tempo durato troppo a lungo. Occorrevano nuovi, più potenti e vivaci impulsi dall'esterno per strappare la penisola appenninica e i suoi abitanti dalla nebbia dei tempi...

E i tempi erano maturi, la soglia per il balzo nel futuro era toccata. Le nuove forze battevano già alla porta.

II · QUANDO ARRIVARONO GLI ETRUSCHI

Non solo di lingua, anche per modo di vita e costumi differivano gli etruschi da tutti gli altri popoli.

Dionigi di Alicarnasso (I secolo a.C.)

Le scoperte archeologiche confermano in pieno le linee essenziali di questo racconto, anche per ciò che riguarda il suo inquadramento cronologico. L'influenza culturale ed artistica etrusca è evidente nel Lazio già dal VII secolo...

Massimo Pallottinc

EMERGONO TOMBE GRANDIOSE

Col IX secolo siamo ancora nella preistoria: soltanto un secolo dopo scatta la grande molla che porta, simile a uragano tempestoso e vivificante, la storia nel paese. Avviene un mutamento mai visto prima, che coinvolge tutto; vita, costumi e lingua degli abitanti indoeuropei si mutano, e perfino per larghi tratti l'aspetto del paesaggio.

Teatro del potente rivolgimento è quella parte di terra nel cuore dell'Italia che, unica per conformazione del terreno e per rigogliosità, colma di trasognata bellezza e avvolta a un tempo come da un alito di magia, conserva ancora ai giorni nostri il suo carattere: la Toscana. Non chiassoso soggiornar di bagnanti sulle spiagge o caos frettoloso di autocolonne di turisti sull'Aurelia o l'autostrada del Sole, sono riusciti a togliere al paesaggio toscano il suo antichissimo fascino incantatore.

Fra l'Arno, il Tevere e le coste inghirlandate di onde del Tirreno, cinta a potente semiarco dalle alte catene appenniniche, si stende, ampia e mossa da innumeri colline, la piana: la celebre « terra rossa ». Al margine di argentei uliveti scintillanti e di estesi vigneti, crescono mirti selvatici e lentischi, germogliano rigogliosi rosmarino lavanda ed eucalipto, che colmano l'aria dei loro effluvi, mescolando il loro all'odore aspro di pini e cipressi. Fioriscono roselline selvatiche e vistose clematidi, e appaiono in lontananza i tronchi rossicci delle querce da sughero scortecciati di fresco. Ora rosso-fuoco come piena di braci, ora color terra-di-siena riluce la zolla, e splende ogni pezzo di terra dovunque i bulldozer, l'aratro o la vanga la rivoltino. Morbidi e dolci si profilano i contorni di alture e colli, di origine sedimentaria; fiumi e rivi, che portano a valle le loro acque, s'intorbidano di terra e di calcare disciolto.

Più oltre verso sud, in direzione di Roma, a cominciare da Orvieto fin giù nel Lazio, il quadro cambia: rocce di tufo che si ergono, dilavate e solcate profondamente da torrenti selvaggi i quali, per gole simili a canion, serpeggiano sino alla costa. Innumerevoli fonti minerali e terme calde e fredde, che offrono preziose acque da tavola e bagni curativi, confermano la lontana origine geologica. Qui siamo su suolo vulcanico, come ci mostrano anche laghi craterici come il Trasimeno e il lago di Bolsena, e i due minori, il lago di Vico nei Cimini e il lago di Bracciano. Le loro acque riempiono appunto i crateri di vulcani spenti, che dovevano essere ancora in attività al momento dei grandi mutamenti che erano sopravvenuti nel paese.

Dal punto di vista archeologico non ci sono più dubbi sul tempo: le prime testimonianze di una civiltà monumentale appaiono verso il 750 a.C., nel mezzo di insediamenti villanoviani ancora primitivi. La novità è rilevabile anzitutto nel culto dei morti: accanto all'incinerazione prende sempre più piede l'inumazione. A Tarquinia, su ottantatré tombe cinquantotto sono a inumazione. Le tombe – inizialmente coperte solo da lastre di roccia, talora inclinate come a riprodurre il tetto della casa – diventano sepolcri solidamente costruiti. Appaiono le tombe a camera, scavate sotto terra nel duttile tufo e concepite come casa del morto. Un passaggio o una scala consentono l'accesso, in profondità. Più camere mortuarie riunite insieme danno in un vestibolo comune.

Mai il suolo italico o altra terra occidentale aveva visto prima questa forma di sepoltura sotterranea. Ma anch'essa è solo un preludio. Verso il 700 a.C. il quadro muta di nuovo: i sepolcreti assumono dimensioni veramente grandiose, le camere mortuarie scavate nella roccia crescono a grandi sale funerarie.

Sorge una monumentale architettura funeraria. Al centro del territorio delle stirpi indoeuropee a nord del Tevere, in vista delle loro sedi lungo la costa sin verso l'Elba, spuntano come funghi – visibili per largo tratto intorno – monumenti funerari di grandezza e forma tali quali non si conoscono per quel tempo in nessun altro luogo dell'intero Mediterraneo.

Prima isolate, poi a gruppi sorgono in campi cimiteriali primitivi, tipici dell'età del ferro, coi loro antichi e semplici sistemi di sepoltura a fossa; dalle colline di tufo lungo la costa avanzano gradatamente e profondamente nell'entroterra, sino alle pendici appenniniche: imponenti tombe a tumulo a forma di cupola, masse di terra accatastate a montagnola di proporzioni spesso gigantesche.

Queste strutture nuove, simili a strani cippi di confine, apparvero a cavallo tra la preistoria e la storia. E molte, a dispetto di più di due millenni, si conservano ancora, celando nelle loro profondità i vani di pietra destinati all'ultima quiete dei morti. Inquietante il loro aspetto nella celebre necropoli della Banditaccia di Cerveteri; forme colossali create da mano umana, esse si ergono, tumulo dopo tumulo, pari a gobbe di un remotissimo branco di mammuth. « Tumuli », appunto, hanno nome, e hanno un diametro che raggiunge spesso i quaranta metri. Basamenti a tamburo di tufo, adorni di profili, scolpiti nella pietra viva del sottosuolo o formati di blocchi accostati, li cingono; ed erbe germogliano oggi sulle loro cupole, ai piedi di scuri cipressi. Sotto i cumuli di terra, raggiungibili a mezzo d'un

I giganteschi tumuli della « Strada degli Inferi » della necropoli della Banditaccia a Cerveteri, dove per secoli passarono in solenni cortei i pesanti carri funebri. Ogni tumulo, cinto da un tamburo tagliato nel tufo, copre una o più camere mortuarie. Il primo — a destra, in primo piano — ha un diametro di trentun metri, il secondo di quaranta.

passaggio che scende in profondità, giacciono una o più tombe. Vani formati a somiglianza di case, muniti di porte, finestre appena accennate e soffitti a trave, con pilastri e colonne, forniti di seggi a trono e di giacigli per i defunti.

Profondamente incavata nel terreno, quasi traccia imperitura delle ruote di grevi carri funebri, corre fra i tumuli la « strada degli inferi », sulla quale per secoli i defunti furono accompagnati in solenne cerimonia ai loro sepolcri. Vicino alle entrate, giacciono intorno sparse pietre lavorate: casette come simbolo femminile, immagini falliche come simbolo maschile, che indicavano il sesso del morto sepolto in profondo sotto il basamento tufaceo della collina. Un giro per il silenzio di questa insolita, antichissima città di morti è un'esperienza indimenticabile.

Nella tranquilla baia di Porto Baratti vicino a Populonia, in faccia all'isola d'Elba, stanno i resti di altri giganteschi edifici a cupola, anch'essi risalenti al VII secolo. I loro artefici li fabbricarono rotondi, usando solo pietre squadrate, lastre e sassi piatti ben commessi, senza malta come legante.

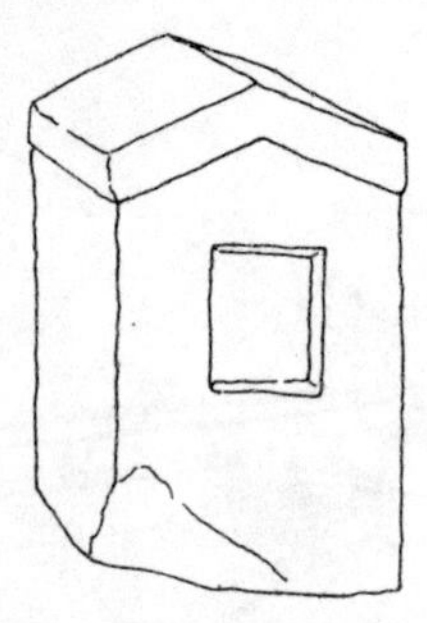

Dinanzi alle sepolture dei loro morti gli etruschi ponevano spesso simboli funerari, a indicare il sesso del morto. Una casetta, come questa di pietra a Cerveteri, simboleggiava il sesso femminile.

Quasi trenta metri misura la circonferenza della costruzione maggiore. Un ampio ambulacro selciato cinge il sepolcro; lastre calcaree sporgenti sopra la parete esterna verticale provvedono allo scolo dell'acqua piovana. Sopra l'intera struttura si inarca, a forma di scudo rotondo, un tumulo di terra, che cela al suo interno un vano quadrato coperto da un'alta cupola di pietre aggettanti.

Il tipo architettonico ricorda i potenti « tholos » della civiltà cretese-minoica sorti nel secondo millennio a.C. nelle terre del Mediterraneo orientale; « la tomba d'Atreo » scoperta da Schliemann vicino a Micene, o anche i nuraghi a tronco di cono della vicina Sardegna.

Sui declivi delle alture attorno a Vetulonia, la città confinante a sud con Populonia (presso l'odierna Grosseto), vennero in luce durante gli scavi del secolo scorso monumenti tombali ancora diversi: gigantesche tombe circolari di pietra. Piantate diritte nel terreno ad ampi anelli, stavano grosse lastre squadrate, e nel mezzo, sotto alti cumuli di terra, stavano un tempo le tombe a fossa. Alcuni di questi circoli di pietre misurano più di cinquanta metri di circonferenza. Complessi tombali analoghi furono scoperti anche nella vicina Marsiliana d'Albegna.

Ampiamente visibili dalla piana nella quale passa, ai piedi di Vetulonia, la via Aurelia, la strada militare romana, giacciono i resti di un'altra opera architettonica gigantesca: quelli della « Tomba della Pietrera », come viene detta popolarmente. Del monumentale edificio, che celava all'interno una volta a cupola sopra una camera quadrata di pietra, non è rimasto che un frammento, poiché per secoli esso venne sfruttato dalla popolazione come cava di pietra a buon mercato. Sopra un basamento rotondo ad altezza d'uomo, di un diametro sui settanta metri, torreggiava un tempo un alto cumulo di terra. (L'esame dei resti ha provato che la tomba fu costruita due volte: la prima volta rovinò subito dopo terminata coprendo le sepolture con le sue macerie; causa del crollo, la fragilità della pietra impiegata per la volta, che cedette sotto il forte peso del tetto; la seconda resistette perfettamente perché i suoi artefici si servirono di materiale più resistente, il « sassofortino » fatto venire di lontano.)

Così nella « Tomba della Pietrera » a Vetulonia, come nei monumenti attorno a Populonia, si riconosce chiaramente lo sforzo di innalzare una cupola. « Nelle tombe di entrambe le necropoli, » secondo l'etruscologo francese Raymond Bloch, « c'imbattiamo in principi costruttivi a noi già noti dal mondo egeo, ma non impiegati dai greci: volte rotonde e cupole. Qui esse sono ancora agli inizi: l'effetto di cupola si otteneva infatti sovrapponendo i blocchi verso l'interno e non con pietre opportunamente sagomate. Presto però si giunse a moduli costruttivi più razionali, e l'ulteriore perfezionamento di tale tecnica divenne determinante per tutta l'architettura italica del futuro. »

La monumentale architettura funeraria sbocciata nel VII secolo era prodotto d'importazione, e si riflettevano in essa influssi di provenienza orientale. Gli imponenti tumuli dell'Italia centrale mostrano una somiglianza sbalorditiva con i vasti campi di tumuli funerari dell'Anatolia, soprattutto quelli presso Gordio e Sardi, le antiche capitali del regno di Frigia e di Lidia.

Ampiamente sparsi per la Toscana e nella parte settentrionale del Lazio, emergono ancor oggi in molti luoghi i tumuli innalzati un tempo dalla mano dell'uomo: a Camucia presso Cortona sul Trasimeno, sulla collina di Doganaccio dinanzi a Tarquinia, sul monte Calvario (con le sue tombe orientate nella direzione dei quattro punti cardinali) nelle vicinanze di Castellina in Chianti. Due giganti di questo tipo, chiamati Cucumella e Cucumelletta, si trovano presso Vulci, sette altri vicino a Veio. Sono gli ultimi rimasti, ormai un misero resto; ma centinaia di essi sono spariti per sempre: rimossi, spianati dalla natura e dall'opera dell'uomo. Tutti testimoniano di un nuovo vivo senso della vita, di una volontà di forma prima ignota, venute a espressione nel VII secolo a.C. a nord del Tevere. Simili a segnali, annunciavano all'Occidente l'inizio di una nuova èra.

NELLA LUSSUOSA TOMBA DELLA PRINCIPESSA LARTHI

Da tempo immemorabile, e troppo a lungo, i singolari cumuli, alti e visibili per ampio tratto all'intorno, avevano attratto ladri di tombe e cercatori di tesori. Troppo appariscente, troppo regolare la loro forma per poter esser prodotto della natura; e chi li vedeva si rendeva conto che non erano opera del caso e che potevano celare preziosi tesori. Così vennero più volte rovistate le loro profondità più nascoste; per secoli vi scavarono galleria dopo galleria, fossa dopo fossa. E così, quando gli studiosi cominciarono a interessarsene seriamente, ne trovarono la più parte spogliate.

Tuttavia, nel secolo scorso, la fortuna insperatamente arrise alla ricerca: si trovarono alcuni tumuli ancora intatti, e si poté giungere a scoperte che svelarono finalmente il loro segreto. Uno scavo soprattutto, uno dei primi, doveva fare epoca: quanto portò alla luce richiamò l'attenzione non solo dei dotti ma del mondo intero.

Nel 1836, due italiani interessati di antichità – il sacerdote Alessandro Regolini e il generale Vincenzo Galassi – decisero di scavare nella necropoli del Sorbo a sud-ovest di Cerveteri. Avevano preso di mira una grande collina coltivata a vite, ma sulle prime restarono delusi: tanti prima di loro avevano già rivoltato quella terra, e con successo! Le cinque tombe in cui si imbatterono erano vuote. I due però, non si lasciarono scoraggiare, e continuarono pazientemente nella ricerca. I loro sforzi dovevano essere premiati come mai avrebbero potuto sognare. Uno scavo proseguito fino a metà dell'imponente gobba terrosa portò un giorno a un altro sepolcro, ancora intatto.

Liberato l'accesso con cautela, Regolini e Galassi scesero pieni di ansiosa speranza e quello che videro li fece restare senza fiato: al pallido lume delle fiaccole brillava loro incontro un mondo fiabesco. La camera principale a forma di corridoio dell'antichissima tomba fatta di pietra robusta era colma degli oggetti più preziosi e dei più superbi monili. Custodiva tesori di impareggiabile ricchezza e lusso. Senza parola stavano gli scavatori in mezzo a una magnificenza che evocava i sepolcri di principi orientali.

Steso su un catafalco di pietra giaceva, nel vano angusto e sovrastato da una copertura a spiovente, lo scheletro ornato di gioielli di una donna. A giudicare dalle preziose gemme e dalla quantità di doni votivi posti accanto alla defunta per l'ultimo riposo, doveva trattarsi di una personalità importante: una principessa o una sacerdotessa. Nella parte anteriore della tomba, a qualche distanza, erano stati posti altri due cadaveri. In una nicchia circondata d'armi, c'era l'urna con le ceneri di un guerriero; su un letto di bronzo, nell'ambulacro, riposavano le ossa di un altro uomo.

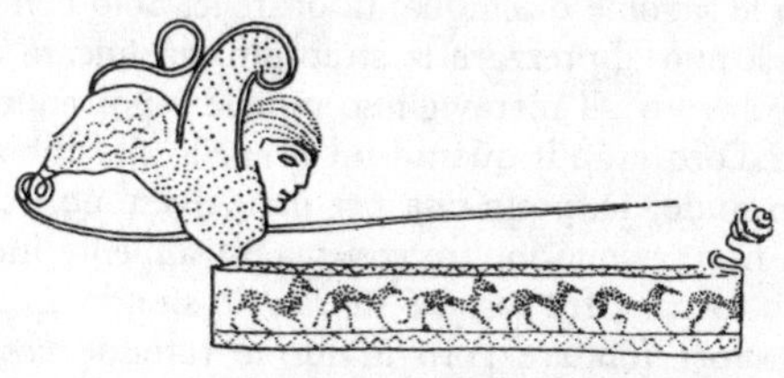

Spilla d'oro per veste, da Vetulonia, con finissima granulazione. A sinistra, una sfinge alata; sotto, cavallini. Reperto del VII secolo a.C.

I due scopritori, profondamente turbati, percorsero più volte accuratamente il lungo corridoio del sepolcro e solo dopo alcuni giorni riuscirono ad avere una visione chiara e precisa in ogni particolare dell'insolita scoperta. Non meno affascinati i visitatori si fermano oggi davanti alle vetrine della sala Regolini-Galassi del Museo gregoriano nel Vaticano dove sono esposti, purtroppo malamente descritti e insufficientemente illuminati, gli straordinari reperti.

Adorna come un'immagine divina, la nobile defunta portava una veste guarnita d'oro; sul seno aveva una grande pietra ovale, un pettorale d'oro. Ornata di delicati motivi di piante e di animali, essa dà l'impressione d'un ricamo prezioso e quasi impalpabile.

Un pettorale del genere era segno della massima dignità: solo gli eletti potevano indossarlo e portarlo in pubblico. Sulla sua origine non vi sono dubbi: l'antichissimo simbolo del rango deriva dall'antico Oriente. Una piastra analoga orna una sfinge alata su una coppa bronzea di Nimrud (Kalach), la capitale assira sul Tigri, e la si ritrova su una statuetta riproducente, in veste sacerdotale, il re assiro Assurnasirpal II. Se ne accenna anche nell'Antico Testamento: il razionale (« hōshen » in ebraico) portato sopra la veste, faceva parte dei paramenti solenni del gran sacerdote. « E fecero il razionale, secondo l'arte e il lavoro della veste, d'oro, di porpora rossa e blu, di scarlatto e di bianco lino torto », si legge nell'Esodo (39, 8), dove Mosè, per ordine di Jahvè, dispone che si appresti l'abito sacerdotale di Aronne.

Una fibula dorata (uno dei pezzi più mirabili dell'oreficeria classica) allacciava il mantello della principessa. Cinque leoni campeggiano in una mezzaluna racchiusi da due corone di fiori di loto stilizzàti e tra loro intrecciati. Assicurate da cerniere, due traverse semitubolari reggono una foglia d'oro; dalla superficie lievemente arcuata si staccano le sagome di cinquanta ocarelle. Solo con la lente d'ingrandimento si può apprezzare la straordinaria finezza e la maestria di questo capolavoro: il meraviglioso monile è poi adorno di lunghe file di palline d'oro grandi quanto un granello di sabbia, quasi invisibili a occhio nudo. Disposte una per una, rivestono i contorni degli animali e dei fiori, e sono inoltre così magistralmente incastonate che non sembrano toccarsi fra loro né sfiorare lo sfondo.

Ora, se il saper fondere l'oro in forme rotonde così infinitesime richiede una profonda scienza metallurgica, abilità suprema e infinita pazienza, saldare una di seguito all'altra queste palline in modo che nell'inevitabile calore della fusione non perdano la forma né il contatto, confina addirittura con la magia.

L'arte della granulazione (così è detto questo modo raffinato di lavorazione dell'oro) è originaria dell'Asia anteriore, dove ha una lunga preistoria. La conoscenza di questa tecnica andò poi perduta; per secoli, in seguito, i massimi maestri dell'oreficeria occidentale si affannarono intorno a ricette e a procedimenti. Ci si provò anche, ma invano, il grande artista fiorentino del XVI secolo, Benvenuto Cellini. Quest'arte restò un segreto. Solo ai nostri giorni è stata raggiunta, a Colonia, una tale finezza e precisione, nei lavori di una maestra di oreficeria: la Treskow.

La principessa portava pure due ampi bracciali, che richiamano i nostri polsini, ornati allo stesso modo. Vi spicca (in oro sbalzato e granulato) dinanzi a un gruppo di palme la « signora degli animali » fra due leoni rampanti. I suoi capelli sono acconciati in boccoli ricadenti sulle spalle, come la dea egizia Hathor. Tre figure femminili plaudenti sono accanto alla divinità.

L'incomparabile tesoro era inoltre costituito di preziose collane (una di grandi perle d'oro inciso, un'altra guarnita d'oro e d'ambra), orecchini, anelli ritorti a spirale, fibbie e spille. Ogni monile aveva la leggerezza di una piuma, tanta era stata l'abilità dell'artefice nel lavorarli e nel tirare l'oro sottile.

Principeschi come i suoi gioielli erano anche tutti gli altri oggetti della nobile defunta: sontuosi, preziosi e di forma sconosciuta a un tempo, avvolti nell'aura di un lontano mondo orientale; e tutto era di uno sfarzo così favoloso, quale mai si era visto in altra tomba italica. Come pareva ora barbarico e primitivo il contenuto delle tombe villanoviane!

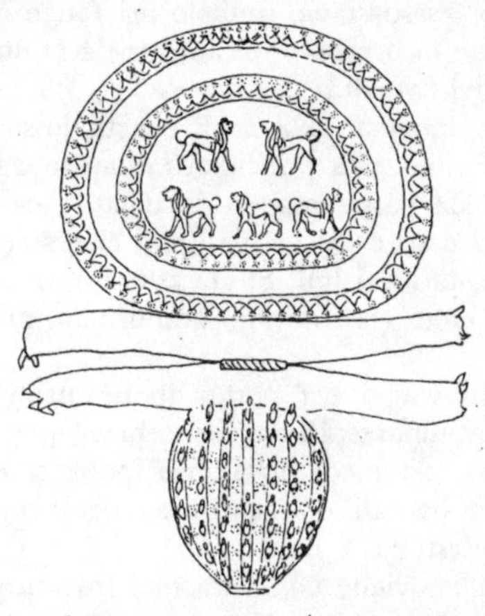

Grande fibula d'oro da Cere, splendido esempio dell'oreficeria etrusca della prima metà del VII secolo a.C. Due cornici di palmette sbalzate cingono cinque leoni. I contorni sono di finissimi granuli d'oro. La stessa tecnica della granulazione, dagli etruschi posseduta con perfetta maestria, si ritrova nella parte inferiore, dove si vedono sei file di felini alati circondati da ocarelle. Dalla ricchissima « Tomba Rigolini-Galassi », dove era sepolta la principessa Larthi.

Tra i beni privati della principessa stava nell'ipogeo un letto di bronzo a graticcio con appoggia-testa e sei piedi. Alle pareti, grandi scudi rotondi dai quali fissavano terribili teste di pantera con le fauci spalancate e gli occhi di smalto. Su alte mensole poggiavano conche di bronzo semisferiche splendidamente lavorate, dalle quali sembravano staccarsi figure fantastiche di animali strani: grifi e draghi dal collo lungo ed erto. E v'era una quantità di smagliante vasellame nerissimo – i celebri bùccheri – coppe, orci, nappi e brocche, ognuno adorno di ogni genere di bestie inquietanti; e tazze superbe sbalzate in argento puro, anfore e ciotole di bronzo finissime, ricoperte d'oro. Tori e leoni alati ornano bacinelle di bronzo, teste di uccello guardano dalle griglie di alari, una grata di fiori di loto stilizzati circonda un carrello bruciaprofumi.

Nella camera tombale erano stati portati anche due veicoli: il carro funebre a quattro ruote servito per il trasporto della defunta, dai sottili e alti cerchioni coperti di borchie e adorni da ambo i lati di un fregio a palmette; e una biga, carro leggero a due ruote tirato da due cavalli, usato nelle festività religiose e anche nei combattimenti. Accanto a questi stava, simbolo del rango e dell'autorità, un trono tutto rivestito di bronzo e riccamente decorato di leoni, di cervi in corsa e di motivi floreali.

Insomma, non uno mancava degli oggetti lussuosi o degli arredi preziosi necessari a una vita principesca altamente raffinata. E c'erano anche oggetti da passatempo o da diletto: oggetti curiosi, detti *còttabi*, muniti di dadi e dischetti rotanti che, secondo Erodoto, sarebbero stati inventati dai lidî. Si era pensato anche al nutrimento: grandi anfore di creta contenevano grano, olio, miele e alcune perfino uova.

Occorsero molti viaggi per portar fuori tutti gli oggetti; e solo quando si poté esaminare più da vicino pezzo per pezzo si giunse a un'ultima sorpresa. Ai piedi della principessa si era rinvenuto un servizio di undici boccali d'argento: su ogni coppa era inciso il nome della nobile estinta, « Larthi ».

Nelle tombe villanoviane non s'era mai trovata una riga di scrittura; gli abitanti indoeuropei del paese erano ancora analfabeti. Nella cerchia di Larthi, invece, l'arte di leggere e scrivere era cosa comune! La sua tomba, come le ricerche stabilirono senza ombra di dubbio, risaliva al VII secolo.

Ciò che venne in luce dagli oscuri corridoi della tomba Regolini-Galassi, destò una sensazione unica. Mai si erano ritrovati in una sola tomba tanti e tali tesori; eppure, tutto quello che si era scavato a Cerveteri non costituiva un caso isolato. Anche altrove, nel cuore d'Italia, la vanga e il piccone portarono alla superficie resti analoghi sempre del VII secolo: monili, suppellettili e utensili, testimoni tutti di un progresso e di una ricchezza straordinari, che nulla più avevano in comune con la scarna semplicità della rozza civiltà precedente.

Anche la tomba aperta a Tarquinia dagli archeologi nell'aprile 1895 era già stata visitata da cercatori di tesori: l'interno era sconvolto e depredato. Tuttavia, anche quello che avevano lasciato testimoniava ancora del fasto con cui il sepolcro era stato un tempo allestito. Anche qui riposava una donna di rango principesco, adorna di un pettorale d'oro. Le sue vesti, il cui tessuto s'era ormai da lungo sfatto, erano state ricamate con scagliette d'oro brillanti, rotonde e quadre. Resti degli ornamenti d'oro giacevano ancora sparpagliati all'intorno: fibbie adorne di minuscoli cavalli montati da scimmiette, cocci di anfore di bronzo coi manici di fior di loto e brocche di forma bizzarra. Una collana era composta di novantun figure di divinità in maiolica egizia verde; e figurine argentate di Bes, dio venerato sul Nilo, riunite insieme, formavano un pendente. Oggetti, tutti, venuti da terre straniere.

Particolare interesse e ammirazione suscitò però un pezzo di importazione, bellissimo: un vaso unguentario di lucente maiolica verdastra. Sulla fascia superiore è raffigurato un sovrano egizio circondato da divinità della terra del Nilo; sotto di lui, in una sequenza colorata, palme, negri in catene e scimmie. L'iscrizione del recipiente doveva fornire agli scienziati un indizio importante per la datazione della camera tombale. Essa recava infatti il nome di un faraone: Bok-en-rauf o Boccori, fondatore della ventiquattresima dinastia, che aveva regnato solo sei anni (dal 734 al 728 a.C.) ed era caduto in battaglia contro gli etìopi. Il vaso, fabbricato mentre era ancor vivo il faraone, era stato posto nella tomba della principessa – come si poté dimostrare – non molto dopo la morte di Boccori: verso il 700, si suppone.

Anche in altre tombe principesche vennero poi in luce oggetti d'oro, d'argento, di bronzo e d'avorio. Ve n'erano nelle tombe Barberini e Bernardini come nella « Tomba del guerriero » a Tarquinia,

Pettine d'avorio. Sull'impugnatura, in alto due leoni, in basso due esseri alati. A destra, collo e testa di un grifone. Trovato a Marsiliana d'Albegna, seconda metà del VII secolo a.C.

negli imponenti tumuli circolari a Vetulonia come a Marsiliana d'Albegna: in tutte, accanto a utensili di produzione locale, monili e oggetti di lusso e d'uso comune provenienti d'oltremare, dai paesi del Mediterraneo orientale e dall'Asia, più precisamente dall'Egitto e dalla Siria, da Cipro, da Rodi e dalla Grecia. Molti avevano dietro di sé viaggi ancora più lunghi: venivano dalla Mesopotamia e da Urartu, vicino al biblico Ararat nell'odierna Armenia.

Un alito d'Oriente spirava allora sul territorio dell'Italia centrale: strutture e motivi, figure e decorazioni. Vennero di moda le raffigurazioni di fiere e di piante esotiche, che non esistevano in Italia o in tutta l'Europa, che mai i loro abitanti avevano visto. Immagini di leoni e di pantere, di leopardi e ghepardi, di struzzi e scimmie, di palme e di fior di loto stilizzati, son le prime in Occidente! Un'affascinante lezione visiva sulla fauna e sulla flora, che per la prima volta metteva sotto gli occhi degli abitanti di queste zone animali e piante di lontane terre straniere. E insieme spuntavano inquietanti figure di bestie partorite dalla fantasia – creature tutte del vicino Oriente: grifoni e draghi, sfingi e chimere, tori alati e leoni dalla testa umana. Un nuovo stimolante libro illustrato – dipinto a vari colori sulle pareti delle tombe e sui vasi di argilla, o fuso in rilievo su conche di metallo – di bestie, piante ed esseri favolosi, quali anche la Bibbia conosce.

Una civiltà progredita, modellata all'orientale, aveva abbracciato ogni campo della vita e cominciava a imprimere il suo sigillo su un intero territorio: destinata a piantare salde radici ed a imporsi indelebilmente per tutti i tempi all'uomo occidentale.

Esseri e animali favolosi sulla parte interna di una porta tombale di tufo inciso. Il rilievo, da Tarquinia, è del principio del VI secolo a.C.

Che cosa fu a provocare questo improvviso slancio, questo inaudito mutamento? Chi furono gli artefici di quei tumuli imponenti? Chi erano i morti ivi sepolti con fasto principesco? Forse schiere di stranieri venuti dal vicino Oriente a impadronirsi della terra e ad assumerne la signoria?

Che cosa abbia portato – a partire dall'VIII secolo – a tali rivoluzionari mutamenti in questa parte d'Italia ancora non lo sappiamo o non riusciamo a spiegarlo. Una cosa sola è certa: il popolo che innalzò i giganteschi tumuli per seppellirvi, in mezzo a favolose ricchezze, i suoi capi, il popolo che diffuse in Italia centrale quella nuova civiltà monumentale dominata da influssi orientali parlava, diversamente dai villanoviani, una lingua non indoeuropea. Contrariamente alle stirpi italiche, latini, oschi e umbri, usava una lingua non imparentata con nessun'altra e restata fino a oggi ignota. I greci li chiamarono Tyrrenòi o Tyrsenòi, i romani Etruschi o Tusci, e loro stessi sembra si denominassero Raséna.

A loro, e non ai greci, riservò il destino la parte più importante, e finora non giustamente valutata, dell'opera: essere i cooperatori del progresso sul suolo italico e quindi della futura ascesa dell'Occidente, i trapiantatori di una civiltà orientale di alto livello tecnico e artistico, i maestri dei romani e i precursori del loro futuro impero.

Essi accesero la luce in « Ereb », la « terra nel buio »!

IL PRIMO MIRACOLO ECONOMICO DELL'OCCIDENTE

« Ora dobbiamo parlare dei Tirreni, i quali furono celebri in antico per il loro valore, s'impadronirono di molti paesi e fondarono molte grandi città, » scriveva lo storico greco vissuto a Roma, Diodoro Siculo, un secolo prima di Cristo.

Sin dal suo primo emergere, il popolo etrusco appare agli occhi del mondo antico una nazione ricca e potente. Esiodo, il più antico poeta greco dopo Omero, è il primo a chiamarli per nome: nella sua Teogonia (composta attorno al 700 a.C.) egli parla infatti degli « incliti tirreni », che abitano « molto lontano... nel grembo delle isole sacre »; e le sue parole rispecchiano chiaramente la stima in cui gli etruschi erano già allora tenuti nell'Ellade.

Anche nelle tradizioni raccolte da scrittori posteriori – Catone, Livio e altri – essi emergono improvvisamente sul suolo italico. Se manca il loro nome, sono però già là come un deus ex machina: forti e temuti, ammirati e calunniati a un tempo.

Solo oggi possiamo apprezzare quanto fondata fosse la fama e la stima di cui l'antichità li faceva oggetto: troppo e troppo a lungo (dal primo medioevo in avanti) il centro della storia fu rappresentato per noi solo dall'Ellade e da Roma. Greci e romani soltanto furono ammirati, lodati e venerati: considerati gli unici grandi costruttori, artefici delle fondamenta dell'Occidente. Monografie, libri di storia e manuali scolastici ne sono pieni; e in tal modo s'è formata e mantenuta sino a oggi un'immagine del passato che, per essere manchevole, risulta anche sbagliata. Poiché in essa l'Etruria è inesistente. Solo all'archeologia dobbiamo una prima fondata conoscenza degli etruschi, capitolo scomparso della storia europea.

Grazie a innumerevoli campagne di scavi iniziate sistematicamente nel secolo scorso, e a un mosaico di innumeri resti e scoperte, s'è potuto formare oggi per la prima volta, a grandi linee, un quadro di questo popolo avvolto in tanti enigmi e segreti. Come assistendo a un documentario, diventiamo, in una carrellata su duemilasettecento anni, testimoni di un evento storico straordinario: l'esperimento

Navicella di bronzo rinvenuta in un tumulo circolare a Vetulonia, VII secolo a.C. I molti animali a bordo parlano chiaramente di un commercio vivace già allora esercitato dalla lucumonìa, che comunicava col mare aperto tramite una laguna costiera.

– riuscito – del trapianto di una civiltà monumentale straniera nell'Europa occidentale.

Fra il Tevere e l'Arno, dal mar Tirreno all'Appennino, ecco a un tratto il paese strappato da un sonno profondo e senza tempo. Per lungo e ampio tratto sono mutate d'aspetto, nei decenni successivi al 700 a.C., le località costiere, quasi l'alito di un grande mago abbia d'improvviso insufflato in questa parte di terra e nei suoi abitanti un vigoroso impulso vitale.

Un paesaggio naturale immobile e men che sfruttato da tempo immemorabile, si trasforma in un paesaggio culturale; dove prima trionfa la natura selvaggia, dove macchie impenetrabili di arbusti e alberi coprivano valli e colline, ecco distendersi campi feraci, piantagioni e giardini. Su un suolo già paludoso, ora asciutto e diboscato, i vomeri scavano i loro solchi; valli prima tranquille e solitarie, risuonano ora di vita e di rumori. Si ode il limpido tinnire di picconi e asce di bronzo: si scavano gallerie nel profondo dei monti, per cavarne metalli. Lunghe colonne di carri portano dalle miniere a valle il prezioso minerale.

Giorno e notte divampano in molti luoghi i fuochi, e i venti trascinano lunghi pennacchi di fumo sopra la terra. Carbonaie bruciano lentamente e innumerevoli forni sono in attività: lavorano il rame e il metallo più ambito a quel tempo: il ferro, e poi ancora il ferro. Visibili per largo tratto sopra il mare, si levano anche sull'isola d'Elba fiamme e fumo della nuova industria. E dinanzi alle coste è tutto un vivace traffico di navi. Da vicino e da lontano attraccano mercanti con le loro navi da carico. Ed è un brulichio attorno alle fonde e nei porti, i cui magazzini sono stivati di merci e di beni importati da tutti i paesi.

Fin dove cade lo sguardo, è tutto un andare e venire. Si è avviato sul suolo europeo il primo miracolo economico degno di questo nome. Le abitazioni sono completamente mutate: un moderno sistema di costruzione ha fatto il suo ingresso, sostituendo con altre le umili dimore precedenti, agglomerati di capanne di paglia e di argilla. Sorgono – condizione prima di ogni civiltà progredita – le prime città, le più settentrionali d'Europa; ma agli uomini abitanti al di là delle Alpi resteranno sconosciute per quasi un millennio ancora, finché i docili scolari degli etruschi, i romani, non vi andranno a costruirle. Ancora ai tempi di Tacito i germani vivevano in villaggi.

La maggior parte delle nuove città sorgeva in vista del mare, pochi chilometri nell'entroterra; e poiché si conoscevano fin troppo bene i pericoli di attacchi pirateschi dal mare, ciascuna veniva costruita su un piccolo altopiano o in cima a un colle, in luoghi insomma dove la natura stessa offriva valide difese come rocce a strapiombo solcate da torrenti. Così mura di mattoni, valli e fossati a fondamenta di pietra venivano edificati solo nei punti più vulnerabili. Le costruzioni murarie di taglia ciclopica, a grandi blocchi di pietra commessi, vennero solo più tardi: per ora non esistono in lungo e in largo nemici tanto temibili da giustificarle. Gli etruschi sono per il momento padroni incontrastati: la loro grande avversaria di domani, Roma, non esiste ancora. Sulle colline che guardano la valle paludosa del Tevere abita ancora in capanne gente sconosciuta.

Un'intera catena di grandi città fortificate domina il panorama costiero. La data di nascita dell'Etruria scoccò là dove giacevano gli « aurei tesori » dell'epoca: i minerali metallici. L'entroterra era ricco di rame e di ferro, nei monti della Tolfa a sud come nei monti Metalliferi più oltre verso nord-ovest; e c'era poi l'isola d'Elba, ricca anch'essa di metallo.

Questi tesori nascosti avevano attirato gli etruschi, che si erano perciò stabiliti nelle vicinanze, gettando le fondamenta delle loro prime comunità cittadine, che ebbero poi nomi famosi, conservati alla posterità spesso solo in latino per il tramite delle cronache di guerra di Roma.

Trenta chilometri a nord della foce del Tevere, su una catena di colli che si stendono dalla costa verso l'interno, fiorisce la ricca metropoli di Cere, la Cisra etrusca, una delle massime città del Mediterraneo. Nei suoi tre porti di Alsium, Punicum e Pyrgi, si svolge un traffico marittimo internazionale. Navi mercantili a vela e a remi di tutto il mondo vi si danno appuntamento: vengono dalla « Terra d'argento » di Tartesso come dall'Africa e dall'Egitto, dalle coste dell'Asia minore come dall'Ellade. Fra le sue mura è un brulicare di mercanti greci, insieme ai fenici e ai cartaginesi.

Poco lontano troneggia alta sul fiume Marta, quaranta chilometri a nord, Tarquinia, la leggendaria città-madre dell'antica Etruria. Questa città è oggi un'attrazione turistica eccezionale: le camere tombali scavate nel tufo della sua necropoli custodiscono le più antiche e più famose pitture parietali del suolo europeo.

Ancora più a nord-ovest si leva, sulle rive della Fiora, Vulci. Solo le rovine e innumerevoli sepolture distrutte vicino all'antichissimo Ponte della Badia ricordano la città, sede un tempo di un'industria del bronzo celebre nel mondo. Quivi nacque Servio Tullio, il secondo re etrusco e grande riformatore sul trono di Roma.

Su un lago interno collegato con il mare aperto sorgeva la potente Vetluna, la Vetulonia romana; e di là dalla Bruna, nascosta fra le colline per largo tratto verso l'interno, la fortezza di Rusellae, l'odierna Roselle. Alle due segue, di faccia all'Elba su un'altura che guarda il mare, Pupluna, nota poi col nome di Populonia. Alla catena delle città costiere si unisce, nella valle del Cecina, Velathri, la Volaterrae romana, oggi Volterra. Chi entri per l'antichissima Porta dell'Arco nella cittadella medievale, troverà i vicoli spolverati di bianco: poiché ancor oggi, come ai tempi degli etruschi, gli artigiani lavorano artisticamente la stessa pietra dalla quale furono un tempo ricavate le superbe urne cinerarie ornate di rilievi: l'alabastro.

Ma anche più nell'interno seguirono nel VII secolo nuove fondazioni: fra le più grandi, a sud-ovest del Trasimeno in Val di Chiana, troviamo Chamars (la moderna Chiusi e la Clusium dei romani), città natale del gran re Porsenna; Volsinii con la sede della futura Lega Sacra sul lago di Bolsena; e a sud del Cremera, affluente del Tevere, Veio. Quindi, alle pendici dell'Appennino, Arretium, Cortuna e Perrusia – le odierne Arezzo, Cortona e Perugia – e, alta sul rosso podio di tufo che sovrasta la valle mediana del Tevere, Orvieto, il cui nome etrusco rimase ignoto.

Per tutto il territorio si stese poi un'intera rete di strade – le prime dell'Europa occidentale – che servirono da modello alle grandi strade militari romane. Si costruirono strade per le processioni dalle porte alle necropoli, e strade di grande comunicazione, che collegavano le città fra loro e con le località portuali della costa. Gli archeologi trovarono ovunque tracce antichissime di selciati costruiti con

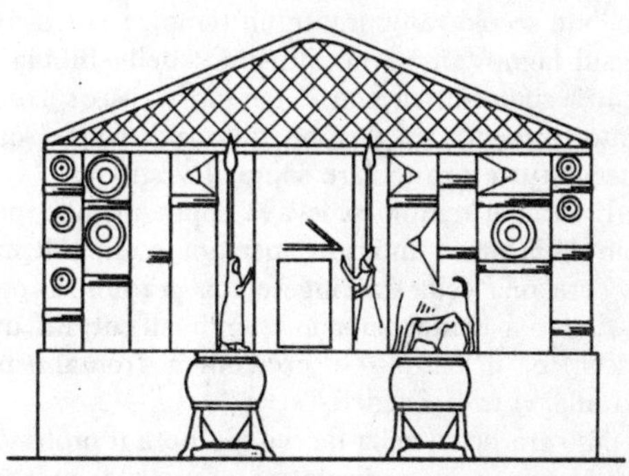

Tempio del regno di Urartu sul biblico Ararat, raffigurato in un rilievo assiro, dell'VIII secolo a.C., da Khorsabad. Col suo alto podio e le quattro colonne sotto il timpano, questo edificio del vicino Oriente appare un predecessore dell'architettura, assolutamente non greca, dei templi dell'Etruria.

la massima cura. Da Tarquinia si dipartiva verso est un'importante strada il cui tracciato fu più tardi seguito dalla celebre Via Claudia romana.

Le fondazioni di città sono però solo il preludio, il punto di partenza della imminente grande espansione. Altre ne seguiranno fin sulle propaggini dell'Appennino e anzitutto lungo l'Arno; quindi, un secolo dopo, ben oltre il nucleo centrale dell'Etruria, nella valle padana e sulla costa dell'Adriatico al nord, in Campania e nel golfo di Salerno al sud. L'Etruria non ha ancora cominciato la sua ascesa a grande potenza; la sua età dell'oro non è ancora nata!

Tre porte immettono in ogni città, fra i cui superbi ornamenti vi saranno in seguito tre edifici sacri: i templi, i primi nel paese. Il tempio etrusco è una creazione a sé. Dà un'impressione di pesantezza e di robustezza, è largo e quasi quadrato. Alla base c'è un motivo religioso spesso consacrato a una triade divina, contiene quindi anche tre nicchie per il culto. Le colonne di tipo dorico, ma con uno zoccolo, orlano sempre e soltanto la fronte. Vitruvio, architetto e ingegnere del tempo di Augusto che poté ancora vedere con i suoi occhi gli edifici sacri degli etruschi, li descrive come « severi e massicci, con un tetto sporgente e un frontone pure aggettante retto da robuste colonne ».

I greci non costruivano così. Non classici, di una maestà arcaica, i templi d'Etruria echeggiano modelli del vicino Oriente. A Khorsabad sull'Eufrate, la metropoli del re assiro Sargon II, venne alla luce un rilievo dell'VIII secolo raffigurante un tempio: si trovava a Urartu – uno stato sul lago Van vicino all'Ararat della Bibbia – e mostra una somiglianza sbalorditiva con il tempio etrusco: costruito su un alto basamento, presenta sul davanti quattro colonne sorreggenti un tetto-frontone piatto e triangolare sopra il vestibolo.

Anche in Etruria il tempio si levava sopra un alto podio, e vi si accedeva, solo dalla parte anteriore, per una scala. Altrimenti che in Grecia, non v'era una cella da cingere con gradini da ogni lato. Architettura e rilievi si conformavano quindi all'entrata unica: simile a un palcoscenico, il tempio si presentava frontalmente in tutto il suo ornato alla vista dei fedeli.

« Tutto il peso era posto nella facciata, » nota il professor Raymond Bloch, « il che porta a un radicale mutamento di prospettiva. L'architetto greco pensava al monumento come a un tutto, quindi non dava particolare risalto a una parte sulle altre; in Etruria, e più tardi a Roma, contano meno la struttura generale e le proporzioni del tempio che non l'effetto prodotto dalla parte frontale sul credente o sullo spettatore. Questo viene a determinare una profonda caratteristica dell'architettura italiana: la tendenza a perseguire un effetto decorativo immediato. »

L'aspetto incredibilmente variopinto e mosso della decorazione – che nulla ha in comune con l'armonia dell'Ellade classica – contribuirà poi a rafforzare l'elemento esotico dell'edificio sacrale etrusco. Statue colorate di divinità a grandezza naturale e rivestimenti in rilievo di terracotta ornano frontone, sommità e cornicione dell'ampio tetto; motivi di loto e di palmette abbelliscono il profilo del tetto; fregi variopinti, sui quali procedono teorie di esseri favolosi, combattono guerrieri o danzano strettamente intrecciati sileni e ninfe, adornano le pareti. Teste di menadi e di meduse, di geni e demoni, guardano dalle antefisse, piccoli e grandi tegoli frontali.

D'uno splendore stridente di rosso, bianco, blu, marrone e violetto, popolano il tempio figure d'una inquietante mitologia, in una vera orgia di forme e di colori, in atteggiamenti minacciosi, gli occhi fissi in un'espressione malvagia, i denti arrotati in una smorfia. Domina qui una fantasia sbrigliata, rivelatrice di una voglia di favoloso che accosta al grottesco il sinistro e il terrificante.

Con il loro santuario gli etruschi hanno offerto un modello a tutta l'Italia: e il primo grande e celeberrimo tempio di Roma – quello di Giove Capitolino – costruito da architetti etruschi, pomposo di colori e preziosamente adorno, avrà appunto tale forma. Più di cinque secoli dopo – tramontata ormai da tempo la potenza gloriosa d'Etruria – gli ultimi resti di questa fastosa e superba architettura sacrale continuano a suscitare ammirazione. « Di terracotta erano infatti le più famose immagini delle divinità, » scrive Plinio il Vecchio, pieno d'entusiasmo, nel I secolo d.C. « Ancor oggi se ne trovano alcune in parecchi luoghi. In Roma stessa e nelle borgate vicine si vedono tuttora sui frontoni dei templi mirabili lavori semidiruti, conservati con più cura dell'oro a causa dell'arte e della loro particolare imponenza. »

Anche gli edifici pubblici e le ville sono, come i templi, affrescati a vari colori e adorni di rilievi e di terrecotte. E anche la loro architettura non è greca: si è diffuso un tipo di casa assolutamente nuovo, la celebre casa ad atrio antenata della casa romana.

Parete posteriore di una camera mortuaria costruita a imitazione della casa ad atrio etrusca nella « Tomba degli scudi e delle sedie » di Cerveteri. Fra le porte che immettono in vani minori, seggi in forma di trono scavati nel tufo, con schienale semicircolare e poggiapiedi. Scudi rotondi sono incisi sopra le sedie. La tomba, coperta da un tumulo, è della prima metà del VI secolo a.C.

Un vestibolo coperto, in cui la luce cade dall'alto e l'acqua piovana si raccoglie in una vasca – l'atrio – accoglie il visitatore. Esso porta alla stanza principale, di faccia all'entrata, dove sta il posto per il fuoco e per l'acqua. Accanto, a destra e a sinistra, si aprono due altri vani. Il tetto a frontone è retto da colonne. « Nelle abitazioni, » scrive degli etruschi Diodoro Siculo al tempo di Augusto, « essi crearono l'atrio per bandire il chiasso dei servi. » Il modulo costruttivo si rifà anche qui, come nel tempio etrusco, a forme architettoniche del vicino Oriente, in Asia minore e in Siria.

La denominazione romana di *atrium tuscanicum* conserva ancora il nome dei suoi creatori; e pure il termine *atrium* è di origine etrusca: significa « cortile » o anche « porto », e si trova in alcuni toponimi. « Hatria », si chiamava una città etrusca alle foci del Po, che diede il nome al mare su cui s'affacciava, l'Adriatico.

Ogni città si regge su un governo monarchico: novità anche questa per l'Europa occidentale. La classe dirigente è costituita da nobili, e la massima autorità politica e religiosa da un re-sacerdote, il quale incarna in sé contemporaneamente il giudice supremo, il capo dell'esercito e il sacerdote. Nel periodo più antico, la carica sembra fosse ereditaria; in seguito troviamo una monarchia annuale, assegnata a un membro delle famiglie più antiche e ragguardevoli, al quale è dato il titolo di *lauchme* (*lucumo* come troviamo nei testi latini).

Un cerimoniale solenne, simbolo della sua altezza e potenza, circonda il sovrano al suo apparire in pubblico come in tutte le sue azioni ufficiali. Gli etruschi, ci informa Diodoro Siculo, « accrebbero la dignità che contrassegnava i loro capi supremi »: recando appunto in Occidente dall'Oriente antico le insegne del potere supremo, che Roma farà proprie e diffonderà in tutta l'Europa: il diadema d'oro e lo scettro, il mantello di porpora – la *Toga palmata* – e il trono d'avorio, *Sella curulis.*

Il calcolo del tempo e il calendario delle feste era regolato in Etruria – come più tardi a Roma – dalle fasi lunari, che stabilivano anche il tempo degli uffici del re; il quale teneva solenne seduta pubblica ogni otto giorni quando cadeva il giorno di mercato, amministrando la giustizia. Simbolo della sua autorità di vita e di morte su tutti i sudditi, era un mazzo di verghe da cui spuntava una scure, i *fasces*, portati da valletti che lo precedevano o lo fiancheggiavano.

La doppia ascia quale simbolo sacrale era già nota ai cretesi: il fascio littorio è invece d'origine etrusca. Gli scrittori romani dell'epoca imperiale, Silio Italico e Floro, gliela attribuiscono con certezza;

il primo anzi assicura che veniva da Vetulonia. I dubbi spesso levati contro la veridicità dell'affermazione furono messi a tacere solo quando riemersero due resti degni di nota, ambedue datati al VII secolo a.C.

Nel 1839, durante gli scavi nella necropoli di Vetulonia, venne alla luce un fascio di verghe di ferro in mezzo al quale spuntava una bipenne. Il caso volle che nello stesso luogo si trovasse la stele funeraria del guerriero etrusco Avle Feluske, il quale stringe appunto

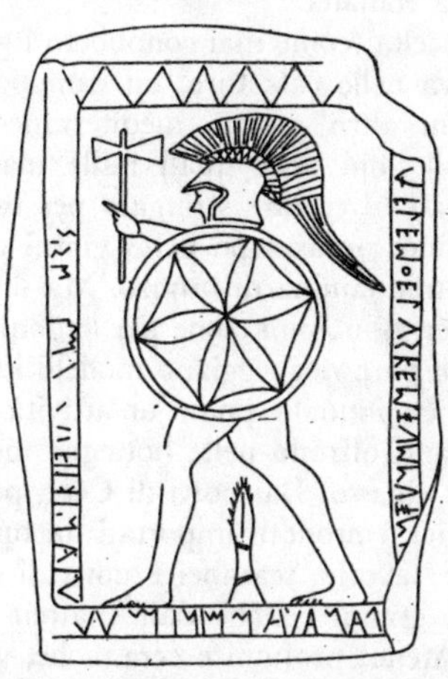

Guerriero etrusco con elmo, scudo e doppia ascia. Il suo nome, come risulta dall'iscrizione, è « Avle Feluske ». La lapide tombale, trovata a Vetulonia, risale al VII secolo a.C.

in mano una doppia ascia. La scure a doppio taglio era dunque a quel tempo un'arma da guerra e, cinta d'un fascio di verghe, oggetto di culto e da parata del re. In seguito, a Roma, che dagli etruschi prese il fascio littorio, essa fu il simbolo dell'*imperium*, cioè del potere politico e religioso.

L'abbigliamento è radicalmente mutato, e si assiste al prevalere di una nuova moda, esotica e variopinta. Le signore di alto casato si vestono ora elegantemente, sfoggiano pettinature accurate e preziosi gioielli. Portano una veste attillata, cinta ai fianchi, i cui lembi toccano terra; e, sopra, un'altra a foggia di mantello lunga sino alle ginocchia. La stoffa di lino finissimo o di bisso di Mileto, la fornitrice del mondo elegante dell'epoca, splende in superba armonia di colori. La veste è spesso doviziosamente ricamata e orlata di bordure o frange. I capelli sono raccolti a crocchia verso la nuca, da cui si dipartono due trecce che scendono davanti sul seno. Una cappa rotonda o a punta, il *tutulus*, copre la testa. Analoghi cappelli predilìgevano le signore ittite nell'Asia minore.

Gli uomini portavano una veste lunga alle ginocchia e stretta in vita, la tunica, e un mantello gettato sopra le spalle, la tebenna. Anche quest'abito tipicamente etrusco diventerà famoso nel mondo, precursore della toga romana.

Vasta gamma di scelta (come mai conobbero i greci, che andavano spesso scalzi) si aveva nelle calzature, un campo nel quale gli etruschi superarono ogni altro popolo mediterraneo. I calzolai della Tuscia offrivano collezioni nelle quali nulla mancava, dai sandali leggeri con liste dorate al calzare stringato per uso quotidiano e festivo. Vi erano persino soprascarpe per i giorni di pioggia, rivestite all'esterno di una sottile lamina di bronzo. Ma il massimo dello *chic* era rappresentato, per gli uomini come per le donne, dalle scarpe con la punta all'insù, che pure riecheggiano modelli ittiti.

Nelle città da poco fondate pulsa un'attività operosa. Strade e piazze, dove i mercanti offrono nelle botteghe merci di ogni provenienza, risuonano di chiasso. Dai porti di Cere, punto di incontro di mercanti greci e fenici, i prodotti importati da tutto il Mediterraneo affluiscono nel paese: avorio, scarabei e uova di struzzo dall'Africa; incenso dall'Arabia; grandi conche dall'Anatolia; olio in anfore di terracotta rossa da Atene; profumi e ceramiche, vasi decorati di fregi animali da Corinto; oggetti d'oro e d'argento a rilievo dalla Fenicia; monili d'oro da Rodi e dall'Oriente.

L'economia locale procede intanto a gonfie vele: nuove località si inseriscono nella produzione avviandosi a soppiantare la precedente economia autarchica e primitiva; numerose imprese artigianali e industriali lavorano per il fabbisogno interno e per l'esportazione.

Nelle officine dei vasai, dotate di fornaci, si fabbrica, oltre a vasi di terracotta di ogni tipo (fra i quali, copie di modelli stranieri), la tipica ceramica etrusca di color nero-brillante: lo splendido bùcchero. Si assumono anche esperti stranieri, soprattutto a Cere. Sotto la direzione di abili vasai greci sorgono le idre ceretane, grandi brocche ornate di fregi animali. A Tarquinia si stabilì Demarato di Corinto, il quale portò probabilmente con sé altri artisti dalla sua patria.

L'austero stile geometrico appartiene ormai al passato: la moda attuale preferisce ornamenti floreali, figure di animali e di esseri fiabeschi dell'Anatolia, della Mesopotamia e dell'Egitto. Come le città ioniche dell'Asia Minore avevano imposto il gusto alla Grecia, così l'Oriente impone motivi e modelli all'Etruria.

Denso fumo esce dalle fonderie che producono recipienti di bronzo e arnesi di ogni genere, dagli specchi ottenuti per fusione ai recipienti e alle scatole cesellati. Argentini risuonano i martelli che battono lamine decorative di bronzo per mobili e carri. Quanto viene prodotto di gioielli nelle botteghe degli orafi – soprattutto nel campo dei monili granulati e filigranati – ha del miracoloso. La bellezza e l'altissimo livello artistico di questi oggetti preziosi, così come degli avori e degli argenti, non ha nulla da invidiare ai lavori del vicino Oriente. L'arte degli orafi era inoltre molto ricercata dai mediconi e dai loro pazienti, poiché gli etruschi erano anche maestri d'odontotecnica. A Vetulonia e altrove si trovarono denti artificiali, apparecchi d'oro per fissare arcate dentarie non salde e dentiere complete.

Al rumore dei traffici operosi si mescolava il suono degli strumenti. Il far musica, infatti, ebbe una parte preponderante nella vita etrusca, come raramente presso altri popoli: si suonava nei giorni di festa e in quelli di lavoro, durante le cerimonie del culto come nelle gare sportive, sul lavoro e perfino alle esecuzioni penali.

Come ci è testimoniato da Diodoro Siculo, gli etruschi inventarono « la tromba da guerra, che è detta ‹tirrenica› »; il suo limpido squillo accompagnava le truppe, ma poteva anche avere un altro, più profondo significato: poiché anche i celesti, si credeva, annunciavano la loro irrevocabile volontà con uno squillo di tromba. Quando fosse risuonato argentino nel cielo, era segno infallibile che si chiudeva un periodo nell'esistenza del popolo etrusco e iniziava un nuovo *Saeculum*.

Due pugilatori combattono accompagnati dal suono del flauto a due canne. Fra loro, il premio per il vincitore. A destra, un guerriero si esibisce nella danza delle armi; a sinistra, un atleta impugna un giavellotto. Affresco nella « Tomba della Scimmia » di Chiusi.

Roma si appropriò anche la tuba etrusca, che divenne uno degli strumenti musicali più importanti in campo militare e accompagnò per secoli le sue spedizioni di conquista. Fra gli strumenti a fiato etruschi ve n'era un altro: un corno corto, leggermente arcuato, una specie di corno da caccia e un altro lungo e ricurvo. Tra quelli a corde troviamo la cetra eptacorde, la lira che suonava già il re Davide; per giuochi e danze v'erano anche i crotali, sorta di nacchere. Ma lo strumento preferito restava il flauto. « I Tirreni, » informa Aristotele, « accompagnano col flauto gli incontri di pugilato, e al suono di esso impastano il pane e castigano gli schiavi... » Gli etruschi ne conoscevano tutte le varietà: dal flauto semplice a quello doppio, fino al clarinetto e all'oboe. Il flauto non è invenzione etrusca, ma proviene dall'Asia Minore, dove da sempre aveva avuto una parte di rilievo: i musici etruschi però ne fecero uno strumento d'inaudita maestria. Il suono del flauto tuscio divenne celebre in tutto il mondo; più tardi i romani chiameranno i *subulones* dall'Etruria ad aprire col flauto i loro riti sacrificali. E anche quando la nazione etrusca era ormai da tempo tramontata, si continuò a subire la magia di questo strumento.

In una notizia del III secolo d.C. così scrive il sofista Eliano nel suo *De natura animalium*:

« Si racconta in Etruria che si catturavano cinghiali e cervi con reti e cani, com'è l'uso venatorio generale; ma con maggior successo quando ci si giovava dell'aiuto della musica. Stese le reti all'intorno

Musico col flauto a doppia canna in un fregio frescato della « Tomba del Triclinio » a Tarquinia.

e disposte tutte le trappole consuete, arriva un esperto flautista che si mette a suonare la musica più carezzevole che il doppio flauto sappia produrre. Gli animali, dapprima spaventati, si lasciano quindi prendere dalla magia irresistibile delle note; e come trascinati dal suono, s'avvicinano sempre più, sino a cadere nei lacci. »

Anche nel sud della penisola, sul tacco e in Sicilia, sorsero città a partire dall'VIII secolo a opera di emigrati greci. « Costoro si stabilirono quasi senza eccezioni lungo la costa, impossessandosi di tanto territorio quanto bastava al loro sostentamento, rivolti piuttosto al mare e ai suoi commerci. Una lega organizzata che li unisse, mancava, » scrive il professor Alfred Heuss, « perché non interessava loro assoggettare l'entroterra. Man mano si espandevano, si limitavano a fondare nuove città gemelle sul tipo di quelle costiere. Generalmente ci si accontentava che gli indigeni non opponessero resistenza, e li si lasciava a se stessi. Ovviamente, quanto più gli indigeni cadevano sotto l'influenza greca, tanto più amichevoli erano i traffici, ma all'inizio i greci non ottennero gran che in questo senso poiché la differenza nelle forme di vita era troppo sensibile. »

Ben diversamente andarono le cose nell'Italia centrale. Qui furono coinvolti territorio e abitanti. Gli etruschi, appena poco più numerosi dei greci, si spinsero dal mare profondamente nell'interno: le popolazioni locali prese nel loro dinamico gioco, cedettero volontariamente alla civiltà straniera, che non restò una semplice vernice, ma ebbe profonda penetrazione. Gli italici impararono infatti dagli etruschi non solo a vivere in città, ma anche a parlare e a scrivere nella loro lingua, partecipando altresì dell'enorme progresso entrato nel paese col loro arrivo. Mentre sul resto della penisola appenninica altre popolazioni e tribù continuarono a condurre per secoli la loro vita primitiva, a nord del Tevere avvenne la grande rivoluzione.

Pianificata e diretta da esperti etruschi, l'Italia centrale si trasformò in un modello di economia agricola avanzata. Mai Roma, che pur andava così orgogliosa della sua agricoltura da celebrarla in canti ancora nel momento della sua massima potenza, riuscì a compiere in questo campo qualcosa di analogo. La messa a coltura dei campi e l'allevamento dei latini indoeuropei erano e rimasero primitivi: nulla di sostanzialmente nuovo essi diedero al mondo.

Quale impulso allo sviluppo economico non portarono invece i nuovi signori nel cuore d'Italia! Essi diedero inizio a un grande esperimento di miglioramento del suolo e di ricupero e sfruttamento di nuovi terreni, quale ai greci non era mai venuto neppure in mente. Sotto di loro, la terra fiorisce rigogliosamente e comincia a produrre feconda frutti in sovrabbondanza, di alto tenore nutritivo e di ogni tipo, dei quali partecipano tutti gli abitanti. Il segreto di tale stupefacente successo stava nella scienza generale e nella capacità degli agronomi etruschi: i quali, dotati di un bagaglio antichissimo di esperienza, furono dei veri « ingegneri della produzione agraria ».

Non c'è tecnica sperimentata dell'Oriente antico, che essi non padroneggino e non impieghino con successo per la prima volta su suolo europeo: hanno a disposizione la millenaria e amplissima scienza agronomica dei popoli dall'Egitto alla Mesopotamia. Conoscono le tecniche di costruzione dei canali e delle dighe, grazie ai quali già i babilonesi avevano irrigato ampi territori e zone desertiche lungo il corso dell'Eufrate, trasformandoli in un fiorente paradiso; conoscono l'antichissima arte del drenaggio, della bonifica e del prosciugamento delle paludi messa a punto dai fenici, come pure quella di una rete idrica sotterranea composta di un sistema di tubi posati nel terreno. E sanno anche scavare tunnel e aprire gallerie nel cuore delle montagne, come già facevano i re biblici nella Terra santa.

Anche quando gli etruschi verranno sottomessi da Roma, i vincitori chiederanno ripetutamente la loro collaborazione di esperti per costruzioni di non facile esecuzione tecnica. Alcune opere della grande ingegneria etrusca del periodo più tardo esistenti ancor oggi suscitano la massima ammirazione. Uno dei progetti più geniali si trova in località Ansedonia. Sull'altura che si affaccia sopra la laguna di Orbetello stanno le rovine della colonia romana di Cosa, fondata nel 273 a.C. Dei grandiosi impianti si conservano i resti di mura ciclopiche costruite da artefici etruschi: ancora oggi si innalzano in alcuni punti fino a dodici metri, fatti di blocchi commessi senza malta, e vi si riconoscono ancora le antiche torri e porte.

Ai piedi del roccione a picco sul mare v'è la famosa « Tagliata etrusca », una rettifica della costa, unica nel suo genere, progettata dalla genialità di ingegneri etruschi.

Un canale di drenaggio porta verso l'interno al vicino lago di Burano, per impedirne l'impaludamento. Poiché però col tempo l'acqua, defluendo, l'avrebbe colmato di sabbia, intasandolo, il canale fu scavato fino alla roccia, che venne perforata, e allo sbocco in mare si tagliò nel pendio una potente barriera protettiva. La raffinatissima geniale soluzione fece sì che l'azione della corrente e controcorrente impedisse gli ingorghi. Ancor oggi, a più di duemila anni, la « Tagliata etrusca » assolve egregiamente allo scopo.

Un altro imponente impianto idrico del genere esisteva, sino a tempi recenti, presso Porto San Clementino, l'antica colonia portuale romana di Graviscae; e consisteva di una volta a botte di grosse pietre che copriva un'idrovia artificiale a dieci metri d'altezza. La costruzione fu purtroppo distrutta durante la seconda guerra mondiale.

Anche l'impianto di drenaggio del lago di Nemi vicino a Roma rivela la mano geniale di esperti etruschi di costruzioni sotterranee. Si era cercato invano, nel passato, di recuperare due navi romane ivi affondate; vi si riuscì solo nel 1928 quando si poté prosciugare il lago facendo defluire l'acqua attraverso l'antico emissario allora riscoperto.

Gli scrittori romani, fra i quali Varrone e Plinio, menzionano ripetutamente l'ottima qualità e la straordinaria abbondanza dei raccolti degli etruschi. « Essi abitano una terra incredibilmente fertile, » nota Diodoro Siculo, « la quale, opportunamente coltivata, fornisce non solo il necessario, ma anche il superfluo per i piaceri e il lusso. » Non una parola però sul fatto che tanta e tale produzione era dovuta alla tecnica agraria etrusca; e ancor oggi non esiste una équipe di scienziati che se ne sia occupata a fondo: solo occasionali appunti marginali.

Pesca e caccia alla selvaggina da penna nell'antica Etruria; un tonno ha abboccato alla lenza e balza dalle onde vicino alla barca. Da uno scoglio, un giovinetto bersaglia uccelli acquatici con una fionda. Sezione di un affresco nella « Tomba della Caccia e della Pesca » a Tarquinia (520 a.C. circa).

« La storia dell'economia della confederazione etrusca, » nota a ragione lo storico M. Rostovtzeff, « è una pagina ancora tutta da scrivere. » « Le poche osservazioni scientifiche che si son fatte sugli impianti etruschi, » dice l'etruscologo tedesco professor Otto-Wilhelm von Vacano, « dimostrano chiaramente che, senza di essi, non sarebbe mai stato possibile un popolamento così esteso della Toscana. »

Vaste distese di terra lungo il corso dei fiumi, in fondovalle e pianure, e soprattutto in vicinanza del mare dove s'erano formate paludi e acquitrini, furono allora prosciugate; zone più interne e pendii montuosi, prima troppo aridi per poterli coltivare, vennero irrigati artificialmente.

« Il problema della bonifica agraria, » scrive Mario Lopes Pegna, « fu affrontato e risolto dagli etruschi con una serie di operazioni tecniche che ancor oggi meravigliano per la loro organicità. Un sistema complesso e ingegnoso di canali, in cui le acque eccessive e stagnanti erano raccolte, si ramificò nell'Etruria e nel Lazio: le acque incanalate erano poi condotte dove potevano venire impiegate nelle colture agricole, ed il supero era indirizzato mediante i grandi collettori al mare... I romani adottarono e perfezionarono la tecnica della raccolta delle acque fluviali e d'evaporazione notturna in Africa settentrionale, ma gli etruschi avevano già scoperta ed applicata la particolare tecnica del *dry farming* (la coltura asciutta americana) nelle terre asciutte della Maremma collinare. »

In Maremma si trovano ancor oggi, benché per lo più in rovina, i resti di impianti per l'utilizzazione dell'acqua piovana. Le abbondanti piogge invernali venivano raccolte e conservate per venir poi convogliate nei campi durante gli asciutti e ardenti mesi estivi al tempo della maturazione della frutta e dei cereali. « ... Gli agricoltori scavavano in adatta località del podere uno o due laghetti artificiali, rivestendone il fondo e le sponde di argilla ben depurata che, impastata con minima quantità di calce spenta, assicurava una quasi perfetta impermeabilità. Previamente inserivano lungo la circonferenza, a varie altezze, alcuni tronchi di tubatura in cotto, onde da questi condotti l'acqua potesse defluire ai vigneti mediante canali di docce fittili. Questo metodo d'irrigazione – che sta adesso tornando in auge in varie località della Toscana – dava eccellenti risultati. »

Resti di costruzioni agricole del VII secolo a.C. vennero in luce in Maremma, in Valdarno e in Val di Chiana: zone tutte che dovevano la fertilità tanto decantata dagli scrittori classici, alle conoscenze di idrologia degli ingegneri agrari etruschi. Su terre strappate a zone incolte e selvagge, e rese fertili, in terreni sottratti alle paludi e irrigati, l'economia agricola, il giardinaggio e l'allevamento del bestiame ricevettero uno straordinario impulso.

Caratteristica della Val di Chiana – solcata da innumerevoli corsi d'acqua artificiali, sotterranei e in superficie – fu la coltura del farro da grano (dal latino « far » viene il vocabolo farina), col quale gli etruschi prima, e i romani poi, facevano il puls, sorta di spessa pappa

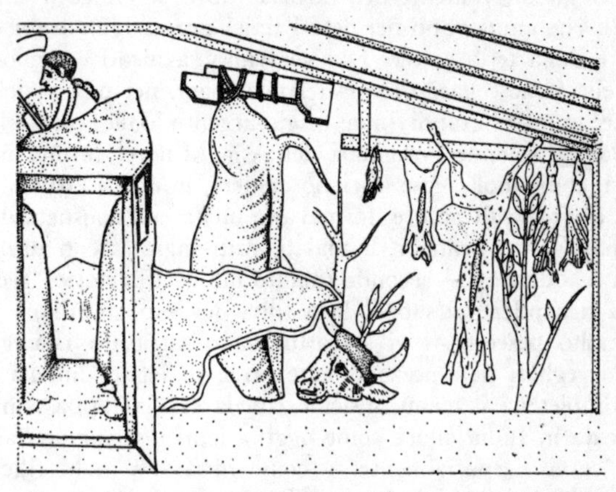

Sguardo nella dispensa della dimora di un etrusco benestante. Appesa alle travi, carne per un banchetto: un bue – la testa, adorna di un rametto fronzuto, è sul pavimento –, quaglie, una lepre, un cerbiatto e due anatre. Questa natura morta così realisticamente ritratta (IV secolo a.C.), quasi un modello per il « Bue squartato » dipinto da Rembrandt duemila anni dopo, fu scoperta nel 1863 nella « Tomba Golini » a Orvieto.

che prelude al nostro pane. Si iniziò anche a piantare miglio, segale, avena ed anche lino, di cui gli etruschi divennero importanti produttori.

Furono quelli i primi albori della viticoltura, per la quale la Toscana va oggi famosa. Semi di vite rinvenuti in tombe nell'area del Chianti mostrano che furono gli etruschi a introdurre in Italia dall'Oriente, e ad acclimatarvela, la vite; di qui i romani, settecentocinquant'anni dopo, la esportarono in Gallia e in Germania. I vitigni etruschi crebbero a volte fino a diventare degli alberelli: a Populonia – secondo quanto informa Plinio – v'era una statua di Giove intagliata in legno di vite.

I raccolti in Etruria erano così abbondanti da permettere l'esportazione non solo di grandi quantità di grani, ma anche di altri prodotti, quali lino, vino e formaggi. Ancora al tempo dei romani il pecorino – formaggio etrusco di latte di pecora – era molto pregiato. Celebre era poi un formaggio prodotto in località Luni, che si segnalava per le sue dimensioni: poteva infatti pesare sino a 327 chili! Onde, come informa Marziale, un solo caseus Lunensis bastava a sfamare circa mille schiavi.

Famosi gli allevamenti dell'Etruria, dove si cresceva una razza di cavalli che emulavano nel pelo i tipici purosangue arabi dai forti garretti e dalla testa sottile. Essi venivano cavalcati o aggiogati alle bighe nelle famose gare di corsa. Ancor oggi, nei pascoli toscani, ci s'imbatte in quei grandi buoi grigio-argento dalle corna lunate e dall'andatura solenne: originari dell'Asia Minore, furono importati anch'essi, come molte cose lasciano credere, in epoca etrusca.

Oltre ai greggi di pecore, formavano una scena consueta della vita di campagna fitti branchi di maiali, fatti ingrassare d'autunno nei querceti e addestrati – secondo quanto informa lo storico greco Polibio – a rispondere al suono della tuba dei loro guardiani. Il mare allora molto pescoso – vi si catturavano anzitutto i pregiatissimi tonni, sorvegliati per mezzo di alte poste di legno dinanzi alle coste – completava il menù, insieme con la caccia (appassionatamente praticata in Italia allora come oggi) a lepri e selvaggina alata, caprioli e cervi, e specialmente – come mostrano molti rilievi – al grosso e robusto cinghiale nero di Tuscia.

In Etruria c'era sempre la tavola imbandita: per quanto riguarda le gioie della gola, ve n'era una tale sovrabbondanza, quale le altre genti della penisola appenninica e del nord delle Alpi manco si sognavano. « Due volte al giorno costumavano di apparecchiare riccamente le mense con tutto il lusso smodato del benessere, » ricorda Diodoro Siculo. Le tecniche che giovavano all'agricoltura riuscirono di vantaggio anche alle città; ognuna possedeva una rete di canali; fontane artificiali e tubazioni di terracotta fornivano agli abitanti acqua dolce. Si scavarono pozzi in profondità per convogliare le acque dei fiumiciattoli fino alla città o per eliminare l'umidità del sottosuolo, facendone defluire l'acqua che ristagnava. Molti di questi impianti idrici, che formano talora un vero labirinto nel sottosuolo, sono sopravvissuti a più di duemilacinquecento anni. Durante scavi e sondaggi del terreno se ne scoprirono dovunque sorgevano un tempo città etrusche.

« Stretti cunicoli quasi ad altezza d'uomo a sezione ogivale, che si intrecciano e si completano a vicenda, e talora si collegano a gradoni mediante pozzi verticali con un sistema sottostante analogo, » scrive von Vacano, « si trovano ancor oggi più o meno coperti o rovinati sotto molti degli antichi insediamenti urbani, spesso ampliati da scavi posteriori (romani, medievali e moderni) e mutati a tal punto da renderne irriconoscibile la forma originaria. »

Mediante reti di tubazioni sotterranee dotate di opportuni accorgimenti tecnici, gli etruschi riuscirono a superare le differenze di livello, così da convogliare le acque agli impianti urbani da notevoli distanze. « A Populonia, » scrive Lopes Pegna, « sull'alto della collina il rifornimento idrico avveniva con questo sistema, di cui io ho ritrovato le tracce. »

Gli impianti idrici etruschi sopportano ogni paragone con i famosi acquedotti romani costruiti, con incredibile dispiego di uomini e materiale, su gigantesche strutture ad arco che suscitano ancor oggi l'ammirazione del mondo. Sono invece rovinati nell'oblio le molto più complicate reti idriche sotterranee che assicuravano alle città l'acqua potabile.

A Viterbo, dove sopra le rovine della località tusca di Surina si leva il duomo di San Lorenzo, il sottosuolo roccioso è attraversato da innumerevoli canali, che servivano un tempo per tener drenato il suolo. La loro disposizione rivela una stupefacente conoscenza della geologia: sotto il terreno agrario v'è infatti una formazione vulcanica; sotto, uno strato profondamente fessurato, sopra il tufo.

« Lo strato profondo viene saturato di umidità grazie al deflusso sotterraneo dei laghi craterici, » nota una descrizione moderna. « Il terreno agrario assorbe tutta l'acqua piovana; entrambi rigettano l'umi-

Scena di banchetto su un cratere. Dinanzi ai clinî su cui giacciono i convitati, i tavolini sui quali viene servito il cibo. Tutti partecipano a un vivace colloquio e brindano alla salute reciproca.

dità superflua nello strato mediano dove, non potendo evaporare, si conserva tutto l'anno. Solo sottraendo acqua allo strato tufaceo assorbente si poteva mantenere asciutta e sana la terra. » Bene: le ricerche hanno dimostrato che gli etruschi avevano scavato i cosiddetti cunicoli proprio in mezzo allo strato tufaceo!

Analoghi canali di scolo, spesso ramificati all'interno delle alture rocciose, furono scoperti in molti altri luoghi: a Chiusi e a Vetulonia, a Bomarzo e a Orbetello, a Blera e a Berda che appartenevano, un tempo, a Tarquinia. La loro esistenza è l'indicazione più sicura che in un dato luogo dovevano esistere città etrusche; e tutti sono opere magistrali, degne della massima ammirazione.

L'iniziativa etrusca attuò per la prima volta in grande stile in un paese dell'Occidente ciò che, per esperienze e tecniche elaborate, era noto fino a quel tempo solo a popoli orientali. Ma la posterità non le rese mai grazie, ignorando la mirabile opera di civilizzazione compiuta dagli etruschi sul suolo italo-europeo immerso ancora in un ambiente preistorico. E si dimenticò egualmente il fatto storico che il modello creato in Etruria divenne lo stimolo di una futura espansione mondiale che tenne, per così dire, a battesimo. Perché, come ricorda giustamente il professor Lopes Pegna, il procedimento razionale di un'agricoltura resa possibile dalla tecnica dell'irrigazione, nella quale gli etruschi furono maestri, gradatamente si diffuse attraverso i romani e i loro successori non solo in tutto il bacino mediterraneo, ma anche nell'Europa continentale fino alle coste del Baltico.

I volumi che trattano in dotta contesa dell'origine o dell'originalità della cultura artistica etrusca, riempiono intere biblioteche: ma dove trovare una sola monografia che esaurisca il problema delle incredibili realizzazioni tecniche di questo popolo? Il tema della quale, poi, dovrebbe essere il seguente: Come si compì in Etruria il primo miracolo economico d'Europa...

LA GRANDE INDUSTRIA DEGLI ETRUSCHI

Porto Baratti è il nome di una piccola baia del Tirreno, sita di faccia all'Elba, a pochi chilometri da Piombino, di dove si spande oggi sull'isola un vivace flusso turistico. Una collina dal profilo che si specchia pittoresco in mare, ospita un minuscolo villaggio abitato solo da poche anime ma dal nome famoso: Populonia. Qui si levava – come i classici spesso riferiscono – Pupluna, l'unica città etrusca costruita direttamente sulla costa. Il suo nome fu ritrovato su monete simbolicamente adorne di tenaglia e martello. Dividendo il destino di tutte le altre città etrusche, era sparita per sempre dalla faccia della terra: le tombe di una vasta necropoli nelle sue vicinanze ne davano, uniche, ancora notizia. Solo in un recente passato doveva venir riscoperto in modo veramente singolare il grande ruolo sostenuto un tempo da Populonia, e al tempo stesso venir ridestato il ricordo di una grande impresa economica dimenticata del popolo etrusco.

Da sempre la macchia ricopriva la piana della baia. Fra il rigoglio degli arbusti selvaggi la terra splende di un color ruggine scuro. Il rosso fuoco dei campi arati di fresco e dei vigneti fa parte del panorama consueto della Toscana: diverso invece quello, più scuro e più bruno, della zona di Populonia. La ragione fu scoperta quando un giorno si esplorò più attentamente il terreno: era ruggine. Dovunque si scavasse intorno alla collina, era pieno di un'enorme quantità di scorie metalliche.

Si sapeva già che a Populonia s'era trattato il ferro in epoca romana. Scrive infatti all'inizio della nostra èra lo storico romano Strabone che aveva visitato il luogo: « Salito sopra la città, potei scorgere in lontananza la Sardegna e la Corsica e, vicinissima, l'isola d'Elba. Vidi anche le officine dove si lavora il ferro trasportato dall'isola. »

Alcuni sondaggi effettuati in profondità portarono a una scoperta stupefacente: le scorie erano raccolte in strati alti quanto una casa, e, come mostravano chiaramente i cocci di ceramica frammisti a essi, dovevano risalire a epoca preromana. L'ipotesi di essere capitati sulle tracce di un centro di produzione etrusco, sarebbe stata confermata alcuni anni più tardi da scoperte uniche nel loro genere.

Scoppiata nel 1914 la prima guerra mondiale, il governo italiano si trovò in un momento critico: mancava il ferro. Un bell'ingegno però indicò la via che, per assurda che potesse sembrare, contribuì notevolmente alla soluzione del problema: lo sfruttamento dei campi di scorie ferrose di Populonia. L'impresa fu un insperato successo. Già al primo scavo ci si rese conto dell'enorme quantità di materiale presente intorno alla collina dell'antica città etrusca; non solo, ma il lavoro valeva bene la spesa, gli antichi residui contenevano fino al 35-40 per cento di ferro!

Così gli scarti che gli impresari della protostoria si erano lasciati alle spalle, servivano ora — caso unico — a un'industria moderna, contribuendo, in momenti critici, a fornire un armamento assolutamente necessario. E quando scoppiarono le grandi battaglie dell'Isonzo nell'autunno 1917, i soldati italiani ebbero a disposizione, fuso in cannoni, granate e pallottole da scagliare sugli austriaci, quel ferro che mani etrusche avevano un tempo strappato alla collina...

L'estrazione del ferro etrusco proseguì anche dopo il 1918. Per decenni – fino ai giorni nostri – le tenaglie di potenti scavatrici penetrarono nei mucchi di scorie; e ancor oggi non se ne vede la fine.

Per gli archeologi, questo lavoro di sgombero portò a una serie di insperate scoperte. La sorpresa raggiunse l'apice quando le scavatrici giunsero in alcuni luoghi a toccare finalmente il terreno, rivelando la presenza di resti di tombe gigantesche, precipitate evidentemente molto tempo addietro sotto l'enorme peso delle scorie. Ma come si era arrivati a tanto? Solo ulteriori ricerche portarono alla soluzione del problema, consentendo di ricostruire il passato:

Attizzatoio adorno di testa leonina, delfino e mano. Bronzo da una tomba di Vulci.

verso il 400 a.C. si era cominciato anche a Populonia – dopo che sull'isola d'Elba – a lavorare il ferro in grandi industrie.

La città si era quindi presto sviluppata in un vero e proprio centro siderurgico! La massa dei detriti continuò ad aumentare nei secoli, finché un giorno raggiunse San Cerbone, l'antichissima necropoli cresciuta ai piedi di Populonia, ricoprendola completamente, e sotterrando così anche una parte dei primissimi capitoli della storia etrusca.

Le offerte funebri trovate nelle camere tombali sepolte – oltre a numerosi oggetti d'uso quotidiano e ad articoli di vestiario, spirali, orecchini, fibbie, anche molti pezzi d'importazione – testimoniano che le tombe risalivano al VII secolo. E un gran numero di altri ritrovamenti dimostra che Populonia era allora il centro di una grande produzione di rame e di bronzo altamente sviluppata. Le sue officine fabbricavano bronzi massicci, in primo luogo mirabili piastre per ornamento e rivestimento. Il possesso e la coltivazione delle miniere di rame dell'Elba e della vicina Campiglia, nell'entroterra, costituirono la premessa dell'ascesa e del benessere di Populonia: il trattamento dei minerali di rame la trasformò dunque in una ricca città industriale.

Nel Mediterraneo orientale si era avuto, un paio di secoli prima, uno sviluppo analogo: quello del regno giudaico di Salomone dopo l'inizio dello sfruttamento delle miniere di rame e la creazione di fonderie. Nel giro di una generazione, lo stato ancora prevalentemente agricolo di re Davide si trasformò in un centro economico di prim'ordine.

Con la produzione del rame era cominciata in Etruria anche quella del ferro. Lo si rileva dalle offerte funerarie delle tombe del VII secolo: ferro si trova nel grande « Tumulo dei Carri » in piastre bronzee di rivestimento di carri da guerra, dove si vedono scene di caccia intarsiate in questo metallo. Ciò dimostra quanto fosse ancora prezioso agli inizi il ferro in Italia, non altrimenti di quanto lo era stato secoli prima nel vicino Oriente.

La storia remota del metallo oggi più comune risale molto addietro nel tempo e resta comunque abbastanza oscura. Solo una cosa si sa di certo: che esso, all'inizio, non fu impiegato per armi o utensili ma esclusivamente per ornamento.

Celebre è divenuto il pugnale di Tut-enk-amon risalente al 1360 a.C., e ritenuto così prezioso dal faraone, che questi volle fosse posto esso solo con poche altre cose nella cassa d'oro più interna. Il grigio metallo era tanto prezioso che i grandi sovrani ne trattavano diffusamente nella loro corrispondenza.

« Veniamo ora al buon ferro a causa del quale mi scrivi, » si legge in una lettera del re ittita Hattusili a un altro potentato, forse un re assiro. « Nella mia tesoreria di Cilicia non c'è del buon ferro. Sono tempi duri per la sua produzione; tuttavia ho disposto che se ne estragga un poco, anche se finora senza risultati. Non appena la mia gente ne avrà prodotto, te ne manderò qualche poco. Per questa volta ti mando una lama di pugnale di ferro. »

Solo al volgere del millennio riuscì alla tecnica la scoperta decisiva, che consisteva nell'elevare di cinquecento gradi la temperatura, base per ogni trattamento dei metalli, del punto di fusione del rame. Per il trattamento si adoperava carbone di legna ottenuto con le carbonaie. Ora finalmente si padroneggiava il grigio metallo: cominciava una nuova epoca.

All'età del bronzo seguiva, come intorno al 700 canta Esiodo, « l'età ferrea ». Ma prima che la nuova scoperta potesse essere di giovamento a tutto il mondo, giunse la travolgente ondata della migrazione egea a interrompere ogni ulteriore progresso.

Sotto i colpi dei « popoli del mare » cadde in Asia Minore il potente regno ittita. I conquistatori conobbero allora il segreto di fabbricazione e da fonte biblica sappiamo che cosa accadde in seguito. Nella piana costiera della terra da loro più tardi denominata Palestina, ai piedi dei monti di Giuda, i filistei installarono un giorno i primi impianti per la lavorazione del ferro, a sud di Gaza. Armati del nuovo metallo, si impadronirono di ampie parti di Giuda; ma già re Davide contestava loro il monopolio del ferro. Gli era riuscito infatti di mettere le mani sulla formula, dai filistei tenuta segretissima, di fusione del ferro, con le conseguenze che si videro ben presto. Israele, anch'esso dotato ora di armi di ferro, respinse in mare gli invasori.

Fino al IX secolo circa, però, non si registrarono ulteriori progressi; dopodiché cominciò, anzitutto in Asia Minore, ad avviarsi una maggior produzione di ferro. Ora finalmente si trattava di mercato mondiale, e il ferro prese a sostituire il bronzo come materia prima. Si procedeva però lentamente, poiché la domanda era enorme e l'offerta non riusciva a tenervi dietro. Il ferro divenne il metallo più pregiato, più prezioso ancora dell'oro. E tale doveva restare ancora per molto tempo, finché, dopo l'800 a.C., iniziò nel mondo dell'antico Oriente un periodo di grandi rivolgimenti politici e di eventi bellici: era cominciata l'ascesa degli assiri a potenza mondiale.

Tiglatpileser III parte alla conquista dei regni orientali: presa Damasco, occupa la Siria e la Giordania; nel 721 cade Samaria, capitale d'Israele. In Anatolia, Sargon II rende vassallo Mida, ultimo re di Frigia. Quasi contemporaneamente anche il regno di Urartu coi suoi ricchi distretti minerari nel Caucaso cade sotto controllo assiro. Sotto Asarhaddon la Fenicia è fatta provincia e viene conquistato il Basso Egitto. Nel 663 Assurbanipal entra in Tebe con le sue vittoriose armate, e un decennio più tardi i suoi guerrieri devastano il regno lidio in Asia Minore.

Verso il 650 a.C., il mondo del vicino Oriente, dall'Asia Minore all'Egitto, è un unico campo di rovine: distrutti giacciono gli antichi stati, e l'Assiria diventa l'unica dominatrice. Da Ninive partono ormai gli ordini che decidono della vita e della morte di tutti gli abitanti del gigantesco impero assiro.

Veniva così interrotto il vivace traffico commerciale e navale con l'Oriente, bloccato era l'afflusso delle merci, sbarrato l'accesso ai distretti minerari dell'Anatolia, fornitori di ferro. Si estese allora la caccia ad altri mercati, a nuove fonti a cui attingere i metalli divenuti indispensabili: fu una ricerca febbrile di luoghi che fornissero rame e ferro.

Suonava la grande ora dell'Etruria. Le circostanze non potevano essere più favorevoli. In Sicilia mancavano i metalli, ma fra Tevere e Arno si levavano monti che celavano in abbondanza nel loro ventre l'ambita materia grezza. I giacimenti di questa terra erano – a parte le miniere sarde – i più importanti di tutta l'area mediterranea. E tutti erano situati in vicinanza della costa, favorendo così al massimo il trasporto per mare.

Il navigatore proveniente da sud li vedeva da lontano: dopo molte miglia di monotona navigazione lungo le basse coste del Lazio, ecco spuntare, subito dopo la foce del Tevere, il caratteristico profilo dei monti della Tolfa, dominati dalla cima selvaggia del monte Le Grazie. Un'altra zona mineraria traversa qui l'entroterra, la più meridionale nella catena dei monti metalliferi d'Etruria e quella di più antico sfruttamento. In essa si trovano pirite, piombo e calcopirite, zinco, antimonio e anche, in minor misura, mercurio.

Dopo poche ore di viaggio ancora, passata la penisola dell'Argentario dalle erte pendici che si protendono in mare, appare l'Elba, dove c'è rame e – come dice ancor oggi il nome di Portoferraio – il ferro. L'isola « in cui ferrigna vena abbonda », come dice Virgilio nell'Eneide, ha di fronte, raggruppati attorno al cono vulcanico dell'Amiata dominante tutto il territorio, i monti Metalliferi, fornitori di rame, ferro, piombo e argento, i quali appartenevano ai signori di Populonia, di Vetulonia e della città a nord nella valle del Cecina, Volterra.

Su questi monti sorsero nel VII secolo a.C. le officine dell'indu-

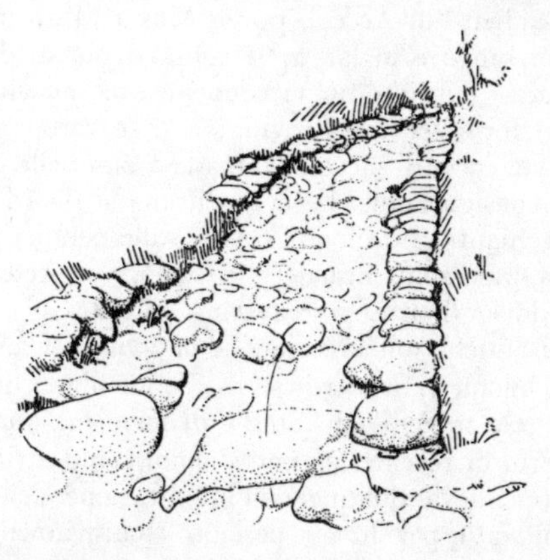

Antica strada ai templi etruschi nei monti della Tolfa, dove si cominciarono a scavare metalli sin dall'epoca più remota.

stria pesante: le prime su suolo italico e, in Occidente, in senso assoluto. Da queste basi partì l'ascesa economica dell'Etruria e delle sue favolose ricchezze.

Ancor oggi ci si imbatte nelle testimonianze antichissime dell'enorme balzo industriale di quell'epoca; dovunque nella regione restano tracce di un'estrazione intensiva e di una febbrile lavorazione dei metalli. Come a Porto Baratti, vi sono ampi mucchi di scorie metallifere anche nell'Elba; se ne trovano a Luni sul Monte Fortino e ricoprono in alti strati il terreno attorno a Pyrgi, l'antico e famoso porto di Cere.

Presso Tolfa e la vicina Allumiere, ricche di ferro, piombo e zinco, gli scienziati si imbatterono nelle antichissime tracce di un'attiva miniera, e scoprirono numerosi pozzi nelle cui vicinanze ancora si ammassavano i resti dei minerali metallici estratti. « Il metodo tirrenico di estrazione del metallo, » scrive la tedesca Sibylle von Cles-Reden, « appare molto irrazionale per il metro odierno. Il livello tecnico del tempo consentiva la sola estrazione del materiale metallifero dei filoni superiori. Dove non arrivava il piccone, poi, si ricorreva al fuoco: la roccia metallifera, portata al massimo calore, veniva innaffiata quindi con acqua fredda, in modo da spezzarla. Ciò nonostante l'industria estrattiva etrusca lavorava su una scala straordinariamente ampia, come dimostrano tuttora i resti di altiforni sparsi ovunque nella regione e le molte gallerie scavate con perizia nei monti della regione costiera toscana. »

Attorno al laghetto di Accesa, presso Massa Marittima, le pendici sono scavate in lungo e in largo: si contano più di duecento pozzi di epoca etrusca. Tutt'intorno vi sono ancora mucchi di resti ferrosi davanti ai forni fusori in rovina; e si trovarono frammenti di picconi e di asce, cocci di piccole lampade a olio nelle gallerie, quando nel 1830 i consiglieri di Massa Marittima si ricordarono dei giacimenti sonnecchianti in profondità. Così sulle pendici traforate dove stava una cattedrale romanica del XII secolo, si ripresero le estrazioni, proprio là dove gli etruschi le avevano iniziate.

Seminata di antiche miniere è anche la zona di Campiglia Marittima, dodici chilometri a nord-est di Populonia. Qui gli etruschi estrassero non solo minerali di rame e di ferro ma anche piombo e, come s'è scoperto di recente, perfino stagno. L'industria metallurgica etrusca non dipendeva dunque dall'importazione del bramato metallo, monopolizzato per lungo periodo esclusivamente dai fenici. Essi possedevano giacimenti di stagno in terra propria, grandi e ricchi quanto bastava per rifornire ampiamente le loro fonderie del bronzo, come mostrano inequivocabilmente le analisi condotte a Campo delle Bucche vicino Campiglia Marittima, a Cento Camerelle, a Cavina e all'Elba, sulle scorie e sui rottami di bronzo.

Fin dopo Volterra si trovano resti di antiche miniere e di impianti per la lavorazione dei minerali: ci s'imbatté in scorie ferrose andate perdute durante i trasporti in carriole e cesti, in barre di rame e in pani di ferro grezzo. Né mancano residui d'argento. Non lontano da Larderello, dove sgorgano dal terreno vapori grigiastri di acido borico, si scoprì presso Gerfalco sul corso superiore del Cecina, un altro importante distretto minerario.

Distrutti o crollati giacciono cunicoli e gallerie scavate un tempo da colonne di operai incontro alle vene metallifere. Presso Campigliese, nella Val di Fucinaia, molte sono le tracce venute in luce nella « Gran Cava » di un'antica estrazione e lavorazione dei metalli: fosse e pozzi aperti, cunicoli collegati l'un l'altro da gallerie; così come le lampade da miniera conservatesi fino ad oggi: lampade di argilla di forma robusta, munite di due buchi per essere appese.

E si trovarono anche file di forni fusori, alcuni così ben conservati da consentirne lo studio della struttura. Essi hanno, per usare le parole dell'etruscologo francese Jacques Heurgon, « la forma di un tronco di cono di circa un metro e ottanta di diametro, sono foderati

Resto di un forno fusorio etrusco per rame dalla Val Temperino. Sopra, una lastra di pietra a colatoio, per assicurare il deflusso del metallo fuso. I filistei biblici usarono anch'essi forni analoghi. Gli impianti per la fusione dei metalli venivano costruiti prevalentemente in località nelle valli in modo da sfruttare come mantici naturali le correnti ascendenti e discendenti.

all'interno di mattoni refrattari e divisi in due camere da una parete orizzontale forata. Questo divisorio era sostenuto da una colonna di porfido. Sotto si trovava un'apertura quadrata per il tiraggio e la regolazione del processo di fusione. La camera superiore veniva riempita di minerale di rame e di carbone di legna; in quella inferiore si accendeva il fuoco. »

Anche la disposizione degli altiforni era ideata con molta genialità: essi venivano costruiti infatti sulle pendici del monte vicino alla miniera, dove i venti ascendenti e discendenti fungevano da mantici naturali. Il processo di fusione richiedeva enormi quantità di carbone di legna: ed ecco intervenire moderne misure di economia forestale. Come dimostrarono le ricerche sui tronchi carbonizzati, recanti anelli ventennali, gli etruschi attuavano un'economia di taglio a rotazione praticando il diboscamento pianificato.

Le miniere di rame di re Salomone in Israele attirano a ragione da anni l'ammirazione e l'interesse di schiere di turisti: quelle etrusche, invece, non meno degne di meraviglia e da annoverarsi fra le più importanti e antiche d'Europa, sono state finora trascurate, anzi addirittura ignorate: nessuno le visita, nessuna guida turistica ne fa cenno.

« L'eccellenza degli etruschi come metallurgi è ben nota, » scrive lo studioso G. Maggi. « L'industria li arricchì prontamente e l'apogeo della loro ricchezza e potenza corrisponde al tempo della maggiore espansione del bronzo ed all'inizio del commercio del ferro che essi diffusero in Europa. »

« Due sono state le direttrici economiche dell'esportazione metallurgica etrusca, » avverte il Lopes Pegna, « il mare e le antiche comunicazioni terrestri attraverso i più agevoli valichi delle Alpi orientali e occidentali. Per via terrestre l'esportazione veniva effettuata dai mercanti etruschi, ma non passò le Alpi anteriormente al VII secolo a.C.; per via marittima essa avveniva a cura diretta dei commercianti fenici — e poi cartaginesi — e greci. »

Gli etruschi raggiunsero la grandezza con costruzioni pacifiche; e con l'impegno di ogni mezzo tecnico e delle arti dell'ingegneria crearono le basi della loro splendida espansione culturale.

Si interessano di economia, di produzione e di commercio fin dal loro primo apparire su suolo italico: non guerre e conquiste, sottomissione e sfruttamento di altri popoli. E questa rimane una caratteristica della loro storia. Dovunque emergono — ben al di là dell'antica terra di origine — prende l'avvio un mirabile progresso. E un gran fascino dovevano emanare, se la popolazione aborigena e ancora primitiva non solo fu mossa a far propri costumi e civiltà etruschi, ma anche a collaborare con gioia alla molteplice opera di una civiltà altamente sviluppata, che gli etruschi, molto ridotti di numero, mai avrebbero potuto attuare da soli.

I SIGNORI DEL MARE

Il mare sta all'inizio della loro storia.

Gli etruschi entrano nella vita d'Italia come popolo di marinai. Dalla Toscana partirono i primi audaci impulsi alla conquista e al dominio delle vie marittime attorno alla penisola appenninica. Già presto dovevano aver allestito una loro flotta mercantile per l'importazione e l'esportazione e aver contato su una forte marina da guerra per la protezione dei porti, delle coste e del loro impero commerciale.

La tradizione pronuncia a più riprese la parola talassocrazia a proposito della signoria marittima dei tirreni. « La potenza degli etruschi, » afferma Livio, « era così grande, che la fama del nome loro empiva non solo la terra, ma anche il mare in tutta l'estensione dell'Italia, dalle Alpi allo stretto di Messina. » Non per nulla il « mare Sardo » fu ribattezzato col nome dei suoi nuovi abitanti rivieraschi. « Anche come potenza marittima erano forti, » notava Diodoro Siculo, « perché dominavano il mare per largo tratto, per cui le acque dinanzi all'Italia ricevettero da loro il nome di mar Tirreno. »

Audaci e temuti marinai appaiono i signori d'Etruria negli scritti dei classici; e li cinge una ghirlanda di leggende, di episodi e di gesta.

Nella leggenda greca sono pirati, i cui audaci colpi di mano in tutta l'area mediterranea erano molto temuti. L'inno omerico a Dioniso ne parla, narrando come un giorno il dio venisse catturato da pirati tirreni e riuscisse a liberarsi solo trasformandoli in una schiera di delfini.

Tirreni, si diceva, erano quelli che avevano trafugato la famosa statua di Era a Samo e partecipato al ratto delle donne di Brauron in Attica. Li si accusava persino di aver conquistato e saccheggiato Atene! A est come a ovest del Mediterraneo dovevano essere una costante minaccia per la navigazione, nel Tirreno come nello Ionio e dinanzi ai lidi della Sicilia. Diodoro Siculo racconta di un'occupazione etrusca della Corsica, Strabone del loro stabilimento in Sardegna, altri autori informano di colonie etrusche nelle Baleari e sulle coste spagnole. Ci è anche giunta – sempre in Diodoro – la narrazione di una presunta lotta fra etruschi e cartaginesi per il possesso di un'isola del lontano Atlantico: si trattava forse di Madera?

Dionigi d'Alicarnasso parla della tecnica di costruzioni navali degli etruschi; e Teofrasto racconta come essi abbattessero nelle foreste alberi tanto alti, che il solo tronco bastava a fabbricare la chiglia di una grande nave. Plinio cita da fonte greca la notizia secondo la quale l'invenzione del pericoloso rostro sarebbe dovuta a un tirreno di Pisa. Nel porto di Rodi si vedevano i rostri di navi tirrene conquistate appesi come trofeo. Anche l'àncora, si diceva, era una loro trovata.

Troppo numerose sono le voci, troppo varie le fonti, per poterli ritenere – come si è troppo preferito in addietro – un puro prodotto della fantasia. Esse contengono un robusto nucleo storico; e numerosi ritrovamenti testimoniano dei viaggi e della perizia nautica etrusca.

Un vaso d'argilla trovato a Cere ci fa testimoni oculari di un'accanita battaglia navale avvenuta all'inizio del VI secolo. Due sono le navi che si fronteggiano: una, lunga e a remi e di equipaggio guerriero, si fa sotto alla nemica, dotata di un rostro lungo e robusto. Sul veliero dall'alta prua, l'equipaggio è pronto all'assalto. Eguale l'armamento delle due parti: elmi con alti cimieri, giavellotti e scudi rotondi; diversi solo i disegni degli scudi. Quelli degli assalitori recano infatti decorazioni geometriche, come ne avevano gli etruschi del primo periodo, quelli degli assaliti teste di toro, cieli stellati e granchi.

Si tratta di una battaglia fra etruschi e greci? Non lo sappia-

Battaglia navale all'epoca della supremazia marittima etrusca. La nave a remi di sinistra è dipinta in forma di mostro marino dagli occhi minacciosi; quella di destra è dotata di rostro, invenzione attribuita nell'antichità agli etruschi. Scena dipinta su un recipiente di terracotta, dalla celebre città marinara di Cere. Inizio del VI secolo a.C.

mo. Entrambi i tipi di nave correvano in quell'epoca il Tirreno e entrambi potrebbero essere stati impiegati dagli etruschi.

A Vetulonia, gli scavi portarono alla luce una navicella di bronzo con animali a bordo. Modelli d'argilla di barche si sono trovati in tombe etrusche, e sulle urne e sulle lapidi immagini del viaggio dei morti sull'acqua; tutti segni che riconducono alla navigazione. La nostra conoscenza, però, è ancora ristretta, perché troppo poco la ricerca ha rivelato sinora. « Uno studio esatto e diligente dei documenti in questo campo, » nota Raymond Bloch, « ci consentirebbe una chiara immagine della tecnica etrusca delle costruzioni navali. Le antiche opere sulla navigazione e la nautica dovrebbero essere integrate con ricerche sulla documentazione figurata greca, etrusca e romana, sfruttando le scene di mare così come le navi in miniatura, e condotte mediante un'esatta analisi dei loro diversi elementi alla luce degli studi più recenti. »

Anche la quantità di merci di importazione ed esportazione induce a postulare un'importantissima marina mercantile etrusca. « Anche indipendentemente dal numero grandissimo, pressocché incalcolabile, di oggetti e di motivi stranieri (orientali, sardi, punici, ellenici) che si sono rinvenuti nei corredi delle tombe etrusche arcaiche, » scrive Massimo Pallottino, « e che denotano un'intensa attività di traffici marittimi diretti, non imputabile soltanto a navi fenicie e greche, reliquie di una diffusione della civiltà etrusca non mancano sulle coste dell'Italia, in Sardegna, in Sicilia, nell'Africa settentrionale, nella Francia meridionale, nella Spagna, come d'altra parte in Grecia, in Asia Minore, a Cipro. Si tratta di vasi di bucchero ma anche di bronzi lavorati e perfino una tavoletta d'avorio con figura di animale recante un'iscrizione etrusca rinvenuta a Cartagine. »

Filo conduttore di tutte le antiche notizie sono l'ammirazione, il rispetto, addirittura il timore inculcato dai navigatori etruschi ai greci: solo esperienze personali e fatti reali molto concreti possono dunque aver determinato una tradizione del genere. Che poi gli etruschi siano così spesso esecrati come pirati, potrebbe rientrare nel capitolo, diciamo, di una ben precisa propaganda economica, della diffamazione di un avversario in una lotta concorrenziale — condotta anche allora certamente con metodi duri — per le materie prime e i mercati.

In epoca arcaica vigeva anche sul mare una situazione di assenza assoluta di leggi; e fare il pirata, razziare il bestiame o saccheggiare insediamenti non aveva nulla di disonorevole. Era il diritto consuetudinario del tempo. L'accusa di pirateria agli etruschi, poi, stava ancor più male sulle labbra dei greci, in quanto si dava il caso che il saggio legislatore Solone rifiutasse di procedere contro i pirati; che Policrate di Samo catturasse le navi straniere, riservando un decimo del bottino ai templi; e che infine vi fossero zone in Grecia ancora verso il 400 a.C. – come attesta Tucidide – dove si praticava la pirateria in lungo e in largo.

Uovo di struzzo decorato. Gli etruschi acquistavano da mercanti fenici e cartaginesi altri prodotti africani, come l'avorio.

Anche i greci dell'Asia minore praticavano la pirateria. Quando gli ioni, rivoltatisi contro il re dei persiani Dario, furono battuti, Dionisio stratega di Focea salpò dalla città con tre navi, come dice Erodoto, « verso la Fenicia, donde, affondate alcune navi mercantili e procuratosi molte ricchezze, navigò alla volta della Sicilia. Di qui si dedicò alla pirateria contro legni cartaginesi e tirreni ».

Si ignora quali battaglie abbiano avuto luogo fra greci e etruschi per il predominio sul mare dalla Sicilia alle coste toscane e per il possesso delle montagne metallifere a nord del Tevere. Un'eco lontana di questo antagonismo ci arriva dalle scarne notizie dei classici, ricordo sbiadito di un capitolo dimenticato dell'accesa guerra economica per le materie prime, i mercati e i monopoli di un remoto passato.

Appunto in epoca antichissima mercanti greci avevano occupato un avamposto molto avanzato nel Tirreno: Ischia, che uomini di Calchide eubea raggiunsero verso il 777 a.C. e chiamarono Pithecusa. Qui essi fondarono una loro base. Ma gli interessi greci miravano al di là del golfo di Salerno, orientandosi verso le zone marine più a settentrione. Ne fanno fede i nomi greci delle isole lungo la costa dell'Etruria: Oxasia (l'odierna Montecristo), Artemisia (Giannutri), Gurgon (la Gorgona), Aigilion megas e Aigilion mikros (Capraia e Giglio); le quali tutte stanno sulla strada dell'Elba, l'isola ricca degli ambiti giacimenti di rame e ferro, da loro chiamata Aithaleia (« L'annerita dal fumo »), per gli oscuri vapori delle carbonaie e degli altiforni che salivano su dalla sua terra.

I greci non riuscirono però mai a prender possesso della preziosa isola: li si tollerava infatti solo come mercanti, come apprezzati mediatori di una fiorente esportazione mondiale. Coste e isole dell'Italia centrale stavano sotto la sicura protezione della flotta etrusca, che nei suoi viaggi si spingeva spesso molto avanti verso sud. Ce ne informa una notizia di Eforo citata da Strabone nella sua *Geografia*. Quando viene a parlare della fondazione delle più antiche città greche sullo stretto di Messina, egli dice che « sorsero quindici generazioni dopo la guerra di Troia. Prima si aveva una tale paura dei pirati etruschi... che mai ci si avventurava da queste parti per commercio ».

Ma tutte le azioni di disturbo furono invano: gli etruschi non riuscirono infatti a impedire ai greci di insediarsi nella Sicilia occidentale e orientale come pure nello stivale italico.

Essi rimasero però padroni a nord della grande isola, da questa parte dello stretto di Messina. Ai greci di Ischia riuscì poi di fondare, verso il 750 a.C., la città di Cuma, che fu e rimase d'altronde il loro avamposto più settentrionale, isolato da tutte le altre colonie sparse molto più a sud. Al di là di questo punto, non andarono mai. In tal modo, lo spazio che s'affaccia al Tirreno era ben delimitato.

Allo stato di guerra sottentrò nel VII secolo un periodo di scambi pacifici. Accanto ai cartaginesi, i greci erano fra i più attivi partner commerciali degli etruschi. Stretti soprattutto furono i rapporti fra l'Etruria e Siracusa, la quale importava da Corinto, il gran porto d'incontro delle città ioniche. Nelle città etrusche, insieme ad artisti e artigiani, si stabilirono mercanti greci: Pyrgi, anzi, ne albergava un'intera colonia.

Il conflitto fra i due popoli era però solo rinviato. Alla fine del VI secolo, l'antagonismo fra greci ed etruschi si riaccende improvvisamente in tutta la sua durezza.

Senza una flotta forte e le sue città fortificate geograficamente e materialmente, la storia dell'Etruria avrebbe avuto un altro corso e la regione sarebbe caduta preda di popoli stranieri di commercianti e degradata a terra coloniale; ma il rispetto che sin dai primi tempi gli etruschi seppero assicurarsi nel Tirreno, e la loro robusta presenza sul mare, contribuirono potentemente alla incomparabile ascesa economica del paese. Un traffico marittimo protetto e indisturbato verso le coste dell'Etruria facilitava quello che le vie di terra, in tale ambiente, mai avrebbero potuto garantire: il trasporto della più preziosa merce d'esportazione, apportatrice di enorme ricchezza: le pesanti barre di rame e di ferro!

NEL CERCHIO DELLA MAGIA

Abbandonate giacciono le necropoli d'Etruria. Tombe innumerevoli, sparse qua e là ampiamente per la terra rossastra dei colli. Scomparse le città e i luoghi dove gli abitanti furono sepolti per l'eterna pace, restano solo le fosse, mute testimoni. A migliaia e migliaia ne albergano ampie pianure, alture solitarie, gole e dirupi di valli silenti fra la macchia; anch'esse però solo un'ultima, frantumata rovina, resti di ciò che l'uomo e la natura hanno da lungo distrutto e reso irriconoscibile. In siti giganteschi, traversati da strade cultuali, dimoravano — nel campo visivo delle abitazioni dei vivi — i defunti. Come lugubri gemelli si stendevano i cimiteri a perdita d'occhio tutt'attorno alle città.

Scoperta di un ipogeo nel 1750. Un sarcofago spezzato e le rovine all'intorno mostrano l'opera distruttiva di precedenti ladri di tombe. Si conservò un affresco raffigurante il viaggio delle anime nell'aldilà. I possenti pilastri adorni di capitelli — scolpiti nel tufo — reggenti un soffitto a cassettoni, ci offrono un'immagine imponente dell'interno dei palazzi della nobiltà etrusca. « Tomba del Cardinale » a Tarquinia, II secolo a.C. Disegno di James Byres.

E crebbero, generazione dopo generazione. Per secoli guadagnarono spazio nel terreno riservato al seme della morte, finché superarono per estensione quello delle città. Il territorio dell'antica Cere misurava centosettanta ettari: il cumulo delle sue innumerevoli tombe grandi e piccole arrivò un giorno a una superficie più che doppia, quasi trecentocinquanta ettari. Dalla piana costiera ai monti era un'unica città silente. Quale altro popolo ha mai curato tanto i propri morti, edificando loro cimiteri poderosi, di pietra e di roccia?

Indisturbate in una pace muta, le necropoli restarono per lungo tempo un mondo a parte, senza equivalente in Europa: erano terra sacra di cui nessuno osava turbare la quiete. Solo dopo il tramonto degli etruschi e lo spegnersi della loro storia, cominciò l'oltraggio. Le immense ricchezze che custodivano – ornamenti d'oro e d'argento in quantità, utensili di bronzo e d'avorio, splendidi vasi, le famose ceramiche attiche a figure nere e rosse – divennero meta dei cercatori di tesori e dei ladri di tombe: segretamente e ufficialmente.

Già i romani dell'epoca imperiale furono presi dalla mania di collezionare oggetti preziosi etruschi, e non erano soltanto i bronzi a interessarli. I posteri si diedero senza scrupoli a imitarli: per un millennio e mezzo, a partire dalle invasioni barbariche fino ai giorni nostri. Non fu forse Teodorico il Grande a dare il segnale della spoliazione?

Le disposizioni del re ostrogoto ci sono conservate da un documento: « È conforme all'uso tradizionale e consuetudinario di riportare all'utilizzazione umana i tesori che giacciono celati sottoterra, e di non lasciare ai morti ciò che può ancora servire ai vivi. Poiché ciò che è sepolto... non porta guadagno in nessun modo. Onde noi ti ordiniamo di iniziare le ricerche di oro e di argento, dovunque secondo il nostro decreto ne sia data pubblica notizia, affinché senza indugio siano riportati alla luce del sole. Rispettare devi solo ciò che serve ai morti: le ceneri custodite dai mausolei e le colonne e i marmi che ornano le loro tombe. I tesori invece che in queste riposano, sottostanno al governo dei vivi. È cosa non disdicevole sottrarre l'oro alle tombe in cui non vi sia più alcun padrone. »

Vuoti, le murature rotte, rovistati e da tempo spogliati, giacciono oggi i sepolcri: solo un'infima parte di ciò che custodivano si è conservata, in cocci rappezzati, dietro le vetrine dei musei e delle collezioni private, sparsa per tutto il mondo. Solo raramente, ormai, gli archeologi si imbattono in una camera tombale intatta e mai visitata. Ma pur sempre spira sulle vaste necropoli l'alito di un mondo estraneo e inquietante, e le oscure fosse e camere seguitano a custodire il mistero di una remota epoca arcaica.

In nessun altro luogo si addensa così opprimente l'esotico, l'enigmatico del popolo etrusco, in nessun altro luogo ci accostiamo di più alla sua anima, al suo pensiero e ai suoi sentimenti, come nelle necropoli, le ultime potenti testimonianze di un mondo intessuto di mistero, nel cui cerchio magico ruotava tutta la sua esistenza.

Una coppia di danzatori fissata in una danza frenetica e selvaggia nell'affresco della « Tomba della Leonessa » a Tarquinia. Il danzatore con la brocca è nudo, il corpo dipinto di rosso vivo; la danzatrice, coperta solo d'una tunica trasparente, batte il tempo con le castagnette che tiene in mano. (520 a.C. circa).

Un popolo, scrive Livio, che come nessun altro si dedica alle pratiche religiose, che si distingue nella capacità di coltivare. Tutti i classici ne parlano come di un popolo profondamente credente, e quello che gli etruschi ci hanno lasciato conferma tale impressione. Innumerevoli resti lasciano immaginare quanto radicata nel culto e nei riti fosse la loro vita.

Ne fanno fede varie scene su specchi bronzei come su rilievi di pietra o d'argilla, su monumenti tombali come su gemme e vasi. Dei e semidei li popolano, demoni e geni, figure alate che ricordano angeli ed esseri favolosi simili a diavoli, e animali esotici. E tutti sembrano onnipresenti, in casa come nella natura, sul lavoro come durante feste e giochi, nella vita e nella morte. Qualunque cosa accadesse, qualunque azione gli uomini compissero, stava tutto nella magia e nel ritmo della loro fede. E si riflette persino nella danza in onore degli estinti.

« Frammenti di festini, membra che ballano senza danzatori, uccelli che volano nel nulla, leoni le cui avide teste sono divorate via! », così si esprime D.H. Lawrence dinanzi agli affreschi semidistrutti delle camere tombali di Tarquinia. « Solo un luogo è sereno e pieno di danze: dove vivono beate le anime dei defunti. I morti venivano onorati con vino, il suono dei flauti invitava alla danza e le membra fremevano... Come dice un antico scrittore pagano: ‹Perché non vi dev'esser alcuna parte di noi o della nostra vita, che non senta la religione: e che all'anima non manchi il canto né alle ginocchia e al cuore i salti e i balzi, poiché essi tutti conoscono gli dei.› Nelle danze etrusche questa gioiosa letizia è ben visibile: gli dèi sono fin nella punta delle dita. I mirabili frammenti di membra e corpi che danzano sui prati del nulla, conoscono pur sempre gli dei, e ce lo rendono manifesto. »

Ultimo rappresentante di un mondo dalle radici ancora profondamente arcaiche, emerge sul suolo d'Europa il popolo etrusco, poliedrico e altamente dotato, carico di una vitalità inaudita, pionieristico nel suo operare terreno e nelle sue gesta, con le quali strappa alla preistoria un intero paese con i suoi abitanti; e al tempo stesso ancora irretito nelle magiche rappresentazioni di una fede antichissima, di una religione che pervade ogni manifestazione dell'esistenza, le cui fonti rimontano a un remoto e nebuloso passato. A queste gli etruschi restarono incatenati per sempre: religione e fede determinano la loro cultura e la loro scienza, accompagnandone tutta la storia. E diventeranno infine il loro fato, che inevitabilmente e inesorabilmente li porta alla rovina.

Sparita come le città e i porti, distrutta come la maggior parte delle necropoli è anche la loro letteratura religiosa, con la quale si è persa anche la conoscenza dell'origine e del senso di molti culti e riti, dagli etruschi lasciati in eredità per lunghi secoli e sopravvissuti, alcuni almeno fino al nostro tempo. « Per i romani di età imperiale le tradizioni etrusche hanno un'importanza grandissima, » nota il Pallottino, « non soltanto perché l'Etruria è la prima e la massima definitrice di quelle forme religiose italiche nell'ambito delle quali fin dall'inizio si sviluppa la religione romana, ma anche perché dell'eredità storica della civiltà etrusca la religione è l'aspetto accolto da Roma con minori riserve e che più solidamente resiste di fronte alla travolgente marea degli influssi culturali ellenici. »

E aggiunge Sibylle von Cles-Reden: « Il significato della religione etrusca per la struttura spirituale dello stato romano e per la formazione della visione romana del mondo, e la sua influenza su tutta l'Italia che manda radici profonde fin nel medioevo, ancora oggi sono troppo poco studiate. È certo però che Tarquinia, centro della vita spirituale etrusca, fu il punto di irradiazione di forze spirituali che influirono in modo decisivo sullo sviluppo dell'Italia e quindi dell'Occidente. »

Avare tuttavia sono le fonti a cui attinge la nostra conoscenza. Scritti religiosi etruschi erano ancora noti in epoca romana, in traduzione latina. Quando, nel 63 a.C., il fulmine colse la famosa lupa di bronzo – opera etrusca – ancor oggi conservata in Campidoglio, Cicerone notò: « Chi di tutti coloro che a questo evento consultarono le opere e i documenti degli esperti, non trasse dagli scritti degli etruschi catastrofici vaticini? »

E non si adoperò l'imperatore Claudio (autore egli stesso di una storia etrusca in venti libri) personalmente a che « la più antica dottrina d'Italia » non andasse perduta? In un frammento dell'opera dove è questione dei collegi sacerdotali etruschi – siamo nel 47 d. C. – egli motivava questo suo proposito, ridestando il ricordo dei tempi in cui « i capi etruschi, per loro o per decreto del senato, conservavano e curavano tale dottrina nelle famiglie ».

Quello che esisteva ancora in epoca imperiale, è scomparso: non un documento, non un originale etrusco né una traduzione latina s'è conservato. Fu un caso, o non si deve piuttosto sospettare qui l'annientamento sistematico e cosciente di un'eredità d'epoca « pagana » giudicata pericolosa? Poiché, con l'avanzare del cristianesimo, cominciò una lotta spietata alle religioni e ai culti antichissimi, seguiti sin qui da tutti i popoli; e l'Etruria era giudicata nell'Apologia del cristianesimo di Arnobio (295 c.) – la religione cristiana divenne religione di stato ancora prima di Costantino – « creatrice e madre della superstizione ».

Ciò che sappiamo della religione etrusca somiglia a un mosaico distrutto. Come l'ebraica e la cristiana, fu anch'essa religione rivelata. Narra il mito che un giorno accadde in un campo vicino al fiume Marta, in Etruria, un evento insolito: da un solco aperto di fresco dall'aratro balzò un essere divino, « fanciullo d'aspetto, vecchio per saggezza ». Alle grida del contadino atterrito, accorsero i lucumoni, i re-sacerdoti etruschi; ai quali il fanciullo-vecchio cantò la sacra dottrina, che essi, dopo averla ascoltata con devozione, seguirono. Ciò che udirono, i lucumoni l'annotarono per tramandarlo ai posteri come il più prezioso degli averi.

Immediatamente dopo la rivelazione, però, l'essere miracoloso (che portava il nome di Tages, Tagete, ed era figlio del genio e nipote della somma divinità, Tinia), ricadde morto nei solchi del campo arato.

Il contadino cui era apparso dalla zolla il genio figlio della terra, arò con un aratro tirato da una coppia di buoi il campo su cui sorse la prima città etrusca. Egli si chiamava Tarchon, e già in antico ci si sussurrava il suo nome all'orecchio come quello del fondatore della città di Tarquinia, da lui così chiamata; il quale valse al tempo stesso come padre fondatore di tutte le città-stato etrusche che, riunite in seguito in leghe di dodici, si tenevano fedeli alla sacra dottrina rivelata da Tagete: la « Disciplina etrusca ». Era questa una raccolta di scritti sacri, quali ne conobbero gli antichi popoli orientali: meno la Grecia, che non possedette mai nulla di simile.

Fra i resti venuti in luce dalle tombe di Tarquinia nel secolo scorso, gli archeologi scoprirono pietre tagliate, gemme cioè, che per la prima volta gettavano una luce concreta su quella antichissima tradizione. Alcune scene si riferivano appunto al mito di Tagete: vi si riconosce chiaramente una testa umana emergente dalla terra, attorno alla quale stanno raggruppati, reverenti e con tavolette per scrivere in mano, sacerdoti e contadini. È altresì possibile che alcune di queste gemme, ridotte in forma di anello, fossero portate da quei sacerdoti che appartennero all'Ordine Tarquinate dei Sessanta arùspici testimoniato in epoca più tarda.

Un altro reperto ancora doveva testimoniare quanto profondamente radicato fosse negli etruschi il ricordo di quel mitico evento e quale significato unificante essi vi annettessero. Dalle acque del Marta si poté recuperare verso la fine del secolo passato, non molto lontano da Tarquinia presso la cittadina di Tuscania – località un tempo etrusca –, un superbo specchio di bronzo. Il disegno che v'è inciso ci fa testimoni oculari, dopo più di duemila anni, di uno dei più misteriosi riti etruschi: la cerimonia del vaticinio ottenuto con l'esame del fegato.

Il corpo leggermente chino in avanti, il giovinetto è immerso nell'esame del fegato di una pecora sacrificata, che tiene nella mano sinistra palpandolo. Il suo abbigliamento lo rivela arùspice – che in etrusco indicava il sacerdote incaricato dell'esame del fegato –, sopra una veste a maniche corte e chiusa al collo, egli ne porta un'altra a pieghe, lunga sin oltre le ginocchia. Sulla chioma a boccoli troneggia il tipico copricapo sacerdotale etrusco, un cono a punta. Un vecchio con la barba accanto a lui, appoggiato a un bordone, indossa lo stesso abbigliamento sacerdotale: il copricapo, affrancato al collo con nastri, è rigettato sulla nuca. Appoggiata a una lunga lancia, il mantello scivolato all'indietro, sta sulla destra una figura che campeggia su tutte le altre, attenta all'auspicio.

Sul bordo dello specchio si trovano scritte etrusche incise. Quando gli studiosi le trascrissero, restarono sorpresi: sopra il giovane arùspice sta scritto Pava Tarchies, forma etrusca per Tagete; il collega alla sua destra è detto invece Tarchunus, Tarchon dunque, e l'uomo con la lancia incarna Velthune, come Tinia, il dio supremo etru-

Specchio di bronzo — verso — con Pava Tarchies, Tagete, che insegna all'eroe Tarchunus, Tarchon, l'aruspicina. Da Tuscania, III secolo a.C.

sco, veniva chiamato e venerato nel territorio di Volsinii. Nel santuario ivi esistente, il Fanum Voltumnae, dove gli etruschi si raccoglievano annualmente in gran festa solenne, il dio era adorato appunto come nume tutelare della Lega delle dodici città.

La scena e il testo dello specchio bronzeo di Tuscania (opera di un artista del III secolo a.C.) rivelano la stretta connessione di Tarchon, il leggendario fondatore di Tarquinia, col dio della lega sacra, e il significato unificante della dottrina tagetica, originaria di Tarquinia, nella vita del popolo etrusco.

La leggenda di Tarchon riguardante la prima fondazione e il predominio della città che ripete il suo nome, trovò una conferma archeologica. Come asserisce anche l'etruscologa italiana Luisa Banti, Tarquinia è una delle più antiche località etrusche, se non addirittura la più antica. Qui, dove troviamo il massimo talento nella lavorazione dei metalli, assistiamo al massimo dispiegamento di ricchezza verso la prima metà del VII secolo.

I vicini monti della Tolfa conservano le più antiche tracce di attività mineraria in Etruria.

Nessuno è in grado di dire cosa fosse nei particolari questa dottrina tagetica, i cui vaticini riempivano gran parte dei libri sacri. Quanto si legge presso gli autori greci e latini permette di concludere solo che la disciplina sacra, chiamata dai romani *etrusca disciplina*, comprendeva leggi sacrali, prescrizioni e regole sulle quali si fondava intera, come raramente presso altri popoli, la vita degli etruschi; e comprendeva al tempo stesso anche il loro destino come nazione sulla terra, determinandolo e condizionandolo.

Nella disciplina si specchia anche un sentimento di stretto legame col cosmo, la fede del popolo etrusco in un profondo intrecciarsi di tutti gli elementi: in una unità mistica, dove appaiono insieme connessi, inseparabilmente, il mondo celeste, terreno e infero. Tutto sulla terra, l'esistenza del singolo come quella della nazione, è immerso nell'implacabile e immutabile ritmo della creazione: nulla è lasciato al caso. Ogni evento è già stabilito in anticipo: inerme è l'uomo come il suo popolo dinanzi alle divinità, e inevitabilmente soggetto alla volontà di potenze imperscrutabili.

I greci non conobbero mai nulla di simile: neppure se si consideri la loro Mòira, l'angosciosa potenza del fato. Già l'Io stesso dell'uomo sembra essersi arreso, rassegnato, al cospetto del divino, a vedere la sua unica speranza nella fede in una magica efficacia del rito.

Una fitta rete di prescrizioni e di norme regolava al minimo dettaglio ogni impulso ed espressione vitale, determinando minuziosamente ogni azione, privata come pubblica. Tutto sembrava, angosciosamente, inteso a questa sola preoccupazione: scrutare la volontà dei celesti manifestantesi per segni, al fine di volgerla in proprio favore, con ogni mezzo immaginabile e di stornare tutto il male, e ogni minaccia e pericolo. La volontà e l'agire non erano mai liberi, perché ad ogni passo si levava esigente la legge sacrale, la cui costante presenza gravò sempre sullo spirito e sull'animo etrusco. In tutte queste concezioni e queste pratiche, come in generale nelle manifestazioni rituali etrusche, ritiene Pallottino, si ha l'impressione di un abbandono, « un senso di annullamento della personalità umana dinanzi al valore del divino... ».

La disciplina etrusca conosceva probabilmente tre tipi di libri sul destino: i *libri haruspicini*, che trattavano del vaticinio mediante l'esame del fegato delle vittime sacrificali; i *libri fulgurales*, che si occupavano dell'interpretazione dei fulmini; e i *libri rituales*, che abbracciavano un campo vasto e molteplice, comprendendo leggi cultuali, prescrizioni per la fondazione di città – secondo enumera Festo – consacrazione dei luoghi sacrificali e dei templi, e inviolabilità dei recinti. Inoltre leggi sopra le porte cittadine, la divisione in tribù, curie e centurie; la composizione e l'organizzazione dell'esercito e tutto quanto riguarda la pace e la guerra.

Dei libri rituali facevano inoltre parte anche i *libri fatales*, sulla divisione del tempo e la durata della vita degli uomini e dei popoli; i *libri acherontici*, sul mondo dell'aldilà e i riti della salvazione; e infine regole delucidatorie di miracoli e simboli, *ostentaria*, che stabilivano le penitenze da affrontare per stornare un malanno e propiziarsi le divinità.

Una dottrina tanto varia e onnicomprensiva abbisognava di uno studio lungo e severo. Sorsero così scuole particolari (fra le quali si distinse per fama sin dall'inizio quella di Tarquinia), che provvedevano a questo tipo di cultura specializzata. Erano ben più che seminari per sacerdoti in senso moderno: dato il complesso dei loro compiti erano per così dire delle università con le loro varie facoltà. Accanto alle leggi religiose – alla teologia, cioè – il piano di studi comprendeva anche la mediazione di un sapere immenso e profondo indispensabile all'ufficio sacerdotale, che andava dall'astronomia e meteorologia alla zoologia e alla botanica, fino alla geologia e all'idraulica, nella quale si specializzavano gli *aquilices*, cioè i consulenti per i progetti idraulici. Competeva loro inoltre il reperimento delle falde acquifere e lo scavo dei pozzi, la costruzione di canali, la canalizzazione e l'approvvigionamento di acqua potabile alle città e l'irrigazione e il drenaggio dei campi; oltre allo sbarramento di laghi artificiali e a volte persino sotterranei, e agli impianti di scolo dei laghi naturali. Collaboravano in queste opere collegi sacerdotali dotati di speciali conoscenze nel campo dello scavo di cunicoli sotterranei e nel traforo dei monti.

Come nell'Oriente antico, anche in Etruria scienza teologica e scienza profana non erano separate; divino e terreno, sovrannaturale e naturale, cielo e terra erano concepiti come un tutto strettamente connesso. Ogni impresa o azione umana doveva essere in armonia con il cosmo; rivolto al cielo era quindi ogni sforzo dei sacerdoti di investigare la sacra disciplina conformemente alla volontà dei numi. L'orientamento e la divisione dello spazio erano dunque della massima importanza, per il vaticinio dal fegato animale come per la fondazione di un tempio, per l'interpretazione di un meteorite come per la misurazione del terreno e la delimitazione di giardini e campi.

Cielo e terra erano divisi in quattro zone da due grandi assi invisibili, con direzione nord-sud ed est-ovest. *Cardo* si chiamava nella traduzione latina la retta nord-sud, *decumanus* l'asse trasversale determinato dal sorgere e calar del sole. Ogni rito importante, ogni azione cultuale ruotava dunque attorno a tale spazio celeste e terreno, con le sue divisioni ben delimitate, il quale solo rendeva possibile al sacerdote di investigare e intendere i segni dati dai superni. E in armonia con esso dovevano essere tutte le attività sacrali o profane intraprese sulla terra: poiché la buona e la malasorte, pensavano gli etruschi, stavano immutabili ed eterne, stabilite dalle cosmiche dimore dei numi, nelle quattro regioni.

Di queste, l'orientale era considerata di buon auspicio, poiché in essa si erano stabiliti gli dei propizi all'uomo; e soprattutto quella nordorientale, che prometteva la fortuna. Nel settore sud governavano le divinità della terra e della natura; nelle squallide regioni d'occidente, invece (e particolarmente nel quarto fra nord e ovest, il più sinistro), dimoravano gli esseri spaventosi e implacabili del mondo infero e del fato.

Nessuna città etrusca crebbe mai a casaccio, come accozzaglia progressivamente crescente di abitazioni umane. I loro fondatori fornirono agli italici, prima vissuti in abitazioni sorte disordinatamente, le norme fondamentali della costruzione di una città ancorata nel culto. La città fondata secondo le leggi sacrali costituiva in Etruria una minuscola cellula del Tutto, armonicamente inserita in un ordine governato e determinato dai numi, onnicomprensivo.

Il viso rivolto a sud, stabilito in cielo il nord-sud e l'est-ovest, diceva il sacerdote: « Questo sia il mio davanti, questo il mio dietro; la mia sinistra e la mia destra. » Quindi incedeva solenne per il cardo e il decumano col suo *lituus*, il bastone pastorale che Roma ereditò dall'Etruria e che ancor oggi portano i vescovi delle chiese cattolica, anglicana e luterana di Svezia.

Nel punto in cui doveva sorgere il centro di una nuova città, si scavava una fossa molto profonda, quasi un pozzo, che fungeva da legame fra il mondo dei vivi e quello dei morti, e conduceva alle potenze dell'abisso. La si ricopriva poi di grandi lastre di pietra. Come la volta celeste, di cui sembrava costituire la controparte sotterranea, fu chiamata *mundus* e considerata, a quanto informa Varrone, la « porta degl'inferi ». Tutt'intorno venivano quindi tracciati, con una cerimonia solenne, in vasto cerchio i confini secondo i riti prescritti. In un giorno stabilito attraverso presagi favorevoli, dicono notizie di Catone e di Varrone, il fondatore, vestito della toga, aggioga a un aratro, dal vomere di puro rame, un toro bianco a destra e una vacca bianca a sinistra. Egli traccia quindi un solco, guidando la vacca all'interno e tiene il vomere obliquo in maniera che le zolle siano rivoltate verso l'interno. La terra ammucchiata a questo modo indica le future mura della città, il solco il vallo. Nei luoghi stabiliti per le porte l'aratro viene alzato, perché le porte sono cosa profana, le mura invece sacra, così come tutto lo spazio definito dal solco, il *templum* urbano.

Oltre alla posizione del *mundus*, cardo e decumano, croce sacrale, stabilivano quella ben precisa delle porte e delle vie, degli altari, templi ed edifici. « Sulla poderosa acropoli, i templi, » dice Raymond Bloch, « erano orientati per l'appunto in direzione nord-sud, perché gli dei dalle loro nicchie potessero abbracciare con sguardo protettore tutta la città di cui reggevano i destini. » E solo quando una città avesse consacrato tre templi, strade e porte, era considerata fondata secondo la legge.

A Marzabotto, vicino Bologna (la « Misa » fondata nel VI secolo a.C., l'unica città schiettamente etrusca tratta sinora metodicamente alla luce), è comparsa una rete stradale orientata appunto secondo le regioni celesti. Dinanzi a un tempio si trovò anche un *mundus*.

I romani impararono e fecero propri i riti etruschi per la fondazione di città. Il ricordo della fondazione di una città secondo il costume etrusco – *more etrusco* – si riflette nella leggenda romana. Romolo per fondare Roma, informa Plutarco, fece venire uomini dall'Etruria che lo iniziarono come nei misteri religiosi e scandirono la procedura secondo i riti e le prescrizioni sacre. Come la leggendaria *urbs quadrata* – la città che si pretendeva sorta sul Palatino – era considerata fondata su prescrizione etrusca, così anche l'accampamento romano rispecchia chiaramente il modello etrusco.

Come « una delle cose belle e importanti » descrive Polibio l'accampamento che i legionari romani costruivano con la massima accuratezza nelle loro spedizioni, sera per sera. Essi lo disponevano secondo un piano preciso: trovato il terreno adatto, il tribuno vi piantava una bandiera bianca come punto di riferimento, secondo il quale doveva esser articolato tutto l'accampamento. Il posto segnato con la bandiera, il *praetorium*, veniva occupato dalla tenda del comandante con le insegne della legione. Subito dopo si tracciavano due strade rettilinee, che s'incrociavano ad angolo retto dinanzi al *praetorium*. La *via principalis* correva dritta in direzione nord-sud, corrispondendo così al cardo delle città, e portava alle due porte principali; l'altra si stendeva, come il decumano, da ovest a est.

L'influsso della cosmologia rituale etrusca si rivela anche nell'importanza annessa alle porte nell'accampamento romano: quella verso levante – i buoni auspici venivano da oriente – la *porta praetoria*, godeva fama di portafortuna, onde attraverso di essa i legionari uscivano a battaglia; quella verso ponente, la porta decumana, era invece considerata portasfortuna, e da essa venivan fatti passare i condannati a morte per l'esecuzione.

Anche la fossa intorno era costruita *more etrusco*. Durante i lavori di fortificazione si ammucchiava la terra verso l'interno a formare un terrapieno (*agger*), chiuso da una palizzata (*vallum*). Molte città romane di confine furono in seguito costruite secondo tale modello, con l'unica differenza che, in luogo del terrapieno originario, si avevano mura di pietra o di mattoni. Esempi di costruzione geometrica a pianta rettangolare offrono Torino e Timgad nel Nordafrica, fondata da Traiano nel 100 d.C. al margine del Sahara.

Ogni tipo di terreno – latifondi, campi coltivati e piantagioni – sottostava in Etruria a leggi sacre. Due ricordi leggendari raccontano come esse furono un giorno rivelate. A Tarquinia si raccontava che Tagete stesso avesse insegnato a Tarchon le regole della *limitatio*, la misurazione del terreno; le quali poi sarebbero state tramandate in un codice dal titolo latino di « Liber qui inscribitur terrae iuris Etruriae », cioè un codice di diritto agrario.

Dalla città di Chiusi proviene un'altra versione, secondo la quale sarebbe stata una profetessa etrusca a rivelare le regole: la ninfa Vegoia, dice una leggenda, che avrebbe comunicato a un certo Arruns « le decisioni di Giove e della Giustizia ». Su questa versione abbiamo informazioni più esatte grazie alla traduzione latina dei libri di Vegoia (conservati nel tempio di Apollo sul Palatino) fatta, ai tempi di Cicerone, da Tarquinio Prisco, di origine etrusca.

Ce n'è rimasto un frammento d'epoca posteriore intitolato « Estratto dai libri di Vegoia per Arruns Veltumnus ». Dopo una massima sulla creazione – che fa pensare ai versi del Genesi – si apprende che gli etruschi vedevano nel dio Giove il creatore della proprietà e il protettore dei suoi confini. Il testo suona così: « Sappi che il mare fu separato dalla terra. E poi che Giove pretese la terra d'Etruria come una proprietà, stabilì e ordinò che il terreno fosse misurato e i campi muniti di confini. E poiché egli ben conosceva la cupidigia e l'avidità eccitata dalla terra fra gli uomini, volle che tutto fosse delimitato esattamente per mezzo di segni di confine... Colui che li tocchi o li muova per ingrandire la propria diminuendo l'altrui proprietà, sarà dunque per tale crimine maledetto dagli dei. Ove siano degli schiavi a compierlo, precipiteranno in una schiavitù ancor peggiore; ove un libero e padrone, subito la sua famiglia sarà distrutta e la sua intera schiatta perirà. »

Per il Giove etrusco – chiamato Tinia – i confini erano sacri, e su di essi egli vegliava a garanzia della loro intangibilità. « La civiltà etrusca si rivela qui, fra tutte le altre italiche, una civiltà contadina, » scrive Jacques Heurgon, « legata strettamente al diritto agrario dell'Etruria, al *ius terrae Etruriae*. Una rigida osservanza della sacralità dei confini risalente alle origini prime, ai lontani tempi in cui Giove rivestì la sua signoria. »

Il famoso diritto positivo di Roma, universalmente ammirato – ancor oggi studiato in ogni collegio giuridico e saldamente ancorato in ogni importante legislazione europea – ha la sua immagine prima e la sua premessa in epoca preromana. Il fondamento del *dominium*, cioè del diritto di proprietà inalienabile, risale al diritto agrario sacrale degli etruschi. In quale università, in quale facoltà giuridica uno studente ne ha mai sentito parlare!

Nell'arte della misurazione del terreno, i sacerdoti etruschi trovarono nei romani dei docili discepoli. Essa ben si attagliava a questo popolo vicino teso al pratico e all'utile, al quale per secoli non mancarono occasioni per esercitarla: guerre di conquista ininterrotte misero infatti a sua disposizione una quantità di sempre nuove terre. Per contro, molte altre pratiche religiose etrusche sembra siano rimaste ai romani impenetrabili come un libro chiuso da sette sigilli; anzitutto quelle riguardanti l'investigazione e l'interpretazione della volontà divina, cui pure anche i romani annettevano la massima importanza. Diodoro Siculo ammette apertamente che gli etruschi perfezionarono la scienza che riguarda gli dei, e nella osservazione del fulmine raggiunsero una perfezione mai toccata da altri. Fu solo una svista da parte degli storici passare sotto silenzio un'altra pratica religiosa, in cui Roma restò fedele all'Etruria fino all'epoca imperiale: l'esame del fegato degli arùspici?

La divinazione tramite il fegato delle vittime sacrificali era estremamente complicata, e comportava, per esser esatta, accanto a conoscenze d'astronomia, altre, e salde, d'anatomia e patologia.

Nel 1877 fu trovato a Piacenza un modello bronzeo di fegato. Si tratta manifestamente di una copia di epoca tarda ad uso di una scuola sacerdotale. La parte superiore (che reca il nome di quaranta divinità) si presenta divisa in sedici campi, ognuno dei quali corrispondente a una sezione del firmamento. Poiché il fegato, stimato a Babilonia sede dell'anima, era per gli etruschi il simbolo del cosmo: era un universo in piccolo, un microcosmo corrispondente al macrocosmo. In esso si rifletteva fedelmente la volta celeste, ordinata secondo leggi sacre e sottoposta ai vari dei: divisa in quattro sezioni da un incrocio di assi e risuddivisa in sedici sottosezioni.

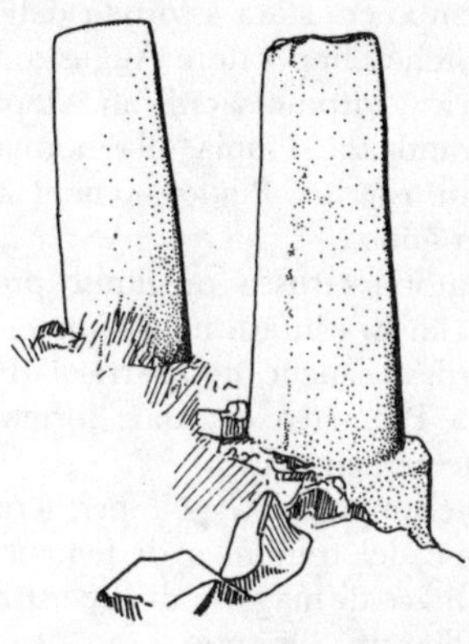

Gli etruschi introdussero in Italia l'agrimensura adottata in seguito dai romani. I confini, delimitati dai sacerdoti con rituale solenne, erano sacri e inviolabili secondo il diritto agrario a base sacrale. Chi rimuoveva una pietra di confine – nell'illustrazione due pietre confinarie romane – era passibile di morte.

Dal fegato estratto dall'animale sacrificato – generalmente una pecora – si potevano riconoscere e interpretare i segni profetici e premonitori. Dall'esame, l'osservatore sacerdotale, l'arùspice, era in grado di ricavare quale dio attraverso di esso parlasse. Se l'organo era ammalato, era sintomo di mali e sventure; se sano, di buona sorte.

La pratica originava dal mondo antico-orientale, e precisamente dalla Mesopotamia e dall'Asia minore, dove la si esercitava da tempi remoti. Praticata in origine dai babilonesi, passò agli ittiti. Gli scavi in quelle regioni portarono frequentemente in luce fegati di argilla con iscrizioni, che confermarono quanto già sappiamo di quel tempo dalle notizie dell'Antico Testamento: « Poiché al bivio si porrà il re di Babilonia, all'imbocco delle due strade, per farsi vaticinare... e interrogherà il fegato degli animali » (Ezech., XXI, 21).

Questa sorta di vaticinio fu introdotta per la prima volta in Europa dagli etruschi, e mise in Italia radici profonde. I romani anzitutto le diedero la massima importanza. Gli arùspici erano da loro tenuti in alto pregio, come sappiamo da innumerevoli storie. Fino a tarda epoca imperiale gli arùspici etruschi furono molto richiesti come esperti: erano richiesti del loro consiglio dal senato, appartenevano allo stato maggiore delle armate romane e accompagnavano i comandanti nelle loro campagne per il mondo. E questo anche quando l'Etruria ormai da tempo era stata assorbita dall'impero romano. Per fare un esempio, allorché l'imperatore Augusto ordinò, il giorno della sua entrata in carica, vittime sacrificali a Spoleto, il fegato degli animali risultò di grandezza doppia alla norma: onde gli arùspici spiegarono – a quanto riferisce Plinio – che il suo impero si sarebbe raddoppiato entro un anno.

Quest'arte vaticinatoria etrusca raggiunse probabilmente, via Siracusa, anche la Grecia. Era infatti nota ai greci al tempo delle guerre persiane e concordava anche nei particolari con quella etrusca. Eschilo fa spiegare a Prometeo di quale forma e colore debba essere il fegato per piacere agli dei.

All'aruspicina si accompagnava poi, per scrutare la volontà dei numi, l'interpretazione dei fulmini e di fenomeni ed eventi insoliti celesti e terreni. Un mare di magia e di superstizione penetrò con gli etruschi nel paese dall'antico Oriente.

La scienza etrusca dei fulmini ne contemplava undici specie diverse, come in Mesopotamia presso i caldei. Il loro significato dipendeva dalla regione celeste in cui cadevano, dalla stagione, mese e giorno in cui l'evento si verificava, dall'aspetto, colore ed effetto. Alcuni testi antico-babilonesi ritrovati mostrano regole d'interpretazione minuziosissime e a volte stupefacentemente simili a quelle etrusche.

Anche il luogo dove s'abbatteva il fulmine era della massima importanza: se cadeva nel foro o sopra un edificio statale, si parlava di *fulmen regale*, annunziatore di guerre civili o della rovina dello stato; se si abbatteva sulla tenda pretoria al campo, presagiva la sua conquista e la morte del comandante.

Ogni fulmine comportava un'espiazione; e spettava al sacerdote detto *fulguriator* di procedere alla purificazione del luogo col raccoglierne le tracce – cose distrutte, uomini o bestie folgorate – e col seppellirle. La « tomba del fulmine » diveniva luogo sacro, che nessuno poteva calpestare. Anche tale rito passò a Roma; e ne furono sempre incaricati esperti chiamati dall'Etruria.

Tutto era prestabilito, nel cosmo come nell'esistenza terrena. Anche sulla terra vita ed eventi seguivano un corso predeterminato, confinati implacabilmente in un limite di tempo invalicabile: al massimo, si poteva ottenere con preghiere e sacrifici una minima dilazione, ma la fine era stabilmente decisa.

All'uomo spettava un ciclo di sette volte dodici anni, secondo una dottrina dei libri rituali. A ottantaquattro anni, la sua vita era compiuta. Chi superava questo limite, perdeva la capacità di afferrare i segni delle divinità, e somigliava – come dice Stabea di Napoli – a un corridore a piedi o a cavallo fuori della pista segnata.

Anche il modo etrusco di calcolare il tempo rivelava una simile credenza nel fato. Come la vita umana s'approssima di età in età inesorabilmente alla morte, non altrimenti secondo gli etruschi sarebbe accaduto al loro popolo il cui inizio come la fine si situavano in uno spazio di tempo determinato dai celesti.

Al *nomen etruscum* erano destinati, secondo la dottrina, dieci *saecula*, ognuno dei quali di durata particolare, non calcolabile in anticipo né esprimibile, come oggi si usa, mediante un conteggio degli anni. Importava, invece, osservare e intendere i segni dati dai numi, perché le catastrofi naturali come i terremoti e altri eventi straordinari – epidemie e nascite deformi, caduta di fulmini, pioggia di pietre o apparizione di comete – potevano annunciare la fine di un *saeculum* e l'inizio di un altro.

Frammenti di antiche testimonianze ci permettono di ridurre la singolare dottrina etrusca del tempo a una realtà per noi storicamente afferrabile. Lo possiamo grazie ad alcuni passaggi del *De die natali* di Censorino (238 d.C.):

« Quindi sta scritto, » dice questi riferendosi espressamente ai dati del grammatico Varrone sulle note di storia etrusca, « che i primi quattro *saecula* sarebbero durati cent'anni ciascuno, il quinto centoventitré, il sesto centodiciannove, il settimo altrettanto; l'ottavo era in corso all'epoca del computo, e dopo di esso se ne preparava ancora un nono e un decimo. Quest'ultimi compiuti, sarebbe giunta la fine del nome etrusco. »

Gli storici che scovarono questo testo, poterono indicare senza troppa fatica nell'88 a.C. l'anno finale del « *saeculum* o età in corso », cui allude Censorino. Quell'anno infatti – come si sapeva – era stato indicato come l'inizio di una nuova èra da vaticinatori convocati a Roma dall'Etruria. Ma quando si cercò di calcolare, sulla base di questi dati, l'anno di nascita degli etruschi, si giunse a un tempo troppo remoto: l'anno 907 a.C. Il che significava che la tradizione etrusca poneva l'inizio della sua storia molto avanti a quella romana: Roma, secondo la tradizione, era stata fondata nel 753.

Le cifre della quinta, sesta e settima età apparivano credibili, in quanto portavano al 507 a.C., secolo in cui l'Etruria vide l'apice della sua potenza. V'erano informazioni sicure al riguardo, di probabile provenienza dal tempio di Nortia a Volsinii, dove, come è noto, si piantava un chiodo ogni anno. Per contro, i cent'anni ciascuno assegnati ai primi quattro *saecula* appaiono troppo uniformi, e quindi furono probabilmente computati solo più tardi, perdutasi ormai la conoscenza dell'epoca più antica. Contraddice alla loro attendibilità il fatto che mancano testimonianze archeologiche del X e IX secolo a.C. attestanti la presenza degli etruschi in Italia, qui comparsi indubitabilmente solo nell'VIII secolo.

L'inizio della loro storia, così come i tradizionali dieci *saecula* ce la tramandano, resta celato e per sempre imperscrutabile. Ma qualcos'altro accadde – per inspiegabile, inconcepibile e inquietante che possa suonare – di testimoniato e controllabile in epoca storica: gli etruschi, la cui intera vita ed esistenza era stata modulata e determinata dalla sacra dottrina trasmessa da Tagete, sparirono dalla loro sede terrena, secondo che i segni del fato, da quella dottrina resi riconoscibili, avevano loro predetto. E tramontarono, svanirono come popolo, altrettanto misteriosamente come erano comparsi i loro antenati.

Una cosa è certa: quando dopo l'assassinio di Cesare, nel 44 a.C., terribile e radiosa la cometa di Halley traversò il cielo notturno, il veggente etrusco Vulcatius annunciò che era giunta la fine del nono *saeculum*, e l'inizio del decimo e ultimo.

Nel 54 d.C., l'anno stesso della morte di Claudio – l'imperatore che investigò la loro storia e l'ultimo romano a padroneggiarne la lingua – si compì la sua profezia: i segni dei celesti avevano dichiarato agli arùspici che la nazione etrusca aveva cessato di esistere!

Leggenda, storia indegna di fede?

Dopo la metà del primo secolo della nostra èra, i reperti archeologici non mostrano effettivamente più un solo segno di vita etrusca.

L'ENIGMA DELL'ORIGINE E QUELLO DELLA LINGUA

Chi erano mai quegli etruschi che tanto mutamento suscitarono nell'Italia centrale col loro apparire? Di dove erano originari, quale lingua era la loro? Quesiti vecchi più di duemila anni, a cui non mancano le soluzioni: nessuna però, sinora, soddisfacente.

La più antica risposta sulla provenienza la dava già il « padre della storia » Erodoto, nel V secolo a.C.: venivano dalla Lidia, il regno dell'Asia Minore con Sardi capitale, che ebbe fra i suoi sovrani quel leggendario Gige dell'anello e il celeberrimo Creso. I lidi, nota Erodoto, « si ricordavano ancora del tempo in cui avevano colonizzato la terra che si affaccia sul mare Tirreno » e racconta che « al tempo di re Ati, figlio di Mane, c'era in tutta la Lidia una grande carestia; all'inizio la popolazione la sopportò pazientemente, ma durando essa, cercarono di rimediarvi chi in un modo chi in un altro... E così vissero per diciott'anni. Ma poiché la carestia cresceva, il re lidio divise tutto il popolo in due gruppi, lasciando decidere alla sorte quale delle due sarebbe dovuta emigrare e quale restare nel paese. Il re si pose dalla parte di quelli destinati a rimanere, dando suo figlio Tyrsenos come capo agli esuli.

« Allora la metà scelta dalla sorte a migrare scese a Smirne, vi costruì navi, e, caricato quanto poteva tornarle necessario, salpò alla ricerca di mezzi di sussistenza e di terra. Dopo aver costeggiato le terre di molti popoli, gli esuli approdarono a quella degli ombrici (cioè degli umbri), dove si stabilirono, fondandovi città nelle quali vivono tuttora. Essi mutarono di nome, chiamandosi da quello del figlio del loro re che li aveva guidati. Onde ebbero nome di Tyrsenoi (o tirreni). »

La notizia di Erodoto, che poneva l'immigrazione al tempo della guerra troiana, fu tenuta per buona in tutta l'epoca romana, quando sopravviveva ancora la lingua etrusca. Innumerevoli sono gli esempi: Orazio chiama « lidio » Mecenate, consigliere d'Augusto, discendente da stirpe paleo-etrusca; Virgilio, nativo di Mantova, antica città etrusca, parla nell'*Eneide* dei tirreni come lidi; viceversa, gli abitanti di Sardi, l'antica residenza regale lidia, si richiamavano essi stessi in epoca imperiale alla loro parentela con la stirpe regale etrusca dei tarquini.

Contro la provenienza degli etruschi dal vicino Oriente l'antichità non levò mai il minimo dubbio, con un'unica eccezione: quella di Dionigi di Alicarnasso. Questi – greco al servizio dei romani – sosteneva che i tirreni erano autoctoni, residenti in Italia da tempo remotissimo; anche se era poi costretto ad ammettere che « questo antico popolo... non somigliava agli altri né nella lingua né nei costumi ».

Le argomentazioni a favore e contro il racconto di Erodoto hanno occupato a lungo la scienza. Per rintracciare gli antenati degli etruschi, si è setacciato tutto l'Oriente, dal Nilo alla Mesopotamia, dall'Asia Minore all'Egeo. E si credette di aver trovato una traccia: in Egitto, nel vocabolo Turuša presente in certi geroglifici del XIII secolo a.C., e nel nome Iun-tursa di un funzionario di palazzo vissuto attorno al 1300 a.C.; e in Lidia, nel toponimo « Tursa », anche « Tyrrha » e in turannos, parola lidia per principe. Si stabilì quindi la somiglianza fra le tombe a tumulo di Sardi e i tumuli dell'Etruria, come quella fra il tripode bronzeo di Gordio, capitale della Frigia, e i corredi delle tombe etrusche.

Fatica vana, perché non si fece un passo più avanti. Fuori d'Italia non si poté infatti rintracciare – sia nel vicino Oriente, sia nell'Egeo – una sola località etrusca o una sede di provenienza di questo popolo.

Né migliori risultati ottenne la ricerca, quando si volse al problema della lingua.

L'aspetto della scrittura etrusca lo conosciamo grazie ai molti reperti. Le iscrizioni più antiche emersero nelle maestose tombe dei principi – nomi dei morti, incisi su vasi e tazze. Al medesimo VII secolo risalgono gli alfabeti più antichi sinora scoperti. Da una necropoli presso Marsiliana, sul basso corso dell'Albegna, non molto distante dalla laguna di Orbetello, venne in luce una tavoletta d'avorio incisa.

Sulla minuscola superficie – nove centimetri per cinque – si trovavano ancora tracce di cera e di scrittura che pareva graffiata con uno stilo. Il bordo superiore reca inciso – partendo da destra a sinistra – un alfabeto di ventisei lettere, che doveva evidentemente servire al proprietario della tavoletta come promemoria per i suoi esercizi. Un foro nell'impugnatura lascia supporre che egli la portasse costantemente seco legata a un nastro. La tavoletta risale al 700 a.C. circa. Un altro oggetto che doveva servire probabilmente al possessore anche come una sorta di calamaio, sembra fosse destinato al medesimo scopo. Si tratta di un recipiente di bucchero sottile, in forma di galletto, scoperto a Viterbo. La testa dell'animale è costi-

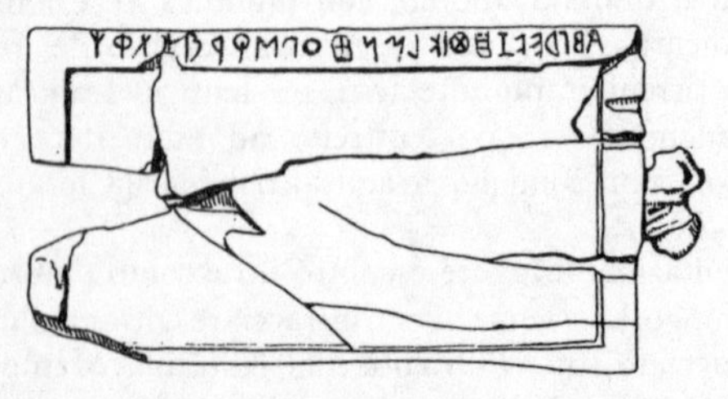

Tavoletta d'avorio con alfabeto etrusco arcaico, da Marsiliana d'Albegna (VII secolo a.C.).

tuita da un coperchio mobile; la pancia reca inciso lo stesso alfabeto. Analoghi resti di Formello presso Veio, di Cerveteri e di altre località (tutti risalenti al VII secolo a.C.), testimoniano, con le loro numerose iscrizioni, quanto fosse già diffusa e conosciuta l'arte della scrittura nell'Etruria di allora.

Gli alfabeti incisi non offrono difficoltà di sorta: si possono leggere senza fatica. Le lettere sono quelle dell'alfabeto greco-occidentale, risalente a sua volta al fenicio. L'alfabeto – inventato dai semiti del Sinai, quindi passato per secoli in uso nelle città commerciali fenicie (anzitutto nell'antica Ugarit) – fa parte dei molti beni culturali che i greci importarono, verso l'800, dall'Oriente.

Ma gli etruschi da chi lo ebbero? Alcuni studiosi avanzano l'ipotesi che l'avessero appreso già dai popoli costieri dell'Asia Minore; altri invece, dalla colonia greca di Cuma in Campania.

Il grande – e sinora irrisolto – problema comincia con le iscrizioni etrusche, con i testi. Perché, se si possono leggere senz'altro lettera per lettera, e sapere come suona questa lingua, non riusciamo a capire (tranne poche eccezioni) il significato delle parole.

Falliti sono, fino a oggi, tutti gli sforzi di decifrazione dell'etrusco. È vero che si conoscono più di diecimila iscrizioni, ma la maggior parte sono brevi e constano, per i nove decimi, di scritti sacrali o tombali: brevi indicazioni del nome del defunto e della sua famiglia o della sua carica; pochi i verbi e i sostantivi. Insignificante ciò che dicono. E tuttavia, a prezzo di duro lavoro, gli etruscologi sono riusciti a decifrare sinora circa trecento parole. *Aska mi eleivana, mini mulvanike mamarce velchanas*, si legge su di un orciuolo, e significa: « Sono un recipiente per l'olio, mi fece Mamarce Velchanas ».

Ma questo non basta a tradurre e a intendere le iscrizioni maggiori finora ritrovate: né il celebre testo di millecinquecento parole sulla benda di una mummia egizia del museo di Zagabria, né la tegola di terracotta con seicento parole trovata a Capua e ora custodita a Berlino.

Quando pure si riuscisse a interpretarle, la vera meta non sarebbe ancora raggiunta, perché offrirebbero solo informazioni limitate. Il loro contenuto, infatti, per quanto se ne intuisce, non va al di là della cerchia del culto dei morti ben definito dalle sue formule liturgiche sacrali e tombali. La benda della mummia, lo si sa per certo, contiene frammenti di un rituale pubblico ordinato secondo il calendario; la tegola capuana prescrizioni liturgiche del culto funebre.

Anche il ritrovamento di un'iscrizione bilingue o multilingue – una sorta di « stele di Rosetta etrusca » – non condurrebbe alla risposta di tanti problemi ancora oscuri della storia e della vita degli etruschi. Solo iscrizioni abbraccianti campi più vasti potrebbero essere risolutive. Le speranze non sono perdute, perché non una delle antiche città etrusche è stata sinora scavata ed esplorata sistematicamente e compiutamente! L'etrusco non è, a quanto si sa, lingua indoeuropea, ma non appartiene neppure al ceppo semitico né è riportabile ad alcun altro gruppo di lingue morte o vive. Sembra tuttavia mostrare talune particolarità grammaticali che si ritrovano anche in dialetti

Calamaio di bucchero in forma di galletto, con la più antica forma dell'alfabeto etrusco. Si vedono le lettere da A a M. Rinvenuto a Viterbo, VII secolo a.C.

dell'Asia Minore occidentale: licio, lidio e cario. Ma abbiamo finora un solo resto, fuori d'Italia, che offre un migliore punto d'appoggio: sull'isola di Lemno nell'Egeo si rinvenne una stele funeraria del VI secolo a.C. con iscrizioni in un dialetto che presenta una serie di singolari analogie con l'etrusco.

Come informa Tucidide, i Tyrsenoi, « vagabondi del mare », devono aver dimorato un giorno a Lemno. E non dice forse Erodoto che gli esuli lidi « costeggiarono le terre di molti popoli, prima di approdare a quella degli umbri »? Avevano forse lasciato gente a Lemno perché fungessero da stazione di scalo? Possiamo supporlo: dimostrarlo, no.

Ma seppure la loro origine, la loro lingua – la chiave più importante – restano ieri come oggi un libro sigillato, un fatto è innegabile: la forte dipendenza diretta e l'influenza profonda dell'Oriente sull'Etruria. Innumerevoli i resti che ne testimoniano, tutti indicanti che il racconto erodoteo di un'emigrazione dall'Oriente – anche se collocata in epoca troppo remota – contiene un nocciolo storico; e che aveva pur ragione Seneca quando diceva: « *Tuscos Asia sibi vindicat*, l'Asia, cioè, rivendica a sé gli etruschi. » Come oggi sappiamo, quell'epoca si prestava alla partenza in massa di emigranti, dati i gravi rivolgimenti in cui versava nell'VIII secolo il vicino Oriente.

Come si spiegherebbe, se no, lo sviluppo testimoniato dall'archeologia?

Al centro della penisola appenninica, la terra etrusca somigliò, a partire dal VII secolo a.C., a un'oasi trapiantata dall'est all'ovest, a un pezzo di mondo antico-orientale. La civiltà e la cultura etrusca nel suo complesso, la tecnica e l'architettura, la coltura del suolo, l'industria mineraria, gli impianti artigianali e industriali, i costumi, la moda e i modi di vita, e non ultime la religione e la lingua, erano cose nuove per l'Italia, sconosciute alle popolazioni autoctone, in prevalenza indoeuropee.

Tutto questo non si può trapiantare e assimilare solo tramite il commercio, la venuta di stranieri isolati o l'importazione: dovevano essere all'opera più numerosi e più forti impulsi di un'immigrazione di massa, le esuberanti forze di un popolo che attirarono nel loro cerchio magico gli aborigeni, fino a indurli ad accettare una lingua per loro straniera e ignota.

INIZIA LA GRANDE ESPANSIONE

Per mirabili che fossero i progressi, per enormi che fossero i mutamenti, gli etruschi non si accontentarono dei risultati raggiunti; una incontenibile vitalità, un instancabile spirito di iniziativa li spinsero ad altre gesta.

Ancora nel VII secolo a.C. si volgono con un audace balzo in avanti a nuove mete, e grazie a questo vigoroso avvio la loro civiltà e cultura vedrà un trionfo unico in terra italica. Inizia un'espansione che, nello spazio di un secolo, condurrà gli etruschi all'apice della fama e del prestigio, al rango di grande potenza del Mediterraneo: il primo impero dell'Occidente! « L'area di dominio degli etruschi, » ricorderà Livio ai suoi contemporanei, « si estendeva ampia per terra e per mare, prima che Roma raggiungesse il dominio sovrano. »

Partendo dalle prime città del nucleo primitivo, dalle zone costiere delle catene montuose ricche di metalli con le loro fiorenti imprese agricole, artigianali e industriali, le schiere etrusche si spinsero da ogni lato verso l'interno. E sempre nuove popolazioni ancora legate a culture arretrate vengono inglobate nella loro area d'influenza e di dominio: dovunque essi mettono piede, si rischiarano le tenebre della preistoria e gli uomini vengono strappati dal letargo di un modo di vita primitivo. Grazie a innumerevoli resti, possiamo seguire sulla carta la via dell'espansione etrusca. « Le testimonianze archeologiche, » del resto, come è sostenuto anche dal Pallottino, « dimostrano che la priorità assoluta nello sviluppo della civiltà dell'Italia antica spetta all'Etruria. »

Dovunque gli etruschi si volgano, suona l'ora di un'epoca nuova. Il loro cammino non è segnato dal fuoco: nessuna tradizione sa di campagne sanguinose contro le stirpi aborigene ancora semiselvagge.

Ciò che muove gli etruschi, che li attrae verso altri popoli, sono mete pacifiche: l'apertura alla civiltà economica di nuovi territori, la creazione di nuovi mercati e basi commerciali per i prodotti dell'artigianato e dell'industria loro. Si fondano numerose nuove città.

Volterra dispiega, a partire dal VII secolo, una stupefacente espansione verso nord e verso est. I suoi abitanti si spingono nelle valli degli affluenti dell'Arno, Esa ed Elsa: il monumento tombale del gigantesco tumulo di Castellina in Chianti, in mezzo a vigneti e oli-

Auriga barbuto sul carro da guerra a due cavalli, la biga, che guida due destrieri alati. Scena mitologica su una piastra bronzea di mirabile fattura, che ornava un carro da cerimonia rinvenuto presso Monteleone. Le teste dei cavalli mostrano chiaramente il tipo di morso e di briglie usati dagli etruschi (metà del VI secolo a.C.).

veti sulla strada da Firenze a Siena, ne serba ancora il ricordo. Vien fondata Faesulae, l'odierna Fiesole, città-madre di Firenze.

Molto al di là dei monti della Tolfa, passando davanti ai laghi di Vico e di Bracciano, va la penetrazione meridionale verso oriente, fino al Tevere. Cade sotto l'influenza etrusca la popolazione italica dei falisci. Sede di un antico insediamento, sorge la città di Falerii, le cui necropoli coprono il fondovalle della piccola località di Civita Castellana. Più a sud, nell'arco del Tevere, accade la stessa cosa col popolo dei Capenati: la città fondata sul loro territorio prende il nome di Capena di suono etrusco. Numerosi canali scavati nell'interno dei monti testimoniano tuttora delle arti idrauliche dei nuovi signori.

La penetrazione etrusca porta con sé anche una rapida espansione della lingua e della scrittura del popolo: dagli etruschi gli italici analfabeti imparano per la prima volta a leggere e a scrivere.

Come a nord, a nord-ovest e a est, l'influenza etrusca s'affonda anche a sud: di là del Tevere, si rifrange ampiamente sin nel Lazio. Non diversamente da umbri, falisci e capenati, anche i ceppi indoeuropei ivi dimoranti – latini, sabini, volsci e molti altri – conducevano ancora un'esistenza arretrata. Senza contatti col resto del mondo, né con l'ambiente circostante né coi vivaci commerci internazionali del mare vicino, vivevano nel loro guscio, abitando sparsamente in insediamenti rurali fatti di capanne semplici e disadorne. I campi e le mandrie fornivano il nutrimento; rozzi i prodotti del loro artigianato, ignote a loro tecniche più avanzate o arti speciali: essi stessi analfabeti.

Ciò che s'avviò nel Lazio con la penetrazione etrusca, l'enorme progresso suscitato dal loro apparire anche in quell'ignoto e arretrato angolo della penisola appenninica, restò a lungo sconosciuto. La tradizione romana tace prudentemente le opere e i fatti che allora si compirono. Solo gli scavi del secolo scorso ne avrebbero dato per la prima volta notizia: resti che gettarono il mondo intero nella meraviglia, rispecchiavano i primi significativi successi del contributo etrusco allo sviluppo del territorio di là del Tevere.

Annidata sulle propaggini meridionali dei monti Sabini, giace la piccola borgata di Palestrina. Sotto le sue case riposano i resti di una città antichissima: la Praeneste classica, famosa un tempo per un santuario gigantesco qui edificato da Silla alla dea Fortuna, primogenita di Giove, presso una sorgente molto frequentata a causa del suo oracolo. Nessuno sospettava che, accanto alle poderose rovine del tempio, riposassero sottoterra anche le testimonianze di un passato molto più antico: monumenti risalenti a epoca preromana.

La grande scoperta avvenne nel 1855, anno in cui l'antichissima famiglia Barberini decise di far scavare la terra attorno alla sua città natale in cerca di tesori sepolti. La ricerca si mostrò così promettente, che si stabilì di proseguirla. Nel 1859 e nel 1866 furono impiegate nei dintorni più o meno prossimi di Palestrina colonne di operai con vanghe e picconi: i ritrovamenti superarono ogni aspettativa. Ci si imbattè in una tomba principesca intatta – la cosiddetta Tomba Barberini – che custodiva un tesoro unico di preziosissime gioie e oggetti di lusso: monili, boccali e servizi da tavola d'oro e d'argento; spille e fermagli da veste, tutti a granulazione finissima; scatolette d'avorio inciso, crateri, coppe e nappi; guarniture bronzee e bracieri.

Un decennio più tardi, nella primavera del 1876, il colpo si ripeté: e questa volta la fortuna della scoperta toccò a una ignota coppia di poveri contadini, che trovò una seconda tomba principesca nella piana vicina alla chiesa di San Rocco, a circa seicento metri soltanto dalla cittadina. « Non era solo un sepolcro vergine, » scrive l'inglese George Dennis che lo esaminò subito dopo il rinvenimento, « ma, fortunatamente, l'ultima tomba di un nobile le cui ricchezze fossero sepolte con lui, e che ci rimanessero conservate così compiutamente dopo quasi tremila anni.

« Il contenuto ricorda molto quello della tomba Regolini di Cerveteri, benché la sua struttura architettonica sia più umile: una camera cinta da un semplice muro di sei metri per quattro, nella quale riposava, in una cavità del suolo, il defunto, circondato da un corredo che superava per squisita bellezza perfino quello della tomba Regolini.

« Armi e armatura a lato del morto; le pareti all'intorno piene dei più svariati oggetti d'ornamento e d'uso quotidiano fatti di metalli nobili e di bronzo. Descrivere tanta meraviglia nei particolari prenderebbe troppo spazio; tuttavia, c'è qualcosa di troppo nuovo e curioso nella tomba, perché vi si possa accennare solo di sfuggita.

« L'oggetto più singolare, il monile più superbamente lavorato mai venuto in luce in una tomba italiana, è costituito da una piastra d'oro rettangolare – venti centimetri per quindici – fittamente ricoperta di figurine di animali e chimere – non in rilievo, ma ricavate a tutto tondo nella piastra stessa –: in numero di non meno di centotrentuno. Vi sono cinque file di delicati leoni, alcuni in piedi con la coda sulla groppa, altri accovacciati, altri ancora seduti; seguono, due file di chimere e due altre di sirene. Alle due estremità, ogni fila è fiancheggiata da cavallucci di magistrale fattura. Lavorata in oro puro, lucente come polita di fresco, è una coppa a due manici (*skyphos*), alta dieci centimetri, con sfingi egizie alle impugnature. Accanto, una ciotola con frammenti di lamine d'oro. V'erano anche resti di una guarnizione di fili d'argento che ornava probabilmente la veste del defunto... »

Ciò che il Dennis descriveva così entusiasticamente, riempie oggi, come corredo della Tomba Bernardini insieme con i reperti della Tomba Barberini, molte vetrine di due musei romani: quello di Villa Giulia e della Collezione L. Pigorini di etnologia e storia antica.

Testa di grifo a decorazione dell'orlo di una conca di bronzo del VII secolo a.C.

Molto di quello che dopo la scoperta delle due tombe era rimasto oggetto di contese e questioni, poté essere chiarito in seguito grazie al progresso della scienza archeologica. Lę tombe datano entrambe – si è stabilito per certo – dalla metà del VII secolo a.C. Il loro maestoso corredo è tipico dell'arte orientaleggiante allora in grande fioritura in Etruria.

All'esistenza di orefici e artigiani locali di tanta raffinata maestria nel Lazio stesso, non si poteva per allora – come neppure per i secoli futuri – nemmeno pensare: tutti gli oggetti di ornamento e di lusso, decorati a granulazione finissima con animali ed esseri favolosi, bronzi e avori intagliati erano prodotti d'importazione.

Da dove fossero importati oggi è ormai ben chiaro. « Il corredo delle tombe principesche di Preneste [Palestrina] può essere inserito nel quadro dei prodotti etruschi del VII secolo. Il ricco corredo delle tombe Barberini e Bernardini non è di provenienza locale – mancano testimonianze in favore, infatti – bensì dell'Etruria meridionale. Dove appunto – e massimamente a Cere – troviamo i medesimi tratti distintivi, a proposito di pezzi di produzione locale come d'importazione, quali nei resti di Preneste », secondo quanto asserisce la Banti.

Le tombe di Palestrina, sontuose come i tumuli arcaici a nord del Tevere, testimoniano, secondo il ricercatore svedese Axel Boethius, « che gli etruschi, nel loro espandersi a sud, portarono alle località di lingua latina anche la loro progredita cultura ». I sondaggi del terreno rivelarono inoltre, come accenna Lopes Pegna, che « la campagna laziale, nel corso del VII secolo, venne progressivamente dissodata e bonificata con opere di drenaggio: se ne ottennero subito, in diretta conseguenza, elevate produzioni agricole costituenti il controvalore dei lussuosi e costosi prodotti d'importazione ».

Le tombe di Palestrina sono finora le più antiche testimonianze del tempo in cui l'Etruria mise fuori le sue prime antenne verso sud. Era solo l'inizio: perché sempre più cadde in seguito sotto influenza etrusca la terra di là dal Tevere.

Una qualsiasi analoga espansione colonizzatrice altrove nello spazio del Mediterraneo, non avrebbe lasciato che un pallido ricordo: ma il fatto che questa particolare espansione avvenisse in quel luogo geografico, verso l'interno del Lazio, doveva darle un significato a stento prevedibile.

Nessun'altra espansione doveva avere conseguenze di tale momento per il futuro sul destino stesso degli etruschi come su quello delle altre popolazioni e stirpi della penisola italica e addirittura dell'intero Occidente. Essa infatti accese un fuoco pericoloso: spianando a un piccolo nucleo umano, insignificante per numero, ma animato da una forte volontà, la via allo spiegamento di una potenza, le cui prime vittime sarebbero stati gli etruschi stessi. Intendiamo gli abitanti di quella regione dove, presso un'isoletta resa accessibile da un guado naturale, si levano sulla valle del Tevere, ancora tutta una palude nel VII secolo a.C., sette insignificanti colli...

Quasi tutta l'Italia stava sotto la signoria degli etruschi.
M. Porcio Catone, II secolo a.C.

L'area di dominio degli etruschi si estendeva ampiamente per terra e per mare, finché Roma non raggiunse il dominio supremo. Quanto estesa la loro potenza, è dimostrato già dai nomi: un mare si chiama Tirreno, l'altro (da Adria, colonia etrusca) Adriatico.
Tito Livio, I secolo a.C.

E VENNE L'ANNO 600

Il trapasso dal VII al VI secolo a.C. si accompagna a un periodo di gravi sommovimenti nel mondo antico. Non una terra – dalla lontana Mesopotamia all'Africa passando per l'Asia minore – non una regione marina – dall'Egeo all'estremità del Mediterraneo occidentale – da cui non giungesse notizia di capovolgimenti e di spostamenti di forze, di rinnovamenti e scoperte: ognuna degna di titoli a caratteri di scatola, se fosse esistita la stampa...

Nelle terre dell'Eufrate crolla l'impero che tanto a lungo aveva avuto la supremazia in Asia: il gigantesco stato militare di conquista degli assiri, che aveva reso tributari tutti i popoli dal Mar Nero al Mar Rosso, soccombe all'assalto degli eserciti medo e neobabilonese alleati. Nel 614 cade Assur, e due anni dopo si avvera la profezia di Nahum: « Tu tramonterai, o Ninive! »

Ma la gioia dello stato di Giuda sarà di breve durata, perché anche i re di Babilonia tendono alla signoria mondiale; onde la Palestina conosce nuovamente i terrori delle schiere straniere, e dopo una generazione soltanto suona per essa l'ora più buia. Nel 587, dopo tre anni di assedio, Gerusalemme cade in preda alle truppe di Nabucodonosor II, la città e il tempio vengono distrutti e lunghe colonne di prigionieri prendono la via dell'esilio.

Babilonia, dove li si deporta, cresce a città mondiale, la cui grandezza e splendore offusca tutte le metropoli precedenti. Nabucodonosor la costruisce con grande sfoggio di mezzi, e il nuovo tempio a terrazze del nume tutelare Marduk misurerà novantadue metri: la celebre Torre di Babele. Mattonelle smaltate policrome con figure di animali favolosi ornano la porta di Ištar sulla rocca; sui tetti dei maestosi palazzi reali lussureggiano giardini pensili.

Anche nell'Asia occidentale, in Anatolia, meta di conquista dei medi, risuonavano, quasi contemporaneamente, le armi. Il 28 maggio del 585 avviene in Lidia una battaglia senza precedenti il cui esito non fu determinato né da supremazia di truppe né da potenza di armamento né ancora da superiorità tattica. Per la prima volta nella storia mondiale – segno dello schiudersi di una nuova èra, dove il *logos* trionfa sul *mythos* – sono i calcoli scientifici, esattamente impostati, a risolvere il conflitto. Vincitore delle truppe dei medi riuscì Aliatte re dei lidi.

Il suo consigliere, il mercante e scienziato greco Talete di Mileto, gli aveva comunicato la data esatta di una futura eclissi di sole. Il giorno stabilito, all'ora stabilita, i lidi assalgono d'improvviso, al comando di Aliatte, i medi; i quali, precipitati nel terrore e nello scompiglio dall'improvvisa oscurità, volgono in rotta. La Lidia era salva, e la sconfitta dei medi tanto grave che questi, abbandonati i loro ambiziosi piani di conquista, si risolsero alla pace, accettando il fiume Halys come confine fra i due regni.

Ad appena mezzo secolo di distanza, i greci della Ionia risentono le conseguenze di tale vittoria: perché ora i re lidi sono finalmente liberi di scendere con i loro eserciti dall'altopiano al mare con i suoi ricchi porti. I greci però non sospettano ancora nulla della minaccia che li sovrasta da Sardi; le loro città conoscono un boom senza precedenti: commercio, economia e navigazione oltremare registrano importazioni ed esportazioni crescenti su scala mondiale.

Nel VII secolo, mentre i re etruschi compivano nel cuore d'Italia la loro grande opera di civilizzazione, i greci della Ionia avevano conosciuto un'impareggiabile ascesa. Non è un caso se il risveglio avvenne presso gli emigrati su suolo asiatico e non nell'Ellade, immersa ancora nella barbarie dello stile geometrico arcaico. Gli ioni avevano ereditato i frutti di uno stretto contatto secolare con gli imperi orientali. Avidi di avventura e intraprendenti, erano comparsi in tutte le terre del vicino Oriente, sul Nilo come in Levante, in Mesopotamia come nell'Asia occidentale: come guerrieri al soldo dell'Egitto e poi di Babilonia, o come mercanti.

Fu il loro lungo periodo di istruzione e di apprendistato a gettare le basi di tutto il futuro. Si ripeteva su scala maggiore quanto si era già verificato in età micenea. Avidi di conoscenza, i greci dell'Asia Minore – quando la madrepatria dormiva ancora e l'Attica era una terra primitiva e senza importanza – avevano percorso tutti gli stati e attinto allo sterminato tesoro di scienza, capacità e realizzazioni dell'Oriente antico, che giaceva spalancato innanzi a loro. Gli era bastato affondarvi le mani: e lo avevano fatto ampiamente.

Nessun altro popolo – se escludiamo, in epoca moderna, il Giappone e la Russia – si era mai abbeverato così copiosamente all'estero, aveva tanto imitato, preso e adattato, come loro. Nella Mezzaluna fertile e in Egitto essi videro per la prima volta templi, colonnati e statue di pietra colossali, che fornirono alla loro architettura e scultura gli impulsi decisivi per il futuro. Là annotarono e raccolsero le pietre angolari senza le quali il loro grande balzo nel campo del pensiero scientifico non avrebbe mai potuto fare tanti progressi: sapere matematico e geometrico, conoscenze astronomiche e astrologiche.

Naturale che poi anch'essi restassero presi nella magia dell'Oriente. I primi prodotti delle città ioniche – così nella ceramica come nei tessili – riproducevano modelli orientali: e orientali erano i motivi ornamentali: esseri favolosi, fiere e piante, sfingi, leoni e fiori di loto. Lo stile orientale incontrò grandissimo favore e divenne ricercatissimo. Questa moda, esportata dalla Ionia, trovò eco anche nella madrepatria e nelle colonie.

Regina senza corona, troneggia sulla costa dell'Asia Minore, verso il 600, Mileto, più ricca e potente di tutte: fondatrice di ottanta colonie e celebre per la superba e inarrivabile qualità dei suoi tessuti. Il secondo posto nel rango delle città commerciali spetta a Focea. A Lesbo – quando già da tempo la bella letteratura asiatica riempie intere biblioteche, scritta in caratteri cuneiformi, geroglifici e fenici – fanno il loro ingresso le Muse; sul suo suolo verseggiano Arione e Alceo, conterranei della celebre Saffo. Risuonano i primi canti d'amore in greco, accompagnati, come già faceva Davide, da uno strumento antico-orientale: la lira.

Dall'altra parte, in terra di Grecia, Corinto, in stretto contatto con

Musicanti con ramoscelli in processione. Quello all'estrema destra regge una lira, il suo vicino una tromba ricurva. Affresco nella « Tomba della Scimmia » a Chiusi.

la Ionia, è assurta a potenza marittima di primo rango, divenendo altresì un importante centro commerciale e un fiorente, anzi il massimo porto di scalo. La ceramica delle sue manifatture è molto apprezzata. Ma già avanza minacciosa la concorrenza: i vasai della vicina Attica hanno cominciato a fare splendidi vasi d'argilla a figure nere destinati a soppiantare ben presto tutti gli altri. A lato del rinnovamento del mercato artistico si pone ad Atene quello del campo socio-politico, con Solone che dà alla città, nel 594, la prima costituzione degna di questo nome.

Nel Mar Nero come nel Mediterraneo orientale, dall'Egeo sino all'Italia meridionale e alla Sicilia, i greci dominano commercio e traffico; dovunque, in tali zone incrociano a flotte e isolate, le loro navi mercantili. Ed ecco sorgere empori e depositi sui lidi siriaci e fenici; ma il loro impulso verso i paesi lontani, la brama di nuovi mercati, non è ancora appagata.

Anche l'Egitto è già da tempo aperto al loro commercio: da quando mercanti greci seguirono mercenari chiamati nel paese dal faraone Psammetico (650). Non lontano dalla foce del braccio orientale del Nilo è stata loro concessa una parte della città di Naucrati, perché vi costruiscano le loro proprie fattorie. Il faraone Nécao l'ha concesso per ordine del quale si inizia la costruzione di un primo « canale di Suez »; e una spedizione fenicia esce dal Mar Rosso per la prima circumnavigazione del continente africano.

Mentre si svolgevano questi fatti (600 a.C. circa), altri contadini greci si spinsero profondamente a ovest nel Mediterraneo: emigranti di Focea nell'Asia Minore raggiunsero in convoglio la Francia meridionale, fondando alla foce del Rodano – proprio al centro dell'incontrastata sfera d'influenza cartaginese – Massilia, la futura Marsiglia. Era così posato il trampolino di lancio alla volta della Spagna.

Proprio in quel tempo – poco prima dell'inizio del nuovo secolo – accadde l'avvenimento a cui nessun libro di storia ha finora dato il suo giusto peso: la posa da parte dei re etruschi della prima pietra di una città il cui nome doveva più tardi offuscare quello di tutte le altre città del Mediterraneo, la metropoli del futuro...

SFATATA LA LEGGENDA DI ROMOLO

« Che l'età dei re abbia non solo posto le basi dello stato romano, ma anche quelle della potenza romana all'esterno, è indubitabile.

Ma lo splendore di quella riposa anzitutto sulla casa regale dei Tarquinii, come un rosso tramonto dove annegavano i contorni, » scriveva il Mommsen nella sua *Storia Romana*, terminata nel 1856. E, per quanto riguardava l'epoca più remota della città tiberina, subito aggiungeva: « Naturalmente non si può parlare assolutamente di una vera e propria fondazione come vuole la leggenda... La favola della fondazione di Roma... a opera di Romolo e Remo non è che un ingenuo tentativo della pseudostoria più antica... Una storia che voglia veramente essere tale, deve prima di tutto scrollarsi di dosso favole del genere... »

Eran parole grosse e azzardate, perché mettevano in questione la credibilità della tradizione romana più antica; l'audace affermazione di uno storico che godeva di alto prestigio come esperto di storia romana. Ma, aveva davvero ragione il Mommsen? E le prove? Nessuno, neppure il grande studioso medesimo, poteva portarne, poiché una conoscenza scientifica di quei remoti tempi era ancora inesistente verso la metà del secolo scorso; e tale doveva rimanere fino ai primi decenni del Novecento.

Le notizie generali sulla preistoria romana si limitavano a quanto riportato da alcuni autori classici: era famosa soprattutto la monumentale opera di Livio composta sotto l'imperatore Augusto. In centoquarantadue libri – di cui trentacinque sopravvissuti – egli racconta i mutevoli destini della città e dell'impero: *ab urbe condita*, dalla fondazione della città alla morte di Druso nel 9 d.C.

Livio era considerato l'autorità somma, e i suoi scritti conobbero la massima diffusione. Nell'antichità il suo lavoro ebbe la palma fra

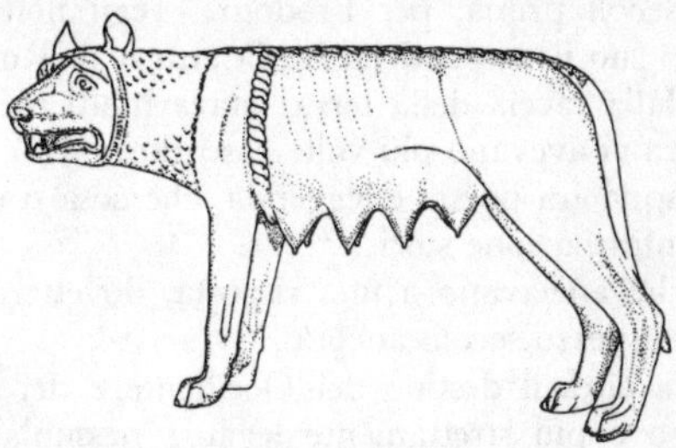

La celebre lupa, per i romani sacra a Marte, dio della guerra. Il meraviglioso bronzo venne fuso da un artista etrusco nel V secolo a.C. Nel 65 a.C. fu colpita da un fulmine. L'immagine bronzea segnata dal cielo si trovava, nel X secolo, come simbolo di Roma, nel palazzo del Laterano. Riportata nella sua sede originaria, il Campidoglio, nel 1471, si trova tuttora nel palazzo dei Conservatori.

le opere storiografiche: la descrizione di come Romolo avrebbe fondato la città eterna sul Palatino, adorna di bella retorica e di molta fantasia, fu divorata da generazioni di romani ed entusiasmò in seguito milioni di europei. E la data fissata per l'atto di fondazione da un compatriota di Livio, l'erudito Varrone, al 753, fu considerata da tutto il mondo come cosa certa: al punto che ogni manuale scolastico, ogni opera storiografica, l'ha sino a oggi, conservata.

Per lungo tempo nessuno osò mettere in questione l'esattezza del quadro della città primitiva e delle sue origini tracciato da Livio e da altri classici: solo nel secolo passato si insinuò il dubbio, e sorse la critica. Si stabilì che Livio era tutt'altro che uno storico nel senso moderno. Egli infatti aveva messo assieme una incredibile quantità di notizie e racconti di ogni genere senza vagliarli criticamente. E senza farne mistero: nella prefazione all'opera riconosceva anzi apertamente che quanto si sapeva sulla preistoria della fondazione della città era tramandato piuttosto da narrazioni leggendarie, che non da fonti storiche genuine; anche se riteneva « doversi venia agli antichi per aver reso più sublimi i primordi della loro città con una mescolanza di eventi umani e divini ». Così egli scriveva inframmettendo dialoghi di sua invenzione, « senza confermare e senza negare », tutto quanto era riuscito a scovare di leggende e storie sulla vita e le opere dei presunti primi quattro re: Romolo, Numa Pompilio, Tullo Ostilio, Anco Marzio. Naturale dunque che questa parte sia più una raccolta di antiche leggende che non un'opera di storia.

Muoveva Livio l'entusiasmo per la grandezza di Roma, per i romani antichi, le cui gesta egli levò al cielo. Viaggi di studio — una cosa evidente, secoli prima, per Erodoto — egli non ne intraprese mai; e al tempo suo il teatro della storia antica di Roma era già da tempo sparito dalla faccia della terra: stava molti metri al di sotto, in rovina, e sopra ci avevano più volte costruito.

Che cosa dunque era poesia e leggenda, che cosa tradizione autentica e corretta informazione storica?

Gli studiosi che anelavano a una risposta, dovettero pazientare a lungo, per più di mezzo secolo ancora.

A nessun'altra città il destino dell'Occidente e dei suoi popoli fu mai più a lungo e più strettamente legato: nessun'altra ebbe una parte più decisiva nella civilizzazione e nella cultura dell'Europa occidentale. Ma più che avari si fu con Roma dal punto di vista archeologico; ché nessun'altra metropoli dell'antichità dovette tanto aspettare, prima che si ponesse mano seriamente alla vanga e al piccone per investigarne la storia più antica.

Pareva quasi che i pronipoti degli antichi abitatori sul Tevere si ritraessero ansiosi all'idea di sollevare il velo su un remoto passato; quasi temessero la distruzione di un dipinto fidato e superbo di storia nazionale.

Schiere di archeologi si sentirono spinti nel secolo scorso a recarsi nelle terre dell'antico Oriente; e si venne a una serie di entusiasmanti scoperte ovunque: in Egitto, in Mesopotamia, in Asia Minore e in Palestina. Con essi cominciò a prendere forma la storia, nota fino allora solo per sommi capi, dei popoli e degli imperi antichissimi dalla « terra fra i due fiumi » al Nilo.

Nel 1843, Botta riporta alla luce Khorsabad sul Tigri, la residenza di Sargon, potente sovrano dell'Assiria; due anni dopo Layard scopre Nimrud (Kalach), e poco più oltre Rawlinson la metropoli assira di Ninive. Champollion riesce a decifrare i geroglifici egizi, e dopo il 1850 il Rawlinson e altri studiosi sciolsero l'enigma dei caratteri cuneiformi. Nel 1870 Heinrich Schliemann scopre nove strati dell'antica Troia, nel 1873 trova il « tesoro di Priamo », e tre anni dopo le tombe regali di Micene col loro ricco corredo. Nello spazio di pochi decenni gli archeologi avevano schiuso nuovi orizzonti, su un arco di millenni.

Mentre in Oriente venivano scavate in lungo e in largo intere regioni e riemergevano mondi da lungo scomparsi, sulle rive del Tevere tutto era immobile: in preda a un sonno da bella addormentata, il luogo di eventi così gravidi di storia continuava indisturbato il suo sogno.

Quale aspetto, infatti, presentava — ancor meno di un secolo fa — il centro della Città Eterna, il luogo dell'antico foro romano, dove per secoli aveva battuto il cuore dell'impero di Roma? Quello di un rovinato, trasognato idillio.

Erbacce e giardini incolti, sedi di conventi, coprivano il Palatino. Qui il tempo si era fermato. Dal X secolo il colle era proprietà di privati che lo sfruttavano agricolarmente, piantandovi vigneti e pascolandovi i loro greggi. « Non solo alle pecore, sì anche ai cavalli e alle capre è lasciato, » scherzava all'inizio del XVI secolo il Marliani, « sicché a buon diritto lo si potrebbe chiamare Belatino. »

E così era rimasto fino al secolo scorso, quando, come sul colle di Romolo, così anche ai suoi piedi nell'avvallamento fra il Campidoglio e l'Esquilino, fra blocchi marmorei sparsi all'intorno e tronchi di colonne e rovine, pascolava in pace il bestiame.

« Quando dal Campidoglio guardiamo al Foro romano ai nostri

piedi, » scriveva il Burton nel 1830, « abbiamo davanti agli occhi una scena che dovrebbe esserci familiare e tuttavia suscita in noi l'impressione di aver lasciato le dimore dei vivi. Non solo la sua antica grandezza è scomparsa, ma anche il terreno non è mai più stato usato altrimenti. Discesi, vediamo che molti antichi edifici sono sprofondati tra irregolari rialzamenti del terreno, tanto che si direbbe che pesi su questo luogo una maledizione, che impedisca di profanarlo. Dove il popolo romano vedeva i templi eternanti la sua gloria, si scorgono oggi colonne isolate in piedi fra archi rovinati; o forse una statua o un pilastro tratti da cumuli di rovine. Nel luogo delle orazioni di Cicerone e del passaggio dei trionfi ora non è più essere umano, se non qualche straniero incuriosito, prigionieri che scavano per obbligo penale e innocui animali: vacche, che qui trovano un magro pascolo e cercano riparo dal sole sotto un gruppo d'alberi. Il Foro romano porta oggi il nome di Campo Vacchino. »

Il luogo della massima concentrazione del potere era letteralmente sprofondato, sparito sotto giganteschi cumuli di macerie, le quali, a loro volta, serbavano solo resti di antichi templi e palazzi: perché molti edifici che avevano resistito per oltre un millennio e mezzo all'opera rovinosa del tempo, avevano ceduto infine a quella dei ladri. L'opera di distruzione era stata compiuta nel XV e XVI secolo, quando si erano utilizzati gli edifici rimasti della Roma classica come cave di pietra, trasformandone i resti di marmo, a tonnellate, in forni per calce.

Gli scienziati non conoscevano nemmeno più l'ubicazione esatta del Foro. Solo pochi scavi erano stati avviati: i primi, nel 1803, pres-

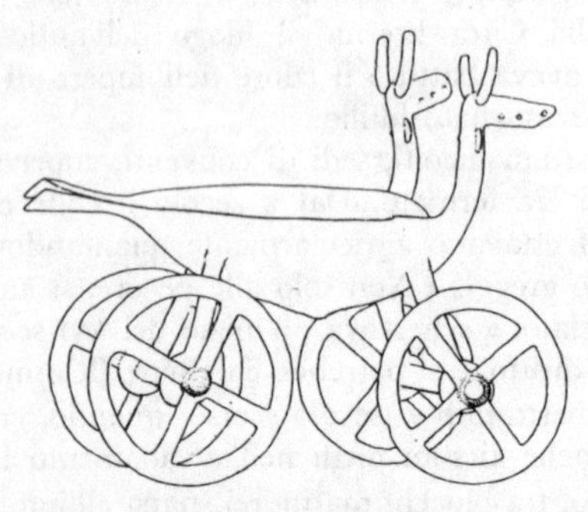

Bruciaprofumi di bronzo su ruote. Il carrello ha la forma d'uccello ed è adorno di due teste di capriolo. Viene da Tarquinia, dove nell'VIII secolo a.C. l'arte della lavorazione del bronzo raggiungeva un alto livello.

so gli archi di Settimio Severo e di Costantino; ne seguirono poi altri presso le tre colonne di Castore e il tempio della Concordia. Restò un lavoro incompleto. Soltanto nel 1870, con Roma capitale del nuovo regno d'Italia, si venne a una svolta: il giovane stato appariva deciso a dedicarsi, finalmente, a un'esplorazione pianificata dell'antichissima sede della fama e della gloria.

L'antico centro della città fu dichiarato d'ufficio « Zona archeologica »; la quale comprendeva il Foro, il Palatino e l'area capitolina, toccando da un lato il Quirinale, dall'altro la valle del Circo massimo e correva dal Colosseo fino alla Via Appia antica.

Cominciava finalmente l'investigazione sistematica del suolo di Roma coi metodi della scienza moderna. Sino al volgere del secolo erano state sgombrate dai detriti rovine profonde dodici metri e restaurate le fondamenta e i resti di edifici messi allo scoperto; ma si erano portate in luce soprattutto testimonianze di un'epoca più tarda, monumenti di età imperiale: e qui ci si fermò, con gran dispiacere degli storici delle origini, che s'attendevano impazientemente un proseguimento dei lavori. Perché, come informa R. Lanciani, sempreché ci s'imbatteva in un selciato o in mattoni o in marmi risalenti a epoca imperiale, o bizantina, o medievale, le autorità costringevano gli archeologi a sospendere gli scavi e non si concedeva il permesso di scavare più in profondo.

Ma qui appunto dormiva il segreto della Roma primitiva; qui dovevano ancora riposare indisturbate le mute testimonianze degli inizi della città eterna. Non esisteva forse ancora al tempo di Cicerone un luogo detto Doliola, dov'era proibito sputare e perfino parlare ad alta voce? E non stavano qui sepolte, come diceva un'antica notizia, le urne con le ceneri dei primissimi abitatori dell'area tiberina?

Ciò che per decenni, storici dell'antichità e archeologi avevano invano e impazientemente atteso, — e che Livio e i suoi colleghi neppure si sarebbero sognati — avvenne solo nel nostro secolo: la fortunata possibilità di verificare, a due millenni dalla morte degli scrittori classici, l'esattezza delle loro informazioni in quanto a luogo e posizione.

Il merito fu di Giacomo Boni, un architetto romano molto dotato ed energico, che, in qualità di « direttore delle antichità », strappò all'ottusa burocrazia il permesso di scavare: e, saggiamente, solo là dove non ci si era ancora imbattuti in fondamenta o selciati.

Iniziate le ricerche nell'aprile 1902, il Boni ebbe fortuna sin dal principio: a lato del foro, vicino all'antica Via Sacra, scoperse, a cinque o sei metri di profondità, un cimitero arcaico, dove erano tombe a incinerazione – urne a capanna piene di ceneri – e tombe a sepoltura normale. I resti mostravano che in questa parte di Roma era esistita, nell'VIII secolo a.C., una comunità umana.

La scoperta del Boni suscitò un considerevole interesse: l'incantesimo era rotto: cominciava la ricerca scientifica della leggendaria fondazione dell'Urbe.

Anni più tardi (quando già nel 1907 s'erano rinvenute, sul Quirinale, tracce di tombe in strati ancora intatti), Boni decise di esplorare il sottosuolo del luogo più sacro e consacrato dalla tradizione classica: il Palatino, sul quale Romolo avrebbe fondato la famosa *urbs quadrata*. Ancora ai tempi di Cicerone si mostrava orgogliosamente, sulla parte occidentale del Palatino là dove esso declina al Tevere, un'antica abitazione dal tetto di paglia e le pareti d'argilla, detta la « capanna di Romolo ».

L'architetto cominciò a scavare vicino alle rovine del palazzo edificato dall'imperatore Domiziano nel primo secolo dell'èra cristiana. E di nuovo l'assisté la fortuna. Molti metri sotto l'edificio su cui più volte si era costruito, il Palatino restituiva per la prima volta una parte del suo grande segreto: il Boni trovò infatti i puntelli di primitive capanne! Cocci di vasi venuti quindi in luce resero addirittura possibile una datazione precisa: appartenevano allo stesso periodo delle tombe a incinerazione della necropoli del Foro ed erano resti di uno stanziamento della metà dell'VIII secolo a.C.: il tempo in cui era stata fondata Roma.

Non molto tempo dopo, altre ricerche in profondità trovarono anche altrove tracce di abitazioni e di necropoli; e divenne certezza ciò che all'inizio non pareva tale. L'alto numero dei reperti consentì un primo quadro coerente dei più remoti stanziamenti sul Tevere, che rimontavano, per data, molto più indietro di quanto si fosse mai supposto.

Già nella prima metà del secondo millennio a.C. – quando finiva in Mesopotamia la terza dinastia di Ur e quando, secondo l'affermazione biblica, Abramo venne a Cana – sulle alture attorno al fiume si erano stabiliti degli uomini, come mostravano gli utensili – arnesi primitivi e armi di selce – trovati negli strati più profondi dell'Esquilino.

E per un millennio, monotonamente, s'accumularono strato su strato sul suolo romano le tracce dei remoti abitatori. Ma improvvisamente seguì una nuova fase.

Nell'VIII secolo, quello del leggendario Romolo, all'improvviso si stanziarono sui colli tribù di nuovi arrivati: i latini ai quali tennero dietro, qualche tempo dopo, altre genti, forse i sabini.

I nuovi arrivati – come dimostrano i reperti archeologici – abitavano in aggruppamenti di capanne: resti di fori per pali di sostegno e di capanne coperte di paglia o di canna. Le pareti dei primitivi alloggi sono intrecciate di rami e spalmate d'argilla. Se ne trovavano sul Palatino, sull'Esquilino e sul Quirinale: piccoli insediamenti minori, di tipo rurale, separati gli uni dagli altri.

Il colle del Campidoglio non fu toccato; gli scavi condotti da A.M. Colini fino a toccare la roccia, dimostrarono che su questo ripido mammellone a due gobbe non s'era a quell'epoca stabilito ancora nessuno. Ancora disabitate erano pure le valli fra i colli.

I primitivi abitanti della zona conducevano una vita umile di pastori alla cura del gregge e di coltivatori. Gente non sedentaria, si spostavano a gruppi, di tempo in tempo, verso nuove sedi. I morti li seppellivano nelle pendici dei monti.

All'inizio del VII secolo, i colli non sembrano più offrire spazio sufficiente; per cui si costruiscono capanne anche sui pendii, usati sin qui solo come necropoli. Così restarono le cose sino all'ultimo quarto del secolo.

Verso il 625, però, gli stanziamenti riprendono a estendersi: per la prima volta affiorano resti di dimore e tracce di fori per pali di sostegno anche nelle valli, là dove il terreno si era prima sempre rifiutato a ogni insediamento. I luoghi erano infatti insani di natura e a tratti impraticabili: fra il Campidoglio e la collina detta poi Velia, si stendeva un'unica palude. All'epoca del disgelo o dopo forti piogge l'acqua stagnava là dove il Tevere scorre, in un angusto letto, di fronte al Vaticano per volgersi al Gianicolo e straripavano, sommergendo il futuro Campo di Marte e le valli. Livio stesso ne dà apertamente notizia, senza neppure sospettare che cosa veniva con ciò ad ammettere. Al tempo della presunta esistenza di Romolo, il Tevere, com'egli scrive, s'era diffuso oltre le sue rive in paludi stagnanti, al punto che era difficile raggiungere la riva vera e propria. Quest'area era allora terreno incolto e disabitato. E quando le acque si ritirarono, venne la febbre: la malaria.

Senza l'intervento umano, senza un prosciugamento artificiale, non sarebbe mai stato possibile un insediamento. Ma occorreva la conoscenza di capaci esperti, di ingegneri idraulici, di cui non disponevano certo quei primitivi abitanti. L'arte del drenaggio, infatti, era ancora del tutto sconosciuta ai popoli d'Europa.

Chi poteva aver fornito agli abitanti delle capanne sul Tevere il sapere necessario, essere stato al loro fianco con il consiglio e l'opera nel prosciugamento del fondo valle?

La risposta fu data da altri reperti venuti in luce proprio allora: cocci di recipienti di un nero come la pece, sulla cui provenienza non erano possibili dubbi. Era il bùcchero, la ceramica nazionale etrusca! Una tomba sull'Esquilino ne conservava uno stupendo esemplare in forma di càntaro, coppa a due manici d'un nero brillante e risalente, come le tombe delle nobili dame di Cere e di Palestrina, al VII secolo a.C.

Vaso etrusco di bucchero a due manici. Sulla fascia, piante esotiche e favolosi animali orientali. VII secolo a.C.

Solo nel più recente passato si sarebbe però venuti a una scoperta veramente sensazionale: sotto il *Forum boarium*, il mercato di bestiame sulle rive del Tevere, si rinvenne un frammento di un recipiente a impasto, su cui era incisa a lettere arcaiche la parola *uqnus*. Datato al 700 circa, non solo è annoverato fra le iscrizioni etrusche più antiche, ma costituisce altresì la più antica testimonianza scritta scoperta nel sottosuolo di Roma.

A partire da allora, nelle zone d'insediamento attorno al Tevere compaiono regolarmente prodotti dell'industria etrusca: oggetti di argilla e di metallo d'uso quotidiano. Cere e Veio, le grandi città etrusche più vicine, fornivano anzitutto ceramica di produzione locale e merci importate dall'Ellade. Frammenti di fregi di terracotta rivelano inequivocabilmente la mano maestra degli artefici veiensi. Gli umili coloni erano caduti sotto la magia del grande popolo vicino di là dal Tevere!

Quando, nell'VIII secolo, spuntarono oltre Tevere i primi etruschi, mercanti probabilmente, i pastori e gli abitatori dei colli non sospettavano minimamente che con quegli stranieri stavano arrivando i loro grandi maestri. Che poi questi si fossero accorti di loro, era dovuto a un puro capriccio della natura. Là dove spunta dall'acqua argillosa del Tevere un'isoletta oblunga, c'era un guado: il quale significava, per le potenti città-stato d'Etruria, un comodo passaggio sulla strada verso il sud, cioè verso il Lazio e la Campania...

I sopralluoghi compiuti dagli archeologi nelle profondità del suolo romano avevano scosso l'attendibilità della tradizione romana più antica; la quale crollava ora, dopo due millenni, come un castello di carta.

Gli storici di Roma avevano partorito una favola storica, mescolando abilmente poesia e verità; e la posterità ci era caduta, credendo loro ciecamente. Ora invece – per la prima volta – si aveva la prova certa e scientifica che Roma non esisteva, come città, né nell'VIII né nel VII secolo. Dove essa sorse in seguito, si stendeva fin verso il 625 a.C. una zona selvaggia e inabitabile, mai colonizzata fino a quest'epoca da mano umana.

Sul Palatino – sede tradizionale della prima Roma – come sui colli vicini non v'erano, a quell'epoca, se non modesti agglomerati di capanne primitive, cioè dei villaggi. Dei villaggi non formano però ancora una città. Romolo quindi – dato e non concesso che sia mai esistito un individuo di tal nome – non poteva che essere il capo di una di queste miserabili comunità; per cui non è neppure il caso di parlare di un « regno » suo e dei suoi leggendari successori Numa, Tullo Ostilio e Anco Marzio.

I primi quattro re di Roma, dei quali la tradizione racconta, non erano mai esistiti.

Mommsen aveva dunque ragione!

I resti archeologici confermarono in generale quello che linguisti, storici dell'antichità ed etruscologi avevano già, per proprio conto, intuito: quanto cioè vi fosse di inventato a posteriori per desiderio di gloria nella tradizione; e come troppo spesso i romani adornassero la storia loro di penne straniere, etrusche in prevalenza.

Neppure il superbo nome di Roma è farina del sacco degli abitatori dei colli: sull'origine di esso come di quello del suo preteso fondatore non sussiste ormai più alcun dubbio. Come dice il Lopes Pegna: « Romolo, il mitico primo re di Roma, non è mai esistito. Proprio al contrario di quanto riferisce Livio (I, 7), non ‹la città fondata assunse il nome del fondatore›, bensì dall'etrusco toponimo

Rumlua, latinizzato in *Roma*, venne coniato l'aggettivo *Romulus.* »

« Anche i colli della Roma più antica recano nomi etruschi o foggiati al modo etrusco, » dichiara lo storico A. Altheim; il quale aggiunge: « L'ordinamento della Roma arcaica contemplava una suddivisione della comunità in tre tribù, ciascuna a sua volta suddivisa in dieci curie. Le tribù portavano il nome di Tizi, Ramni e Luceri. Come il nome di Roma, coincidente con quello della gens Ruma, era etrusco anche quello delle tribù: tutti e tre risalivano a schiatte etrusche, come pure una parte della denominazione delle curie. »

I primi quattro « re » di Roma si rivelavano frutto di *fiction* storica: solo col quinto – cioè con la signoria di un sovrano d'Etruria – ci troviamo sul solido terreno di un effettivo accadimento. Comincia dunque con lui la parte « storica » della storia romana...

L'ETRUSCO TARQUINIO PRISCO FONDA ROMA

Il primo re di Roma non vide la luce in una capanna su uno dei colli tiberini: veniva da fuori, dall'Etruria, ed era figlio di un casato ricchissimo. La tradizione ci informa dettagliatamente della sua famiglia e della sua origine, così come del tempo della sua immigrazione.

« Lucumone, uomo vivace e molto ricco » era originario di Tarquinia, « città allora grande e opulenta ». Aveva ereditato i grandi averi del padre e « aveva inoltre sposato Tanaquil, figlia di altissimo casato ». Avendo egli disegni di grandezza e sua moglie essendo pur essa posseduta da grande ambizione, stabilirono di « lasciare Tarquinia. E stimando Roma come la più adatta ai loro piani, poiché un uomo coraggioso e abile poteva ben trovare il suo posto in un popolo giovane... si trasferirono con tutti i loro averi in questa città ».

Già l'arrivo della coppia sul Tevere era stato salutato da un promettente auspicio: « Lucumone sedeva su un carro con la moglie, quando, giunto al Gianicolo, piombò dal cielo ad ali spiegate un'aquila; la quale, ghermitogli il cappello, si mise a volare con alti stridi sopra il carro: e quindi glielo ripose in capo, come solo per questo fosse venuta dal cielo. Dopo di che, si rialzò in volo nell'aria. »

Tanaquil, che come etrusca sapeva interpretare i segni celesti, « riferì gioiosa il presagio a loro due. Abbracciò il marito dicendogli che doveva attendersi a qualcosa di grande e sublime ». Perché l'uccello significava speranza e veniva dalle altezze celesti come messaggero del nume.

« Essi compirono questi pensieri quando entrarono nella città; si costruirono una dimora, ed egli prese nome di Lucio Tarquinio Prisco. »

Di una città come vorrebbe far credere la tradizione, non è però assolutamente il caso di parlare. Con Lucumone, in realtà, con lo straniero di Tarquinia, era arrivato soltanto l'uomo che questa città avrebbe fondato. Sui colli tiberini esistevano soltanto un paio di villaggi di capanne, abitati da analfabeti. La coppia era giunta in un luogo dove regnava ancora la preistoria.

Come fra il giorno e la notte era la differenza fra le città-stato etrusche e i poveri insediamenti sul Tevere: quelle già al culmine di conquiste civili e culturali, queste ancora arretrate, ferme e radicate nel passato. Naturale, dunque, che « i romani guardassero attenti ai nuovi e ricchi concittadini ».

La tradizione rispecchia chiaramente il riconoscimento, anzi l'ammirazione suscitata dal nobile straniero del vicino potente regno presso i coloni dei colli: « Egli si cattivò il popolo con amichevoli saluti, amabili rapporti, largizioni di danaro e altre azioni cordiali. Nelle battaglie combatteva a piedi e a cavallo più valorosamente di tutti; e quando s'aveva bisogno di un buon consiglio, egli era annoverato fra i più saggi consiglieri. Tale uomo era Tarquinio. »

Intorno al secondo anno della quarantunesima Olimpiade, cioè nel 607 a.C. secondo il calcolo di Dionigi di Alicarnasso, Lucio Tarquinio assunse il governo.

Cominciò in quel tempo per gli etruschi una nuova fase di ascesa e d'espansione, di penetrazione dall'antica terra di origine negli ampi territori dell'Italia: un secolo di eventi storici, nel quale essi crearono sul Tevere le basi per la futura potente ascesa dei romani alla signoria mondiale. Non per nulla il 607 corrispondeva per gli etruschi all'inizio di una nuova età: il quarto *saeculum*.

Con Tarquinio Prisco, lo stanziamento sui colli entra nel cerchio del vicino popolo di alta civiltà: potenti influssi e stimoli si irradiano ora nell'umile luogo, al quale in pochi decenni daranno un'impronta completamente nuova e poliedrica, istillandogli il ritmo di un vivere e agire moderno, di cui questa insignificante parte d'Italia ai margini della storia non aveva mai prima avuto sentore.

Prese corso la missione assegnata dal destino agli etruschi: essere i grandi maestri dei romani. Cominciava un'impresa unica nella storia, e fin qui sconosciuta: quella di una collaborazione costruttiva coronata di successo.

Le molte guerre che Tarquinio dovette sostenere, erano intese a creare stima e rispetto per la sua signoria e per gli abitatori dei colli tiberini; e toccò alle genti vicine di accorgersi per prime che tirava aria nuova nel luogo dove adesso comandava un etrusco. Quando, ignare di tutto, esse irruppero a « devastare con ruberie e con pascolo abusivo il territorio romano, trovarono Tarquinio a respingerli », e « furono battute in ogni combattimento ». Non altrimenti andò ai latini, che « fuori di sé per l'accaduto, decisero una spedizione comune contro i romani, e allestito un grande esercito irruppero nella loro ben coltivata campagna »: perché anch'essi furono battuti insieme con gli alleati sabini.

« Se Tarquinio aveva spiegato ogni sua forza nella guerra, » dice lodandolo Livio, « con maggior zelo ancora si accinse alle opere della pace. » E ne apprendiamo anche la natura.

« Le zone depresse del luogo, vicino al mercato e nelle valli fra i colli, furono prosciugate mediante dei canali, scavati dalle alture fino al Tevere. Solo con molta fatica si poté deviare l'acqua da questi luoghi ».

La tradizione rivela dunque in modo inequivocabile che sotto Lucio Tarquinio si guadagnò terreno prezioso nel cuore di Roma: solo la tecnica del drenaggio degli esperti etruschi poteva consentire di prosciugare per sempre la depressione paludosa ai piedi del Palatino e del Campidoglio. Canali di scolo in quantità dovettero essere tracciati nella zona impraticabile; e al tempo stesso fu incanalato un torrente che serpeggiava nelle valli separando i villaggi l'uno dall'altro, ne furono rinforzati gli argini e infine venne coperto.

Il terreno ricuperato venne concesso agli abitanti. Come apprendiamo in seguito, « lo stesso re distribuì anche il territorio del mercato a privati perché vi costruissero ».

Il che corrisponde a realtà, come dimostrano i resti di capanne nella parte avvallata rinvenuti dal Boni durante i suoi scavi in profondità. Le capanne sorsero verso il 625 a.C., l'epoca cioè in cui Tarquinio era annoverato, prima che prendesse il potere, « fra i più saggi consiglieri ». Ciò nonostante la tradizione romana – come oggi è scientificamente stabilito – era incompleta e inesatta, perché i suoi storici sottraevano alla posterità – forse inconsciamente, forse per vanità nazionalistica – un'altra opera geniale del re etrusco, la più importante anzi della loro storia!

L'importanza dell'opera di edificazione di Tarquinio Prisco va infatti molto al di là della bonifica citata, la quale non ne era che una premessa. Solo alle esplorazioni archeologiche nel sottosuolo romano (che contribuirono a distruggere le leggende sulle gesta di Romolo e dei suoi tre pretesi successori) dobbiamo la scoperta più stupefacente, che capovolge completamente tutte le nostre cognizioni storiche.

Gli sforzi decennali di innumerevoli ricercatori, ostacolati e ritardati spesso dall'incomprensione e dai divieti delle autorità, permisero di scoprire ciò che all'inizio del nostro secolo giaceva ignoto nell'oscurità più profonda. Dopo più di duemilacinquecento anni si riuscì a strappare ai colli il loro ultimo segreto, così a lungo custodito e avvolto di saghe leggende e miti, e passato sotto silenzio dalla tradizione.

Un intero mosaico di relitti – innumerevoli frammenti di pietra, cocci di ceramica, pezzi di metallo e tracce quasi invisibili di costruzioni lignee – ci riconduce, ordinato secondo i più moderni metodi di datazione, alla culla della città eterna.

Quando furono riportate in luce Babilonia e Ninive e si scoprirono la Valle dei Re e le rovine di Menfi, quando furono scavate Troia, Micene e Cnosso l'eco si era sparsa in tutto il mondo: ma questa volta – e si trattava di Roma – non si ebbero ripercussioni internazionali. I risultati delle ricerche sui colli tiberini, pur rivoluzionari e stimolanti com'erano, non toccarono l'opinione pubblica; quello che gli scienziati vi scoprirono, ciò che vanificò il contenuto di intere biblioteche di storia del periodo dei re, passò quasi inosservato; e ancor oggi nessun giro turistico di Roma porta i visitatori sui luoghi della presenza etrusca: quasi ci si rifiutasse di distruggere un'aureola nazionale, superbamente e accuratamente custodita per millenni...

Che cosa scoprirono vanghe, sonde e lenti?

La consueta immagine degli stanziamenti primitivi mutò decisamente verso il 575 a.C.: le capanne d'argilla dal tetto di paglia e le pareti di canna ai piedi del Palatino, dell'Esquilino e del Quirinale, sparirono dalla faccia della terra. Non a causa di guerre o di incendi ma, come rivelano le ricerche, in seguito a un pacifico piano edilizio e urbanistico.

Si comincia col demolire: viene spiantata una capanna dopo l'altra, e il materiale – argilla, pali, macerie – accuratamente spianati, ricavando uno spazio libero pavimentato con ciottoli polverizzati. Sorge un mercato pubblico, centro comune dei villaggi finora separati tra loro.

Vedeva così la luce la più celebre piazza della storia: il futuro Foro romano.

« Tutte le testimonianze archeologiche mostrano incontrovertibilmente, » dice il massimo esperto della preistoria di Roma, Einar

Gjerstad, « che verso il 575 a.C. ebbe luogo un evento che fece epoca: i villaggi fino allora separati si strinsero in comunità e divennero città! »

Con la creazione di questa grande piazza pubblica suonava l'ora natale della futura metropoli mondiale; sorgeva il futuro centro politico dell'impero romano. Con essa (e non, com'è stato tramandato e per generazioni creduto, col 753 a.C.) comincia la storia *ab urbe condita*! « La trasformazione dei villaggi in una città vera e propria, dei *pagi* in *urbs*, rappresentò l'effettiva fondazione di Roma! Con essa inizia il periodo monarchico. »

Bisognerà dunque modificare le cose e correggere tutte le tabelle storiche: non Romolo, ma l'etrusco Lucio Tarquinio Prisco è il fondatore di Roma! E la data è il 575 a.C.

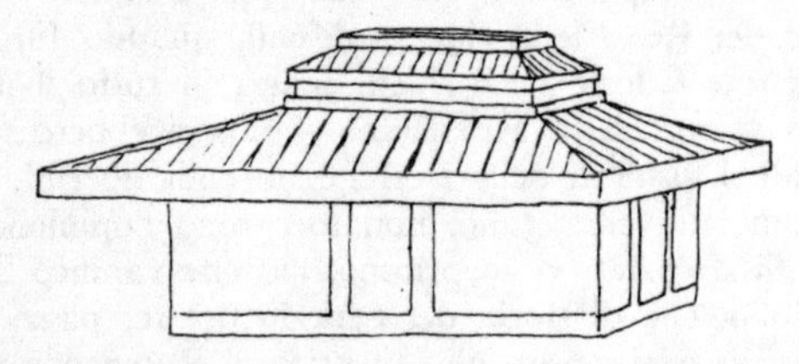

Casa etrusca a pianta rettangolare con tetto spiovente e molto sporgente. Riproduzione da un'urna di pietra proveniente da un edificio tombale di « Poggio Gaiella » presso Chiusi.

La costruzione del mercato lastricato fu solo il primo passo decisivo verso una più ampia opera di edificazione, che assunse ben presto un ritmo sorprendente. Il nuovo sovrano non pareva intenzionato a dominare da un centro commerciale in mezzo a una piccola borgata; e per sua iniziativa e sotto la sua direzione prende corpo un grandioso programma di urbanistica moderna, attuato da specialisti fatti venire dall'Etruria, secondo il modello delle lucumonìe a nord del Tevere. Nello spazio di pochi decenni, la fisionomia del luogo muta radicalmente. Da questo momento esso diventa un'unica grande area edificabile in rapido sviluppo. Dal nuovo centro ci si estende rapidamente verso l'esterno; si ripete quello che era già accaduto in Etruria nell'VIII secolo nei luoghi dei primitivi insediamenti.

Gli antichi moduli costruttivi cedono a una nuova architettura cittadina, negli edifici pubblici come nei privati. Le abitazioni non sorgono più come prima direttamente sul terreno, ma vengono munite di fondamenta di pietra; le pareti non sono più di canna spalmata d'argilla, ma di mattoni essiccati al sole. Muta anche la pianta: alla rotonda od ovale si preferisce la rettangolare. Sorgono così le prime case, vere e proprie, con un cortile nel mezzo, e un tetto non più di paglia o di canna ma di tegole di terracotta. Sulle pareti viene steso uno strato di stucco, che viene poi dipinto.

Si tracciano contemporaneamente le linee delle prime strade regolari, partendo dal centro. Gli scavi hanno portato alla luce un tratto della via più importante, la *via Sacra*, il cui fondo originario risale al 575 a.C. Sorgono edifici pubblici e templi: ai piedi del Palatino la *domus regia*, la casa cultuale del re e dei sommi sacerdoti, e il tempio di Vesta, a pianta circolare. Le parti in legno vengono ornate di terracotte variopinte a figure e motivi ornamentali. Presso al fiume, vicino al punto di traghetto, sorge una seconda grande piazza, dove, come già fra il Campidoglio e il Palatino, vengono spianate le capanne esistenti. Sul terreno rinforzato viene aperto un mercato del bestiame: il *forum boarium*, o mercato bovino.

Tale stupefacente rivoluzione, che vede il tramutarsi di insediamenti preistorici in un luogo di inconfondibile impronta urbana, si compie nel volgere di un'unica generazione! Ecco quanto ci rivelano gli scavi.

L'influenza etrusca cominciava a foggiare il volto di Roma, a dargli la sua impronta, una volta per sempre!

La tradizione ricorda anche altri lavori del re etrusco ad abbellimento della sua nuova opera. Fu allora delimitato, si legge in Livio, anche lo spazio per un circo, detto oggi « massimo », dove i senatori e i cavalieri avevano posti distinti chiamati « fori ». Essi assistevano

Le gare atletiche di qualsiasi disciplina — a differenza di Roma, che accolse la corsa col carro, ma preferì esercitare gli sport guerreschi nel Campo di Marte — godevano in Etruria del massimo favore, com'è testimoniato da innumerevoli scene sulle pareti delle tombe, dei sarcofaghi e dei vasi. Questo è un particolare di un affresco di Vulci. A sinistra, una corsa di bighe in pieno svolgimento: il secondo concorrente ha sfortuna, un cavallo cade, il veicolo si capovolge e l'auriga fa un ampio volo. A destra, accompagnati da ritmiche melodie, si vedono degli sportivi: due pugili in lotta e quattro corridori alla partenza, tra il giudice di gara, col bastone in mano, e il suo assistente. Un flautista e una danzatrice con crotali eseguono la musica. Secondo quarto del V secolo a.C.

allo spettacolo su palchi sostenuti da pali a dodici piedi d'altezza.

Tarquinio Prisco fece dunque edificare il Circo Massimo – in seguito completato più sontuosamente – che doveva contare per più di un millennio fra le più famose e popolari attrazioni di Roma. L'ultima corsa fu organizzata nel 549 d.C. dal goto Totila.

Il terreno scelto dal re etrusco – la valle Murcia – sembrava fatto apposta: sito fra le pendici del Palatino e dell'Aventino, misurava centocinquanta metri di larghezza e seicento di lunghezza. Con la doppia corsia e le due mète si ebbe così una pista di millecinquecento metri, che fu e rimase fino all'epoca imperiale il massimo e più importante ippodromo di tutta l'Europa occidentale.

Tarquinio, « condotta la sua prima guerra contro i latini e tornatone con grande bottino », consacrò lo stadio « allestendo giochi che, per magnificenza e organizzazione, misero in ombra » quanto si era mai visto fino allora a Roma.

I giochi furono aperti con una cerimonia solenne, secondo l'uso etrusco; poiché erano considerati festa religiosa, rito, con cui propiziare alla città il favore degli dei. In splendida processione, sacerdoti e atleti percorsero, fra il suono dei flauti, delle trombe e dei tamburelli, l'ampia pista. Immolate le vittime, iniziarono le gare. Vario era il programma: corse a cavallo o su carri ed esercizi ginnici, fra i quali corsa a piedi, lotta e pugilato.

Le competizioni sportive, che da sempre godevano del massimo favore nelle città-stato etrusche, erano per gli abitanti del Tevere qualcosa di assolutamente nuovo e sconosciuto. Per questo « ai giochi delle corse a cavallo e della lotta partecipavano per lo più atleti etruschi ».

Della verità di questa affermazione non c'è motivo di dubitare. Ancor oggi, dopo più di duemilacinquecento anni, possiamo assistere a quei giochi, perché ci restano numerose rappresentazioni contemporanee in Etruria risalenti al VI secolo: guardandole riviviamo ciò che allora si svolse per la prima volta dinanzi agli occhi stupiti di latini e sabini.

Superbi affreschi nelle camere tombali di Tarquinia e di Chiusi, rilievi sulle urne di Volterra ci hanno conservato un panorama completo della storia sportiva etrusca, dove sono rappresentati tutti i giochi olimpici, anche gare di corsa a piedi, con cavalli e con carri, molto apprezzate dal pubblico.

Le antichissime immagini ci mostrano le varie specialità nei minimi particolari e fissano a volte, come cronache *anti litteram*, i momenti più drammatici della gara. Nulla manca dei vari elementi di una grande competizione sportiva: ci sono gli atleti, i trofei riportati, il pubblico dei « tifosi ».

Su un fregio della Tomba delle Bighe a Tarquinia, la città natale del re Lucio Tarquinio, sono dipinti uomini intenti a preparare cavalli e carri per la corsa. È l'istante che precede la partenza. Seduti, sono atleti per la corsa piana. Ghirlande attendono il vincitore e il suo cavallo; tutt'intorno, araldi e giudici di gara tesi al « via ».

Vi sono poi gli atleti per le gare leggere e pesanti. Un giovinetto, il disco in mano, si concentra per il lancio; accanto a lui, un altro si avvia con tesa falcata a scagliare il giavellotto. I pugni levati in alto per il saluto, si apprestano a combattere i pugilatori. Coppie di lottatori misurano le loro forze. Un giudice di gara riconoscibile dal bastone ricurvo, il *lituus*, si intrattiene con uno sportivo; altri concorrenti si riposano o attendono al massaggio dei muscoli.

A destra e a sinistra si scorgono, in vivace colloquio, spettatori gesticolanti: membri delle migliori famiglie, uomini e anche donne, tratto questo caratteristico dell'Etruria in contrasto con la Grecia dove le donne non potevano assistere alle gare. Costoro hanno preso posto in due tribune. Si distinguono chiaramente posti a sedere, eretti su un assito di legno: la struttura è coperta da un baldacchino di protezione. Nella parte inferiore, fra i pali di sostegno della tribuna, si vedono atleti sdraiati o seduti. La tribuna per spettacoli sportivi sembra un'invenzione etrusca: i greci infatti usavano terrapieni o sistemavano gli spettatori in file digradanti, come nei teatri.

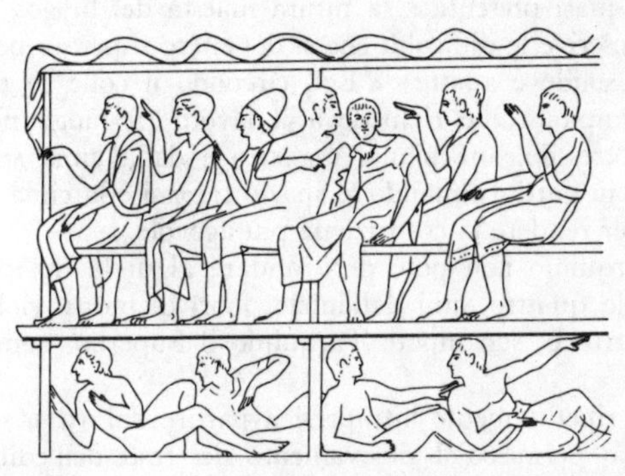

Tribune di legno come questa furono fatte erigere dal re Tarquinio Prisco nell'ippodromo da lui costruito. Protetti da un baldacchino, gli spettatori, fra i quali anche donne, hanno preso posto sulle panche e guardano con interesse alle gare che si svolgono nell'arena. Sotto, stanno sdraiati alcuni atleti. Da un affresco nella Tomba delle Bighe di Tarquinia, inizio del V secolo a.C.

Scene dalla Tomba dell'Olimpiade (scoperta nel 1958 da C.M. Lerici) ci introducono, simili a istantanee di un fotografo sportivo, direttamente nell'atmosfera eccitata della gara: gli atleti – discoboli, saltatori, pugili – sono fermati dal pennello nell'istante più teso, come irrigiditi nella concentrazione e nella tensione.

Tre corridori, nudi, un pezzetto di tessuto attorno ai fianchi, sono all'ultimo sprint prima del traguardo. Accanto a loro è in pieno svolgimento una corsa col carro: velocissime sfrecciano sulla pista quattro bighe, gli aurighi con le briglie annodate alla spalla e le fruste schioccanti incitano i cavalli. Il primo, già prossimo alla vittoria, lancia una rapida occhiata indietro, dove già si accende la lotta per il secondo posto.

Un auriga, lanciato in corsa, ne supera un altro. Per il quarto, la corsa è ormai perduta: ha avuto sfortuna, gli s'è rovesciato il carro e spezzato il timone. Un cavallo s'impenna, l'altro, caduto, giace sul terreno con le gambe in aria: l'auriga fa un gran volo prima di cadere a sua volta. In tribuna tre donne stringono le mani al viso in segno di spavento.

Una terza grande opera di pace ascrive la tradizione all'iniziativa di Tarquinio Prisco: l'inizio dei lavori di un luogo di culto rappresentativo per il servizio divino.

Il re, nota Livio, fece inoltre gettare le mura maestre di un nuovo tempio di Giove, che edificò sul terreno del Campidoglio in grandiose dimensioni, quasi presentisse la futura maestà del luogo.

Dionigi descrive le difficoltà che si dovettero superare per costruire fondamenta solide e adatte: « Egli circondò il colle su cui doveva sorgere il tempio, come richiedeva il lavoro (il luogo non era né facilmente accessibile né piano, ma erto e dalla cima scoscesa), di alti pali da più parti, colmando lo spazio fra essi e la cima con detriti e macerie, per rendere la costruzione più agevole. »

Lucio Tarquinio non poté però andare al di là dei preparativi, perché, a solo quattro anni dall'inizio, morì di morte violenta. Solo il terzo re etrusco, suo nipote Tarquinio il Superbo, compì la possente opera.

Gli scavi, ripetutamente intrapresi a partire dal 1919 sul Campidoglio, hanno permesso il ritrovamento dei resti dell'edificio sacro. Nel terreno sottostante al Palazzo dei Conservatori, demolito Palazzo Caffarelli, vennero in luce grandi blocchi grigioscuro, ben commessi, di cappellaccio (un tufo locale di origine vulcanica): le mura maestre del tempio capitolino, datate al VI secolo a.C.

Con Tarquinio Prisco entrarono a Roma anche le insegne e le cerimonie etrusche, insieme con la pompa e il fasto originari dell'Oriente antico; in contrasto deciso con i simboli semplici e dimessi dell'autorità greca, essi trovarono la massima eco presso gli abitanti indoeuropei delle rive del Tevere: e con il loro stato, e più tardi con il loro impero rimasero fino al tramonto. Da Roma, poi, si diffonderanno in tutto l'Occidente, simboli dell'altezza e della dignità dei massimi rappresentanti del potere ecclesiastico e secolare, presso imperatori e re, papi, cardinali e vescovi. Le ultime manifestazioni dell'antichissima moda orientale della dignità sovrana le sperimentiamo ancor oggi: nella pompa delle cerimonie d'incoronazione di potentati laici, nell'apparato della gerarchia ecclesiastica, la quale ha sede nella medesima Città eterna dove un tempo li introdussero i sovrani etruschi.

I « più anziani e illustri membri di ogni città » della Lega dei dodici popoli rimisero a Tarquinio, secondo la tradizione, le insegne del potere. Vennero con le gemme regali con cui adornavano essi stessi i loro re: un diadema d'oro, un trono d'avorio, uno scettro sormontato da un'aquila, una veste di porpora guarnita d'oro e una sopravveste pure di porpora, come portavano i re dei persiani e dei lidi: solo che non era quadrata come la loro, ma rotonda. Ancora gli portarono, come narrano alcuni, dodici scuri, una per città: poiché pare costume dei tirreni, che in ogni città un littore preceda il re coi fasci e la scure, e che però, quando le dodici città intraprendano una campagna comune, vengano consegnate dodici scuri a colui che detiene il comando supremo.

Da quel tempo Tarquinio, fin che non pagò alla natura l'ultimo tributo, portò il diadema d'oro, vestì la porpora colorata e sedette, lo scettro d'avorio in pugno, sul trono d'avorio; mentre accanto a lui, quando sedeva a giudizio, stavano i littori con dodici fasci e dodici scuri, portandole dinanzi a lui quando si alzava per andare.

Sempre secondo la tradizione, tale apparato restò in uso presso tutti i re successivi; e, dopo la loro cacciata, anche presso il console eletto annualmente, a eccezione del diadema e della veste colorata: i quali furono tolti, poiché parevano offensivi e suscitatori di ambizione. Tuttavia, ogni volta che vincevano una guerra e il senato li dichiarava degni del trionfo, essi portarono l'oro e vestirono la porpora.

Altra novità introdotta dal sovrano etrusco fu la processione cultuale, da Roma conservata sino in epoca imperiale. Per un millennio resterà fra le manifestazioni più pompose e solenni della città eterna: il famoso trionfo.

Dopo una campagna vittoriosa, esso rappresentava il ringraziamento alla massima divinità per la sua protezione, ed era annoverato fra le massime cerimonie del rituale religioso etrusco. Il trionfatore portava gli ornamenti del dio: una tunica di porpora trapunta d'oro, la *tunica palmata*, una toga sempre purpurea adorna d'oro, la *toga picta*, calzari d'oro, lo scettro eburneo con l'aquila e una corona d'alloro. Il volto e le braccia gli venivano imbellettati di carminio, come mostrano le statue etrusche.

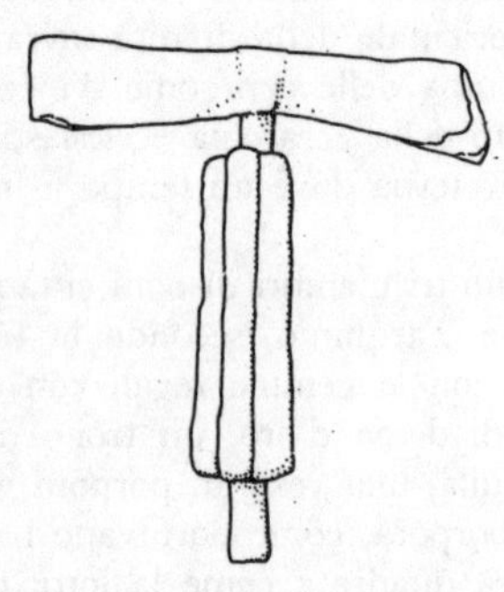

Un fascio littorio etrusco con doppia ascia e verghe di ferro, scoperto in una tomba di Vetulonia del VI secolo a.C. I fasces *divennero poi simbolo della potenza romana.*

Littori in tuniche purpuree avanzavano alla testa del corteo. Dietro di loro, un gruppo di uomini portavano le prede di guerra: armi, insegne e oggetti preziosi. Condotte da addetti al tempio, venivano, festosamente adorne, le vittime sacrificali: immacolati tori bianchi dalle corna dorate, con bende rituali attorno al collo. Seguivano i più illustri prigionieri. Veniva quindi il comandante vittorioso e trionfatore, ritto su una sfarzosa biga tirata da quattro bianchi destrieri. Gli aiutanti dei sacerdoti lo precedevano, agitando i turiboli. Accanto al veicolo si muoveva un coro di citaredi e flautisti con fasce e bende dorate in capo, detti *ludii*: uno di essi in lunga veste di porpora, addobbato di bracciali e collane, « faceva gesti ridicoli d'ogni specie come a scorno dei nemici ». Concludevano il corteo i soldati della spedizione vittoriosa, che alternavano canti di lode e versi scherzevoli all'indirizzo del comandante.

La tradizione assegna a Tarquinio quarant'anni circa di regno – dal 607 al 569 a.C. – che impresse a quella località sabino-latina prima sconosciuta, come attesta l'archeologia, uno slancio e uno sviluppo senza pari. Sotto il suo regno crebbe in riva al Tevere, per costumi e modi di vita come per economia e architettura, una tipica città etrusca. L'opera iniziata da questo re sarebbe stata compiuta e coronata da due altri sovrani etruschi...

LE RIFORME DEL RE SERVIO TULLIO

Chi arriva a Roma in treno o scende dall'autobus all'air terminal, si trova di fronte, senza saperlo, al capolavoro della più antica cinta muraria della Città eterna. Direttamente in faccia all'atrio della stazione Termini, in contrasto coi lucenti vetri e marmi di questa, si levano, liberati con grande cura e prudenza dalle altre costruzioni, i resti di una potente opera costruttiva: il famoso Vallo Serviano. Alto quindici metri e largo trenta, esso circondava in ampio arco, a difesa e a offesa, i celebri sette colli. Primo fondatore ne fu, secondo la tradizione, Servio Tullio, successore di Tarquinio Prisco sul trono di Roma.

Durante il suo regno la città crebbe a ottantamila abitanti. « Data una tal massa di popolo, » osserva Livio, « anche il territorio cittadino dovette essere ampliato: e Servio incluse due altri colli, il Quirinale e il Viminale. Si arrivò in seguito sino all'Esquilino... Egli cinse la città con vallo, fossato e mura, spostando molto più indietro il ‹pomerio›. »

Il quale pomerio, come apprendiamo, è lo spazio che gli etruschi, quando fondavano le loro città, consacravano non senza aver prima preso gli auspici, là dove volevano innalzare le mura. Lungo queste mura, all'interno come all'esterno, veniva quindi lasciata libera una striscia di terreno delimitata da pietre. « In questo modo all'interno nessun edificio poteva confinare col muro... E d'altra parte all'esterno si voleva tener sgombro uno spazio da ogni coltivazione. » Così a Roma, fedeli all'esempio etrusco, « ogni volta che si ampliava la città retrocedendo le mura, si estendeva anche la striscia consacrata ».

Non è solo Livio a informarcene: anche Dionigi di Alicarnasso conferma che Tullio, aggiungendo ai cinque già esistenti altri due colli, ingrandì la cerchia cittadina « cingendo i sette colli di un unico muro ».

Ciononostante si dubitò a lungo della veridicità di tali notizie, e le obiezioni in contrario non mancavano di peso. Le « mura serviane » – si sapeva – costituirono nella lunga storia di Roma le strutture di fortificazione per eccellenza. E se furono ripetutamente migliorate, rinforzate o rinnovate, la prima volta dopo la conquista dei celti al principio del IV secolo a.C., e poi al tempo delle guerre civili di Silla, immutati restarono però la loro estensione e tracciato durante i secoli repubblicani e ancora molto dopo l'inizio della nostra èra.

Solo in epoca imperiale la popolazione crebbe in tal modo da esigere un ampliamento delle mura: e si ebbero, verso la fine del III secolo d.C., le Mura aureliane (così chiamate dal nome del loro imperiale fondatore), che formarono una seconda e più ampia cerchia intorno alle serviane, e che servirono a tutto il medioevo come principale linea di difesa della città.

Era dunque possibile che le celebri Mura serviane, in grado di assolvere al loro compito per più di settecentocinquant'anni, fossero sorte, e pure nella massima estensione, già nel VI secolo a.C.? E che Roma dovesse il disegno e la costruzione di una tale potente fortificazione a uno dei suoi primi re?

Soltanto un sopralluogo in profondo poteva dare una risposta a queste domande.

L'occasione si offrì quando ci si accinse, dopo il 1870, a realizzare i piani di modernizzazione della nuova capitale del regno d'Italia. Durante i lavori di sgombero ci si imbatté più volte in resti di un'an-

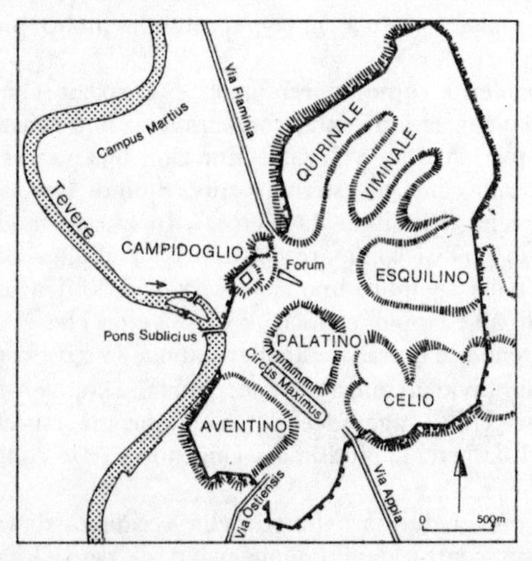

Il possente Vallo Serviano, eretto sotto il governo del re etrusco, cingeva i sette colli di Roma. Fortificato ulteriormente in seguito, offrì protezione alla città tiberina fino in epoca imperiale.

tichissima fortificazione, che aveva effettivamente cinto tutt'e sette i colli. I resti giacciono oggi in mezzo al viavai della popolosa città moderna. Sull'Aventino se ne vede un tratto lungo trenta metri, altri due tronconi spuntano sullo spazio lasciato libero della facciata di una casa in via Carducci. Si erano dunque scoperti i resti più antichi di mura storicamente famose. Ma a quale epoca risalivano?

L'esame scrupoloso della pietra non consentiva una risposta inequivocabile, perché la fortificazione non forniva un quadro unitario: si potevano chiaramente distinguere, e questo in tutte le parti ritrovate, due tecniche di costruzione diverse: una, molto accurata, che aveva usato il cosiddetto cappellaccio; l'altra, molto più frettolosa e quindi più trascurata, di blocchi tufacei di Grotta Oscura.

La scoperta della diversità del materiale usato fornì una chiave importante. Il tufo di Grotta Oscura proviene solo dalle cave di pietra sulla riva destra del Tevere in località Prima Porta; ad esse Roma poté accedere soltanto dopo la conquista della città etrusca di Veio (396 a.C.): questa parte delle mura sorse dunque solo in epoca successiva, durante la repubblica e intorno al 378 a.C., dopo la conquista e il saccheggio di Veio da parte dei celti guidati da Brenno. Il cappellaccio, invece, lo si aveva a disposizione in abbondanza sul luogo stesso: bastava scavare, senza troppi sforzi, le pendici del Campidoglio.

Coi resti murari di cappellaccio si era capitati sulle tracce della fortificazione più antica. I cocci di tegole arcaiche e di vasi d'argilla trovati sotto il materiale murario, resero possibile una datazione: il VI secolo prima di Cristo.

La tradizione trovava dunque conferma: le mura serviane erano sorte proprio nel periodo monarchico, e Roma doveva all'iniziativa di Servio Tullio la sua più antica e celebre opera di fortificazione.

Rimase però a lungo oscuro chi fosse veramente questo re. Sulla sua nascita, origine e giovinezza la tradizione romana conosce un'abbondanza di storie singolari e di sapore leggendario. A cominciare dal suo concepimento.

« Sotto il regno del primo Tarquinio, » apprendiamo da Plinio, « apparve dalla cenere del focolare un membro virile e l'ancella della regina Tanaquil, Ocresia, che vi sedeva, ne fu resa incinta. » Il figlio che le nacque in seguito, fu chiamato Servio Tullio. Lo strano e davvero insolito evento era ormai quasi dimenticato quando un bel giorno — è Livio ora che parla — « avvenne al fanciullo un fatto di mirabile vista e conseguenza. Mentre dormiva, tutti videro la sua testa ardere di fiamme: l'urlo lanciato a tanto fenomeno risvegliò la regale coppia. E avendo un servo portato acqua per spegnerle, la regina lo rimandò, e, imposto silenzio, ordinò di non disturbare il fanciullo finché non si svegliasse da sé. Con il sonno sparì presto anche la fiamma. Allora Tanaquil chiamò a sé il marito e gli disse: ‹Io ti dico che egli sarà un giorno luce a noi nei giorni bui, e salvatore della casa regale in difficoltà. Ora noi cresceremo con ogni cura una giovane vita grazie alla quale alto onore verrà allo stato e alla nostra casa.› »

Il consiglio di Tanaquil fu seguito, e da quel momento la coppia allevò il fanciullo come figlio proprio, facendolo istruire nelle discipline che abilitano lo spirito a un più alto grado. La volontà degli dèi si attuò: Servio divenne un giovane con qualità veramente regali. « Così avvenne poi che Tarquinio, ricercando un genero e non trovandone fra i giovani romani alcuno che reggesse al paragone con Servio Tullio, ... gli diede in isposa sua figlia. » Al figlio di una non libera!

Livio stesso non nascondeva i suoi dubbi al riguardo: « Appunto a causa di tanto onore a lui dimostrato indipendentemente da quel motivo, non posso credere che Servi ofosse figlio di una schiava. »

Lo storico, è chiaro, trovava poco lusinghiero per l'orgoglio nazionale dover registrare nell'elenco dei re una persona di così bassa nascita; per cui, manifestamente alla ricerca di un migliore albero genealogico, forniva un'altra e più nobile versione, secondo la quale Ocresia poteva essere la moglie pregna di un Tullio regnante a Corniculum e poi morto in battaglia. La verità comunque (consapevolmente o inconsapevolmente taciuta da Livio) il lettore non venne mai a saperla.

Servio Tullio, il secondo re di Roma. Questo è l'unico ritratto rimasto di un sovrano etrusco noto. Particolare di un affresco della celebre Tomba François a Vulci, che lo designa come Mastarna, un condottiero che si ribellò, insieme con i fratelli Vibenna, alla monarchia sacerdotale.

Oggi i veri retroscena di questa oscura vicenda sono noti grazie a due resti che, separati dal luogo dove rividero la luce e dal tempo a cui risalgono, solo a stento potrebbero, a un primo sguardo, essere visti in relazione: entrambi serbano notizie di grande interesse sul successore di Tarquinio Prisco al trono di Roma.

Nel 1524 fu rinvenuta a Lione una tavola di bronzo, il cui testo latino conserva una parte dell'orazione pronunciata dall'imperatore Claudio al cospetto del senato nell'anno 48 della nostra èra. Stupefatti rimasero gli studiosi davanti al punto in cui si diceva:

« Servio Tullio, a credere alle nostre fonti romane, era figlio di Ocresia, una prigioniera di guerra »; ma poi l'imperatore aggiungeva espressamente: « Se seguiamo però le fonti etrusche, egli fu in primo tempo fedele amico di Celio Vibenna e suo compagno in ogni avventura. Spinto dal desiderio di far fortuna, partì per mandato di Celio dall'Etruria e venne ad occupare il colle Celio (a Roma), così denominato dal nome di colui che vi esercitava il comando. Mutato il suo nome, che in etrusco suonava Mastarna, prese quello, come si narra, di ‹Servio Tullio›; ed esercitò il governo a gran vantaggio dello stato. »

Tale conferma sulle labbra di Claudio suscitò grande scalpore!

Né poteva esservi dubbio sulla competenza dell'oratore, perché in questo testo parlava l'esperto: Claudio infatti era lo storico sul trono di Roma. Molto prima di diventare imperatore nel 41 – contro la volontà di tutta la sua famiglia – egli si era dedicato con gran zelo a studi eruditi, e il suo interesse si appuntava soprattutto su un tema, il passato etrusco, che gli autori romani, quantunque s'annodasse strettissimamente alla loro storia nazionale, avevano sempre diligentemente evitato. Frutto del suo lavoro era stata una grande monografia in venti volumi sugli etruschi – *Tyrrenikà* – purtroppo perduta per sempre, che gli costò ventun anni di studio.

Claudio rivelava dunque chiaramente, e dinanzi al massimo corpo dell'impero, quanto Livio e colleghi in campo storico avevano passato sotto silenzio o appena appena accennato.

Per più di un riguardo, le sue rivelazioni erano di somma importanza storica; perché l'imperatore non soltanto svelava che accanto alla tradizione ufficiale romana ne esisteva una etrusca, scritta, come si legge letteralmente sulla tavola di bronzo da *auctores Tusci*, ma confermava inoltre che codesta tradizione etrusca forniva di un evento storico decisivo una versione opposta – e scientificamente valida – a quella romana. Egli ammetteva cioè che quel tal Servio Tullio che aveva retto Roma in veste di re « a gran vantaggio dello stato », non era uno schiavo, bensì un etrusco, di nome, appunto, Mastarna.

Claudio diceva la verità, anche se, come oggi sappiamo, la sua spiegazione dinanzi al senato era incompleta, avendo egli svelato solo una parte dei fatti storici a lui noti grazie ai suoi studi personali. Per comprensibile *pietas* verso la tradizione romana ufficiale si guardò dal tradire anche quanto le « fonti etrusche » erano in grado di dire su quel Mastarna e i suoi compagni di lotta: donde venivano, e in quali circostanze Servio Tullio era riuscito a impadronirsi del trono della città tiberina.

Questo, solo un caso raro quanto fortunato avrebbe potuto riportarlo in luce dal grembo stesso dell'antica Etruria.

Nel secolo passato il principe Torlonia, proprietario di vasti domini presso Vulci (a pochi chilometri a nord della Via Aurelia, a mezza strada fra Tarquinia e Ansedonia), decise di far intraprendere di nuovo gli scavi. I nobili possidenti di quella zona sapevano da tempo che nelle necropoli etrusche sepolte sonnecchiavano ancora incomparabili tesori e che con gli oggetti ricuperati si sarebbero potuti fare meravigliosi affari.

C'era poi, a dar l'acquolina ai grandi possidenti, il precedente del fratello naturale di Napoleone, Luciano Bonaparte, creato « principe di Canino » dal papa: il quale, rapinate le tombe della zona, aveva venduto migliaia di preziosissimi vasi greci in tutto il mondo, facendosi una fortuna. Già nel 1787 Goethe notava durante il suo *Viaggio in Italia*: « Pagano ora gran somme per i vasi etruschi, fra i quali certo si trovano esemplari belli e rari. Non v'è viaggiatore che non ne voglia possedere alcuni... Anch'io temo di esserne tentato. » Il principe Torlonia, diversamente da quel *parvenu* del Bonaparte, fece le cose per bene, chiamando da Parigi degli esperti: lo storico francese A. Noel Desverges e l'incisore Alphonse François, noto per la sua fortuna di scopritore. Questi conosceva meglio d'ogni altro la terra etrusca e possedeva un fiuto infallibile per i posti dove c'era qualcosa da trovare: era diventato celebre per aver scoperto nel 1845 presso Chiusi uno dei « pezzi » più rari di anfore attiche: il Vaso François, così chiamato dal suo nome, oggi al museo di Firenze.

Il Torlonia si era ben premunito. Il fiuto di questo scavatore insolitamente dotato non tardò a rivelarsi di nuovo. Correva l'anno 1875 quando François trovò un altro resto destinato a rimanere legato al suo nome.

Nella gola solitaria e selvaggia scavata dalle acque della Fiora presso la necropoli di Vulci, per una profondità di oltre trenta metri nella roccia vulcanica, il François iniziò la sua ricerca là dove si inarca arditamente sull'abisso, un antichissimo ponte, il Ponte della Badia, le cui fondamenta risalgono a epoca etrusca e che collegava un tempo la città dei vivi con la sua necropoli.

Per giorni e giorni François, accompagnato dal suo compatriota Desverges, si aggirò in esplorazione per la macchia, finché capitò davanti a un accesso semicrollato in una parete di roccia, seminascosta da massi coperti di muschio. Dopo averla studiata accuratamente, ebbe la certezza di trovarsi in presenza dell'ingresso a un grande ipogeo.

Fece venire una squadra di operai e iniziò gli scavi. Già dopo le prime palate si trovò un cippo funerario; si era dunque sulla traccia giusta di una camera tombale. Ma con il procedere del lavoro si annunciarono improvvisamente delle difficoltà, che minacciarono di annullare gli sforzi fatti fino allora, quasi la tomba volesse impedire l'accesso a estranei importuni.

« Una sera, » nota François, « tornai sul luogo degli scavi e vi trovai il caposquadra molto preoccupato. Mi disse subito che tutto quel lavoro era a vuoto. Secondo lui, la tomba era sprofondata e per un tratto che non ne permetteva più l'accesso; si dovevano insomma interrompere gli scavi, in corso oramai da due settimane. Le sue parole furono un colpo per me, che in questo ipogeo avevo riposto le massime speranze. Mi feci quindi condurre sul posto dove vidi realmente un mucchio di detriti che sembravano indicare un crollo completo. »

Ma François non s'arrese; il giorno dopo, egli scrive, « feci scavare un buco tra le macerie; quindi, stesomi a terra, mi ci feci calare. Percorso un tratto di circa tre metri, accesi la fiaccola, alla luce della quale scorsi, a circa sei metri di distanza, un'altra apertura, attraverso cui mi infilai. Poco dopo mi trovavo in una camera sotterranea di travertino, alta dai tre metri e mezzo ai quattro... Gli etruschi avevano lasciato questo ampio spazio per proteggere il sottostante ipogeo da un eventuale crollo e dall'umidità. »

Tornato sano e salvo fuori, François fece ampliare l'apertura, per la quale ridiscese poi accompagnato da Desverges e da alcuni operai. E venne l'indimenticabile istante della grande scoperta, « quando sotto l'ultimo colpo di piccone cadde la pietra che chiudeva la cripta, e la luce delle fiaccole illuminò la volta, il cui oscuro silenzio era rimasto per più di venti secoli intatto ».

Spettrale come un fantasma, quasi il tempo si fosse fermato, ecco emergere dinanzi agli occhi dei due, immutato, inviolato, il mondo degli etruschi. « Tutto era qui nello stesso stato del giorno in cui era stato murato l'ingresso, » dice Desverges; « e l'antica Etruria ci apparve come al tempo del suo splendore. Sui letti funebri guerrieri in completa armatura parevano riposarsi dalle battaglie combattute contro romani e galli. Per alcuni minuti vedemmo forme, vesti, stoffa, colori: poi, entrata l'aria esterna nella cripta dove le nostre fiaccole tremolanti minacciavano di spegnersi, tutto svanì. Fu come lo scongiuro del passato, il quale era durato lo spazio di un sogno e poi sparito, quasi a punirci della nostra sacrilega curiosità. »

Quasi trattenendo il respiro essi si immobilizzarono, presi dalla magia di un mondo da lungo sprofondato; e solo quando dopo un tratto i loro occhi, avvezzatisi al buio, cominciarono a scrutare qua e là nella camera, avvenne la seconda sorpresa, non meno eccitante: le pareti della tomba erano coperte tutt'intorno da affreschi, con immagini di sangue, scene selvaggiamente mosse di figure in lotta mortale fra loro. A sinistra dell'entrata si vedeva la lotta di Etèocle e Polinìce, quindi Aiace che afferra Cassandra sull'altare, e in mezzo l'uccisione dei prigionieri troiani, il sacrificio umano offerto all'anima di Pàtroclo caduto, compiuto da Achille. Il quale immerge profondamente la spada nella gola di un giovinetto, i cui occhi sono sbarrati dal terrore e dal dolore.

Erano tutti fatti noti della leggenda greca. Ma a destra della porta continuavano gli affreschi, dal soggetto assolutamente sconosciuto. François e gli altri guardavano meravigliati le stinte pitture raffiguranti anch'esse un fatto di sangue. Dieci figure di guerrieri – gli uni con barba, gli altri col viso completamente rasato – in lotta fra loro, otto dei quali in un corpo a corpo mortale. Anche qui degli uomini cadevano trafitti di spada. Quale scena aveva fissato il pittore? Quale il significato di una tale rappresentazione in una tomba etrusca?

François non fu in grado, specie dopo tutti gli eventi di quel giorno emozionante, di dare una risposta né di sospettare quale importante e unico ritrovamento fosse quello, che gettava luce sui tempi più bui della Roma monarchica.

Il significato delle scene fu svelato solo dopo la decifrazione delle iscrizioni etrusche dell'affresco, poste dal pittore sopra le teste dei guerrieri.

Nella tomba era venuta in luce l'unica descrizione sino allora nota di un avvenimento di storia etrusca: dall'oscurità di quella camera funeraria di Vulci scavata nella roccia più di due millenni avanti, emergevano per la prima volta le figure nette di un passato lungamente dimenticato. Poiché a gran meraviglia dei dotti, sopra due guerrieri stavano scritti esattamente gli stessi nomi menzionati anche dall'imperatore Claudio nella sua orazione: Celio Vibenna e Mastarna.

Dagli etruschi i romani impararono a costruire i ponti. In alto arco si leva ancor oggi sulla Fiora l'antichissimo Ponte della Badia, che collegava un tempo la città di Vulci con la sua necropoli.

Mastarna? Sembrava incredibile, ma era effettivamente così: quello doveva essere un ritratto del monarca romano Servio Tullio!

L'artista etrusco ha fermato un istante di alta drammaticità: a un gruppo di guerrieri armati, guidati da Mastarna, è riuscita una manovra di sorpresa. Con un assalto nel loro accampamento, sono riusciti chiaramente a sorprendere nel sonno una schiera nemica che tiene prigioniero uno dei loro, Celio Vibenna. Nessuno degli avversari sembra aver avuto il tempo di metter mano alle armi e così gli aggressori sono riusciti a liberare il compagno d'arme.

Proteso in avanti, Celio Vibenna porge le mani legate a Mastarna; il quale, la spada serrata sotto il braccio sinistro, taglia con un pugnale nella destra i legami del prigioniero. Accanto alle due figure sovrastanti e barbute, si è accesa una selvaggia mischia. I nemici sorpresi vengono scannati senza pietà; e tra fiumi di sangue cadono, trafitti da spade e pugnali, a terra. Tra loro si vedono – riconoscibili dalla faccia rasata – dei romani, ma stranamente anche degli etruschi barbuti. Quali i nomi dei guerrieri e quale la loro città, si apprende esattamente dall'iscrizione sopra ogni vincitore e ogni vinto.

Aulo Vibenna, fratello di Celio, trafigge di pugnale un guerriero (il cui luogo d'origine è illeggibile) nel petto; due suoi compagni ammazzano etruschi delle città di Sovana e Volsinii; un terzo colpisce a morte di spada una figura barbuta: l'iscrizione la indica come Gneve Tarchunies Rumach, cioè Cneo Tarquinio da Roma, presumibilmente un parente del re.

Gli affreschi di Vulci illustrano quindi una vittoria dei fratelli Vibenna e di Mastarna su una coalizione nemica, di cui fanno parte, unite a Roma, due città etrusche importanti come Volsinii e Sovana. Vittoria seguita a una precedente sconfitta in cui Celio Vibenna – di cui gli affreschi mostrano la liberazione – era caduto prigioniero.

Era qui dunque fissato un evento svoltosi effettivamente e in questi termini durante la vita di Servio Tullio, qui, come in Claudio, chiamato Mastarna?

La storicità degli affreschi di Vulci restò contesa, fino al giorno di un altro prezioso rinvenimento.

Durante gli scavi presso un tempio di Veio si trovò un frammento di un vaso di bùcchero con iscrizione etrusca. Era un dono votivo, e il testo in etrusco arcaico portava il nome del donatore: *Avile Vipiennas*, cioè Aulo Vibenna. L'iscrizione data della metà del VI secolo a.C.: ai tempi di Servio Tullio, dunque, un Aulo Vibenna aveva deposto un'offerta nel tempio di Veio!

La scoperta, aggiunta agli affreschi François, rendeva credibile un'antica tradizione spesso revocata in dubbio, secondo la quale un gruppo di etruschi, guidati da Celio Vibenna e dal fratello Aulo, s'erano attestati sul Celio a Roma. Secondo Tacito e Festo, i Vibenna erano giunti a Roma sotto un re Tarquinio.

Tacito anzi ci fa sapere che il colle si chiamava originariamente Querquetulanus, dal nome delle querce che un tempo lo coprivano. Solo più tardi aveva preso nome di Celio, in onore di quel « Celio Vibenna che, venuto a portar soccorso, lo occupò alla testa della spedizione etrusca, stabilendovi quindi la sua residenza ».

Entrambi i fratelli, nella tomba François, appaiono compagni d'armi fianco a fianco di Mastarna. Non si poteva parlare però di ritratti veri e propri, perché gli affreschi datano solo dal III secolo a.C. L'artista etrusco vi aveva eternato un fatto della sua storia che la tradizione romana aveva cercato coscientemente di affossare.

Qui era conservata la preistoria di una rivoluzione, che aveva portato alla caduta della dinastia dei Tarquini e alla signoria dell'etrusco Servio Tullio, non come conseguenza dell'assassinio di Tarquinio Prisco (secondo vollero dare a intendere ai posteri Livio e colleghi), ma in seguito a una impresa bellica di federati etruschi.

Ciò ch'era avvenuto allora, non aveva ancora nulla a che fare con la storia romana: si trattava di una lotta di potere fra città-stato etrusche: la lotta della dinastia tarquinia sul Tevere e delle sue città alleate a tutela dell'antico sistema di dominio contro una ribellione in territorio etrusco.

Mastarna e i fratelli Vibenna – giovani nobili di Vulci – si erano prefissi la caduta di una monarchia assoluta ed ereditaria, proponen-

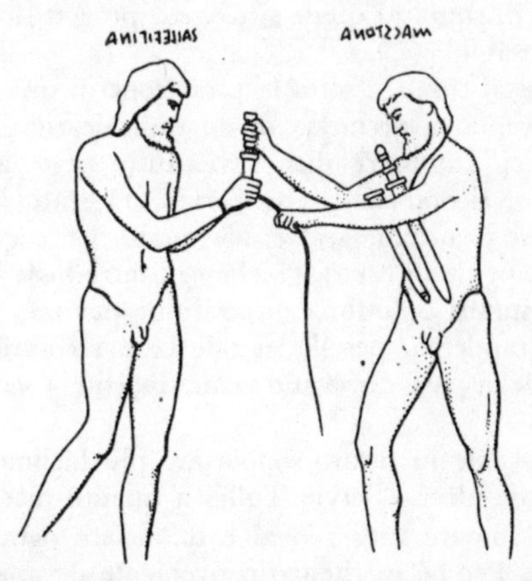

Il duce etrusco Mastarna e futuro re Servio Tullio — a destra — libera dalle catene durante una spedizione il suo compagno d'armi Celio Vibenna, caduto prigioniero. Sopra le due teste, i nomi in grafia etrusca. Particolare di un dipinto parietale della Tomba François a Vulci (III secolo a.C.).

dosi la creazione di un ordine nuovo e più libero. Eran cose da lungo nell'aria: ad Atene, il prepotere di pochi aveva già trovato un limite nella legislazione soloniana del 594 a.C. La nuova idea aveva trovato sostenitori appassionati anche in Etruria: i giovani rivoluzionari s'erano uniti a schiere e i loro gruppi armati cominciarono a scatenare i primi disordini all'interno della lega delle città etrusche.

La reazione, la quale vedeva minacciato di rivolta il suo mondo che riposava tranquillo su una tradizione consacrata, non tardò a difendersi. Tarquinio Prisco a Roma, in alleanza con le città-stato amiche, allestì un esercito e scese in campo contro i rivoltosi. Sulla condotta della guerra tutte le fonti tacciono: si sa soltanto che Tarquinio e alleati ne uscirono sconfitti, battuti in una leggendaria « battaglia dei re » da Mastarna e Aulo Vibenna.

La vittoria portò alla caduta dei Tarquini e il nuovo movimento prese il potere. Sembra che i fratelli Vibenna morissero durante le lotte. Uno di essi è ricordato ancor oggi dal nome del monte Celio, sul quale sorse in seguito, a opera dell'imperatore Claudio, un tempio sontuoso.

La signoria di Roma fu presa dal loro commilitone Mastarna, che rimase fedele alla nuova idea. Questo etrusco, chiamato ora ufficialmente Servio Tullio, diventa il secondo fondatore di Roma, un riformatore moderno della statura del grande ateniese Solone, e importante uomo di stato, al quale si devono progetti lungimiranti per i sudditi latino-sabini.

La sua ascesa al trono, « sotto la protezione di una sicura guardia del corpo », diventa la premessa di un radicale riordino degli ordinamenti pubblici. I posteri, dice Livio tutto orgoglioso, avrebbero detto un giorno, riconoscenti, che Servio era stato il fondatore di tutte le divisioni in ordini, grazie alle quali vien segnato il confine fra lo stato di rango e di censo. Poiché egli introdusse infatti il censo.

« Questa fu infatti un'ottima disposizione per uno stato destinato alla massima grandezza, perché su tale base i contributi alle spese della guerra e della pace dovevano venir ripartite a seconda dei mezzi di ognuno. »

« Affinché possiate in futuro sopportare più facilmente le imposizioni dello stato, » decise Servio Tullio a quanto dice Dionigi, « ho stabilito di far stimare tutti i beni e di tassare ognuno a secondo di questa stima. Perché io ritengo conveniente e vantaggioso per la comunità che chi possiede molto dia molto; chi poco, poco. »

L'ordinamento censitario è antichissimo costume orientale, già menzionato nell'archivio di tavolette d'argilla del palazzo reale di

Mari sull'Eufrate intorno al 1800 a.C.; già allora mezzo di riferimento per l'esazione delle imposte e il servizio militare. Da Mari passò ai babilonesi e agli assiri. I figli d'Israele sperimentarono più di una volta nella loro storia tali esazioni autoritarie: la prima sotto Mosè dopo l'esodo dall'Egitto, un'altra sotto re Davide. L'Oriente lo trasmise anche ai greci della Ionia.

Nulla di nuovo sotto il sole, dunque, cose da tempo note alle antiche civiltà dell'Asia anteriore, ma una novità per l'Occidente, introdotta ufficialmente dall'etrusco Servio Tullio, « il quale fece registrare tutti i romani per nome e censire i loro beni secondo il valore in denaro, » come annota Dionigi; che aggiunge: « E questa legge fu conservata a lungo fra i romani. » Il passo di Luca: « E avvenne proprio al tempo che un editto dell'imperatore Augusto ordinava che tutto il mondo fosse censito » lo richiama involontariamente al lettore. Ancor oggi si fanno censimenti per l'esazione delle imposte e il servizio militare: ma chi sospetta che fu un re etrusco il primo a renderli legge a Roma, di dove, con l'ascesa dell'impero, si estesero in tutta l'Europa?

« Avuto che ebbe l'elenco nominativo di tutti i censiti e accertato il loro numero e l'entità dei loro proventi, fondò, » dice sempre Dionigi, « uno dei più saggi ordinamenti, apportatore per i romani dei massimi vantaggi. » « Quindi introdusse, » così Livio, « la ripartizione in classi e centurie regolate sul censo, valida allo stesso modo per la guerra e per la pace. »

La riforma entrata nella storia di Roma col nome di « Costituzione Serviana » spirava uno spirito nuovo, moderno. L'aristocrazia di sangue, che poggiava sull'asservimento del basso ceto con diritti limitati, era un tipo di ordinamento introdotto dall'Etruria. Servio Tullio l'eliminò, riorganizzando totalmente la società. Egli infatti non solo limitò la signoria unica e assoluta con i conseguenti privilegi e poteri delle famiglie nobili, ma chiamò per la prima volta a partecipare ai doveri militari anche i cittadini, assegnando loro diritti politici. In un'epoca in cui l'Etruria non conosceva che la monarchia assoluta, questo costituì un grande fatto rivoluzionario.

Il perno della costituzione censitaria era formato dall'ordinamento per centurie, nel quale la divisione del popolo in classi si accompagnava al tempo stesso con una riforma dell'esercito. I romani vennero divisi in classi censitarie, comprendenti la prima i cittadini più ricchi, l'ultima i più poveri. Ogni classe – a eccezione dell'ultima, quella dei proletari, che non aveva obblighi militari – era divisa in centurie, cioè gruppi di cento cittadini. Con l'ordinamento per centurie si stabilivano esattamente i vari compiti e doveri di ogni cittadino nell'esercito.

L'aristocrazia – i cittadini della prima classe – doveva fornire le centurie della cavalleria, in grado di provvedere all'acquisto, mantenimento ed equipaggiamento di un cavallo. Fra i membri della seconda, terza e quarta classe, si reclutava la gran massa delle truppe: le centurie dei fanti, l'armamento e l'equipaggiamento dei quali si fondava anch'esso sui loro mezzi, vale a dire sulla terra che possedevano.

Tutti quelli che si trovavano economicamente in condizioni di farlo, dovevano sobbarcarsi all'armamento pesante, quello degli opliti, e appartenevano alle centurie della seconda classe: costoro formavano la forza d'urto dell'esercito e combattevano in prima fila. I membri della terza e quarta classe – medi e piccoli proprietari – costituivano la fanteria leggera. Servio Tullio istituì inoltre corpi speciali: genieri – centurie con personale tecnico, formate di artigiani e di lavoratori del legno e del ferro – e bande militari, « unità di musici dotati di corni e trombe e di altri strumenti a fiato ».

Un secchio di bronzo rinvenuto nella necropoli di Certosa, poco distante da Bologna, mostra questo esercito in marcia. Il gruppo montato sta in testa; viene poi la truppa di fanteria, prima tre gruppi di truppe di assalto, seguite da una seconda e terza linea di opliti; chiudono la sfilata gli armati alla leggera.

« Tale disposizione, » scrive Raymond Bloch, « corrisponde sicuramente a quella delle unità etrusche, e forse vi troviamo il prototipo della legione romana primitiva come il re etrusco Servio Tullio la organizzò: su tre linee, cioè, quella degli *hastati*, dei *principes* e dei *triarii*. »

Compiuto il censimento, scrive Dionigi, Tullio ordinò a tutti i cittadini di radunarsi armati nella massima piana dinanzi alla città; quindi dispose la cavalleria in squadroni, la fanteria a file e gli armati alla leggera secondo la centuria di appartenenza; « e sacrificò per loro un toro, un ariete e un capro. Fatte poi condurre tre volte le vittime intorno all'esercito, le immolò a Marte, il nume tutelare di quella piana ».

Qui, sul Campo Marzio, sarebbe più tardi convenuta la gioventù romana a esercitarsi nelle armi; qui, sulla prima piazza d'armi d'Europa, sarebbero sfilate le legioni, per volgersi allo sterminio del popolo etrusco, il cui figlio loro sovrano li aveva convocati per la prima volta al sacro richiamo delle armi.

A tutto il popolo abile fu assicurata la partecipazione all'esercito sulla base del patrimonio di ognuno. « Tale costituzione, » giudica lo studioso Karl Otfried Müller, « scalza l'intero organismo della vita statale quale s'era formato da tempo immemorabile, sostituendo a un ordinamento basato sulla fede e l'opinione personale, il prestigio e l'autorità, un principio puramente dinamico, secondo il quale ognuno vale per quello che dimostra di essere esteriormente... Mai, che si sappia, presso i greci le classi o gli ordini furono ripartiti, anche per la votazione, in centurie o compagnie in servizio attivo e della milizia territoriale; mai i greci allestirono, come massima rappresentazione del potere popolare, un corpo così militarmente ordinato come l'*exercitus urbanus* convocato nel Campo di Marte. »

Tutto il potere era in mano delle due classi superiori: le centurie che servivano a cavallo e quelle che marciavano armate alla pesante; anche nelle votazioni esse avevano infatti la parola decisiva. Tutti quelli che potevano procurarsi un equipaggiamento costoso, erano quindi ricompensati con diritti politici particolari; però la possibilità di entrare a far parte di una classe più elevata era aperta a chiunque.

L'ordinamento per centurie sopravvisse alla fine della repubblica, e durò, anzi, per tutto il periodo dell'impero. Esso creò, secondo il Ranke, « le istituzioni militari e popolari che condussero Roma a essere quello che fu. » Poiché la potenza dello stato romano poggiava come quella di nessun altro sulla guerra, dove la spada aveva, accanto all'aratro, un'importanza tutta particolare. Con la costituzione censitaria l'esercito romano divenne un esercito di contadini, un « popolo in armi ».

La costituzione spartana di Licurgo fondata sulla servitù non poté mai sfruttare la popolazione contadina: di qui il suo fallimento finale. Roma invece – grazie alla divisione per centurie di Servio Tullio – poteva contare su una forza d'urto in grado di portarla a incomparabili conquiste militari, fino alla signoria mondiale.

A suo tempo, però, la rivoluzionaria innovazione fece fare cattivo sangue alle cerchie nobili fino allora imperanti incontrastate, che difendevano il vecchio sistema di potere. La reazione levò allora il capo, sul Tevere stesso e nelle città-stato di là dal fiume.

« Dopo la morte di Tarquinio, » ci informa Dionigi, « le città non vollero più osservare i patti d'alleanza... nell'illusione che i dissapori fra patrizi e re potessero tornar loro di grande vantaggio. » Resistenza e congiure contro il pericoloso riformatore della città tiberina sfociarono in lotta aperta.

Apprendiamo così di una guerra contro Tarquinia, Veio e Cere, in seguito alla quale tutta l'Etruria fu infine in armi. Però « Tullio ebbe fortuna in tutti i combattimenti sia contro le città sia contro l'intero popolo ».

Quello che ai rappresentanti dell'antico potere era fallito in campo aperto – l'eliminazione del rivoluzionario sovrano in riva al Tevere – riuscì ai suoi nemici in Roma mediante un attentato: Lucio Tarquinio, figlio dello spodestato Tarquinio Prisco, raccolse « una schiera di armati » che uccise Servio Tullio « nel vicolo Ciprio ».

Quando fu assassinato, Tullio era al quarantaquattresimo anno di regno (569-525). Il suo governo fu tenuto dai romani (che pure cercarono di nasconderne l'origine etrusca) nella massima considerazione. « Quest'uomo, dicono i romani, » scrive Dionigi, « fu il primo a raffinare gli usi e i costumi della patria. » E a ragione gli tributarono lode illimitata, poiché a quell'etrusco dovevano le fondamenta della loro libertà e potenza!

Con la violenta ascesa al trono di un membro della potente schiat-

Re etrusco dell'epoca della signoria tarquinia a Roma. Seduto sul seggio – la « sella curulis » poi accolta da Roma – tiene lo scettro nella sinistra. Sopra una tunica candida a manica corta porta una breve toga di porpora con bordure. Caratteristici i calzari a punta ricurva di modello ittita. Terracotta dipinta, da Cerveteri, VI secolo a.C.

ta dei Tarquini, che inizia ora a regnare con il nome di Tarquinio il Superbo, gli anni della signoria etrusca su Roma dovevano raggiungere l'apice...

Frattanto, tuttavia, la potenza e il prestigio etruschi si erano illustrati anche in altri luoghi che a Roma, guadagnandosi grande rispetto, nelle regioni italiche come sul mare.

LA LEGA DEI DODICI POPOLI NELLA TERRA DEL VESUVIO

Così importante fu la potenza degli etruschi, nota Livio, da permeare dell'autorità del suo nome non solo la terraferma, ma l'intera costa italica dalle Alpi allo stretto siciliano.

Appunto al tempo in cui Tarquinio Prisco si cingeva il capo del diadema regale nella città da lui fondata in riva al Tevere, le città-stato etrusche si apprestavano a estendere vigorosamente la loro sfera di dominio verso sud: oltre Lazio fin giù nella Campania.

A partire dal VII secolo, l'influenza etrusca nella regione a sud del Tevere è un fatto compiuto. Le tombe di Preneste, sontuosamente corredate di oggetti di produzione etrusca, dimostrano quale importanza avesse già allora raggiunto codesta località al margine dei monti Sabini. Frattanto, le popolazioni latine ancora arretrate erano cadute sempre più nel raggio d'azione del grande popolo di pionieri, al quale si erano legate anche politicamente e religiosamente.

Tarquinio Prisco, informa la tradizione romana, divenne « signore di tutti i latini ». Sotto Servio Tullio regnò profonda pace, e i legami furono ancor più rinsaldati. Tullio, ci informa Livio, in compagnia dei più eletti latini, coltivava nell'interesse statale e privato soprattutto il diritto di ospitalità e l'amicizia. Su tale via « si spinse tanto avanti, che i popoli del Lazio risolsero di costruire insieme con il romano un tempio a Diana. Nel quale si convenì che Roma diventasse la loro capitale ». Sotto il successore Tarquinio il Superbo, la città tiberina divenne infatti la potenza-guida della Lega Latina.

Il progresso entrò con l'afflusso dall'Etruria nel Lazio di schiere di commercianti, artigiani e ingegneri, i quali portarono a una notevole ascesa. Sotto la direzione degli agronomi stranieri, la coltura dei campi ancora arcaica e scarsamente produttiva divenne agricoltura moderna. Furono anche introdotti con successo nuovi metodi di allevamento del bestiame e di arricchimento artificiale del terreno, del tutto sconosciuti alle popolazioni locali. Come in Etruria, sorse un ramificato sistema di canali, nei quali si raccoglievano le acque superflue per deviarle o per irrigare le zone aride.

Molti dei terreni allora coltivati ricaddero poi in abbandono, tra i quali probabilmente anche la vastissima piana costiera di Antium, abitata dai volsci, nota a quel tempo per la sua feracità e i ricchi prodotti dovuti all'ampia opera di drenaggio. Sotto i romani, gli antichi canali di scolo furono sempre più trascurati, fino alla inutilizzazione completa. Il terreno si impaludò, si diffuse la malaria e il territorio si spopolò. Sorsero così le malfamate Paludi pontine. Solo negli anni venti del nostro secolo, dopo più di duemila anni e con gli stessi sistemi degli etruschi (vasta rete di canali di scolo), questa « terra dei morti » da allora inabitata fu resa coltivabile con un'opera di bonifica.

Gli etruschi delimitarono allora nel Lazio – per la prima volta al di fuori della loro regione – ampi tratti di campagna, ripartendoli in lotti di grandezza adatta a uno sfruttamento intensivo. Lotti « che rappresentavano superfici accuratamente stabilite secondo regole precise. Gli etruschi disponevano infatti di grandi conoscenze in fatto di pianificazione e misurazione del terreno. E gli agronomi romani, di cui ci rimangono alcuni scritti, appresero a loro volta i principi alla base dell'antica tecnica dell'agrimensura, » osserva Raymond Bloch, il quale accenna anche a un altro fatto stupefacente: « La divisione dell'Italia e pure delle province romane in quadrati di settecentodieci metri di lato (quale appare dalle fotografie aeree in varie regioni e anzitutto in Africa), la cui perfetta geometria ci riempie d'ammirazione, risale a eredità etrusca. »

Le conseguenze di questi « aiuti stranieri per lo sviluppo » cominciarono a delinearsi ben presto, col diffondersi di una prima forma di benessere. Aumentati i prodotti del suolo, crebbe anche il potere d'acquisto ed emerse, fra la popolazione ancora poco prima povera e senza pretese, il desiderio di cose d'ogni genere. Prodotti di fabbricazione etrusca, dell'artigianato e dell'industria, affluirono in copia nel paese; e, agli oggetti d'uso materiale, seguì l'arte. Tutta la civiltà del Lazio del VII e VI secolo, ci informa il Pallottino, è legata all'Etruria.

Particolarmente forte fu l'influenza della cultura e dell'arte etrusca nel VI secolo fino all'inizio del V. Basti pensare ai tipi e alle forme del tempio, e alla sua decorazione di terrecotte dipinte.

L'antico Lazio costituisce ancor oggi dal punto di vista archeologico un campo appena arato. Ma già le testimonianze venute in luce rispecchiano il mutamento e il balzo in avanti allora compiuto;

e i reperti archeologici di Satrico, di Lavinia o di Velletri, permettono di riconoscere inequivocabilmente quanto anche in tal campo le fonti romane hanno taciuto.

A Satrico, città volsca a nord-est di Nettuno, fu rinvenuto un luogo cultuale di puro carattere etrusco. Su un'antica cittadella l'archeologo francese F. Graillot liberò, nel 1886, i muri maestri di un tempio etrusco, eretto nel VI secolo a.C. sopra un precedente luogo cultuale in mezzo a capanne primitive.

Datano della stessa epoca anche i numerosi frammenti di decorazioni di mattoni di pietra ornati di rilievi e di figure di terracotta dipinta, che un tempo ornavano il tetto, il frontone e le pareti. Fra esse, una testa di guerriero barbuto, una górgone, la testa di un cavallo, rilievi con scene di battaglia, mènadi e silèni. Accanto a statue votive e figure bronzee si trovavano fra le macerie resti di vasi di bùcchero di ogni specie, tripodi di bronzo e – testimonianza inequivocabile dell'odontotecnica etrusca – una dentiera artificiale d'oro!

I reperti di Satrico dimostrano che furono gli etruschi a imprimere al Lazio l'impronta della loro influenza e cultura superiore.

Al tempo della fondazione del tempio di Satrico, si era avviato un altro audace balzo in avanti: altri intraprendenti colonizzatori etruschi si erano spinti molto profondamente a sud, fino alle pianure ai piedi del Vesuvio. Laggiù, sulle coste meridionali del Tirreno, avevano fondato un nuovo dominio.

Quando ci si lascia Napoli alle spalle e si passa la montuosa penisola sorrentina con le celebri località di Amalfi e Positano, ancora oggi ci salutano di là dalla verde piana che si stende lungo il golfo di Salerno a sud e profondamente nell'interno, antichissime testimonianze del passato. In maestosa pace sognano, non lontane dalla costa, le rovine dell'antica città greca di Paestum. Circondati da mura lunghe oltre quattro chilometri e mezzo, munite di porta e di torre, si ergono nell'azzurro del cielo tre templi superbi.

In questo luogo si ha improvvisamente davanti agli occhi qualcosa di completamente nuovo. Qui per la prima volta il visitatore che viene dal nord scorge su suolo italico l'arte della Magna Grecia. Lo sentì Goethe, che nel suo viaggio verso la Sicilia visitò Paestum. « La prima impressione poteva destare soltanto stupore. Mi trovavo in un mondo totalmente estraneo, » scrive nel suo *Viaggio in Italia*; e in un primo momento ebbe l'impressione « che quelle colonne massicce coniche, grevi, avessero un che di pesante, anzi di pauroso. »

Gli etruschi si spinsero sino in vista di quella colonia greca. La loro area d'influenza si stendeva fino al fiumicello che porta ancora il loro nome, Tuscana, le cui acque sono convogliate in mare dal Sele. Le sue rive segnavano il confine.

La Campania: che gran balzo nell'Italia meridionale, divenuta la fiorentissima Magna Grecia ad opera dei coloni greci! Che distesa di territorio nuovo e ancora sottosviluppato, dove s'alternavano colli, catene montuose e pianure!

Dalla foce del Tevere all'estremità meridionale del golfo di Salerno ci sono più di duecento chilometri in linea d'aria. Un'altra via, quella di terra, inizia, lasciando Roma da Porta San Giovanni, con l'Appia antica lastricata, per poi seguire i dolci pendii dei monti Albani, finché si passa il cono del Vesuvio. Lunga anche la strada per mare: la distanza da Ostia è doppia di quella da Cere fino a Populonia di fronte all'Elba.

La « Campania felix » dei romani, da tempo ormai non era più una terra sconosciuta per gli etruschi del VI secolo; già molte generazioni avanti dei loro contadini vi avevano messo piede. I primi vi giunsero – a seguire le precise informazioni degli autori citati dallo storico romano Velleio Patercolo – verso l'800, stanziandosi a Capua e a Nola.

Già allora le navi da guerra e pirate « tirsène » dominavano il

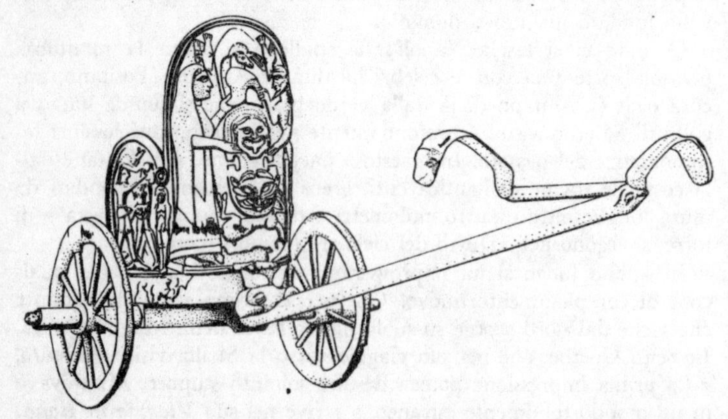

Biga da guerra adorna di piastre bronzee di squisita fattura. Questo capolavoro etrusco, datato della metà del VI secolo a.C., fu rinvenuto a Monteleone vicino a Spoleto. Carri da guerra del genere furono in seguito forniti da mercanti etruschi della Lega delle dodici città della Padania a principi celti sul Reno.

mare fin oltre lo stretto di Messina. Tali operazioni marittime condotte lontano dai porti dell'antica Etruria verso meridione presupponevano basi d'appoggio in terraferma: come sulle coste laziali (forse a Terracina, il cui nome ricorda quello di Tarchon), anche sui lidi campani si dovettero installare depositi, magazzini e campi fortificati.

Sulla Campania ci restano le informazioni di un uomo che poté vedere e ammirare ancora coi propri occhi la prosperità portata dagli etruschi: lo stratega greco Polibio, condotto a Roma nel 160 a.C. insieme con altri illustri ostaggi della Lega achea. In un passo della sua storia universale in quaranta libri scritta dopo ampi viaggi per l'Italia, la Sicilia, la Gallia e la Spagna, egli scrive: « Gli etruschi occuparono pure i cosiddetti Campi Flegrèi vicino a Capua e a Nola, che possedevano fama di gran feracità come sappiamo da molte persone che li hanno visitati e conosciuti. Perciò tutti coloro che si occupano di cose etrusche, devono informarsi non solo sul territorio da loro attualmente occupato, ma anche sulla pianura che ho appena detto e sui prodotti che se ne traevano. »

Quando Polibio scriveva questo elogio, gli etruschi erano stati cacciati ormai da tempo dal sud, dove la loro signoria in Campania trovò fine nel 420 a.C.

I Campi Flegrèi, fin dall'antichità teatro di attività vulcanica, si stendono in mezzo alla terra campana. Secondo la leggenda, i giganti figli della dea della terra Gaia, combatterono un tempo al cospetto del Vesuvio contro gli dèi, dai quali furono schiacciati. Oggi si attraversa questo luogo intessuto di leggende e carico di storia in macchina, pochi chilometri prima di arrivare a Napoli venendo da Roma.

Indomata restò, al sorgere della Lega dei dodici popoli, l'antica Cuma, una spina nella carne. I nuovi coloni etruschi si estesero a nord e a sud-est della città commerciale. greca fra gli oschi aborigeni, popolo contadino; all'estremo nord la città più importante del loro regno meridionale dei « dodici popoli » fu Capua, vicino al Volturno. La città che porta oggi questo nome sorse molto più tardi; risale a un tardo periodo romano e nasce come località fortificata portuale costruita direttamente sul fiume. Nondimeno, è degna di essere visitata poiché ospita il Museo provinciale campano di Palazzo Antignono, che conserva terrecotte architettoniche, bronzi e statue votive di stile etrusco, ricordo degli antichi signori della regione.

Le testimonianze archeologiche erano nel secolo scorso ancora tanto scarse, che più di uno studioso dubitava, malgrado tutte le antiche fonti e notizie della tradizione, che gli etruschi fossero mai stati in Campania. Solo reperti ed epigrafi scoperte negli ultimi decenni portarono la prova: di somma importanza fra esse l'iscrizione etrusca di più di seicento parole sopra una tegola venuta in luce durante gli scavi presso l'antica capitale. Il prezioso documento si trova oggi a Berlino.

« Dal punto di vista storico la dominazione etrusca in Campania – giudica il Pallottino – sulla quale fu sollevato nel passato qualche dubbio dalla critica moderna, non presenta oggi più problemi se non di ordine secondario. »

La Capua etrusca, battezzata originariamente Volturnum – secondo Livio – dal nome del fiume che le scorreva vicino, stava quattro chilometri più a est. Una borgata moderna ai piedi del Tifata, in un ambiente fertile e ben coltivato, cela nel sottosuolo i resti della metropoli un tempo così potente e importante: borgata che pur serba nel nome il ricordo della passata epoca etrusca: Santa Maria Capua Vètere. I frammenti di un arco trionfale e i resti di un gigantesco anfiteatro, paragonabile per grandezza al Colosseo, risalgono al tempo dei conquistatori romani.

Della città originaria, i cui abitanti nel 216 a.C. (cacciati ormai da tempo gli etruschi) aprirono le porte al vincitore Annibale dopo la battaglia di Canne, e fra le cui mura i suoi soldati « s'infiacchirono » negli ozi del lungo quartiere d'inverno, non rimase più nulla. Solo un proverbio ricorda ancora l'antica « floridezza di Capua », e il rosso falerno ancora prodotto nella regione, che occupava nella scala dei vini romani un posto di primo rango. Dato l'alto tenore alcolico, lo si beveva mescolato a miele. La viticoltura etrusca era celebre anche nel sud.

Muti sono i reperti dell'antica necropoli. Se potessero parlare, racconterebbero dell'antica grandezza della ricca Capua: ricca grazie ai Campi Flegrèi, « dove il fuoco vulcanico si era mutato in una benefica fonte di fertilità »; ma ancor più per l'industria, l'artigianato e il commercio, cui avevano saputo dar vita e potente espansione i suoi fondatori. Officine e industrie assorbivano gli abitanti come forze di lavoro; e la città crebbe, popolosa tanto che sola – sono parole di Cicerone – sembrava degna di essere annoverata fra le capitali del commercio mondiale dopo Roma, Corinto e Cartagine. Tanta grandezza e una popolazione tanto numerosa non potevano risalire né all'epoca degli oschi, gente contadina, né a quella posteriore dei sanniti, popolo montanaro: erano stati imprenditori etruschi ad attirare in massa la gente a Capua, avvezzandola a una vita cittadina.

Un'altra località campana porta il nome citato da Polibio a proposito della seconda fondazione: Nola, situata a nord-est del Vesuvio. Ma ciò che lo studioso di storia sa dire della cittadina non ha più nulla a che fare con la sua origine e il suo passato etruschi: ivi morì, infatti, il 14 d.C. l'imperatore Augusto, e verso il 400 un vescovo vi ideò le campane da chiesa (in latino campana + nola: campanella).

Non lontano da Napoli due altre località ricordano città un tempo etrusche: la piccola Acerra Suenola e Nocera sul Sarno vicino a una valle detta ancora oggi Cava dei Tirreni. Altre fondazioni etrusche sono tuttora avvolte dal velo dell'oblio più totale. Certe monete scoperte durante scavi in Campania portavano il nome di quattro altre località etrusche: Thezle, Velcha, Velsu, Irnthi; dove sorgessero, non si è ancora potuto sapere.

Di due altre città appartenenti alla Lega meridionale dei dodici popoli l'archeologia invece ci ha dato abbondanti notizie: Ercolano e Pompei.

Aspra durò fra gli studiosi per tutto il XVIII e XIX secolo la contesa sul problema, se gli etruschi fossero mai stati effettivamente i signori di Pompei. Contesa che rimase allora irrisolta, perché, come spesso accade, non si volle dar credito alle pur scarse informazioni degli scrittori classici. Eppure lo storico Strabone, che scrisse a cavallo fra l'èra pagana e la nostra, e che visitò l'Etruria e poté attingere alla migliore letteratura disponibile, assicurava che quella città marinara era stata un tempo possesso etrusco! Ma la mancanza di resti tipicamente etruschi, che non affiorarono nonostante i ripetuti scavi, non poté mettere a tacere i dubbiosi.

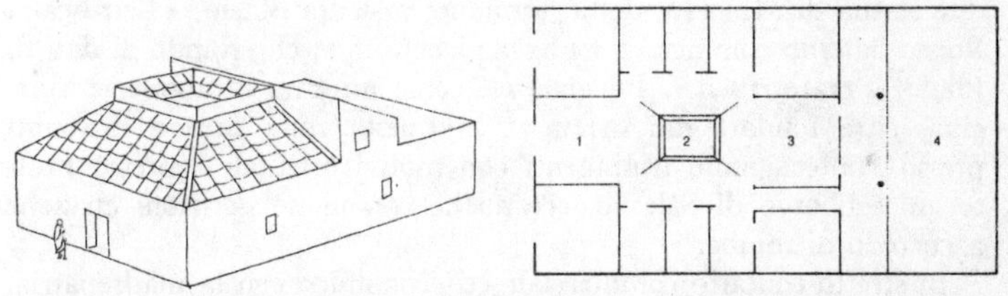

Veduta di una casa con atrio: *sul tetto, un'apertura per la raccolta dell'acqua piovana; sul retro, cinto da un alto muro, un cortile-giardino. La piantina mostra la divisione dei vani: 1) atrio (soggiorno e sala da pranzo); 2) impluvio; 3) tablino (stanza del padrone di casa); 4) hortus. Da uno scavo a Pompei.*

Oggi finalmente la penosa incertezza è risolta, grazie anzitutto all'instancabile Amadeo Maiuri, direttore delle ricerche per un'intera generazione; al quale riuscì di provare che Pompei aveva veramente appartenuto alla Lega etrusca delle dodici città campane.

Nessun'altra impresa archeologica – tranne quella di Ercolano – si è mai prolungata tanto nel tempo. Resti trovati per caso condussero nel 1748 alle prime ricerche, durante le quali ci s'imbatté in freschi parietali, in pezzi bronzei e argentei e in cadaveri pietrificati di lava. Cominciò così una serie di scoperte che commossero il mondo intero. Nel 1796, preso dall'entusiasmo generale, Schiller scriveva la poesia *Pompeji und Herkulanum.*

La ricerca, premiata da rinvenimenti sempre nuovi e sensazionali, proseguì lungo tutto il XVIII secolo. Di fronte allo stupore per l'affiorare di una città scomparsa quasi duemila anni prima, ci si scordò totalmente di fare attenzione alla sua storia: solo intorno al 1900 i ricercatori presero a considerarla, e si ebbe finalmente l'occasione di dar risposta anche alla « questione etrusca ».

Maiuri, direttore degli scavi dal 1924, si diede a una ricerca sistematica del sottosuolo. Durante uno scavo ai piedi di un tempio sacro ad Apollo vicino al foro, si trovò un giorno il resto grande e decisivo: un deposito di frammenti di ceramica attica a figure nere vicino ad altri vasi di bùcchero con iscrizioni etrusche! I cocci – di oggetti votivi deposti nel tempio – si lasciarono datare senza difficoltà: fra il 550 e il 470 a.C. Strabone aveva dunque ragione: una signoria etrusca sopra Pompei c'era effettivamente stata.

Anche la vicina Ercolano era stata membro della Lega meridionale. Strabone e Teofrasto parlano diffusamente dei tirreni in questa città. Ancora più a sud, tradizione e resti archeologici testimoniano della signoria etrusca. In cima alla rupe di Sorrento stava una volta una statua di Minerva, detta, a quanto assicura Stazio, « l'etrusca ». Presso Salerno cominciava l'« ager picentium », che stando ai dati di Plinio, « era etrusco ». Ivi giaceva, come informa Strabone, « Marcina, città fondata dai tirreni ». In questa zona furono rinvenuti presso Pontecagnano frammenti con motivi orientali e presso Fratte, un sobborgo di Salerno, ceramiche con incise iscrizioni etrusche a corredo di tombe.

In stretto contatto commerciale ed economico con la madrepatria, la Campania, i cui abitanti – gli oschi – avevano sin qui stentato la vita da poveri contadini, sperimentava ora, sotto la Lega, ascesa e fioritura, e mutava in meglio l'aspetto del suo territorio. Molto sotto il Tevere sino alle piane del Vesuvio, era sorto verso l'Italia meridionale un nuovo, fiorente bastione etrusco, che fungeva da argine e vallo insieme contro ogni ulteriore espansione greca.

Il regno nel meridione era per l'Etruria della massima importanza. Di là, attraverso la Calabria, le strade portavano alle colonie greche dell'Italia meridionale, con una delle quali furono annodati vincoli commerciali e d'amicizia particolarmente stretti: Sibari, la grande rivale di Crotone. Per Sibari passava una rigogliosa corrente di merci: importazioni ed esportazioni da e per l'Asia Minore. La sua più stretta e illustre partner in campo commerciale si chiamava Mileto, massimo centro di traffici della Ionia.

Un'enorme parte della penisola appenninica stava dunque per la prima volta sotto un'unica lingua, e cresceva, guidata e spinta da impulsi venuti dall'Etruria, a grande impero economico.

E tuttavia l'apice della potenza etrusca non era ancora raggiunto. Verso la metà del VI secolo si produssero avvenimenti che diedero al nome dell'Etruria, alla sua grandezza e prestigio, una prima eco storica di portata mondiale. Questa volta il fatto decisivo si era svolto sul mare!

L'ALLEANZA CON CARTAGINE

Verso il 550 a.C. avviene la grande alleanza fra Cartagine e l'Etruria: la potenza punica e quella etrusca si uniscono in un'alleanza offensivo-difensiva diretta chiaramente e inequivocabilmente contro la terza potenza commerciale d'Occidente in espansione sempre più rapida: la Grecia.

La tensione fra le tre grandi del commercio marittimo aveva preso ad acuirsi dall'inizio del secolo. Finiti erano ormai i tempi in cui, malgrado qualche atto di pirateria, esse si erano fatte una concorrenza pacifica. Il primo segnale d'allarme del nuovo stato di cose era suonato già cinquant'anni prima.

Verso il 600 a.C. era giunta nella capitale punica notizia di un evento che minacciava di annientare il suo predominio sulle vie marittime occidentali e di ricacciarla, pur così potente, sulla costa africana: nella Gallia meridionale era giunta una flotta di coloni greci, focesi della Ionia che, stabilitisi alla foce del Rodano, vi avevano fondato Massilia.

Ciò significava il balzo della concorrenza greca direttamente nel mare occidentale, in aree marittime dove i cartaginesi erano stati fino allora signori incontrastati; un'irruzione in uno spazio economico e commerciale, esteso dal mar Tirreno fino alle Colonne d'Ercole, dove i cartaginesi, come successori delle città marinare fenicie, avevano a lungo tenuto un monopolio incontestato.

Con una manovra di sorpresa delle loro quinqueremi, i greci erano riusciti a impadronirsi di una posizione chiave che minacciava di impedire la navigazione dei mercantili cartaginesi in rotta lungo le coste dalla Liguria alla Catalogna, passando per la Provenza. Di più, Massilia sbarrava l'accesso a una delle più importanti vie commerciali per l'estremo nord, alle strade che traversavano la Gallia a partire dalla valle del Rodano, lungo le quali confluiva al sud dalle miniere della Britannia lo zinco, il metallo raro e indispensabile per la fusione del bronzo.

E avvenne quello che si temeva: i focesi guardarono alla neofondata Massilia solo come a trampolino di lancio per un'ulteriore penetrazione. Nella loro espansione verso est, fondarono alcune prime basi presso le odierne Nizza e Antibes; e le loro quinqueremi apparvero ben presto anche dinanzi alle coste spagnole.

I cartaginesi non stanno a guardare: sanno qual è la posta in gioco; sanno che la rivalità per lo spazio vitale e il dominio dei mercati fra le due grandi potenze commerciali è ormai giunta al punto che per la loro città, se non vuole restare tagliata fuori per sempre, esiste un'unica soluzione: prepararsi alla guerra, al confronto militare coi greci. In tutto il vasto arco dei suoi possedimenti e delle sue colonie, la città marinara nordafricana si appresta ora a concentrare tutta la sua forza su quest'unico scopo.

Toccata come Cartagine, ma più pericolosamente e gravemente minacciata nei suoi interessi, era l'Etruria; la quale vedeva profilarsi un blocco a tenaglia che partiva dalla Gallia meridionale per cingere tutto il Tirreno fino all'Italia meridionale e la Sicilia, in grado di controllare, se non addirittura di frenare, la libera circolazione verso le sue coste. Quel mare che da sempre era stato solcato dagli etruschi, che portava il loro nome, correva improvvisamente il rischio di diventare un mare greco. E l'Italia sarebbe rimasta tagliata fuori, dall'Africa, da Cartagine e dalle terre dell'Egeo.

Solo due isole, quasi possenti scudi, stavano ancora a baluardo delle coste etrusche e davano ancora libero accesso al mare occidentale aperto: la Sardegna, dominio dell'amica Cartagine, e la Corsica. Su di esse gli etruschi avevano da tempo fondato, di fronte al continente, alcune basi, utili altresì per lo sfruttamento economico. Gli abitanti della selvosa Corsica fornivano loro, come si tramanda, « legno, miele e cera ».

Le città marinare etrusche sembravano però incerte; e non seppero reagire immediatamente. Del resto, che cosa avrebbero dovuto fare: allestire forse una spedizione navale contro Massilia? Così stettero a guardare, finché un giorno (564 a.C.) trovarono conferma, con l'impeto di una bomba, certe voci: i messaggeri sparsi per tutta l'Etruria annunciarono la terribile nuova che schiere di coloni focesi, venute dall'Egeo, approdate in Corsica, s'erano attestate sulla costa occidentale, ad Alalia.

Era un'irruzione nella sfera di dominio etrusca.

Erodoto ci informa abbastanza esattamente sulla preistoria di questo evento. La scintilla partì dalla patria dei focesi, sui lidi dell'Asia Minore; da Focea, la loro città-stato posta su una penisola non distante da Smirne (oggi la città si chiama, in turco, Eskise Foça), essi avevano dovuto ritirarsi sotto la spinta dei persiani.

« Arpago, » il generale medo del re persiano, « il quale aveva appoggiato l'ascesa al trono di Ciro, aveva invaso la Ionia e si era impadronito delle sue città, » ci informa Erodoto. La prima città ionica assalita fu Focea, che Arpago cinse d'assedio, facendo sapere agli abitanti che egli pretendeva soltanto la distruzione di un'unica torre delle loro mura e la consegna di un unico edificio. I focesi, odiatori accesi della servitù, gli chiesero un giorno di tempo per consultarsi e dare una risposta, durante il quale egli avrebbe dovuto ritirare il suo esercito dalla città. Mentre Arpago dunque richiamava l'esercito, i focesi, messe in mare le loro quinqueremi e caricativi i figli, le donne, le masserizie e perfino le statue degli dèi tratte dai templi, vi s'imbarcarono salpando alla volta di Chio. Così i persiani presero Focea vuota.

Ma il tentativo di insediarsi in un gruppo di isole fallì per l'opposizione degli abitanti di Chio, i quali, timorosi della concorrenza, ricusarono di venderle ai focesi.

Nella loro disperazione, gli esuli presero un'audace risoluzione: « Allora i focesi si apprestarono a partire per la Corsica, dove, vent'anni prima, avevano fondato, seguendo un oracolo, Alalia. Levate le ancore, salparono. Giunti in Corsica, vi si stanziarono unendosi ai precedenti emigrati, abitando con loro per cinque anni e fondando templi ». Ma non si contentarono di questo, e si misero a esercitare la pirateria all'intorno contro i vicini.

« Allora, » aggiunge subito Erodoto senza far commenti, « i tirreni strinsero un'alleanza con i cartaginesi. »

Il momento di agire era giunto: etruschi e cartaginesi avevano capito che solo un'iniziativa comune contro ogni ulteriore mossa dei rivali greci poteva ormai salvare la situazione. Si venne così a un'alleanza, tanto salda e stretta – assicura Aristotele nella *Politica* – che in essa etruschi e cartaginesi erano « come cittadini di un unico stato ».

Alcuni anni dopo, nel 535 circa, venne per il patto di difesa-offesa l'ora della verità.

Nell'autunno di quell'anno, una stagione cioè in cui gli antichi solevano interrompere la navigazione in vista delle imminenti tempeste invernali, le vedette avvistarono navi focesi nel mare di Sardegna. La loro rotta tendeva manifestamente al porto di Alalia sulla costa occidentale còrsa. Le truppe alleate nei porti della Sardegna e dell'Etruria, messe in allarme, munirono d'equipaggio e di armi le navi da guerra; una potente forza navale, formata da due flotte di sessanta legni ciascuna, salpò l'ancora. In formazione di battaglia le centoventi navi alleate si avviarono alla volta della Corsica.

I coloni greci non ignoravano l'esistenza di questa gigantesca flotta da guerra: « Anche i focesi misero a punto le loro navi – sessanta in tutto – facendosi loro incontro sul cosiddetto Mare sardo. »

Si venne allo scontro che infuriò a lungo fra le centottanta navi; sino alla sconfitta dei focesi, che non furono in grado di opporsi alla supremazia di numero e patirono gravi perdite: « Quaranta navi ebbero infatti affondate, e il resto rese inabili al combattimento, dati i rostri schiacciati. » Così non rimase se non la fuga: « Tornati ad

Anello d'oro da Cere. Sopra, leone seduto; in mezzo, cavaliere con cane; sotto, cinghiale in fuga. Seconda metà del VI secolo a.C.

Alalia, imbarcarono figli, mogli e quanti beni le navi erano in grado di portare; quindi, lasciata la Corsica, fecero vela per Reggio. » Di qui (dall'odierna Reggio Calabria) « partirono nuovamente per impadronirsi in terra enotria della città di Hyela », Elea, in Lucania.

Un crudele atto di rappresaglia offuscò la vittoria alleata: « L'equipaggio delle navi affondate fu fatto in gran parte prigioniero da cartaginesi e tirreni, deportato e lapidato. »

L'esecuzione avvenne sulla piazza del mercato della etrusca Cere. Ma poiché il sanguinoso fatto angustiava profondamente i padri della città, « essi mandarono nunzi a Delfi, per chiedere come espiare la colpa. E la Pizia comandò loro di fare quanto essi ancor oggi fanno a Cere: offrire grandi sacrifici funebri ai lapidati e allestire gare di lotta e di cavalli ». Enorme fu il successo di Alalia e la sua eco si sparse nel mondo. Gli antichi compresero molto bene la grande importanza dell'esito vittorioso per gli alleati di quella battaglia navale sul Mediterraneo e la annoverano con ragione fra gli eventi di portata mondiale: se si prescinde dalla vittoria riportata nel 1200 circa sul delta del Nilo dalla flotta del faraone Ramsète III sopra i popoli del mare, questa fu infatti la prima grande battaglia navale della storia.

Ancora non erano all'orizzonte le guerre persiane, né erano annoverate fra le potenze marinare Atene e Siracusa. L'unico altro scontro di rilievo sul mare fu, come sappiamo da Tucidide, quello fra Corfù e Corinto nello Jonio; ma s'era trattato solo di una guerra intestina greca nell'Egeo.

Mai prima i greci si erano trovati di fronte una flotta così grande di barbari; mai prima avevano subito tanta sconfitta. D'un sol colpo veniva spazzata via la minaccia greca, e la parte settentrionale del Tirreno tornava libera. Le città-stato etrusche potevano tirare un respiro di sollievo.

In Corsica, divenuta ora loro totale possesso, gli etruschi fondarono, sul luogo di Alalia, una nuova città: Meane, così chiamata dal nome della loro dea della vittoria.

I due alleati rinnovarono ancor più strettamente il patto d'unione, vincolandosi anche economicamente con un trattato che definiva chiaramente le regole del traffico commerciale e spartiva il Mediterraneo occidentale in aree d'influenza cartaginese e tirrena.

Il buon esito della battaglia tornò, alla lunga, di maggior vantaggio alla città punica, che rientrava in illimitato possesso del mare fra la Sardegna, l'Africa e la Spagna. E i cartaginesi colsero l'occasione per rafforzare e accrescere la loro potenza. Intorno al 550 truppe puniche si impadronirono dell'antico regno di Tartesso, così che le loro navi-vedetta venivano a porre uno sbarramento fino all'Africa, impedendo a qualsiasi legno straniero il passaggio delle Colonne d'Ercole. I greci si trovarono confinati nel Mediterraneo; il tragitto alle miniere britanniche di zinco era bloccato.

L'Etruria aveva di nuovo libera la strada sul mare verso ovest e i suoi abitanti non tardarono a farne uso; resti archeologici attestano visite di mercanti etruschi a Cartagine. Di conseguenza essa dovette sperimentare ben presto la tenace stretta greca da un altro lato: nel Tirreno meridionale.

Indottivi dai focesi, i coloni greci di Cuma risolsero di costruire un loro porto sfruttando la protezione offerta dal golfo di Napoli: sorse così Dicearchia, sul luogo della odierna Pozzuoli, il porto cui approdò per la prima volta in Italia San Paolo, condotto prigioniero a Roma. Con essa, sorgeva in Campania una forte rivale nella terra della Lega dei dodici Popoli. Da Dicearchia, infatti, avrebbero preso a confluire nel paese le merci greche in sempre maggior quantità, a danno dei prodotti etruschi.

La signoria etrusca sul mare, la talassocrazia tanto temuta e ammirata dai greci, aveva raggiunto l'apice con la vittoria sui focesi: da quel momento i suoi giorni furono contati.

Ma chi poteva sospettarlo allora? quando gli dèi sembravano tenere per gli etruschi e arrideva loro la fortuna... Proprio a quel tempo essi si erano accinti a rafforzare e a ingrandire la potenza del loro regno, registrando, con la penetrazione nel nord, altri straordinari successi.

PIONIERI ETRUSCHI NELLA TERRA DEL PO

Quando la notizia della vittoria sui focesi ad Alalia era sulla bocca di tutti, nelle spiagge del Mediterraneo, nei porti e negli empori, nelle colonie e nelle città di mare, gli etruschi già da tempo avevano ripreso l'iniziativa di colonizzare nuove terre ancora sottosviluppate su suolo italico. Era iniziata una nuova, audace espansione al di là degli Appennini.

È il preludio di una serie di eventi finora mai valutati appieno nella loro portata storica, un altro ponte gettato oltre le Alpi fino in Francia e nella terra del Reno, in Svizzera e in Ungheria. Attraverso una rete commerciale ampiamente ramificata, gli etruschi entrano in contatto con popolazioni nordeuropee ignote fin qui al resto del mondo. Più di cinquecent'anni prima che vi compaiano, conquistatori guerrieri con le loro piazzeforti e colonie, i romani, si instaura pacificamente un'esportazione economico-culturale nel nord, grazie alla quale celti, germani e popolazioni viciniori entrano per la prima volta in contatto con prodotti e realizzazioni dell'area mediterranea, etruschi e greci in particolare.

Abitavano la loro terra in dodici città con lo sguardo su entrambi i mari, dice Livio degli etruschi; prima da questa parte dell'Appennino sino al mare inferiore, quindi anche dall'altra. Ivi impiantarono colonie secondo il numero dei popoli più importanti, che occuparono l'intera regione oltre il Po sino alle Alpi. La notizia ci pone innanzi a un fatto compiuto. Sulla penetrazione e colonizzazione etrusca della valle Padana, nel VI secolo a.C., tutte le fonti classiche serbano il silenzio: solo le leggende ne hanno serbato il ricordo.

Una di esse, conservata nel frammento di uno scritto di Aulo Cecina, nobile e colto etrusco amico di Cicerone, ascrive a Tarchon, il leggendario eroe di Tarquinia, la conquista della Padania e la costruzione di dodici nuove città nel nord. Passato l'Appennino alla testa di un grosso contingente, giunse a fondare secondo il sacro rito per prima Mantova, così detta dal nome del dio dei morti etrusco (Mantus); quindi pose le fondamenta di altre undici città, unendole in una Lega. Secondo un'altra leggenda, il primo impulso alla conquista partì da una delle città-stato dell'Etruria settentrionale: una spedizione guidata da Aucnus era partita da Perugia; varcato l'Arno e giunto all'Appennino, l'aveva attraversato fondando sulle pendici settentrionali Felsina, la odierna Bologna.

Protetti da forti distaccamenti di cavalleria e di guerrieri su carri veloci, gli etruschi emersero nelle ampie pianure del Po e si ebbe, a quanto pare, una conquista incruenta, senza battaglie.

« Le regioni a nord dell'Appennino, » nota Raymond Bloch, « erano abitate a quell'epoca da popolazioni sparse e troppo male equipaggiate per potersi opporre all'avanzata di un esercito regolare nella valle Padana. » Gli etruschi, inoltre, entravano in un territorio già noto da tempo ai loro stessi concittadini. « Mercanti etruschi dovevano averli preceduti di molto nella valle del Po, di dove potevano commerciare con le popolazioni alpine e instaurare contatti con le tribù dei germani e dei galli. »

Felsina, cresciuta rapidamente a città importante, sarebbe divenuta il centro del nuovo impero dei tirreni nel nord. La sua potenza giunse al culmine quando gli etruschi, raggiunta Adria, fondarono basi commerciali lungo la costa.

Con Bologna si collegano, per il viaggiatore come per lo storico, tutt'altre immagini. Grigio su grigio, le finestre a grata che consentono solo un avaro sguardo sul mercato – sulla superba Piazza Maggiore, monumento del medioevo lombardo – si staglia la facciata di Palazzo Enzio, dove i bolognesi, sconfitte nel 1249 le truppe di Federico II, ne tennero prigioniero appunto il figlio Enzio per ventitré anni, fino alla morte.

Bologna significa per molti la città in cui sorse una delle prime università occidentali. Il suo celebre Studio attirò nel XII secolo maestri di gran nome e studenti avidi di scienza da tutte le parti d'Europa. Oggi Bologna, la Bononia dei romani, è rinomata per l'eccellente cucina e per le sue scarpe eleganti – eredità etrusca – esportate in tutto il mondo.

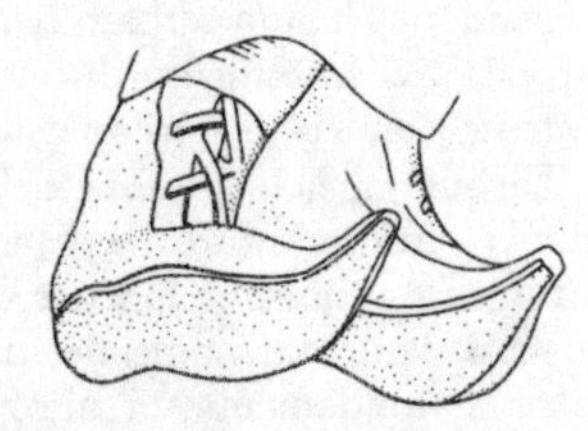

Calzari dalla tipica punta ricurva. Particolare di un sarcofago da Cerveteri.

Eppure, sotto le file di case, sotto i vicoli, le strade e le piazze, dormono le testimonianze vecchie di duemila anni delle gesta degli intraprendenti figli dei lucumoni toscani, che qui edificarono un nuovo centro cittadino. Certo, non si erano trovati per primi sul posto; altri prima di loro si erano stanziati, tra cui anche qualche etrusco dedito al commercio. Era rimasto però pur sempre un insediamento modesto; solo nel VI secolo, con l'arrivo di nuovi pionieri, si trasformò in una città secondo tutti i riti e le regole della pianificazione etrusca.

Le tombe della Felsina etrusca furono scoperte solo nel secolo passato quando Antonio Zanoni, ingegnere civile bolognese, avviò sistematicamente gli scavi nel 1869. Stele in rilievo, bronzi e iscrizioni etrusche vennero allora in luce; e una massa di altri reperti emerse nei decenni successivi durante altre campagne di scavo. Fra questi spicca la famosa Situla della Certosa, un secchio di bronzo con superbe figure a rilievo. I resti testimoniarono anche della grande antichità della fondazione etrusca: le tombe più antiche con vasi greci e testi funerari di scrittura etrusca rimontano alla fine del VI secolo. Quello che malgrado gli sforzi restò senza risultati fu la ricerca della città stessa.

È dal 1909 che non si fanno più scavi sistematici nelle necropoli etrusche: i maggiorenti della moderna e opulenta Bologna avevano problemi più stringenti e attuali di cui occuparsi. E oggi svanisce sempre più la speranza di veder tratti alla luce del sole gli antichi edifici d'epoca etrusca, le abitazioni come l'acropoli. Anche nei sobborghi il desiderio degli archeologi si scontra con insormontabili difficoltà causate dalla rapida crescita di nuovi quartieri residenziali.

E sì che a ogni colpo della scavatrice tornarno in luce frammenti di quella tradizione: gruppi di stele (nel 1950, durante i lavori di costruzione del nuovo stadio), costruzioni etrusche (vicino alla facoltà d'ingegneria), resti di mura (nella zona di Palazzo Albergati). Per fortuna c'è, non lontano dal fiorente centro della regione emiliana, un luogo abbandonato, che basta a ripagare il visitatore di quanto Bologna gli nega.

Lasciando la città per Porta Saragozza, s'imbocca la statale 64, la Porrettana; la strada segue l'antichissimo tracciato etrusco, che, percorrendo la valle del Reno, sale gradatamente ai novecentotrentadue metri del passo della Porretta, per poi finire, snodandosi lungo la valle dell'Ombrone e le pendici appenniniche in numerosi tornanti, a Pistoia, vicino Firenze. Dopo ventiquattro chilometri e mezzo, la statale raggiunge il paesetto di Marzabotto. Ancora pochi passi e lo straniero è accolto dal silenzio di Misa: dal terreno coperto di cardi spunta lo scheletro di un'antichissima città etrusca del VI secolo. La sua scoperta, avvenuta nel secolo scorso, destò enorme scalpore fra gli studiosi d'antichità; e Misa restò da allora un gioiello unico per lo studio di un grande passato etrusco.

Il conte Gozzadini, che nel 1865 in cerca di tesori di una necropoli affondò senza sospettar di nulla le vanghe nell'alta valle del Reno, si imbatté dapprima effettivamente in alcune tombe. Fatte proseguire le ricerche, si venne alla grande sorpresa: nel profondo della terra dormivano le rovine di una città etrusca, la prima che sarebbe riemersa in tutta la sua compiutezza. La città rimase fino a poco tempo fa l'unica ricomparsa alla luce. Sbalordiscono la magnificenza e la regolarità della sua disposizione, rivelando la guida dei sacerdoti nella mano degli artefici etruschi, i quali operarono seguendo esattamente le antichissime regole sacrali: « Nell'alta valle del Reno, presso il villaggio di Marzabotto, » dichiara il Pallottino, « conosciamo archeologicamente un ingente centro abitato sicuramente etrusco, tipico per la ben conservata pianta ortogonale... »

Anche per questo le città etrusche si assomigliano tanto, da sembrar tutte plasmate da un'unica mano, Pompei etrusca come Capua in Campania, Veio come Cortona; anche per questo potè sorgere un giorno la leggenda che pure le città settentrionali fossero fondate da quel medesimo Tarchon, sotto il cui vomere era spuntato dalla zolla Tages il figlio del genio, che aveva cantato all'aratore la sua saggezza.

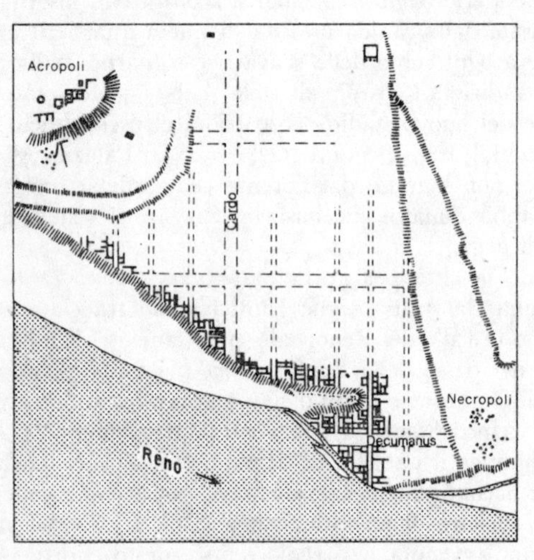

La città etrusca di Misa a Marzabotto, sul Reno, poco lontano da Bologna, tratta in parte alla luce. I quartieri residenziali e industriali erano dotati di una vasta rete di impianti idrici per l'acqua potabile e gli scarichi. Chiaramente visibile la rete stradale ad angolo retto. A sinistra, in alto, l'acropoli col tempio e gli altari.

Tre chilometri misura la circonferenza di Misa; duecentosettantamila metri quadrati di case, fabbriche e officine. Il *cardo*, da nord a sud, è largo quindici metri, ed è traversato da tre strade, orientate verso est-ovest. Vie minori dividono il tutto in blocchi più piccoli, in singoli quartieri residenziali.

Oltre l'estremità settentrionale della via est-ovest, la strada conduce nella parte sacra, l'acropoli. Anche gli edifici sacri sono orientati esattamente secondo le direzioni celesti. S'è conservato il caratteristico alto podio di un tempio, di travertino: il più antico monumento dell'architettura etrusca a nord dell'Appennino.

Un altro sacrario lascia chiaramente riconoscere il profilo di tre nicchie cultuali. Nelle sue vicinanze si rinvenne uno dei più antichi impianti idrici d'Italia: il terreno è solcato da una rete di canali molto ramificata e munita di fosse filtranti, impianti di depurazione e tubi di distribuzione. Tutta la parte sudorientale dell'acropoli poggia su una terrazza artificiale: la regolarità della disposizione era stata rigorosamente osservata correggendo, se del caso, la formazione naturale del terreno con massicciate sui declivi e lavori di livellamento.

Gli architetti etruschi avevano tenuto conto di tutti i bisogni e le esigenze pratiche di una città, considerando già in precedenza gli aspetti e gli interessi economici. Dopo nuovi scavi fu rinvenuto un « quartiere industriale » vero e proprio.

Lungo l'ampio *cardo* si stendevano un tempo lunghe file di officine e fabbriche. Piccoli ateliers lavoravano pure nel cuore della città. L'artigianato artistico su base industriale, in particolare quello della lavorazione dei metalli, ebbe certo, accanto al commercio, una grande importanza. Ogni costruzione era, conformemente, dotata di tutto il necessario. Un lungo corridoio portava nella corte interna, dov'era il luogo di fabbricazione, dotata di pozzi e di impianti di lavaggio, e anche di un canale coperto per lo scarico delle acque industriali. Sul davanti, verso la strada principale, correva un marciapiede largo cinque metri, dove si esponevano le merci prodotte e gli articoli preziosi.

Antefisse variopinte, palmette, resti di una matrice e serie di ex-voto fra le rovine ci narrano della capacità e diligenza degli artisti e artigiani di Misa. Il più bell'esemplare prodotto dai *coroplasti* locali è una terrificante testa di gorgone.

Gli interessi e i legami commerciali di Misa erano molto ampi.

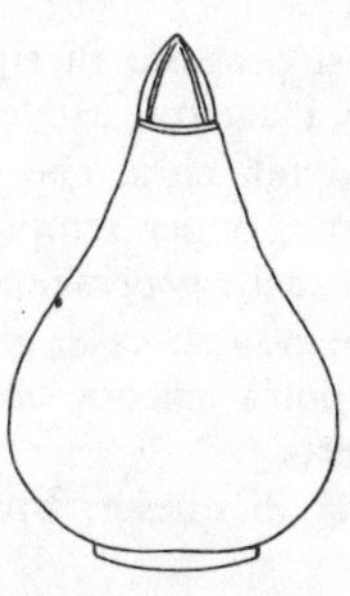

Stele tombale maschile falliforme, dalla necropoli di Misa.

Squisiti monili d'oro a filigrana e granulazione venivano dalla madrepatria, figurine e utensili di bronzo da Chiusi, ceramiche greche dipinte da Spina sull'Adriatico via Felsina.

E anche questo scoprirono gli scavatori: sulle pendici sorgevano vigneti e nelle boscose valli e alture appenniniche era praticata attivamente e con ottimi risultati la caccia. Presso i focolari furono trovate quantità di ossa di cinghiale e di cervo.

Con le necropoli e i resti murari di Bologna, e con la scoperta della « scacchiera » di Misa presso Marzabotto, acquistava forma concreta l'antichissima notizia, spesso confinata nel regno delle favole, delle fondazioni di città compiute dai tirreni nell'Italia settentrionale, e riprendevano a parlare dopo quasi duemilacinquecento anni le testimonianze della loro antica esistenza operosa. Ma quali erano le altre città delle leggendarie dodici della Lega padana? Dov'era il sito delle « colonie che essi impiantarono secondo il numero dei popoli più importanti », come riferisce Livio?

Una risposta precisa manca tuttora. Esitante la spiegazione dei competenti. Si continua a supporre...

« Più verso l'interno, » dice il Pallottino, « debbono essere menzionate Parma, Piacenza, Modena, Mantova, forse Melpo... Praticamente, fuori del bolognese e di Spina, non si può parlare di centri etruschi se non ipoteticamente e per fasi limitate di occupazione o di influenza, delle quali, oltre i cenni delle fonti storiche, restano solo poche testimonianze archeologiche ed epigrafiche etrusche e qualche indizio toponomastico. È questo il caso di Cesena (Caesena, probabilmente con l'etrusco Keisna, attestato a Bologna come nome gentilizio), Rimini (Ariminum, forse da una forma etrusca Arimna), Ravenna, Adria, Mantova (Mantua, in etrusco Manthva [?]), Modena (Mutina), Parma e il centro poi ribattezzato dai romani Placentia, cioè Piacenza. »

Senza speranza qualsiasi progetto di riportare in luce le antiche disposizioni a scacchiera a Piacenza, Modena, Mantova o Ravenna: troppo popolate sono oggi tali città, che coprono col loro mare di case e la loro vita pulsante, e per sempre, quanto riposa sotto di esse. Solo dove la sequenza delle generazioni si è interrotta, dove non torreggia strato su strato e casa su casa, giacciono i luoghi nei quali allo zelo dei ricercatori potrà ancora arridere la fortuna di una grande, affascinante scoperta.

Spina sarebbe stata una di queste; Spina, la sepolta regina del mare!

Il suo nome non cadde in completo oblio; lo splendore di cui era cinta, non si spense del tutto nel buio dei tempi. Generazione dopo generazione si tramandò la notizia che un tempo la foce del Po e i lidi adriatici erano stati dominio di una grande, ricca e potente città commerciale, una società fiorente di lusso e splendore, antenata e antesignana di un'altra città fondata di lì a più di mille anni: Venezia.

Anche gli storici dell'antichità sapevano di lei. Da antiche fonti scritte traspare l'importanza economica di cui doveva godere ai tempi della sua fioritura una città mercantile marinara, finita con la calata celtica nella valle padana.

Plinio il Vecchio parla di Spina nella sua Storia Naturale; il geografo greco Strabone, vissuto a cavallo fra le due ère a Roma e autore di un *Geographikà* in diciassette libri, poté ancora vederne coi suoi occhi le misere, devastate rovine. Durante uno dei suoi viaggi, come egli diffusamente narra, gli accadde di passare vicino a Spina: sul luogo della metropoli marinara, un tempo gloriosa dominatrice dell'Adriatico, sonnecchiava ora un umile villaggio.

Sul volgere del medioevo, agli inizi dell'Umanesimo, Flavio Biondo intraprese una prima indagine; e da allora la storia e il sito misterioso della città scomparsa stimolarono sempre e di nuovo l'acume e la sete di ricerca degli scienziati.

Si sapeva press'a poco dove scavare: là dove, nel corso dei secoli, le acque del Po avevano deposto i loro sedimenti – nel mare poco profondo, nell'intrico selvaggio e bizzarro della laguna che si stende lungo il litorale sino a Ravenna. Là, sotto masse di sabbia e fango, sotto l'acqua salmastra o il terreno alluvionale deserto, doveva essere scomparsa Spina. Ma, dove, esattamente, lungo quell'ampia striscia di costa?

Solo nel nostro secolo, in un recentissimo passato, ci s'imbatté in modo del tutto inconsueto in una traccia. Intorno agli anni venti i curatori dei musei e gli antiquari scoprirono stupiti che qualcuno doveva attingere clandestinamente alla copiosa fonte dell'antichissima Spina. Come spiegare altrimenti l'afflusso sempre maggiore di ceramiche greche e di bronzi etruschi lungo le vie clandestine del mercato nero?

Fu così creato d'autorità un esercito di segugi e furono chiamate tra le loro file polizia e finanza. Le indagini, però, fallirono tutte, e nonostante la vigilanza continua non si poté sapere nulla sui luoghi di provenienza dei reperti. Era incomprensibile come, sotto gli occhi di sorveglianti ufficiali e addirittura della polizia, i ladri di tombe potessero proseguire in tutto silenzio il loro lavoro segreto e altamente redditizio. Finalmente si poté accertare che i ladri di tombe erano in realtà pescatori di frodo, abitanti la cittadina lagunare di Comacchio, venticinque chilometri a nord di Ravenna. Le sue « valli » dalle acque basse, paludose, popolate di uccelli acquatici, offrivano un lauto « terreno di caccia ».

Nella zona di Comacchio si catturano, seguendo gli antichi usi e del tutto ufficialmente, le anguille. A bordo delle loro barche uscivano sugli insidiosi e ampi specchi d'acqua i pescatori, i « vallanti ». Un bel giorno, le loro fiocine, invece di tirar su anguille dal ventre lucente, portarono a galla molti preziosi vasi dipinti; ne bastava uno solo a procurare un guadagno superiore a quello di mesi e mesi di faticosa pesca.

Prese così a fiorire in tutto segreto una redditizia « pesca di vasi », della quale nessuno dei non iniziati sospettò nulla: infatti che c'è di strano se un pescatore che va per anguille esce anche di notte per catturarle?

Solo per caso, in seguito a una disposizione amministrativa emanata per tutt'altri scopi, si capitò senza saperlo sulle tracce della gente di Comacchio.

Ordinata dal governo la bonifica delle valli, subito dopo i primi lavori del 1922 fu dato in Valle Trebbia – esattamente a sei chilometri a ovest di Comacchio – l'allarme: le vanghe s'erano imbattute in una gigantesca necropoli. L'antichissima Spina si annunciava coi primi resti legittimi!

Quando sotto la cura di Enrico Arias, direttore del Museo archeologico di Ferrara, si rinvennero nelle tombe intere serie di splendidi vasi, si capì di colpo perché mai la gente di Comacchio si fosse strenuamente opposta fino allora alla riforma agraria: si temeva che la bonifica la privasse della loro principale fonte di guadagno, le zone « pescose » della lucrativa cattura dei vasi.

Le ricerche così ben iniziate furono proseguite da un collaboratore dell'Arias, il giovane archeologo Nereo Alfieri, il quale riconobbe subito che le tombe erano diverse da quelle della Toscana. Difatti, non ci si imbatté in camere tombali di pietra, né in sarcofaghi né in urne. In luogo di stele funerarie si trovarono nella sabbia delle dune solo blocchi lisci di roccia. Chiaramente, i seppellitori mancavano di cave di pietra.

Tanto più ricchi e preziosi erano invece gli oggetti dei corredi funebri. In milleduecentotredici tombe si rinvennero corredi di prodotti artistici locali – bronzi e monili d'oro etruschi – e vasi attici d'importazione datati dal VI al IV secolo avanti Cristo, che andarono presto a riempire le vetrine del Museo archeologico di Ferrara.

La grande meta, Spina, sembrava ormai prossima. Una necropoli così estesa e riboccante di reperti, non poteva distare tanto dalla leggendaria città i cui abitanti avevano qui deposto per secoli i loro defunti.

L'ipotesi fu confermata solo quando i lavori della bonifica, interrotti nel 1935, furono ripresi dopo una pausa di diciotto anni.

In una zona della Valle Pega fino allora allagata, venne scoperta una seconda e non meno vasta necropoli. Altre milleottocentodieci tombe restituirono i loro ricchi corredi: ceramiche e utensili di bronzo, tutti quegli oggetti di lusso e d'uso quotidiano nei quali si specchia il riflesso della vita etrusca.

Spina, ora appariva certo, doveva essere collegata con le due necropoli. L'ultima parola sulla sua ubicazione la disse l'aerofotografia: alcune riprese dall'alto ordinate per dei progetti di coltivazione, risolsero l'enigma secolare.

La veduta aerea dell'estremità nordorientale delle Valli di Comacchio rivelò una singolarità: fra le strisce chiare e ben marcate dei campi e dei canali di drenaggio dell'area bonificata, si distingueva, inserita come per incanto, un'intera rete di linee e quadrati più scuri.

Fin dal primo sguardo Nereo Alfieri riconobbe che in quelle fantomatiche linee più scure si specchiava tuttora, a più di duemilacinquecento anni di distanza, la pianta di una città. Che non poteva essere se non l'antica Spina.

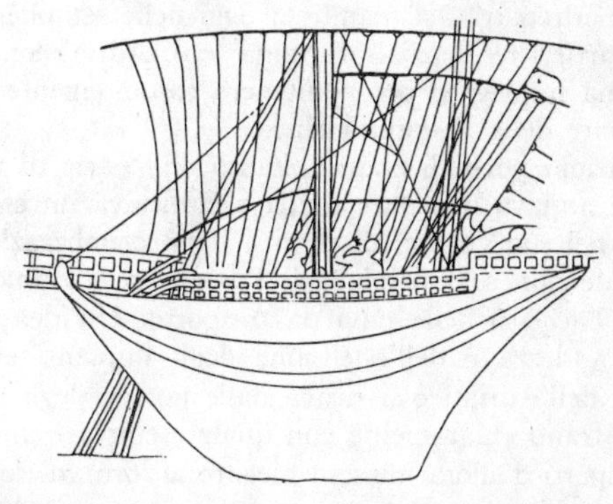

Nave mercantile etrusca, da un affresco della Tomba della Nave a Tarquinia (V secolo a.C.).

Non soltanto l'ubicazione esatta era ormai trasparente, ma ancor prima che la vanga affondasse nel terreno diventava possibile studiare la struttura urbanistica della città: qui le case, là le strade, lì accanto i canali; il centro cittadino, il nucleo fittamente popolato col suo quartiere marittimo, traversato da un grande e possente canale diretto al mare, tutto era chiaramente riconoscibile. In ampio cerchio poi si raggruppavano quartieri periferici minori. La misurazione rivelò che la metropoli copriva uno spazio di circa trecentocinquanta ettari.

Quando dalle foto aeree si passò al lavoro degli archeologi, tutto ebbe conferma. Vennero in luce una serie di pali piantati perpendicolarmente, le palizzate di sostegno della scarpata di un canale largo venti metri.

S'era trovato il Canal Grande di Spina! La grande via d'acqua artificiale per la quale un tempo giungevano navi da tutti i lidi del Mediterraneo, cariche della merce più preziosa: vasi d'Atene anzitutto, prima a figure nere e poi a figure rosse. Il manico di uno *skyphos*, incastrato nel legno della palizzata e datato del IV secolo a.C. venne infine a rimuovere gli ultimi dubbi: vanghe e picconi erano giunti nel cuore dell'antica città marinara.

La struttura del « Canal Grande » rivela la mano esperta dei tecnici etruschi. Secondo Nereo Alfieri, il canale portuale testimonia di una fondazione commerciale in una regione nella quale gli etruschi impiegarono le risorse della loro tecnica idrica per mantenere aperta la via d'acqua tra Spina e il mare. La capacità di adattamento degli etruschi a una configurazione geografica così diversa dalla madrepatria, si manifesta oggi nelle semplici linee strutturali dei quartieri residenziali di Spina (e di Adria) come anche nel geniale sistema impiegato per mantenere costantemente in funzione il porto di mare della Padania etrusca.

Le installazioni portuali erano soltanto una parte di un impianto idraulico che andava ben oltre Spina e costituiva un esempio grandioso, unico nel suo genere, di tecnica della canalizzazione. Questa opera colossale non solo regolava il Po ma creava una rete di vie d'acqua per l'accesso delle navi da trasporto. Un'idea approssimativa della grandezza e dell'estensione degli impianti etruschi sulle zone costiere dell'Adriatico si ricava dalle notizie degli autori classici, che dimostrano chiaramente con quale esemplare audacia e modernità gli esperti d'allora intesero piegare al loro volere, volgendola a vantaggio dell'uomo, la natura capricciosa e malfida di quei luoghi.

Ancora l'imperatore Claudio, sulla strada per Roma dove si recava per il trionfo della sua vittoria sui Britanni, fece vela su una nave enorme « grande quasi quanto una casa » dal Po all'Adriatico. La foce col porto di Vatrenus, nota diffusamente Plinio, era a quel tempo accanto al vicino Ostium Caprasiae – presso l'odierna Comacchio – l'unico e originario braccio del grande fiume. Solo che, nel corso di oltre mezzo millennio, a causa del materiale alluvionale e del fango depositati, s'era spinta molto più in fuori. Spina, costruita come Ravenna sul mare, sorgeva a quel tempo (secondo la testimonianza di Strabone) « a novanta stadi », cioè sedici chilometri, dalla costa.

Dal letto principale del fiume si dipartiva un'intera rete di corsi d'acqua artificiali per tutta la regione. Plinio, che in qualità di comandante della flotta s'intendeva abbastanza di queste cose e aveva preso informazioni precise, riferisce: « Tutti questi canali e fossi furono primamente disposti dai tusci, che convogliarono l'impetuosa corrente attraverso le paludi di Atria, dette i Sette Mari, al famoso porto della città tusca di Atria. Da questa città prese nome il mare che noi ora chiamiamo Adriatico, e detto un tempo Atriatico. » I Sette Mari di Plinio erano bacini interni separati dal mare aperto da cordoni di sabbia.

In questa catena di lagune, gli etruschi tracciarono, a partire dal Po, una serie di canali artificiali per tutto il territorio, creando al tempo stesso fra i singoli bacini interni e le lagune dei canali di raccordo, e da questi altri ancora. Il più settentrionale — il Filistino – portava ad Adria. In tal modo, fu costruita lungo la costa un'estesa rete di vie navigabili interne. Ancora al tempo dell'imperatore Vespasiano, ci informa Plinio, si poteva andare in galea da Ravenna ad Adria.

Ciò che sembrava impossibile — contenere nel suo letto l'ampio fiume, presso Spina in continuo sollevamento — fu attuato dagli ingegneri idraulici etruschi grazie a vie d'acqua artificiali e canali secondari. I quali, allorché « il Po al sorgere della stella del Cane si gonfia delle nevi disciolte », ne accoglievano le acque per convogliarle nelle lagune e infine nel mare. Il pericolo delle gravissime inondazioni, che oggi quasi annualmente minacciano terra e gente in queste zone, veniva così scongiurato.

« Il capolavoro della loro esperienza idraulica, » scrive Lopes Pegna, « è rappresentato dall'eliminazione del flagello delle periodiche inondazioni del Po nell'estrema valle padana, impresa gigantesca realizzata mediante lo scavo di una coordinata rete di canali e la contemporanea arginatura del fiume con casse o gabbioni. Apposite scuole – l'antecedente storico dei nostri istituti tecnici per geometri – preparavano all'esercizio professionale, che ovviamente richiedeva sapienza e abilità consumata... »

Gli esperti etruschi, agronomi e tecnici idraulici, avevano realizzato un progetto mirabile per quell'epoca, assolutamente ignoto sino allora all'Europa occidentale. Per la prima volta, infatti, venivano impiegate in Occidente e su larga scala le tecniche idrauliche (irrigazione e drenaggio) da tempo sperimentate nell'Oriente antico, nella Mesopotamia sul Tigri e sull'Eufrate e nella valle del Nilo.

Sotto la guida etrusca, grazie a una rete di canali e ad opere di drenaggio e di arginamento, la valle padana inferiore – fin qui abitata, a causa delle eterne alluvioni, solo da pastori nomadi – si tramutò in una terra feconda di prodotti agricoli, cereali e ortaggi e di bestiame. Polibio, Strabone, Virgilio e altri ancora non si stancano di lodare i ricchi frutti di queste regioni: le vaste estensioni di messi e i vigneti, le cui vendemmie richiedevano botti « più grosse di case ».

In questo contesto si inquadra la notizia di Polibio, che scrive: « Nell'Italia settentrionale, i galli, venuti a contatto con gli etruschi loro vicini, presero a guardare con invidia al benessere economico di queste regioni... » La ricchezza della Valle Padana avrebbe infatti portato un giorno i celti a invadere in massa e poi a impadronirsi di quella terra.

Ciò avvenne però molto più tardi. Per lungo tempo si annodarono fra i due popoli relazioni economiche e commerciali totalmente pacifiche, perché gli etruschi, da sempre avvezzi a esercitare importazioni ed esportazioni con popoli e paesi stranieri, s'accinsero ben presto a spingere le loro antenne profondamente nel nord.

I loro mercanti crearono oltralpe un vasto impero commerciale, il quale mise in contatto importanti paesi e popolazioni europee con i più scelti prodotti dell'area mediterranea, italici e greci, rifornendoli continuamente e sistematicamente. Agli etruschi dobbiamo ciò che finora nessun trattato di storia economica ha menzionato: l'apertura del primo grande mercato centroeuropeo della storia.

« Se il predominio politico etrusco e la diretta colonizzazione – rileva espressamente il Pallottino – occupano soltanto una parte dell'Italia continentale, l'attività commerciale e l'influenza culturale degli etruschi si estendono assai più largamente. L'Etruria rappresenta infatti nel centro della penisola il solo faro di civiltà che irraggi fin da un'epoca piuttosto remota su popolazioni generalmente arretrate. »

Una vasta corrente di merci fu allora convogliata dalle città etrusche della Padania di là dalle Alpi, molto prima che i romani conoscessero anche solo il nome di quei paesi.

Sparse per tutta Europa si trovano le tracce che solo nei passati decenni ritornarono sempre più numerose in luce, testimonianze di un primo grande mercato comune ai primi albori dell'Occidente, di cui andò perduta ogni notizia.

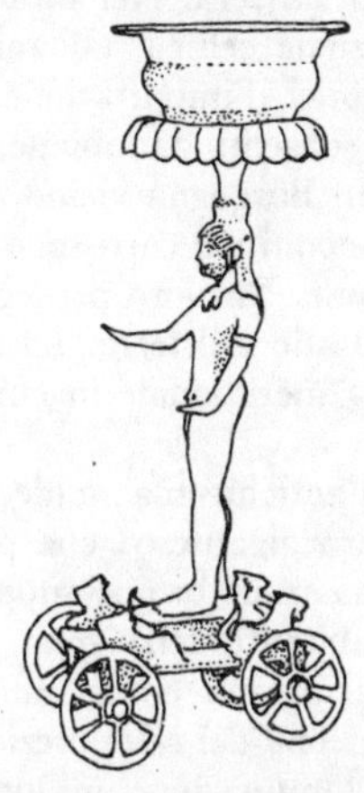

Candelabro di bronzo su carrettino: tra quattro piccoli leoni un efebo nudo. Oggetto di lusso trovato in una ricca casa etrusca del VI secolo a Vulci, città celebre per i suoi bronzi artistici esportati in Grecia e fra i celti.

Beni d'esportazione etrusca furono rinvenuti in Austria e in Francia, in Ungheria e in Polonia, in Svizzera e in Renania. Né mancano in Scandinavia: ad Hassle, in Svezia, si rinvenne la traccia più settentrionale, sotto forma di un piccolo Tesoro rettangolare con bronzi etruschi.

Già molto presto, prima dell'occupazione della Padania e prima ancora del 600 a.C. quando gli esuli greci di Focea si stabilirono sul delta del Rodano fondandovi Massilia, l'Etruria possedeva ramificazioni commerciali nei paesi nordalpini. Resti che risalgono al VII secolo a.C. rivelano, di là dalle Alpi, influssi e contatti etruschi. È il tempo in cui nasce, nella parte sud-occidentale dell'Europa centrale, un nuovo grande popolo le cui tribù appaiono per la prima volta alla ribalta, riconoscibili per un coerente contesto culturale e linguistico: i celti.

Intorno alla metà del VII secolo spuntano improvvisamente tombe a tumulo, nelle quali, in camere rivestite di legno, vengono sepolti i guerrieri, stesi su carri, con al fianco spade di ferro e di punte di lancia. Il corredo è completato da finimenti di cavallo e vasi di argilla « pieni di cosce di maiale e di bue ». Le ruote dei carri – come nelle tombe etrusche di Cere e di Preneste – sono appoggiate alle pareti. Le più antiche tombe di questo tipo sorgono in Boemia, in Austria meridionale e in Baviera. Nel tardo VI secolo, nel corso di una espansione e migrazione celtica, tali tombe, dai corredi sempre più ricchi di prodotti esotici d'importazione, emergono più a ovest: prima nella zona delle sorgenti danubiane, poi sul medio Reno e nella Francia orientale, in Borgogna vicino alle sorgenti della Senna. I guerrieri o principi sepolti nei carri sono i progenitori di un'unità celtica in via di formazione. Dai loro predecessori, gli illiri, essi hanno imparato a estrarre il sale e il ferro. La loro civiltà prende nome dalla località dell'Austria meridionale in cui fu scoperta: cultura di Hallstatt.

Nelle vicinanze di un'antichissima miniera di sale fu scavato nel secolo passato un cimitero gigantesco che presentò, oltre a spade e pugnali di ferro, una massa di bronzi superbi, molti dei quali importati dall'Italia. Gli abitanti della zona, che erano in grado di corredare i loro morti di oggetti esotici tanto preziosi, dovevano la loro ricchezza all'esportazione del sale, prezioso come « oro bianco ».

L'impiego del ferro, l'inumazione in luogo dell'incinerazione, il corredo di carri e finimenti: erano tutte cose nuove, che significavano importazione, influsso di altri paesi e d'altri popoli. Ma di quali? Gli scienziati, a tutt'oggi, non riescono a concordare su questo punto; e continuano a pencolare fra un « forse anche » e un « potrebbe darsi ». Potrebbe trattarsi di influssi orientali, risalenti ai popoli delle steppe. Altra variante è l'Etruria. « Le camere tombali ricoperte da tumuli, » spiega il grande esperto dei celti T.G.E. Powell dell'Università di Liverpool, « riflettono influenze riportabili, in ultima analisi, agli etruschi, le cui sepolture solenni con carri funebri avevano raggiunto a quell'epoca il loro apice. »

Una cosa comunque è sicura: l'influsso etrusco si fa chiaramente riconoscibile a partire dal VI secolo a.C. Dalla valle padana si avvia per i passi alpini un più ampio flusso di merci d'ogni genere; i mercanti etruschi esportano prodotti della loro industria e artigianato artistico (bronzi e ceramiche) e vino!

La lista delle offerte etrusche contempla anche – articolo prediletto e ricercato dagli etruschi stessi – prodotti greci, soprattutto vasi attici che riscuotevano il massimo favore anche presso i rozzi guerrieri del nord. Molto presto, però, gli etruschi devono accorgersi di una vivace concorrenza da ovest, da parte dei greci.

Anche a Massilia, infatti, il commercio ha esteso nel frattempo le sue punte avanzate, risalendo il Rodano e passando la Saona — fino ai laghi svizzeri e nel Württemberg sull'alto corso del Danubio. Nelle tombe celtiche di Vilsingen presso Sigmaringen, a Kappel sul Reno e a Lahr in Baviera si trovarono oggetti d'importazione greca, databili fra il 560 e il 520 a.C. Sorse a quell'epoca anche una sede guerriera, abitata da generazioni di principi, unica nel suo genere per il Württemberg: l'Heuneburg. Gli scavi portarono in luce, fra lo stupore degli scienziati, una costruzione difensiva con mura... di mattoni d'argilla, cosa assolutamente insolita per gli abitanti a nord delle Alpi.

Il principe guerriero barbaro che regnava nella zona non poteva esserci arrivato da solo: doveva aver per forza chiamato degli architetti da fuori. Ma da dove? Cominciarono le congetture.

Le ceramiche trovate nel luogo sono greche: il costruttore veniva allora da Massilia, come pensano alcuni studiosi? È possibile, anche se, geograficamente, all'Heuneburg è più vicina la valle padana etrusca che non il delta del Rodano. Le costruzioni in mattoni d'argilla — introdotte dagli etruschi — erano cosa comunissima nell'Italia dell'epoca ormai da tempo (fin giù in Campania). Da loro i coloni del Tevere avevano imparato a rinunciare alle capanne di paglia... E in vasi greci come quelli trovati all'Heuneburg commerciavano pure gli etruschi della Padania, i quali potevano ordinarli in qualunque momento presso i mercanti greci stabilitisi a Spina.

Il commercio estero etrusco si esercitò soprattutto con le tribù celtiche dell'alto corso del Danubio prima, e poi con la Renania centrale e la Borgogna. Fra le importazioni dal sud primeggiava il vino, che riscosse tanto successo da divenire il primo concorrente della birra celtica locale. Gustatolo una volta, i principi guerrieri ne ordinavano in quantità sempre maggiori. L'introduzione del vino segnò l'apertura di un altro mercato, quello dei contenitori destinati a contenerlo: anfore, coppe, boccali ecc., di fattura etrusca e greca. Il trasporto era spesso faticoso ma redditizio, perché i celti pagavano in oro, metalli e schiavi.

Fra gli articoli più ricercati di provenienza etrusca erano le brocche di bronzo, le pentole, i boccali e gli incensieri. Ben presto però i clienti nordalpini dovettero manifestare desideri precisi e, diciamo pure, abbastanza particolari. I loro interessi, cioè, riguardavano oggetti di grosse proporzioni; i recipienti non potevano mai essere grandi abbastanza. E, per amore dei buoni profitti, furono approntati a richiesta mostri veri e propri, e trascinati per i valichi alpini. Fu certamente una sofferenza per i greci costruire cose tanto sproporzionate rispetto all'armonia e al gusto dei loro vasi, anfore e brocche; ma lo facevano su ordinazione. Gli archeologhi restarono molto meravigliati quando ebbero dinanzi agli occhi i primi esemplari di questo genere.

Nella tomba di una principessa celtica a Vix presso Châtillon-sur-Seine si rinvenne un enorme cratere del peso di duecento otto chili. Frammenti di un altro cratere venuti in luce presso l'Heuneburg appartenevano alla stessa classe « super »: di proporzioni enormi, era dipinto a scene tratte dal mito di Teseo. Presso Stoccarda fu scoperta un'enorme coppa o *kylix*; già preziosa di per sé, mani celtiche non avevano disdegnato di ornarla ulteriormente di lamine d'oro.

Anche le fabbriche etrusche non poterono sottrarsi al gusto nordico del « gigantesco », e dovettero produrre le loro belle brocche in forme dilatate.

Quanto alta (accanto a quella di anfore, brocche e candelabri a treppiede etruschi) debba esser stata la domanda di vasi ateniesi, si può vedere dai reperti di Spina, dove la cifra dei vasi greci, molti di grande formato, raggiunge l'ordine delle migliaia.

Per gli etruschi Spina era, accanto ai loro luoghi di produzione che fabbricavano anche imitazioni greche, la borsa della ceramica, il « punto acquisti ». Nella città marinara dove molti mercanti greci avevano aperto i loro uffici di esportazione, essi potevano soddisfare le ordinazioni del neo-aperto mercato celtico e al tempo stesso piazzare le offerte della madrepatria. Poiché anche l'Etruria aveva molto

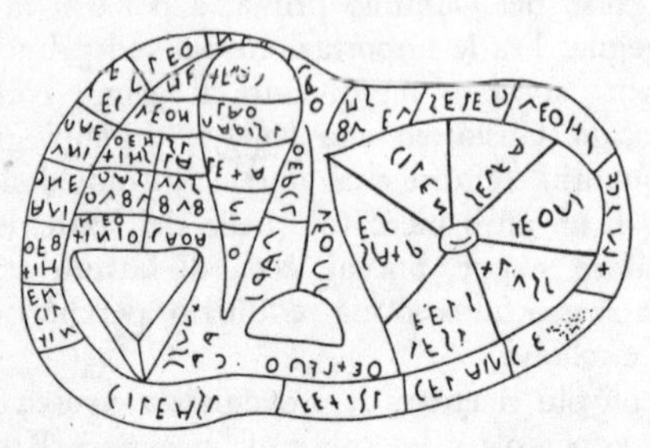

Fegato di pecora in bronzo (da Piacenza), che serviva di modello per gli arùspici di una scuola sacerdotale. Nelle varie sezioni sono incisi i nomi delle divinità.

da offrire: e articoli particolarmente ricercati in Grecia, ad Atene: cose di moda, dai preziosi monili d'oro cesellato alle vesti e alle calzature eleganti; per non parlare dell'esportazione di cereali.

Con le loro capacità urbanistiche e costruttive, agrarie e industriali, gli etruschi portarono un altro prezioso bagaglio culturale nella valle padana: la loro arte, religione, lingua e anzitutto la scrittura. Il celebre fegato bronzeo trovato a Piacenza è un modello che serviva alla formazione degli arùspici. Anche nella Padania, la « disciplina etrusca » rimase al centro della vita e del pensiero, e di essa filtrò certamente qualcosa al di là delle Alpi. « L'influsso etrusco sull'arte religiosa dei celti, » dice T.G.E. Powell, « fu presumibilmente molto forte. Lo si ricava dalle poche sculture rimaste, provenienti per lo più dalla zona medio-renana, che recano motivi di origine etrusca... ad esempio il pilastro quadrangolare adorno di rilievi rinvenuto nell'Hunsrück (Renania), che testimonia di un influsso diretto. »

I celti del medio Reno appunto dagli etruschi « ricevettero lo stimolo alla costruzione di monumenti di pietra lavorata a scalpello » e « assunsero molto probabilmente dalla stessa fonte anche il motivo dell'immagine bifronte, una sorta di Giano. Il più bell'esempio di questo tipo è una grande figura di pietra proveniente da Holzgerlingen nel Württemberg ».

Solo un esame scrupoloso di tutti i reperti a nord delle Alpi e oggi dispersi in innumerevoli collezioni e musei, consentirà un giorno un quadro più esatto dell'entità dell'influsso etrusco oltralpe. Solo vagamente si intravvede oggi per la prima volta quanto l'Europa centrale debba al « popolo dimenticato » in fatto di civiltà e cultura, molto prima dell'inizio della sua storia.

Anche l'arte del leggere e dello scrivere insegnarono infatti gli etruschi agli abitanti della Padania, che prima l'ignoravano. Come nel sud, fino in Campania, umbri e falisci, latini e oschi ricevettero da loro l'alfabeto, così furono ancora gli etruschi a diffondere la loro scrittura fra le Alpi e l'Appennino.

« Al così detto alfabeto etrusco settentrionale adottato nella valle del Po dalla fine del VI secolo, » afferma il Pallottino, « si riportano le scritture dei veneti, dei reti, dei leponzi e di altre popolazioni alpine. »

Persino un grande e noto popolo nordalpino, i germani, deve la scrittura ai signori della Lega delle dodici città padane, cosa fino a poco fa contestata. « Siamo oggi certi, » dichiara l'etruscologo Ambros Josef Pfiffig, « che le rune risalgono all'alfabeto nord-etrusco. »

Il quale fu portato a nord dalle tribù abitanti la zona alpina. E, a sentire Livio, gli etruschi vissero in seguito anche nelle Alpi orientali.

A prescindere dal fatto che gli scienziati non si sono ancora messi d'accordo su questo punto, Viktor von Scheffel, che più degli altri si fidava della versione di Livio, non si lasciò fuorviare. Durante uno dei suoi viaggi nei Grigioni, esclamò infatti lietamente:

« Salve a te, vecchia terra degli etruschi, Engadina dai molti enigmi! »

IL DEBITO DI ROMA VERSO TARQUINIO IL SUPERBO

Sotto Lucio Tarquinio detto il Superbo – terzo re etrusco dell'area tiberina – trionfa la reazione. La sua ascesa al trono significa la vittoria degli antichi poteri, il ritorno alla dittatura assoluta. La riforma e la costituzione dell'ucciso Servio Tullio vengono dichiarate decadute. Sorge un despotismo iniquo come non mai prima, e inviso al popolo.

Lucio Tarquinio infatti « disprezzava non solo la plebe, ma anche i patrizi che l'avevano elevato al potere, e mutò il regno in tirannide aperta ».

A Roma fece il suo ingresso il terrore. Tarquinio il Superbo si circondò di una guardia del corpo formata di elementi stranieri e locali, la quale di notte vegliava sul palazzo reale e di giorno doveva accompagnarlo, piazzata da ogni lato a sicura protezione, dovunque andasse. Spie, agenti provocatori e osservatori di quanto si diceva o si faceva fra il popolo, rendevano la città insicura. Gli avversari e quanti sospettava che gli potessero nuocere, venivano condannati a morte o esiliati. « Alcuni li tolse di mezzo segretamente. »

E cominciò il suo governo come despota assoluto: da Dionigi apprendiamo che annullò tutte le leggi promulgate da Tullio e fece distruggere le tavole su cui erano iscritte. Annullò anche le tasse secondo il censo e reintrodusse il costume originario. Ogni volta che aveva bisogno di danaro, vi doveva contribuire e il plebeo e il patrizio nella stessa misura. Si sceglieva tra il popolo chi gli era fedele e atto al servizio militare. La più parte delle risoluzioni riguardanti il vivere comunitario le prendeva in casa, poche nel foro, e in caso di liti decideva non in base al diritto e alla legge, ma secondo il suo gusto personale.

In politica estera Tarquinio il Superbo proseguì quanto i suoi predecessori avevano cominciato. Mosse guerra ai sabini, e li vinse.

Anzitutto però « si fece amici i latini, e con i più eminenti strinse vincoli non solo di ospitalità, ma anche di parentela, sposando le sue figlie a Tuscolo ». Dopo alcune campagne, gli riuscì di coronare la politica etrusca con un particolare successo: Roma diventava la capitale della Lega latina.

« Poi, » dice Livio, « si volse alle opere della città, e anzitutto al tempio di Giove sulla rupe Tarpea. » Tempio che voleva lasciare a ricordo del suo nome e del suo governo, perché si dicesse in seguito che due Tarquini, ambedue re, avevano partecipato alla sua costruzione: « il padre promettendolo, il figlio compiendolo ».

E nuovamente un etrusco si accinse a foggiare per il futuro il volto della città tiberina e a farlo ancora più maestoso con grandi lavori pubblici e solerte attività edilizia. Tarquinio il Superbo non poteva sospettare che il fato aveva già contato i giorni della signoria degli etruschi sulla città da loro fondata; che tutto quanto di grandioso, di nuovo, di audace essi vi avevano creato, sarebbe servito solo alla gloria e allo splendore dei romani, e in un futuro già prossimo. Perché costoro, i discepoli degli etruschi, sarebbero stati i nuovi padroni: non solo nell'area del Tevere, ma in tutta Italia; e avrebbero sottomesso gli etruschi, i primi grandi portatori e creatori della civiltà del paese, spegnendoli per sempre come popolo.

Per la costruzione del tempio – la tradizione romana non lo nasconde – Tarquinio fece venire artigiani da ogni parte dell'Etruria: specialisti, artisti dotati, coroplasti, capomastri e scultori che l'Etruria possedeva in gran numero. La gente locale – contadini ancora

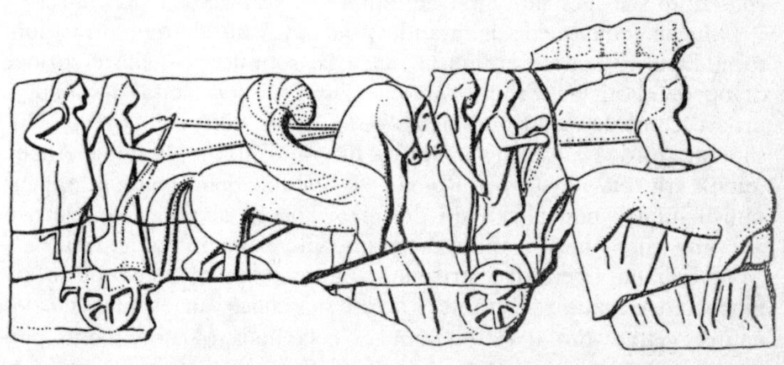

Processione di bighe con cavalli alati. Frammento di terracotta ritrovato a Roma. A giudicare dalle misure, faceva parte di un fregio che ornava il tempio di Giove Capitolino sulla rupe Tarpea fatto costruire da Tarquinio il Superbo.

inesperti – forniva la manovalanza. Tutti coloro che non erano addetti al servizio militare, Tarquinio « li costrinse a fare lavori nella città ».

Di un artefice etrusco, indimenticabile maestro, sappiamo oggi il nome e conosciamo anche le opere. Nel corso di scavi a Veio, nel 1916, vennero in luce sull'acropoli i frammenti delle più belle terrecotte mai trovate in Etruria. Una di esse, dipinta e di un'altezza superiore all'umano, rappresenta Apollo.

L'immagine del dio aveva adornato il pinnacolo del tempio. Oltre all'Apollo, vennero in luce i frammenti di due altre terrecotte superbe: quella figurante una donna con in braccio un bimbo e una statua del dio Ermes. Tutte rivelano senz'altro la stessa mano geniale di un artista straordinario; tutte provengono dall'atélier di un celebre coroplasta etrusco: Vulca di Veio.

Questo maestro fu chiamato a Roma da Tarquinio il Superbo. Una breve notizia di Plinio il Vecchio informa che il re aveva fatto venire da Veio Vulca, per scolpire la statua di Giove per il tempio capitòlino. Questa fu fatta di argilla e ripetutamente verniciata di minio; perché di argilla erano allora i più famosi simulacri delle divinità. Quest'arte era praticata specialmente in Etruria.

Da Veio proveniva anche la quadriga d'argilla che ornava il frontone del tempio. Ce ne parla una leggenda narrata da Plutarco. La massa argillosa s'era tanto gonfiata durante la cottura nel forno, da far pensare a un miracolo. Gli arùspici, interrogati, vaticinarono eterna grandezza alla città cui sarebbe toccata la quadriga; onde i veienti, saputolo, ricusarono di portarla a Roma e vi avrebbero poi consentito solo per un segno dei numi.

Officine come quelle del grande Vulca avevano da tempo raggiunto in Etruria una straordinaria maestria, soprattutto nella creazione di opere plastiche. Producevano le lastre di terracotta destinate a ornare come fregi i frontoni dei templi e le ville dei notabili. Insuperate furono altresì nella cottura di grandi statue d'argilla. Anche questa era una novità per Roma: gli abitanti della penisola appenninica infatti, non altrimenti dei greci ancora ai tempi di Omero, avevano conosciuto e adorato fin qui solo dèi non raffigurati.

« Mediante opere di sostruzione », apprendiamo, « la rupe fu arginata ed elevata. » Durante i lavori si verificò un evento emozionante: gettate ormai le fondamenta e la buca essendo molto profonda, si trovò « una testa umana ». Tarquinio allora, « ordinato agli operai di sospendere la scavo, e fatti venire gli arùspici locali, li interrogò sul significato di quel segno ». Poiché essi non erano in grado di dare alcuna spiegazione e attribuivano d'altro lato agli etruschi la scienza di tali cose, egli s'informò quale fosse il migliore e più dotato indovino etrusco e gli spedì dei messi.

I quali tornarono con la spiegazione del celebre arùspice, che suonava così: « Annunciate ai vostri concittadini che il fato vuole, che il luogo dove avete trovato la testa diventi il capo di tutta l'Italia. »

« Da questo momento, » scrive Dionigi, « la rupe Tarpea fu chiamata Capitolina, poiché i romani chiamano *caput* la testa. »

Questa vuol essere una pia leggenda, inserita nell'altra della fondazione di Roma. Livio la cita, a ragion veduta: i suoi lettori, cinquecento anni dopo, potevano riferire quel *caput* solo all'impero romano. Per Tarquinio il Superbo, invece, la profezia doveva suonare nel senso che la città etrusca sul Tevere sarebbe divenuta signora ben altrimenti della Lega dei Dodici Popoli. Allora, infatti, la signoria etrusca si stendeva dalle Alpi al golfo di Salerno; e la Roma della storia futura non esisteva ancora. Solo così si capisce lo zelo del re per il contenuto del vaticinio: « Quando Tarquinio ebbe udito ciò dai messi, incitò seriamente gli operai al lavoro. »

Con l'edificio voluto da Tarquinio il Superbo sul Campidoglio facevano il loro ingresso sul Tevere l'arte e l'architettura sacrale etrusche. Alte sopra il foro esse coroneranno l'opera fino allora compiuta per diffondere la civiltà.

Modello del nuovo edificio sacro furono i templi d'Etruria, le cui regole sacrali decisero anche della nuova costruzione avviata in riva al Tevere, delle sue proporzioni come della sua forma, dell'interno come dell'esterno. Queste regole, non le greche!

« Fu costruito su un alto basamento, con una circonferenza di quattro iugeri, e ciascun lato di circa duecento piedi, » testimonia Dionigi; « e fra lunghezza e larghezza v'è il piccolo divario di neppure quindici piedi. Sul davanti, verso sud, [aveva] una triplice fila di colonne e una duplice ai lati. Nell'interno, tre celle parallele con pareti divisorie comuni, » destinate ad accogliere una triade divina « sotto un frontone e un tetto ». Anche le divinità introdotte da Tarquinio il Superbo nel nuovo tempio venivano dall'Etruria!

Quali erano?

Null'altre che Giove, Giunone e Minerva come suonò poi il loro nome romano, ma a nord del Tevere era ben diverso.

Giove qui era Tinia, sommo dei numi e centro del pantheon tusco, venerato in ogni città etrusca come signore degli dèi, che parlava per mezzo del fulmine e che un fulmine simbolico reggeva in mano. Nelle processioni solenni i lucumoni portavano la sua corona, la sua tunica e la sua toga. Nel mese lunare etrusco (fatto proprio poi dai romani), il giorno di mezzo, quando il satellite terrestre versa piena la sua luce, gli era consacrato, col nome di Idus.

Insieme con Tinia, erano venerate nei templi dei tirreni le dee Uni e Menvra – la Juno e la Minerva di Roma. Si sa di loro santuari in numerose città dell'Etruria. A Veio la dea Uni aveva il soprannome di Regina; come segno della sua signoria portava la lancia che, nella simbologia del diritto romano antico, valse più tardi come segno dell'*imperium* e del *municipium*. Le era sacra la luna.

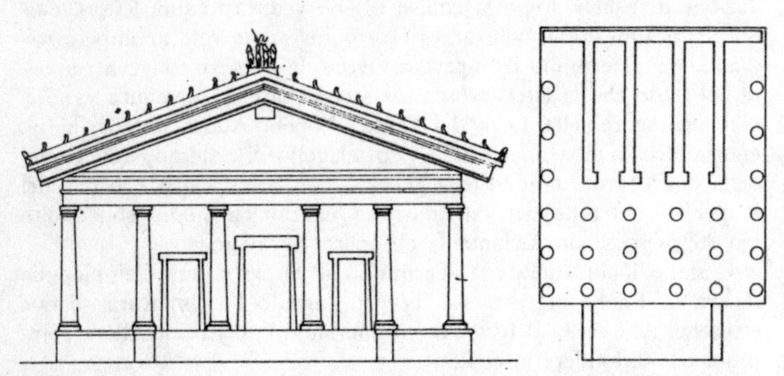

Il tempio di Giove Capitolino, fatto erigere dal sovrano etrusco Tarquinio il Superbo, a Roma, verso la fine del VI secolo a.C. Visibili le tre celle cultuali: la mediana sacra a Giove, le altre a Giunone e a Minerva. Sul davanti, tre file di sei colonne ciascuna. Il pinnacolo era adorno di una quadriga di terracotta con Giove, gruppo proveniente da Veio. Sorto più di mezzo secolo prima del celebre Partenone, il tempio era uno dei più grandi e più belli dell'area mediterranea, e divenne il modello dei templi romani. Mezzo millennio dopo furono costruiti, in epoca imperiale, edifici delle stesse proporzioni. Nella pianta, a destra, è visibile il profilo delle tre celle cultuali all'interno. S'entrava soltanto sul davanti. Ricostruzione in base ai dati degli autori classici.

Menvra la si trova raffigurata in molti specchi bronzei etruschi, ed era anch'essa una dea di primo rango. Le sue feste cadevano per gli etruschi in marzo, il quinto giorno dopo le idi; accolte dai romani, venivano celebrate col nome di *Quinquatrus*, termine equivoco che sembrerebbe indicare una durata di cinque giorni.[1]

Un tempio imponente, unico, venne a compimento tra le mani

1 Le Quinquatri in onore di Minerva non erano chiamate così perché duravano cinque giorni, ma perché si celebravano cinque giorni dopo le idi (le *maiores*, cioè le grandi, dal 19 al 23 di marzo; le *minores*, o piccole, il 13 di giugno). (*N.d.t.*)

esperte degli architetti e artefici etruschi più di mezzo secolo avanti il tanto ammirato Partenone di Atene. Esso sorse quando i greci consacravano sull'acropoli le loro *kòrai*, figure di fanciulla dal delicato sorriso; nel decennio in cui, sull'altra sponda del Mediterraneo, risorgeva, per ordine del potente re persiano Ciro, un altro famoso tempio della storia: quello di Salomone a Gerusalemme, distrutto nell'agosto del 568 a.C. dai babilonesi e preso a ricostruire dagli ebrei, tornati dalla cattività, nell'anno 520.

L'edificio che s'ergeva sul Campidoglio non temeva confronti: coi suoi superbi fregi colorati e il frontone e le pareti decorate di terrecotte, apparteneva ai più belli del mondo d'allora, e ai più grandi.

Più piccolo quello di Gerusalemme, largo solo trentun metri e mezzo; ed è comprensibile: degli esuli che tornavano nella loro terra devastata, non potevano avere, come sempre accade, molto danaro. Ma anche fra i più celebri e celebrati templi greci sorti più tardi, solo pochi erano in grado di sostenere il confronto col sacrario etrusco sul Tevere, anche solo a considerarne la fronte, fosse il tempio di Artemide a Efeso o l'Heràion di Samo o l'Olympièion di Atene sacro a Zeus o quello d'Agrigento. Il più piccolo, largo solo quarantadue metri e novanta, era l'Olympièion di Atene; il più grande, cinquantacinque metri, l'Artemìsion di Efeso, una delle sette meraviglie del mondo. Il tempio tiberino misurava cinquantatré metri e ventotto.

E tuttavia cinge questo edificio un alone di tragedia e d'amara ironia. Il tempio capitolino infatti, monumento dell'arte e della religione etrusche, edificato nel momento dell'apice della potenza etrusca, non era destinato a servire coloro che l'avevano ideato e costruito: né a celebrarne in futuro la grandezza e le gesta. Un inspiegabile capriccio della sorte volle altrimenti.

Il tempio di Giove capitolino diviene il tempio ufficiale di un altro popolo, un popolo che non costruiva, che non trovava piacere nell'operare pacifico e culturale dei pionieri etruschi: un popolo, anzi, che conquista e distrugge, che crea uno stato militare temuto nel mondo intero. Il tempio costruito dagli etruschi divenne il simbolo della potenza romana, cardine dell'ideologia religiosa dello stato.

Per più di mezzo millennio esso accoglierà, dopo guerre e spedizioni sanguinose di conquista, le offerte di ringraziamento durante i grandi trionfi. E i nomi delle città etrusche sottomesse saranno i primi a vedere trascinati qui come bottino i tesori a loro sottratti!

Che il tempio fosse opera etrusca, Roma non volle mai riconoscerlo né ammetterlo ufficialmente; anzi cercò con ogni mezzo di soffocarlo

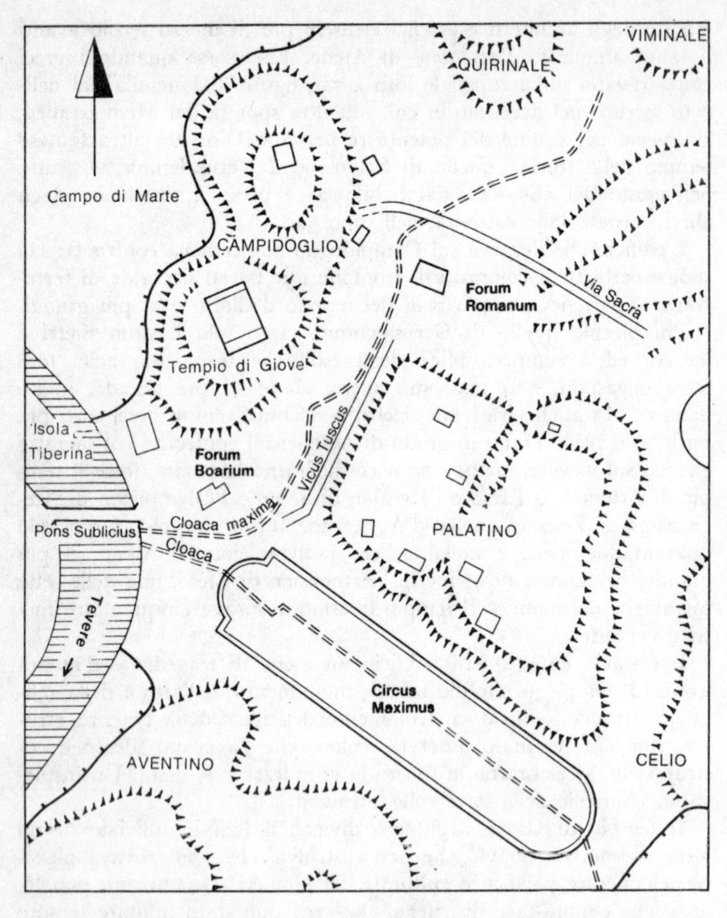

Costruzioni etrusche in riva al Tevere. Nel 575 a.C. Tarquinio Prisco, prosciugate le valli paludose fra i colli, costruì ai piedi del Campidoglio una grande piazza del mercato selciata, il Foro, e la strada delle processioni, la Via Sacra. Sempre sotto il suo regno sorse il Foro Boario come mercato per il bestiame. Fra il Palatino e l'Aventino costruì, per le competizioni sportive, il grande ippodromo, il futuro Circo Massimo. Tarquinio il Superbo eresse sul Campidoglio il grande tempio di Giove, adorno di fregi e figure in terracotta da Veio; e fu costruita la Cloaca Massima (tratteggiata); il tracciato correva in direzione del Foro, lungo il Vicus Tuscus *(abitato anche in seguito da etruschi), dove sorgeva una statua di Velthune.*

nella sua tradizione. E ricorse a un trucco abbastanza grossolano.

Tarquinio il Superbo (nota Dionigi conformandosi alla descrizione data da Livio) « approntò gran parte del tempio. Compir l'opera, tuttavia, non poté, perché fu cacciato prima dal regno ». La consacrazione ufficiale dell'edificio venne fissata dalla tradizione, per motivi di prestigio e d'interesse politico, al 13 settembre del 509 a.C.: data in cui, appunto, la signoria etrusca a Roma non esisteva ormai più. E la posterità vi prestò fede, dandola per scontata.

Anche su tale punto soltanto da poco la scienza è riuscita a ridimensionare e a rettificare. Le ricerche più recenti dimostrano infatti sicuramente che Lucio Tarquinio il Superbo non si limitò a costruire il tempio capitolino, ma lo consacrò di persona. Un altro esempio di falso smascherato.

Il tempio etrusco del Campidoglio resta il massimo di Roma sino alla fine della repubblica, modello di innumerevoli altri templi nella città stessa, quello della Fortuna come della Mater Matuta, quello di Castore e Polluce nel Foro, di Cerere ai piedi dell'Aventino, e di numerosi altri nelle colonie.

Anche questi sono di legno e adorni di rilievi e statue di terracotta: solo in epoca imperiale fa il suo ingresso il gusto greco con i suoi edifici rivestiti di marmo e adorni d'ori.

Con l'espansione romana il culto capitolino si diffonde altresì fra i paesi e le genti sottomesse. Tarquinio il Superbo mai avrebbe potuto immaginare il significato che nella storia mondiale doveva acquisire l'opera da lui costruita: Tinia-Giove divenne una divinità mondiale.

Festa sportiva a Tarquinia. Nell'arena, da sinistra a destra: due pugili a pugni nudi, un discobolo, un lanciatore di giavellotto, un saltatore in alto, un cavallo da corsa con cavaliere, sportivi in discussione, due pugili con guantoni, due lottatori, un giudice di gara col bastone. Fregio dalla Tomba delle Bighe (inizio del V secolo a.C.).

Nessun altro edificio restò tanto e tanto a lungo legato alla storia romana, e le soppravvisse! Bruciato nell'83 a.C., risorse ad opera di Silla che depredò per l'occasione di colonne il celebre tempio di Zeus Olimpio ad Atene. Infine, dopo ripetuti incendi, l'imperatore Domiziano lo fece ricostruire splendidamente nell'85 d.C. E allorché il gigantesco impero sprofondò sotto l'impeto dei nuovi popoli del nord, il duce gotico Stilicone ne strappò le piastre d'oro delle porte, e il re dei vandali Genserico, durante il sacco di Roma, ne fece asportare le tegole rivestite d'oro del tetto.

Il tempio continuò tuttavia a vivere come rovina, ed è ancora testimoniato nel v secolo dell'èra cristiana. In quest'epoca, però, il tempio della triade pagana, dopo un millennio di esistenza, aveva perso ormai il suo significato: una nuova religione, la cristiana, regnava sulla città antichissima. I suoi adepti veneravano ora un dio uno e trino. Ma torniamo alla Roma etrusca.

Quando la costruzione del tempio fu terminata, il re ordinò « che fossero compiute anche le opere che suo nonno aveva lasciato a mezzo ». Ora la plebe fu obbligata a lavori meno imponenti ma di maggior fatica: a disporre i posti degli spettatori nel circo e a portare sotto terra il ricettacolo di tutti gli scoli cittadini: la *cloaca maxima*. Sono due opere queste – è costretto ad ammettere Livio – che non hanno l'eguale per grandiosità in epoca moderna.

In due altri grandi cantieri ferveva ora l'attività; dove percependone adeguata mercede, lavoravano i poveri, alcuni abbattendo legna, altri caricandola sui carri. Chi portava i carichi direttamente a spalla; altri scavavano cunicoli e archi sotto terra. E chi vi apriva vani e chi al di sopra costruiva gallerie. « Affaticato da questi lavori, » scriveva Dionigi, « il popolo non conosceva riposo di sorta. »

Dell'ippodromo restò ai piedi delle rovine dei palazzi imperiali sul Palatino un campo enorme, di sabbia polverosa, con un muro tutto intorno lievemente sopraelevato e alcuni rocchi di colonne. Soltanto una tavola ricorda che qui sorgeva un tempo il *circus maximus*, polo di attrazione delle folle. Anche della pompa e della grandezza del tempio di Giove sul Campidoglio non rimane che un pezzo di muratura in possenti blocchi di tufo grigio.

Solo un'opera – mai ricercata dalla fiumana dei turisti – testimonia tuttora della geniale attività costruttiva del terzo re etrusco e dei suoi conterranei: la Cloaca Massima.

Pochi passi dopo l'Isola Tiberina, scendendo il fiume sulla riva sinistra, si vede, vicino al Ponte palatino, non molto sopra il livello dell'acqua, in una nicchia del muro di sponda, un triplice arco: qui sbocca il canale sotterraneo lungo seicento metri che conduce al Foro, e lo mantiene asciutto convogliando le acque che scendono dal Quirinale e dal Viminale. La geniale costruzione dovuta all'iniziativa etrusca, che col prosciugamento delle aree paludose permise letteralmente la nascita di Roma, funziona, ricostruita, migliorata e ingrandita, ancor oggi.

Nessuno più la considera con ammirazione ed elogi come poco dopo l'inizio della nostra èra Plinio il Vecchio nella sua Storia Naturale. Il quale, venendo a parlare delle « opere mirabili della città », enumera fra esse « le enormi costruzioni del Campidoglio », e « le cloache, che ben si possono definire l'opera massima, perché, a costruirle, si dovettero scavare intere colline. La città divenne « pensile », e sotto di essa si navigava al tempo di M. Agrippa. Sette torrenti confluiscono insieme attraverso vie sotterranee; e i canali furono costruiti di ampiezza tale da consentire il passaggio di un carro carico di fieno. Eppure la costruzione continua a mantenersi stabile, tanto che vi si fanno passare grossi carichi senza che le volte ne risentano. I pezzi di muro caduti o staccatisi in seguito a incendi rivelano che il suolo è scosso da terremoti. Ma i canali durano quasi indistruttibili ormai da settecento anni, dal tempo di Tarquinio Prisco ».

« Quanto è stato citato fin qui, » nota calorosamente Plinio, « è una piccolezza in confronto a questa costruzione, che ha del prodigioso. »

Plinio non esagerava. La cloaca massima che, ai suoi primi inizi come impianto di drenaggio, risale all'epoca del governo di Tarquinio Prisco, è il più antico impianto idrico europeo del genere. La canalizzazione per drenare l'area su cui sorse poi il mercato nuovo, al di sotto dell'*agorà* di Atene, ebbe luogo solo decenni più tardi.

Tarquinio il Superbo appariva insaziabile nel suo sforzo di rendere più grande, bella e imponente la sua città. Non pago dei progetti architettonici, creò una fondazione bibliofila di alto interesse, donando alla città libri(i primi e gli unici per molto tempo ancora), che da quel momento furono sfogliati e studiati avidamente. Perché nel frattempo i più distinti abitanti dell'area tiberina avevano appreso a leggere e scrivere dagli etruschi. Oggi sappiamo con certezza che gli stranieri venuti d'oltretevere assolsero con successo la loro opera di maestri anche in questo campo. Vasi neri di bùcchero trovati negli strati più profondi del suolo romano mettono a tacere ogni dubbio: presentano infatti iscrizioni etrusche incise e molti datano dal 525 a.C.

Il regalo fatto dal re alla città erano i Libri Sibillini, opera piena di testi misteriosi grazie ai quali era possibile interpretare il futuro. L'opera fu portata a Roma « per un prodigio singolare », narra Dionigi, da « una donna straniera », la quale, dopo « l'ammonimento a custodirla con cura, sparì dalla vista di tutti ».

« Nulla conservano i romani in forma così sacra e solenne come i detti sibillini. Dei quali si servono ogni volta che così voglia il senato: quando scoppi una rivolta nello stato o si verifichi una catastrofe in guerra, o quando avvenga qualche gran miracolo o evento incomprensibile, come spesso accade. »

« Questi oracoli rimasero sino alla guerra sociale in una cassa nel sottosuolo del tempio di Giove sul Campidoglio, » scrive sempre Dionigi. « Quando però, dopo la centosettantacinquesima Olimpiade il tempio venne completamente distrutto da un incendio, anch'essi andarono consumati dal fuoco. » Con questo, però, i Libri Sibillini, come oggi sappiamo, non furono cancellati dalla faccia della terra, perché vi erano delle copie. Queste, come si tramanda, seguitarono a essere consultate dallo stato, in caso di necessità, fino al 400 d.C. Dopodiché furono distrutte per ordine delle autorità cristiane.

Tarquinio il Superbo non era destinato a godere delle sue opere, delle sue grandiose costruzioni. D'improvviso si verificarono avvenimenti che lo cacciarono « dalla città e dal regno ».

GLI ETRUSCHI EDIFICANO LA REPUBBLICA

Già da tempo Roma era in fermento. Il regime di Tarquinio il Superbo era odiato; e non solo dal popolo, da quei pastori e contadini che, per la prima volta costretti a compiere lavori gravosi e assolutamente inconsueti, s'adiravano del fatto « che contraddiceva alla loro dignità di esser sfruttati come manovali così a lungo dal re »; ma anche dalla cerchia dei nobili che vedevano limitati pure i loro diritti. Annullata la costituzione serviana, Tarquinio regnava dispoticamente, al punto che nessuno era più sicuro della vita, né della famiglia, né degli averi. Nemici al regime del re cominciarono a radunarsi segretamente e a tesser piani.

Per ironia della sorte, tuttavia, nessuno di essi era romano: tutti etruschi, parenti stretti della casa reale, quelli fra i quali si reclutavano i leader della rivolta destinata a rovesciare Tarquinio. Costoro, i membri della nobiltà etrusca, condurranno il regime a rovina e introdurranno una nuova costituzione e forma politica, alla quale più tardi i romani si rifaranno con orgoglio: la repubblica.

Capo della congiura, sua anima e vita diviene Lucio Giunio Bruto, figlio della sorella del re, giovane dinamico e pieno di iniziativa. Al suo fianco, Spurio Lucrezio, nobile di ceppo etrusco e Tarquinio Collatino cugino del re, che la tradizione vuole figlio di Egerio, fratello del re Tarquinio Prisco.

Il tanto atteso segnale della lotta per il potere fu dato, si vuole, da un grave scandalo avvenuto appunto in quel tempo: la violenza recata a una romana da un figlio del re.

Il motivo potrebbe però essere stato un altro, anche se un tale crimine perpetrato da un principe etrusco, si adattava perfettamente alla visione degli storici romani. Era infatti l'occasione buona per cantare l'elogio della virtù muliebre romana e per coniare un'immagine di propaganda nazionale: quella della romana integerrima tutta casa e famiglia. Occasione buona anche per diffamare le signore etrusche, la cui vita e posizione di primo piano nella società romana di concezione ancora contadina, erano una spina nel fianco. Non era forse vero che le etrusche, elegantemente vestite, preziosamente adorne e truccate, non solo partecipavano ai banchetti degli uomini, ma erano altresì istruite, sapevano leggere e scrivere, erano esperte come Tanaquil nella scienza del vaticinio, e prendevano per di più parte alle discussioni d'alta politica?

Livio e così pure Dionigi non si lasciano sfuggire l'occasione di descrivere diffusamente il crimine sessuale nello stile di un romanzo ellenistico: con tanto di esito eroico, per la violentata, della lamentevole istoria.

Durante l'assedio della città rùtula di Ardea, che si trascinava per le lunghe, « i giovani principi si svagavano nell'attesa con inviti re-

Contemporanei di Tarquinio il Superbo. Coppia patrizia della ricca città marinara di Cere. La coppia riposa, come se fosse fra amici a un banchetto, su un letto ricoperto di cuscini e drappi preziosi. Ambedue hanno le tipiche calzature etrusche a punta ricurva. La donna ha in capo il tutulus, *secondo la moda del tempo; l'uomo porta la barba a punta ed è a torso nudo. Lei indossa un chitone, un lungo mantello che copre le gambe; il marito le cinge amorosamente le spalle con la destra. Sarcofago di terracotta, da Cerveteri (seconda metà del VI secolo a.C.).*

ciproci e con convegni notturni. Trovandosi una volta a bere da Sesto Tarquinio, ed essendo presente anche Tarquinio di Collatia, s'intrattennero sulle donne. Ognuno lodava la propria moglie, e la disputa si fece più accesa quando Collatino [l'unico a esser sposato non con un'etrusca ma con una romana] sostenne che la sua Lucrezia era ben al di sopra di tutte le altre. Tutti acconsentirono alla sua proposta di andare a convincersene di persona; e balzati sui cavalli li spronarono alla volta di Collatia ». Ed ecco che « quivi passava Lucrezia il tempo ben altrimenti delle cognate del re: non in ricchi banchetti con le amiche ». Conformemente ai suoi doveri, essa faceva quello che già s'usava, e si sarebbe anche in seguito usato, tra la popolazione contadina romana: « Ancor tardi nella notte sedeva a filar la lana nella sua stanza, » la elogia Livio, « fra le sue ancelle che lavoravano al lume della lucerna. »

La visita doveva avere conseguenze impreviste. Sesto Tarquinio infatti, il figlio del re, concepì la brama di prendere a forza Lucrezia, moglie di Tarquinio Collatino, eccitato dalla sua bellezza. Durante un'assenza del marito, s'introdusse una notte nella sua casa di campagna.

Quando tutto parve dormire sicuro in un sonno profondo, scrive Livio, spada sguainata, si diresse pazzo d'amore verso Lucrezia dormiente; e, posatale la sinistra sul petto, la tenne ferma dicendole: « Non una parola, Lucrezia! Io sono Sesto Tarquinio e ho una spada in mano. Un grido e sei morta. » La minaccia sopraffece l'ostinata resistenza del pudore. Quindi, fiero del colpo riuscito, Tarquinio se ne andò.

I messi spediti immediatamente dalla donna richiamarono la notte stessa il marito e Bruto. Lucrezia, raccontato il fatto, si diede di sua mano la morte. « Nessuna donna dopo di me vorrà vivere nello scandalo, memore di Lucrezia. » Piantatosi un pugnale in seno, piombò morta al suolo.

Un crimine sessuale compiuto dal figlio del tiranno contro una virtuosa romana! Non vi poteva essere azione più turpe per piombare la popolazione locale nella sollevazione aperta; né più opportuna per un colpo di stato contro l'odiato regime. E la giovane nobiltà etrusca congiurata contro Tarquinio il Superbo non si lasciò sfuggire l'occasione.

Guidata da Bruto, mosse da Collatia alla volta di Roma una schiera di armati. Da tutti i luoghi convenne gente sulla piazza del mercato, e Bruto parlò al popolo.

Disse della violenza e del turpe sopruso di Sesto Tarquinio, dell'odioso stupro e del lamentevole suicidio di Lucrezia... Quindi passò ai modi tirannici del re, e quindi alla miseria e alle fatiche del popolo costretto a scavar fosse e canali sottoterra. Il re aveva trasformato i cittadini romani... da soldati in operai e scalpellini. E ancora Bruto ricordò l'efferato assassinio del re Servio Tullio...

Le dure parole indussero il popolo a dichiarare decaduto dalla signoria il re, e a bandire dalla regione Lucio Tarquinio, la moglie e i figli.

Su proposta di Bruto, viene reintrodotta la costituzione serviana disprezzata dal Superbo. « Così andate nelle centurie e votate. Questo sia per voi il primo diritto della libertà. » E così avvenne. Poi, « quando tutte le centurie ebbero votato il bando », Bruto propose altre innovazioni decisive, già progettate da Servio Tullio e impedite dalla sua morte violenta di giungere a esecuzione. Nonostante egli regnasse con mitezza e misura, tramanda Livio, volle deporre la sua carica affinché la sua terra fosse libera – come informano taluni scrittori di storia – e ciò solo perché la sua era una signoria assoluta.

Quello che al grande riformatore Servio Tullio non era stato concesso di realizzare, fu attuato ora. Bruto, discutendo « quale forma di governo della comunità dovesse assumere il regno », propose « di non crearvi più monarchia », ma di trasmetterlo a due uomini con potere regale ma per un anno ciascuno. E « il popolo consentì anche a questa proposta, e non una voce le si levò contro ».

L'ora di nascita della repubblica era suonata.

Alla nobiltà etrusca e al suo colpo di stato deve Roma la sua seconda grande riforma. Nobili etruschi sono altresì i primi a ricoprire le nuove massime cariche civili, quelle dei consoli.

Perché i primi « due uomini con potere regale assoluto » a esser eletti, furono Bruto e Collatino. E il popolo confermò per centurie l'elezione.

Giunta la notizia degli avvenimenti al re che stava accampato fuori della capitale, egli, profondamente scosso, s'affrettò sulla strada per Roma. Ma era troppo tardi.

Tarquinio giunse dinanzi alle porte sbarrate e apprese del suo esilio. Correva l'anno 509 a.C.

Roma era diventata una repubblica.

Ma, com'era accaduto? Che cosa era veramente mutato?

Non s'era trattato infatti d'una rivolta popolare vera e propria, bensì d'una rivoluzione di palazzo. Ciò che aveva portato al capovolgimento non era scaturito da sentimenti nazionali contro il dominio straniero; non s'era insomma trattato di un contrasto fra latini ed etruschi. Un tiranno etrusco era stato cacciato dai suoi stessi compatrioti, la gran massa dei quali – membri delle famiglie nobili e innumerevoli altri: ingegneri e architetti, sacerdoti, artisti e artigiani stabilitisi in riva al Tevere – rimase nella città.

Il colpo di stato non aveva trasformato Roma in uno stato latino: dopo come prima furono etruschi a rivestire le massime cariche civili, etruschi i due consoli. I quali, per prima cosa, reinstaurarono la costituzione creata da un sovrano etrusco, Servio Tullio. Essi rinnovarono infatti, c'informa Dionigi, le leggi date da Tullio, e da Tarquinio totalmente annullate, poiché esse erano umane e popolari. E ridiedero ai cittadini il diritto di tenere un'adunanza popolare sopra i problemi di maggior momento, su cui esprimere il loro giudizio.

Intatte rimasero altresì cerimonie e usanze etrusche, e conservate le insegne del sommo potere: « lo scettro, i diademi d'oro, le tuniche di porpora trapunte d'oro, durante le feste e le cerimonie trionfali in onore degli dèi; il trono d'avorio su cui sedevano i giudici a emettere sentenze, la veste bianca dal bordo di porpora e il bastone di comando ». Rimasero anche i sacerdoti etruschi, « la loro aruspicina e interpretazione dei fulmini e di altri segni miracolosi ». Ma potere religioso e potere laico furono separati, affidando a un « re dei sacrifici » la cura delle onoranze divine e del culto.

Un semplice mutamento di regime, insomma, provocato da un « putsch » della cerchia che, dopo aver fondato Roma, l'aveva trasformata in una città grande e moderna, e che la governava da più d'un secolo. Eppure proprio questo capovolgimento doveva riuscire più fatale di ogni altro per la città, per i suoi abitanti e per tutta l'Etruria. La repubblica infatti creò le premesse del cambio della guardia sulle rive del Tevere, poiché rese possibile quanto non sarebbe mai potuto accadere sotto re etruschi: la presa del potere da parte di elementi della popolazione latina aborigena. Con essa nacque la futura potenza mondiale di Roma. La rivoluzione etrusca doveva uccidere i suoi propri figli e tutto il suo popolo.

Fin dai primi gravi scontri in campo aperto in cui, poco dopo il colpo di stato il nuovo governo si trova coinvolto, s'annuncia la catastrofe imminente...

Tarquinio, cacciato dai suoi, pensava alla vendetta e, nella speranza di guadagnarsi alleati, fece dapprima dei passi in direzione dei latini. Ma poiché le loro « città non gli prestavano orecchio né volevano per amor suo entrare in guerra con la città dei romani, si rivolse per aiuto alla città etrusca di Tarquinia, di dove era originario. Guadagnate le famiglie della città con doni, mosse il popolo a inviare messi a Roma, nella speranza che gli ottimati locali stessero dalla sua e ne appoggiassero il ritorno ».

Rientro da una spedizione di guerra. Due uomini con la lancia e un cavallo carico di bottino. Particolare di una scena su un sarcofago, da Perugia, secondo quarto del V secolo a.C.

La proposta dei legati del Superbo di preparare l'occasione del suo rientro, cozzò contro un rifiuto unanime: « Definitivo è il giudizio », essi appresero, « e per sempre deciso l'esilio ». Udito ciò, avanzarono un'altra preghiera: che si restituissero al re i suoi averi. I consoli Bruto e Collatino promisero di riflettervi sopra; ma, mentre nei giorni seguenti essi andavano meditando il pro e il contro, i legati strinsero segreti legami con gli etruschi fedeli al Superbo e ordirono una congiura. Scoperta la quale, i partecipanti furono impiccati, i messi cacciati dalla città, e i beni del re « lasciati al saccheggio popolare ». Di questi beni faceva parte « il pezzo di terra fra la città e il Tevere che fu detto più tardi Campo di Marte », dice Livio. « In questo luogo cresceva allora il grano ormai prossimo al raccolto. »

Il re, « scosso dalla piega degli avvenimenti », vide chiaramente che non gli restava altra via che la guerra.

Mascherati e falsati sono da parte romana i particolari delle campagne e delle battaglie (a Roma e intorno a Roma, e nel Lazio) avvenute in seguito al tentativo di reinstaurare la signoria regale etrusca.

Tarquinio il Superbo vagava esule per l'Etruria in cerca d'aiuto, narra la tradizione. Egli si rivolse particolarmente agli abitanti di Veio e di Tarquinia: essi non dovevano lasciar perire il loro concittadino e consanguineo insieme con i suoi figli. Ancora poco tempo prima egli regnava su tanto regno e ora pativa le angustie dell'esilio. Ora però era risoluto a impadronirsi di nuovo del suo regno e della sua patria e a punirne gli ingrati cittadini. Essi dovevano quindi aiutarlo a entrare in guerra con lui, per vendicare i mali sofferti e la perdita di territorio.

Queste parole impressionarono la gente di Veio. I tarquinii assentirono a causa del loro nome e della parentela. Gli eserciti di entrambe le città si associarono al Superbo.

Entrati nel territorio romano, si fecero loro incontro i consoli. Bruto precedeva con la cavalleria per osservare il nemico. Anche la testa dell'esercito etrusco di Veio e Tarquinia era costituita dalla cavalleria, guidata da Aruns Tarquinius, figlio del re.

Già in lontananza Aruns riconobbe dai littori che il console si trovava fra i cavalieri: poi, man mano che si avvicinava, distinse chiaramente Bruto, e ad alta e irata voce così disse: « Ecco colui che ci bandì cacciandoci dalla patria. Guardate! vestito delle insegne del nostro onore cavalca innanzi. O dèi vendicatori dei re, aiutatemi! » E, dato di sprone al cavallo, si buttò all'assalto del console stesso.

Così si assalirono l'un l'altro di furia, nessuno dei due badando alla propria sicurezza, ma ognuno desideroso solo di colpire il nemico. E così caddero entrambi morenti da cavallo, lo scudo forato dai colpi dell'avversario e trapassati a vicenda dalla lancia.

Nella lotta fratricida caddero etruschi contro etruschi, il figlio del re contro il riformatore della medesima dinastia. Il duello, col suo esito mortale, decise le sorti.

« Tarquinio e gli etruschi furono atterriti », si legge; e « ambedue gli eserciti, quello di Veio e quello di Tarquinia, rinunciarono all'impresa e presero di notte la via del ritorno. »

Sulla Via Appia, a ventisei chilometri e trecento metri dalle porte di Roma, riposa sul bordo della Valle di Ariccia un antico cratere, una tomba d'epoca arcaica. Sopra un alto basamento di lastroni stanno quattro possenti tronchi di pietra scalpellata. Solo di rado dirige ormai il visitatore i suoi passi verso questo luogo sepolto fra macchie superbe. Questa, si dice, è la tomba dove riposano le ossa del principe etrusco Aruns, caduto nella battaglia contro Bruto.

Il fallito tentativo dell'ex re fu però solo il preludio di altri contrasti guerreschi, nei quali Roma fu dilaniata ora da parte etrusca ora da parte latina.

Un decisivo successo doveva comunque essere ottenuto di lì a poco da una spedizione partita dall'Etruria: da Clusium, Chiusi, un'importante città etrusca, dietro le cui mura alte sulla valle del Chiana viveva un famoso re, il leggendario Larth Porsenna.

LA LOTTA DEL RE PORSENNA PER ROMA

« Da Porsenna, re di Chiusi », s'erano pure recati gli esuli Tarquini. « Prima lo scongiurarono che non tollerasse che dei parenti suoi di nome e di sangue come rampolli etruschi fossero costretti a vivere senza trono. Quindi lo ammonirono di non permettere che andasse impunita la nuova usanza di sbarazzarsi così semplicemente dei re ».

Corteo di carri da corsa ai giochi indetti in onore di un defunto. Sullo sfondo sono visibili le mete a forma di albero che delimitavano la pista. Rilievo su un monumento funebre, Chiusi, V secolo a.C. Di Porsenna, re di Chiusi, si tramandano oltre alle gesta belliche, anche le prodezze di corridore.

Porsenna assicurò il suo aiuto. Mai prima i padri di Roma erano stati così atterriti: tanto potente era allora lo stato della gente di Chiusi e tanto famoso il nome di Porsenna.

All'avvicinarsi dei nemici, tutta la popolazione contadina emigrò nella città. A difesa di Roma fu posto un manipolo di guerrieri; da un lato le mura, dall'altro il Tevere sembravano difesa bastante. Ma il ponte di legno rischiava di facilitare la penetrazione nemica.

Al primo assalto re Porsenna riuscì a impadronirsi del colle oltretevere, il Gianicolo; ma allorché le sue truppe si avvicinarono al ponte sul fiume, unico accesso alla città, i romani riuscirono, all'ultimo momento, a distruggerlo. « Solo il fragore delle travi che cadevano udirono gli etruschi. »

Porsenna si volse all'assedio. « Posta una guarnigione sul Gianicolo, s'accampò nella piana in riva al Tevere. Già prima aveva fatto venire navi da ogni parte, al fine di impedire con uno sbarramento il vettovagliamento della città; ora gettò l'intera regione attorno a Roma in tale insicurezza, che non solo gli abitanti del luogo, ma fino il loro bestiame furono spinti nella città. Non v'era più grano neppure a pagarlo al massimo prezzo, e l'assedio continuava. »

Ciò che accadde dopo, Livio lo lascia nel vago; e sforzandosi di deviare dagli eventi storici, indugia a narrare le gesta eroiche di romani e romane sinché « fu fatta la pace ».

Per fortuna ci restano altre fonti, dalle quali sappiamo che l'impresa di Porsenna fu coronata da successo. Vinti i romani, impose loro dure condizioni: disarmo totale e divieto di usare ferro se non per la costruzione di strumenti agricoli. Roma doveva inoltre rinunciare a ogni possedimento sulla riva destra del Tevere e quindi a dominare sola il traffico dell'importante fiume.

Ciò che stupisce è che non si faccia parola di Tarquinio il Superbo, che pure era stato la causa della spedizione. Intatta lasciò Porsenna anche la nuova istituzione repubblicana. Come mai il re di Chiusi aveva cambiato parere e si proponeva tutt'altre mete?

Dionigi vi accenna: i tarquini che si trovavano al seguito dell'esercito di Porsenna avrebbero « osato, durante una tregua, assalire le sacre persone dei messi e degli ostaggi romani ». In seguito a ciò « i legami d'ospitalità coi tarquini furono rotti e fu intimato loro di lasciare il campo il giorno stesso. Essi, da principio speranzosi o di riottenere la signoria della città o di riavere i loro beni, si videro disingannati, a causa del loro crimine, in entrambi i progetti, e se n'andarono amaramente umiliati ». Dopodiché, si legge, il vincitore offrì alla città tiberina « un patto di pace e d'amicizia ».

Ritirate le truppe e lasciate ai romani affamati anche le provviste del suo accampamento, fu deciso dalla città « di inviare a Porsenna un seggio eburneo e uno scettro, una corona aurea e una veste trionfale, come s'addice all'ornamento regale ».

L'esito pacifico della campagna era anzitutto basato su motivi d'interesse commerciale ed economico per le esportazioni e importazioni di Chiusi come di tutte le città-stato della madrepatria. Non avere nemica la repubblica significava l'accesso indisturbato nel Lazio, per il quale passava la strada verso le dodici città campane.

Tuttavia, ben presto le zone a sud del Tevere non sarebbero state più sicure per i mercanti etruschi. Perché quando Tarquinio il Superbo vide falliti i suoi piani di ritornare sul trono con l'aiuto delle città-stato etrusche, cercò di guadagnare alla sua causa le città sabine e latine. All'inizio esitanti per la maggior parte, alcune parvero poi non maldisposte a schierarsi al suo fianco.

Ora, tanto Roma quanto gli etruschi erano egualmente interessati a impedire una rivolta nel Lazio. Porsenna fu il primo a prendere l'iniziativa di scongiurare il pericolo. « Aruns », il figlio del re, « ricevette dal padre metà dell'esercito, con cui marciò alla volta di Aricia », ai piedi dei colli Albani a sud di Roma. « Aveva quasi preso la città, quando giunsero aiuti agli aricini »: dai volsci di Anzio sul mare e dai latini di Tuscolo. Contemporaneamente però spuntarono del tutto di sorpresa reparti armati di un popolo che non s'era mai spinto prima di allora fino in Lazio: guerrieri greci di Cuma, la grande concorrente e nemica delle dodici città etrusche della Campania.

La ragione che li spingeva a intervenire era chiara: Cuma aveva il massimo interesse a sbarrare agli etruschi l'accesso al sud, in modo da interrompere ogni ulteriore commercio fra le loro città nella madrepatria e quelle in Campania.

« Nonostante Aruns combattesse con forze inferiori, vinse e respinse i nemici nella città. »

Alla notizia dello scacco subito dalle loro milizie ausiliarie, si venne ad accesi contrasti fra i partiti di governo cumani, che finirono con la decisione di mandare altre truppe ad Aricia, al comando del capo di una delle fazioni contendenti: Aristodemo detto Malakòs, ossia l'Effeminato. Tale campagna l'avrebbe condotto a una signoria illimitata sulla sua città. Partito con una flotta di sedici navi, approdò nel Lazio con le sue truppe, duemila uomini, affrettandosi in aiuto della città assediata. Dinanzi alle sue porte inflisse agli etruschi una severa sconfitta.

Aruns Porsenna « cadde in battaglia sconfitto dai cumani di Aristodemo. Lui morto, l'esercito etrusco non tenne più, e prese la fuga. Molti, inseguiti dai cumani, furono uccisi, ma la maggior parte, gettate le armi e non più in grado di proseguire a causa delle ferite, cercarono scampo in territorio romano, non molto distante ».

I romani accolsero liberalmente i vinti dell'esercito etrusco: « Essi, » scrive Dionigi, « li caricarono su carri e animali da soma, portandoli, alcuni già quasi morti, dalla campagna in città; dove li ospitarono nelle loro case, provvedendoli per la loro guarigione di cibo e medicamenti, e di tutte quelle cure fisiche che dimostrano una compassione sentita. Onde molti etruschi non desiderarono più di tornare in patria, ma di restare. Il che fu loro concesso. Fu stabilito un posto nella città dove costruire le loro case: la valle fra il Palatino e il Campidoglio che i romani chiamano tuttora *vicus Tuscus*, e va dal mercato al grande ippodromo. »

Il « patto di pace e d'amicizia » fra Chiusi e Roma aveva superato la sua prima prova. A compenso di aver accolto e curato i vinti, il re Porsenna fece ai romani « un dono di non poco valore, cioè la terra al di là del Tevere da essi ceduta in virtù del trattato che aveva posto fine alla guerra. La gioia per il fatto fu straordinariamente grande ».

Nel frattempo, Aristodemo, tornato vincitore a Cuma, vi fu salutato con grida di giubilo. Sulle navi da carico portava, oltre ai molti doni di cui era stato onorato, bottino e prigionieri etruschi. Grazie al successo, poté abbattere i suoi avversari e regnare d'ora innanzi solo come tiranno nella città, « circondato da una guardia del corpo di prigionieri etruschi ».

Nel Lazio, la spedizione di Aruns Porsenna seminò la discordia. Aricia addossò ai romani la responsabilità della guerra con gli etruschi, e li accusò di aver permesso, malgrado fossero loro parenti, che città latine venissero derubate della loro libertà dagli etruschi. Ora Tarquinio il Superbo trovò orecchio e sostegno fra i latini, sdegnati per l'alleanza fra Roma e Porsenna.

Si cominciò ad armarsi e molte città allestirono truppe. Appoggiato da unità latine, Tarquinio il Superbo marciò all'attacco di Roma.

La quale però, essendo sull'avviso, reagì fulmineamente. « A piedi e a cavallo si misero in marcia il dittatore Aulo Postumio e il duce della cavalleria Tito Ebuzio con una considerevole forza. Vicino al Lago Regillo, nel territorio di Tuscolo, si scontrarono col nemico. La battaglia fu più aspra e grave che mai. Anche i capitani supremi si gettarono nella mischia combattendo l'uno contro l'altro; e ben presto, da entrambe le parti, non vi fu duce che lo scontro lasciasse senza ferite. Benché per anni e forza non più tanto abile, il Superbo si diresse al galoppo contro il dittatore Postumio, il quale incoraggiava in prima fila i suoi soldati, tenendoli in schiera ordinata. Egli fu ferito, ma i suoi accorsero a trarlo in salvo. »

La speranza che Tarquinio il Superbo aveva riposto in questa battaglia s'infranse: al Lago Regillo uscirono vincitori i romani. Dopo tale sconfitta, egli si vide costretto a lasciare la regione, « poiché né i latini lo accolsero più nelle loro città, né i sabini, né alcun altro degli stati vicini ». Novantenne ormai, « unico superstite della sua schiatta dopo aver perso i figli e le famiglie dei suoi cognati, si recò a Cuma da Aristodemo ». L'ex tiranno ottenne diritto d'asilo dal nuovo tiranno e lo compensò col nominarlo suo erede. « Presso Aristodemo egli sopravvisse soltanto un ristretto numero di giorni e, quando morì, fu da lui sepolto », nella città greca, fra stranieri, lontano dalla sua patria e dalla sua gente.

Che cosa è rimasto delle due grandi figure: Tarquinio il Superbo, l'ultimo grande despota sul trono di Roma, e Porsenna, l'eroico condottiero e re di Chiusi, oltre il ricordo delle loro gesta trascritte solo secoli più tardi?

Gli archeologi sulle loro tracce non furono soccorsi da resti degni di rilievo. Quanto venuto in luce sinora è abbastanza deludente. Del gigantesco edificio del tempio capitolino, fatto erigere dal tiranno, non fu scoperto che un misero frammento. A Cere si trovò una traccia della sua famiglia regale. Tarquinio il Superbo dovette trovare rifugio nella potente città marinara, insieme coi figli, subito dopo il colpo di stato. Alcuni membri della sua dinastia, anzi, vi restarono, e vissero ancora a lungo nobili e illustri. Verso la metà del secolo scorso, nella gigantesca necropoli della città, ci s'imbatté nei loro ultimi sepolcri: la grande tomba di famiglia dei « Tarchna », come dicono le iscrizioni etrusche.

Imponente come la sua leggendaria vita dev'esser stato anche l'estremo asilo di Porsenna. Ne parla una notizia di Plinio il Vecchio, che cita un'informazione di Varrone:

« Il re Porsenna giace sepolto nel sottosuolo della città di Clusium

A Cere, dove cercò rifugio Tarquinio il Superbo cacciato da Roma, si trovò quest'iscrizione in caratteri etruschi in una grande tomba di famiglia. Letta da destra a sinistra, suona: « Avle Tarchnas. Larthal. Clan ». Tarchna sembra fosse il nome etrusco di Tarquinia.

e ha lasciato dietro di sé un monumento di pietre squadrate di trecento piedi di larghezza e cinquanta d'altezza. Le fondamenta rettangolari e uniformi celano un intricato labirinto, del quale nessuno può trovare l'uscita senza matassa.

« Sopra queste fondamenta stanno cinque piramidi: quattro agli angoli e una al centro; larga ciascuna, alla base, settantacinque piedi, alta centocinquanta e terminante a punta. Sulla cima ognuna reca un disco di bronzo da cui pendono campanelle appese a catene, le quali, come un tempo le conche di Dodona, lungamente risuonano a un alitar di vento. Sopra questo disco si elevano ancora quattro piramidi, ciascuna alta cento piedi, e sopra di esse, dopo una piattaforma, altre cinque ancora. » Sulla loro altezza non pare che Varrone avesse informazioni; per cui Plinio aggiunge:

« Le leggende etrusche dicevano che le piramidi erano alte quanto il resto dell'edificio. Con tale singolare spreco il costruttore aveva cercato nella prodigalità una fama che non poteva giovare a nessuno. Così, per rendere più alto onore a un artista, egli avrebbe esaurito le forze del suo regno. »

Sembra che Varrone, l'erudito romano del I secolo a.C., abbia potuto vedere con i suoi occhi ancora una parte del monumento: poiché difficilmente avrebbe potuto dare misure tanto precise solo per sentito dire. Ma anche la descrizione delle piramidi sopraelevate non poteva esser puro parto della sua fantasia.

Come rimproverare agli studiosi di esser partiti lancia in resta alla ricerca di una tomba descritta in modo così fiabesco? Il luogo dove avrebbero dovuto esercitare il loro fiuto, del resto, era indicato abbastanza chiaramente: « sotto la città di Clusium », cioè Chiusi.

La modesta borgata di tal nome si trova sulla strada da Firenze a Roma, a tredici chilometri dalla riva occidentale del Trasimeno. Chiusi, dove ebbe inizio la grande ricerca, sta appollaiata su un poggio che guarda in Val di Chiana. Il fiume, affluente del Tevere, era un tempo navigabile e offriva una buona via di comunicazione con il sud.

La prosperità di Chiusi una volta prestigiosa andò perduta, ma restò la feracità del suolo, coltivato dagli etruschi per oltre duemilacinquecent'anni. Boschetti d'ulivi argentei e vigneti cingono le verdi pendici, interrotte solo dai luoghi delle necropoli scavate e riscavate a partire dall'antichità, le cui oscure camere sono ormai da tempo vuote, spogliate dei preziosi corredi di monili d'oro e di bronzi superbi. « Qui, viaggiatore, se sei avido di conoscenza e intraprendente, » scriveva nel secolo scorso l'inglese Dennis, « puoi affondare sino al gomito le braccia nell'avventura. »

A sei chilometri da Chiusi si erge con possente gobba il « Poggio Gaiella », un tumulo di enormi proporzioni, con una circonferenza di 250 metri. Lo si prese di mira nel 1840 e vi si aprirono gallerie in profondità; l'interno rivelò un vero e proprio labirinto: innumerevoli cunicoli e tombe disposte su tre piani. Tuttavia, l'entusiasmo degli scropitori andò ben presto deluso: del possente sepolcro di pietra di Porsenna, descritto dagli antichi, non apparve traccia alcuna.

E tuttavia il suolo dell'odierna Chiusi è tuttora percorso, come un formicaio, da un'intera rete di cunicoli sotterranei, i quali conducono fino ai più lontani punti del territorio cittadino. Alcuni sono persino adibiti, senza alcun rispetto, a cantine.

A dieci metri di profondità, sotto la piazza del duomo, fu scoperto parecchi anni fa un grande vano sorretto da un pilastro e ricoperto da blocchi di travertino nettamente tagliati. Era la scoperta di un nuovo labirinto, ma non del sepolcro tanto atteso: il leggendario mausoleo di re Porsenna restava e resta tuttora ignoto!

ROMA È PRONTA A SPICCARE IL VOLO

Col 500 avanti Cristo il dado è tratto, gli scambi già innestati per il futuro. Tarquinio il Superbo era stato cacciato, il suo trono fatto crollare da nobili della sua stessa gente, la signoria dei re etruschi sul Tevere aveva avuto fine. Questi i duri fatti al volgere del VI secolo, nel quale era stato scritto il capitolo più superbo e glorioso della storia etrusca.

All'inizio del governo di Tarquinio il Superbo, l'Etruria ha raggiunto il massimo della sua potenza e del suo splendore. Il suo nome gode di fama e prestigio per largo tratto del Mediterraneo, da Mileto e Atene a Cartagine, dal Bosforo alle colonne d'Ercole. Alleata della potentissima Cartagine, domina incontrastata con le sue navi le onde del Tirreno. Il suo impero commerciale ha ampiezza mondiale. I prodotti della sua arte, del suo artigianato e dell'industria sono molto apprezzati dai greci e fenici, e avidamente richiesti dalle popolazioni d'oltralpe.

Anche per terra si estende possente il suo impero: dalle piane padane sino in Campania, dalle terre celtiche fino alle città dei coloni greci.

Ampi territori d'Italia con i loro abitanti indigeni ancora semi-

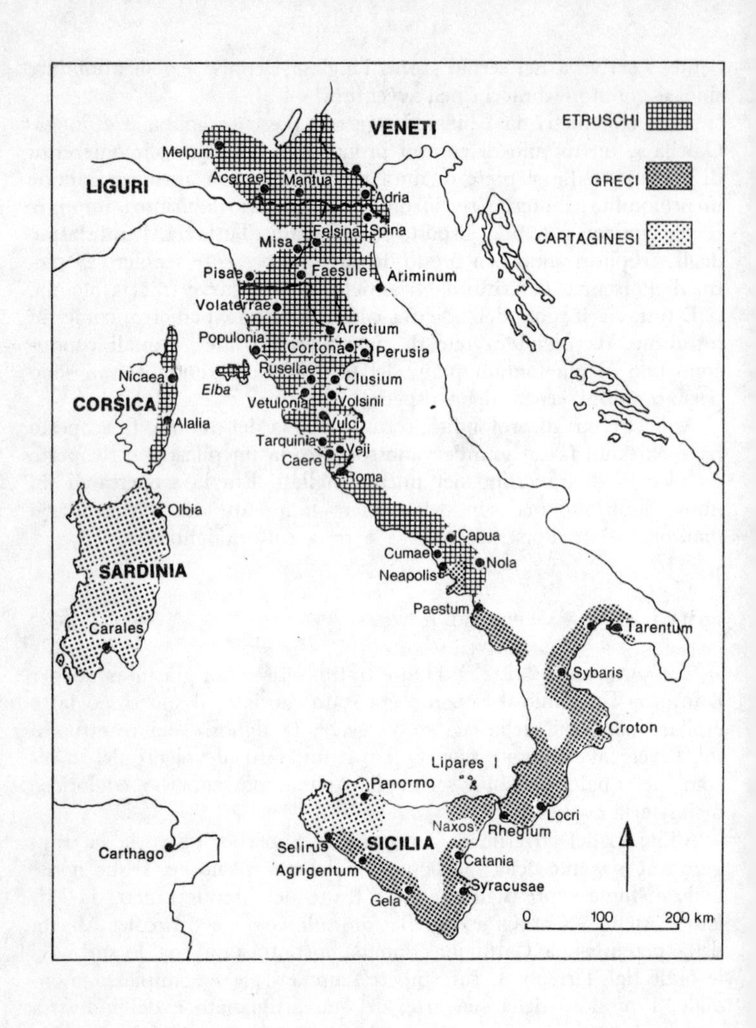

L'impero etrusco nel VI secolo a.C. La zona d'influenza della signoria etrusca andava, al momento della massima espansione, dalle Alpi (con la Lega delle Dodici città settentrionali nella Valle padana) al golfo di Salerno (con la Lega delle Dodici città campane).

selvaggi, strappati per sempre alla vita primitiva di un'èra preistorica, fioriscono nel benessere.

Il successo aveva coronato qualunque progetto, qualunque impresa degli etruschi. Così sembravano decretati una fortuna immutabile, un eterno favore dei celesti a questo popolo straordinario, così sereno e trasognato come tuttora ci saluta, nelle oscure camere delle necropoli, dagli affreschi e dalle terrecotte, da sarcofaghi e statue d'argilla nei musei, il sorriso dei suoi principi e delle sue principesse.

In Tuscorum imperio paene omnis Italia fuit, quasi tutta l'Italia fu sotto il dominio etrusco, dirà più tardi Catone. *Sic fortis Etruria crevit*, così potente crebbe l'Etruria, ripeteva Virgilio. « Allora, » scriveva il Mommsen, « l'unificazione dell'Italia sotto la supremazia etrusca sembrava cosa non più lontana. »

E invece gli etruschi non hanno sfruttato questa grande e unica occasione; se la lasciarono sfuggire perché alle lucumonie non interessava volgere un unitario commercio politico-civile a mete politiche comuni: troppo spiccato era l'individualismo di ogni singolo membro delle Leghe dei Dodici, anche se si riunivano tutti annualmente per la massima festività religiosa nel tempio di Voltumna! Seguendo modelli arcaici, ogni città-stato con cultura spiccatamente propria muoveva il suo pensiero e la sua azione in direzioni diverse. Amavano la conquista ma solo quando essa comportava l'apertura di nuovi mercati e possibilità di commercio, mentre era loro estranea la volontà di sottomettere popoli stranieri con la forza. Solo se minacciati, solo se si trattava della difesa dei propri interessi, mettevano mano alla spada.

Per vie pacifiche avevano edificato il loro grande impero; con iniziative pionieristiche erano sorte e fiorite le loro città in Toscana, in Val padana e in Campania: non una tradizione dà notizia che gli etruschi abbiano mai fatto una guerra sanguinosa di conquista. Le loro concezioni e aspirazioni erano e rimasero accentrate sulla produzione e il commercio; sui ricchi raccolti cresciuti su terreni resi fertili per la prima volta dalle tecniche loro; sulla costruzione di industrie e manifatture per la fabbricazione di oggetti d'uso quotidiano come per quella di squisiti prodotti artistici e di lusso.

L'incapacità di cogliere l'occasione riuscì loro fatale. Perché ora un altro popolo s'accinge a conquistare con la spada e col sangue ciò che essi avevano ormai quasi in pugno dopo una lunga e tenace opera di costruzione pacifica. Presto sorgeranno le prime nubi a offuscare quel sole che tanto a lungo aveva brillato, luminoso, sull'Etruria.

Anche la Roma repubblicana può godere a lungo i benefici della collaborazione etrusca; anche dopo la cacciata dei Tarquini i nobili etruschi sul Tevere continuano ad avere una parte importante nel destino della città. Essi, che la giovane repubblica hanno tenuto a battesimo, la sorreggono infatti in modo decisivo anche nei suoi primi e più difficili anni. Secondo le loro forze, contribuiscono a tenere a galla la giovane navicella romana.

Ciò che gli storiografi romani cercheranno più tardi di nascondere con ogni cura, balza fuori in tutta evidenza dalla lunga lista di nomi etruschi eternati nei *Fasti Consulares*, la lista dei più alti funzionari statali dell'annata.

I primi due consoli sono gli etruschi Lucio Giunio Bruto e Tarquinio Collatino; tre anni dopo, nel 506 a.C., Roma vede due altri etruschi in carica: i consoli T. Erminio e Spurio Larcio, il quale ultimo ricopre la carica per due volte, nel 501 e nel 498. L'anno seguente vede Spurio Larcio magister populi, cioè dittatore, o comandante supremo. Nel 490 egli è di nuovo console; e ancora fino al 448 spuntano nei Fasti consolari i nomi di nobili etruschi fra gli alti funzionari civili e i comandanti supremi.

Spurio Cassio, che fra il 502 e il 486 riveste tre volte la massima carica, riesce a stringere una lega con le città latine « destinata a durare finché cielo e terra rimarranno al loro posto ».

« Fra i romani e la Lega latina vi sarà pace stabile », sta scritto nel celebre *Foedus Cassianum*. « Nessuno dei contraenti assalirà popoli stranieri né sopporterà penetrazioni nemiche nel suo territorio. In caso di un'invasione dall'esterno, ognuno deve radunare tutte le sue forze belliche. »

Ma l'Etruria stessa non ebbe mai esitazioni ad assistere il nuovo stato nei casi di emergenza. Quando infatti scoppiò la secessione della plebe, « rimasti i campi incolti, si venne a un rincaro nel prezzo dei viveri; e a una carestia quale solo degli assediati soffrono ». In tale frangente, Roma inviò incaricati « da ogni parte a comprare cereali. Ed essi ne andarono in cerca seguendo la costa, a destra di Ostia e a sinistra della terra dei volsci fino a Cuma, spingendosi addirittura fino in Sicilia ».

A Cuma il tiranno locale, Aristodemo, nota Livio, sequestrò le navi con il carico di grano acquistato, considerandolo un risarcimento per il patrimonio dei Tarquini, dei quali era erede. Neppure nel territorio dei volsci e dei pontini si poté comprare; e sui compratori incombeva il pericolo di venir maltrattati.

E chi fu allora a fornire a Roma quei viveri, senza i quali « gli schiavi e la classe inferiore sarebbero senza scampo periti »? Solo col grano venuto d'Etruria sul Tevere si tennero in vita i cittadini; perché i messi « mandati alle città etrusche vi acquistarono miglio e farro, che spedirono su chiatte in città ».

Ma ciò non valse a nulla. La ruota della storia non si lasciò volgere indietro; sempre più a Roma gli etruschi venivano esclusi e messi da parte. I successori di coloro che un secolo prima ancora abitavano in capanne di paglia avevano messo le ali e si accingevano ora a spiccare il volo.

Cinque danzatrici. Rilievo su un'urna, dalla necropoli di Chiusi (fine del VI secolo a.C.).

Coniata era l'immagine della loro città, splendida e solenne: da una colonia di pastori fra stagni e paludi era cresciuta una moderna e imponente metropoli. Come imponenti quinte, sorgono in mezzo a un ambiente ancora campagnolo le grandi costruzioni etrusche: il foro, il tempio di Giove e l'ippodromo. Si stendono strade fiancheggiate da case di tufo e mattoni, esiste anche una canalizzazione, e tutto è protetto all'intorno da mura. Gli aiuti per lo sviluppo avevano dato i loro frutti, ma ai sottosviluppati!

Non segnati, invece, dalla signoria straniera furono gli abitanti, perché immutati rimasero vita e carattere, concezioni e aspirazioni degli autoctoni. Quanto era riuscito agli etruschi a nord del Tevere fino all'Arno, con umbri e falisci, l'etruschizzazione, cioè, delle popolazioni indigene, a Roma rimase loro negato.

Troppo breve, del resto, il tempo. Un secolo solo non era bastato per destare in codesti analfabeti ancora arretrati il sentimento e la gioia di destarsi a una civiltà e a una cultura di alto livello. Certo, anche i romani, come gli altri, avevano imparato dagli etruschi a leggere e a scrivere; ma scrivevano in latino, e latina, non etrusca, rimase la loro lingua. Il fascino degli stranieri non li aveva soggiogati.

Ora, liberi dalla pressione dei signori stranieri, afferrano il timone e vanno per la loro rotta: non seguono l'esempio e il modello dei loro maestri etruschi; nulla di quanto essi hanno introdotto nel paese viene portato avanti.

Roma batte un'altra via, inseguendo nuove mete. Si sente chiamata dal destino a divenire signora del mondo, e a questo tutto viene subordinato. Diventa uno stato militare, un esercito contadino, una trista guarnigione piena di commandos. Non Mercurio, non le Muse, bensì Marte soltanto dominerà il suo futuro, lui soltanto è da saziare. E per mezzo millennio le porte del tempio di Giano resteranno aperte in segno di guerra.

Della ricca eredità etrusca i romani prendono solo ciò che serve alla pura e semplice organizzazione politica e alla condotta della guerra, cose di carattere pratico: strade, ponti, fortificazioni, terme,

Littori coi fasci in ispalla e musicanti con le trombe ricurve, che Roma adottò per la sua musica militare e ricordano i più tardi corni da caccia. (Rilievo su un'urna, da Volterra).

impianti idrici e igienici. Tutto il resto: mestieri, industrie, commercio, artigianato e belle arti vien messo da parte. Chi produce sono solo gli agricoltori e gli armaioli. « Nulla di nobile possono avere le officine, » dice beffardo ancora tre secoli dopo il celeberrimo Cicerone. La vita si fa semplice e scarna, senza più nulla di bello. Una grigia mediocrità quotidiana fa il suo ingresso al di là del Tevere, una civiltà contadina, barbarica, cupa, un'atmosfera di caserma perenne.

Vietato ogni lusso, proibito possedere oro e argento, pena gravi sanzioni. Spariscono dalle strade le botteghe nelle quali gli orafi etruschi offrivano ornamenti preziosi; spariscono le officine con la loro produzione di oggetti di bronzo. Non s'importano più ceramiche – raro trovare frammenti di vasi attici datanti dal primo periodo repubblicano. « Non ci fu mai stato, » dice con orgoglio Livio, « dove povertà e risparmio fossero tanto e tanto a lungo tenuti in onore. »

Mentre in Etruria ferve da tempo a pieno ritmo la produzione in serie e domina l'abbondanza di un primo supermercato di merci e beni, Roma torna allo stadio primitivo del lavoro domiciliare. Sedute all'arcolaio, chiuse in casa, le romane passano la loro esistenza cucendosi da sole modesti vestiti. È in auge l'*home-made*, il « fatto in casa », l'autarchia: la famiglia stessa provvede a tutte le sue necessità. Augusto portava vesti confezionate in casa ancora da imperatore. Gli unici artigiani che lavorassero anche per la comunità erano i fabbri.

Disadorno diventò l'interno delle case, spartano e scipito il cibo. Le gioie della tavola, della cucina variata e della gastronomia etrusca, caddero in oblio: cibo nazionale divenne il *puls*, una farinata insipida impastata con acqua.

La musica maliosa, la melodia seducente dei flauti etruschi, il suono della cetra: tutto tacque, lasciando invece lo squillo freddo della tromba invocante alle armi, alla battaglia e al trionfo. Unico terreno sportivo, adibito non più agli esercizi ginnici o alle competizioni olimpiche bensì alle esercitazioni premilitari, fu il Campo di Marte; modello in seguito di tutte le piazze d'armi d'Europa, del *Märzfeld* dei re franchi merovingi, dei *Champs de mars* francesi e del Tempelhofer Feld di Berlino.

Sul Campo Marzio di Roma la gioventù si esercitava appunto al servizio militare: lancio del giavellotto, corsa con le armi, uso della lancia, corsa a cavallo, addestramento a sopportare freddo e caldo. Quivi convenivano giovani e anziani, liberamente, felici di occupare il tempo libero nell'esercizio preferito: il maneggio delle armi. E a questi allenamenti seguiva la mobilitazione, seguivano le battaglie.

Roma non costruirà mai, non diverrà mai una città industriale; ciò che la farà grande e infinitamente ricca un giorno non sarà il suo lavoro o una diligente operosità: la strada della sua ascesa a potenza mondiale passa per le rovine di paesi e popoli stranieri conquistati e depredati.

E i primi a essere schiacciati dal rullo militare di Roma saranno i diffusori della più antica civiltà monumentale in Italia, i suoi maestri e fondatori, gli etruschi.

OMBRE SULL'IMPERO D'ETRURIA

L'età aurea della potente Etruria si spegne. Gli dei che tanto a lungo si sono mostrati favorevoli, sembrano d'improvviso in collera, e inizia per il popolo etrusco la serie delle pesanti sconfitte e perdite, per terra e per mare.

In questo secolo, il quinto, essa perderà uno dei punti di forza più importanti del suo impero, il dominio del mare; e le verrà strappata una parte del suo più prezioso territorio coloniale: la Campania delle dodici città.

Il preludio storico è dato da due grandi battaglie dell'anno 480 a.C.: una per terra con Cartagine, l'altra per mare coi persiani, ambedue vinte dai greci.

Molto vasti erano stati gli obbiettivi della potenza marinara punica, che aveva avviato in tutto segreto contatti a livello mondiale.

Cartagine aveva seguito con vigile attenzione la situazione che aveva cominciato a delinearsi con l'ascesa della dinastia achemènide sotto Ciro nel vicino Oriente, e anzitutto sui lidi dell'Asia Minore e del Levante. Tutta la Ionia, la Grecia delle colonie, era caduta sotto la supremazia persiana; e il medesimo destino era ben presto toccato anche alle potenti piazzeforti dell'antica Fenicia, a eccezione di Tiro circondata dal mare.

Per un attimo parve che i persiani non si potessero arrestare. Selvaggia divampò la rivolta ionica che diede corpo alla protesta delle città greche occupate dai presidii persiani; a capo si pose Aristagora, tiranno della potente metropoli commerciale di Mileto. Appoggiati dalla madre patria, con l'aiuto di Atene e di Eretria, i greci si spinsero fino a Sardi, dove diedero alle fiamme la residenza del satrapo. Ma la potenza dei nuovi padroni dell'Asia era ancora troppo forte; gli insorti furono respinti e il loro esercito battuto. Solo una città teneva ancora, Mileto, che si difese con le unghie e con i denti. Ma invano, perché nel 495 anche la sua forza fu spezzata. Presa d'assalto dai persiani, la grande, superba città che aveva dettato legge a decine di centri commerciali e colonie del Mediterraneo vicine e lontane, fu rasa al suolo. Tale fu la distruzione compiuta, che la sua importanza fu spenta per lungo tempo.

Ma indimenticato restava nella mente del re persiano il ricordo di quelle città che avevano aiutato e appoggiato gli Ioni nella loro rivolta. Nacque così alla corte di Persèpoli il disegno di irrompere un giorno nella madrepatria greca a prendervi vendetta. Anzitutto su Atene.

Ricevuta notizia « che Sardi era stata presa e data alle fiamme da ateniesi e ioni, Dario » – informa Erodoto – « senza spendere una parola sugli ioni (sapeva bene che quell'azione sarebbe loro costata cara), chiese solo chi mai fossero codesti ateniesi. Avutane spiegazione... impartì a un servo l'ordine di ripetergli sempre tre volte, quando sedesse a banchetto: ‹Signore, non scordare gli ateniesi!› »

Come i persiani meditavano la rivincita sulla Grecia, così anche Cartagine e l'Etruria alleata vedevano nella colonizzazione e nel commercio greci un pericolo sempre più forte da parte di concorrenti sempre più tenaci. I quali, poi, come mostrava un esempio recentissimo, non si trattenevano dal compiere azioni guerresche isolate: « Quando Dionisio di Focea, » dice Erodoto, « vide persa (dopo

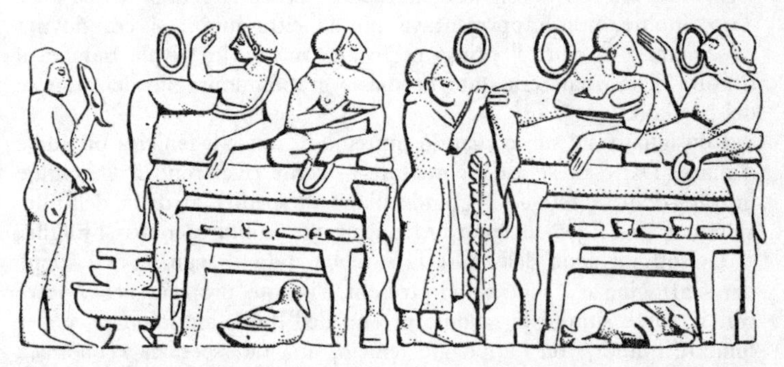

Corone appese, un alberello fra i clini imbottiti, cibi sui tavolini e, sotto, animali domestici: un'anatra e un cane. Gli ospiti stanno banchettando e conversando vivacemente. Un coppiere – a sinistra – regge un ramaiuolo per attinger vino dal cratere. Un musico suona il doppio flauto. Rilievo su un'urna funeraria, da Chiusi, fine VI secolo a.C.

la caduta di Mileto), la causa degli ioni, fece vela per la Sicilia, e di qui esercitò la pirateria contro legni cartaginesi ed etruschi. »

Sia pure per ragioni diverse, Cartagine e la Persia erano legate da un interesse comune. Prudentemente i cartaginesi fecero i loro sondaggi sapendo di poter contare nella madrepatria fenicia su buoni amici, pure essi minacciati dal commercio greco, ai quali stava a cuore di attizzare il fuoco contro l'Ellade alla corte persiana. I sentimenti antigreci di quella parte dell'Asia erano ben noti a Cartagine. Quando « i comandanti persiani ebbero unificato le loro truppe per la mossa comune di stringere d'assedio Mileto per terra e per mare, » nota infatti anche Erodoto, « i fenici costituivano la parte più bellicosa della flotta ».

Ora i fenici dovevano sapere e inoltrare confidenzialmente in alto loco quanto stesse a cuore ai cartaginesi di aderire ai disegni del re persiano come liberi alleati. Come prova di fiducia sarebbe stato concesso a messi persiani di ispezionare le colonie commerciali cartaginesi alle colonne d'Ercole, inaccessibili a qualsiasi straniero.

Un'ambasceria punica, recatasi come ogni anno a portare un tributo in forma solenne al dio di Tiro, Melkart, avviò i primi contatti. In segreti colloqui si toccò il tema che maggiormente toccava tanto i fenici quanto Cartagine: la lotta contro gli odiati greci.

A scatenarla i fenici, per l'appunto, potevano dare un contributo essenziale; non invano infatti i persiani dell'entroterra, ignoranti di tutto ciò che fosse arte nautica, trattavano i levantini abili nella navigazione più da consiglieri ed esperti amici che non da sudditi. Tiro, inoltre, non rappresentava più la città-guida; si era dovuta rassegnare a lasciare il primo posto alla sua antica rivale Sidone, il tiranno della quale era stato promosso grandammiraglio del gran re dei persiani.

Consigliato dal suo comando supremo di ufficiali fenici a prendere il mare, Dario prese ad architettare – come rivelarono a Cartagine informazioni segrete – il grande piano di spedire al di là dell'Ellesponto e dell'Egeo un enorme contingente militare contro l'Ellade.

La sottomissione della Grecia sarebbe stata il segnale dell'azione per Cartagine e i suoi amici etruschi, l'istante propizio per vincere con le forze riunite le colonie greche dell'Italia meridionale, e per fondare quindi, con l'appoggio fenicio, una talassocrazia economica nel Mediterraneo orientale e occidentale, la più vasta e potente mai esistita.

Cominciò a delinearsi allora una costellazione di livello mondiale. Come scrive l'archeologo francese Gilbert Picard: « Un interesse comune legava gli esponenti delle potenze dell'antico Oriente: dai persiani ai cartaginesi agli etruschi, ultimi rappresentanti di un mondo antico-mediterraneo su suolo europeo-italico. L'alleanza etrusco-punica estendeva a occidente il blocco della ‹nazione› orientale formatosi in seguito alla conquista persiana. »

I piani si tradussero in azione. E scattò contemporaneamente su due teatri di guerra l'ampia manovra a tenaglia: in Oriente e in Occidente. Serse, figlio e successore di Dario morto durante i preparativi, invase la Grecia col suo esercito appoggiato da una potente flotta; mentre un esercito cartaginese, guidato da Amilcare, approdava in Sicilia, a Panormos – l'odierna Palermo – spingendosi lungo la costa sino alla città di Imera, l'avamposto greco più occidentale sulla costa settentrionale dell'isola.

« Fu una delle più grandiose combinazioni politiche, » nota il Mommsen, « quella che gettò contemporaneamente le schiere asiatiche sulla Grecia e le fenicie sulla Sicilia. »

Nel settembre del 480 a.C. si gettarono i dadi che avrebbero impresso alla storia tutt'altro corso, a sfavore di persiani, cartaginesi ed etruschi. Gli avvenimenti infatti presero una piega inattesa: ambedue le imprese fallirono.

Alto risuona nel 480 presso Salamina il peana dei greci vincitori sul mare, i quali hanno sterminato la strapotente flotta del re persiano. Solo pochi legni riescono a scampare in una fuga selvaggia.

Nello stesso giorno, informa Erodoto, dinanzi alle mura di Imera, Terone d'Agrigento e il genero Gelone, tiranno di Siracusa, che gli era venuto in aiuto, battevano così severamente l'enorme esercito cartaginese, forte, si pretende, di trecentomila uomini, che la guerra finì. Il comandante punico Amilcare sparì senza lasciar traccia; dei cartaginesi, i sopravvissuti furono fatti schiavi.

I greci di Sicilia diedero trionfanti le cifre delle perdite nemiche: morti dai trentacinque ai quarantamila, varie centinaia di navi distrutte, duemilasettecentosettantatré chili d'oro raccolti sul campo di battaglia; spese di risarcimento inflitte a Cartagine, duemila talenti d'argento. Un bel colpo per la città punica e suscettibile di minacciarne seriamente l'economia.

A settant'anni dalla grande vittoria sui greci ad Alalia, tutti i sogni degli alleati cartaginesi ed etruschi vengono infranti, annientate le speranze e i disegni di gloria: affondati nei flutti di Salamina, crollati sul campo di battaglia di Imera.

Le conseguenze della terribile sconfitta e umiliazione di Cartagine si fecero ben presto sentire anche in Etruria.

Due anni prima, la marina commerciale etrusca aveva già sofferto un primo grave colpo. Nel 482, il tiranno Anassilao, signore di Reggio e Zancle, aveva improvvisamente bloccato lo stretto di Sicilia, mettendovi di guardia una flotta che non permise da allora più il passaggio ai legni etruschi. Sbarrato dunque l'accesso allo Ionio.

A soli cinque anni dalla giornata di Imera venne per l'Etruria il nero giorno di Cuma, che vide lo sterminio della sua superba flotta da guerra e al tempo stesso l'isolamento della Campania.

Gli etruschi erano già stati fortemente colpiti dalla defezione del Lazio e dall'inimicizia delle popolazioni qui dimoranti. Essi si videro infatti privati della via d'accesso alla parte più meridionale del loro impero. Per le leghe delle città etrusche ciò significava, a prescindere dalle conseguenze economiche, un'enorme perdita di prestigio: per la prima volta veniva seriamente minacciata la loro posizione di guida nella penisola italica.

Da quel momento, il traffico marittimo verso la Campania aveva acquistato più importanza che mai. Si doveva quindi mantenere sicura e non minacciata questa via di mare, proteggendola con ogni mezzo, onde scongiurare l'isolamento totale delle città campane. E, a garantire ciò, poteva esser soltanto una incontrastata supremazia marittima nel Tirreno meridionale. Tutto spingeva dunque allo scontro coi greci: con Cuma, anzitutto, la quale, coi suoi eccellenti porti campani, si faceva sempre più arrogante e pericolosa che mai.

Già una volta, verso il 520 a.C., « gli etruschi avevano tentato, » ci informa Dionigi, « di distruggere la città greca di Cuma, famosa per le sue ricchezze, con i suoi porti in ottima posizione presso Miseno ». Ma l'impresa non era nata sotto una buona stella: un violento e improvviso temporale e i cavalloni dell'alta marea che trasformarono il territorio davanti alla città in un acquitrino, avevano fatto fallire l'attacco condotto con grande dispiegamento di cavalleria e di fanteria.

Ora, nuovamente, i signori della Lega delle dodici città campane fissarono la loro attenzione sulla forte città greca, ricominciando a tessere piani ostili. Deposto improvvisamente il tiranno Aristodemo, che aveva avuto una parte tanto decisiva nelle battaglie fra latini ed etruschi per Aricia, parve giunto il momento adatto per attaccare Cuma e toglierla definitivamente di mezzo.

L'attacco doveva esser condotto contemporaneamente per mare e per terra. Dal punto di vista strategico, l'etrusca Pompei aveva un ruolo importante, perché, col suo porto alla foce del Sarno, formava una base ideale per le operazioni sul mare. Si cominciarono così i preparativi in tutta la Campania. Messi furono spediti nella madrepatria per chiedere l'appoggio della flotta.

Cuma, saputo dei preparativi etruschi tramite informatori, si volse in tutta fretta, dato il frangente, alla forte Siracusa. Con la vittoria di Imera, la città sicula s'era guadagnato nel Mediterraneo occidentale ancor più prestigio e potenza, e il suo signore, il tiranno Gerone, non perdeva occasione per rafforzare la posizione di primo rango ormai raggiunta.

Egli non ebbe dunque esitazioni, ma diede ordine a tutta la flotta da guerra di salpare immediatamente, facendo rotta per la Campania.

In ampio cerchio attorno a Cuma s'erano frattanto concentrati i distaccamenti militari delle città campane, pronti all'attacco non appena la flotta da guerra etrusca proveniente dalla madrepatria avesse bloccato la città anche per mare e fosse cominciato lo sbarco delle truppe.

Stava già cominciando l'operazione dei legni da guerra e da trasporto etruschi, quando spuntò, inattesa, la flotta di Siracusa, gettando lo scompiglio nelle manovre nemiche. Le navi dei tirreni furono costrette a mutar di rotta e a dirigersi verso il vicino capo Miseno.

Qui, ai piedi della scogliera alta centosessantasette metri che si sporge per lungo tratto sul mare del golfo di Napoli, s'accese una sanguinosa battaglia. Lo choc dell'improvvisa apparizione delle navi nemiche paralizzò la forza combattiva degli etruschi; senza contare che il comandante della flotta greca riuscì a costringere gli avversari al corpo a corpo fra navi; gli etruschi si trovarono così ancora più impacciati non potendo ricorrere alla loro temibile tecnica del rostro.

I siracusani affondarono e catturarono numerose navi al nemico ormai decapitato. A quelle che scamparono non rimase che la fuga. L'esercito di terra della Lega campana, impaurito e scoraggiato per la triste sorte subita dalla flotta, tolse l'assedio a Cuma e se ne tornò in patria. Orgogliosi informano gli storici greci del vittorioso evento del 474 a.C., che vide così umiliata per la prima volta la potenza marittima etrusca, fino allora ritenuta invincibile. E giubilante celebra Pindaro il grande trionfo dei suoi compatrioti greci, cantando nella *Prima ode pitica* la gloria dei tiranno siciliano:

« Ti supplico, Zeus, dammi un cenno: si tenga tranquillo il grido di guerra fenicio, e ammutolisca quello dei tirreni! Essi videro la flotta gemente espiare dinanzi a Cuma il crimine, costretti dal signore di Siracusa, che scagliava dalle navi veloci il fiore della gioventù guerriera dei tirreni, a liberare l'Ellade dal giogo di una gravosa servitù... »

Il fatto che il poeta nomini coi tirreni anche i fenici, fa supporre a Pfiffig la partecipazione alla battaglia anche di navi cartaginesi. Il successo dei siracusani è paragonato da Pindaro alle grandi vittorie della madrepatria greca sui persiani: quella di Platea e di Salamina.

Il trionfo di Salamina restò sulla bocca di ognuno, sino a oggi; della buona e della malasorte delle flotte etrusche, di Alalia e di Cuma, invece, della realtà di una potente supremazia marinara etrusca, nessuno sa più nulla. E neppure le migliaia di turisti che si recano a Ischia ogni anno apprendono più dalle guide, doppiando in battello il profilo di capo Miseno, la storia dell'evento decisivo che qui accadde una volta.

Ai posteri restarono due testimonianze della battaglia navale di Cuma. Una è conservata al British Museum, un semplice elmo di bronzo semisferico di un guerriero etrusco. Incisa dal vincitore, a lettere greche, la seguente iscrizione: « Gerone, figlio di Deinomene, e i siracusani a Zeus. Preda tirrenia da Cuma ».

L'elmo fu scoperto durante scavi a Olimpia, dove Gerone l'aveva mandato in offerta al massimo santuario della grecità e dove egli stesso, come si tramanda, era stato celebrato due volte vincitore nella corsa coi cavalli e una con la quadriga. Solo di recente è stato rinvenuto un secondo elmo con la medesima iscrizione.

Come ringraziamento per il suo aiuto, Gerone ebbe da Cuma ricchissimi doni, fra i quali l'isola d'Ischia su cui il tiranno non esitò un istante a impiantare una salda guarnigione militare. Fu questa per gli etruschi la massima delle sventure, in quanto i porti cam-

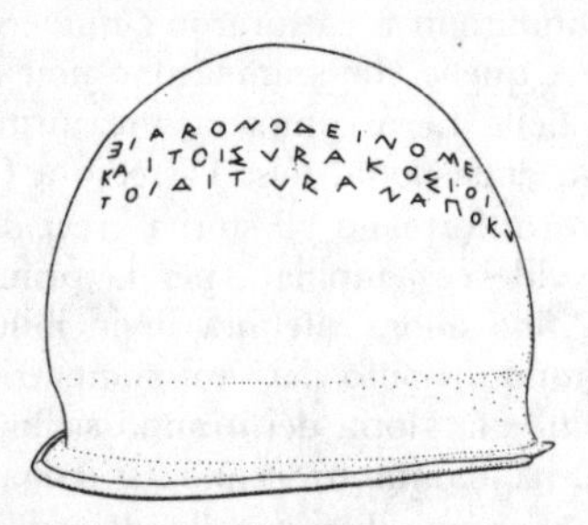

L'elmo offerto dal signore di Siracusa, dopo la battaglia navale di Cuma del 474 a.C., al tempio di Olimpia. L'iscrizione greca suona: « Gerone, figlio di Deinomene, e i siracusani a Zeus. Preda tirrenia da Cuma ».

pani, Pompei, Ercolano e Sorrento, venivano a essere strettamente controllati e dominati dalla vicina piazzaforte siracusana. Divenne impossibile per essi provvedere i loro servigi e impossibile per gli etruschi il tenerli.

La Campania etrusca, privata della via di terra come di quella di mare verso le città-stato del nord, era definitivamente isolata, agli sgoccioli il dominio etrusco sul Tirreno meridionale!

Anche la madrepatria fu colpita severamente. Le conseguenze più gravose della sconfitta del 474 le sopportarono le grandi e antiche città costiere di Cere e Tarquinia: i loro traffici marinari scemarono sempre più, la ricchezza diminuì e con essa venne meno la loro potenza politica e militare.

L'inaudito successo greco mutò profondamente la situazione del Mediterraneo occidentale. La battaglia navale di Miseno portò Siracusa alla testa di tutte le città greche di Sicilia. Le sue flotte dominano ora anche il mare a nord dell'isola, sostituendosi agli etruschi che a questo mare avevano dato il loro nome, e che ben presto dovettero sperimentare la loro impotenza.

Vent'anni dopo questo primo successo, Siracusa è pronta a vibrare un altro colpo, questa volta contro l'Etruria vera e propria.

Nell'estate del 454 a.C., una potente flotta al comando dell'ammiraglio Faillo compare inattesa dinanzi all'Elba e alla Corsica. La spedizione è intesa a contrastare « la pirateria dei tirreni », come la chiamano i greci. Ma non si viene ad alcuna azione bellica, perché i ricchi commercianti etruschi riescono a corrompere il capo della flotta siracusana. Il quale, ben provvisto di oro, si risolve a lasciare con le sue navi da guerra le acque dell'Italia centrale, atto che pagherà a caro prezzo una volta giunto in patria.

Accusato di alto tradimento, Faillo viene infatti esiliato da Siracusa. L'anno dopo, 453, viene spedito nuovamente a nord il suo successore, il navarca Apelle, con sessanta triremi e istruzioni inequivocabili. Stavolta le città costiere e le isole etrusche vengono gravemente colpite e patiscono enormi danni.

Senza incontrare resistenza di rilievo, riesce per la prima volta un attacco della flotta con una manovra di sbarco nei centri vitali dell'economia marittima etrusca. I siracusani devastano i porti di Vetulonia, Populonia e Tarquinia, depredandone magazzini e depositi, e spogliano, mettendole a ferro e fuoco, località costiere minori. Sopraffatti i luoghi d'approdo dell'Elba, riesce loro di attestarsi in parecchi punti dell'isola; sbarcate poi truppe in Corsica, creano qui altre piazzeforti.

Il fatto che gli etruschi non siano stati in grado di fronteggiare tali operazioni belliche contro le loro coste e le vicine isole, testimonia del tramonto della loro potenza.

Ricca di bottino e con molti prigionieri a bordo, la flotta siracusana rientra indisturbata dalla spedizione piratesca. Grande il giubilo della città. È ormai chiaro che, d'ora innanzi, etruschi e cartaginesi hanno cessato di fare la parte del leone nelle acque italiche. Il Tirreno è ora appannaggio della potente flotta di Siracusa.

Anche per terra suonò ben presto l'ultima ora per la Campania etrusca. Distaccata e isolata dalla madrepatria, e senza rinforzi, la Lega delle dodici città dovette ben presto risolversi ad assoldare truppe mercenarie indigene per la sua difesa, la maggior parte delle quali erano reclutate fra i selvaggi abitanti dei monti, membri delle tribù sabelliche dell'entroterra montuoso e inaccessibile. Questi arruolamenti, però, dovevano diventare un mortale *boomerang* per gli etruschi.

Non andò molto, infatti, e le tribù montanare, simili a una slavina, mosse dalla sovrappopolazione e dalla fame, presero a sciamare in innumeri schiere dai loro altopiani infecondi nelle feraci vallate campane. Sommersa la regione da ogni lato, si spinsero fino alla costa e pretesero della terra. Agli etruschi, come ai greci della regione di Cuma, non restò che consentire agli stanziamenti, né poterono impedire che penetrassero nelle città per stabilirvisi. E ben presto, a Capua, Pompei e Napoli soprattutto, fu un gran brulicare di ospiti indesiderati. I lucumoni presero misure di sicurezza, accingendosi a fortificare saldamente le loro città. Pompei fu cinta di mura, e Capua, come capitale, si ebbe un possente vallo.

Ma fu tutto invano. Insieme con le masse dei sanniti era giunta la rovina nel paese, e nulla più poteva impedire il crollo.

La prima vittima fu la capitale campana. Una congiura sannitica pose fine per sempre alla signoria etrusca su Capua. L'attacco di sorpresa era stato in precedenza concertato in tutti i particolari e nella massima segretezza: i sanniti dei dintorni della città, accordatisi coi loro compatrioti di guarnigione a Capua, avevano allestito un piano raffinato. I mercenari stranieri non mostrarono alcuno scrupolo a tradire i loro comandanti etruschi e gli abitanti della città che li ospitava. Si scelse il giorno di una grande festa, in cui era costume abbandonarsi con larghezza al vino robusto del luogo. La notte, mentre tutto dormiva in preda ai fumi dell'ubriachezza, i mercenari sanniti aprirono segretamente le porte della città, facendo entrare le schiere armate dei compatrioti. Sino alle prime luci dell'alba durò il massacro: gli etruschi, colti di sorpresa, affogarono in un terribile bagno di sangue e pochi soltanto riuscirono a scamparvi.

Così cadde Capua, la capitale della Lega, il cuore dell'Etruria del meridione. Correva l'anno 430 a.C. Il suo destino decise anche di quello di tutta la regione, che ben presto cadde sotto il dominio delle popolazioni italiche.

Di tutte le città etrusche della Campania, una sola resisté ancora a lungo a ogni attacco sannitico: Pompei.

Anche la forte Cuma incontrò lo stesso destino: anch'essa, la potente città greca fortificata che per lunghi decenni aveva saputo sfidare gli etruschi, fu sopraffatta dal selvaggio impeto dei barbari. Solo Napoli, sua città gemella, riuscì a tenere, come pure le isole di Ischia e Capri su cui vegliava la guardia siracusana.

Verso la fine del secolo sembrò ancora una volta che si offrisse all'Etruria la possibilità di un capovolgimento della situazione: fu quando Atene, nel 415, durante la guerra del Peloponneso, si risolse, per consiglio di Alcibiade, alla spedizione navale di Sicilia contro Siracusa, amica e alleata dell'odiata Sparta. In quell'occasione, informa Tucidide, furono inviati messi anche ai tirreni, perché in quella terra alcune città si erano offerte di partecipare alla guerra.

A causa del disaccordo esistente con Siracusa, gli etruschi accettarono di inviare truppe ausiliarie: essi, gli antichi partner commerciali e amici di Atene, mandarono tre quinqueremi e truppe. Le quali combatterono eroicamente nella grande battaglia sotto Siracusa. Ma gli ateniesi si mostrarono inferiori in mare.

« Gilippo, » il comandante spartano, « vista la flotta nemica sconfitta che si allontanava al di fuori delle palizzate e dell'accampamento... si portò con una parte dell'esercito all'estremità della baia allo scopo di uccidere gli equipaggi allo sbarco e di aiutare i siracusani. Qui gli ateniesi avevano posto una guardia costituita da tirreni; i quali, vedendo avanzare il nemico alquanto in disordine, gli s'affrettarono contro e all'urto con la prima schiera la costrinsero a ripiegare, spingendola nella palude Lisimelia... Gli ateniesi eressero un trofeo per il ripiegamento della fanteria spinta dai tirreni nella palude e per la vittoria da loro stessi ottenuta sul resto dell'esercito. »

Ma la fortuna mutò, a svantaggio di Atene e dei suoi alleati etruschi.

Un corpo di soccorso comandato da Demostene riuscì a rafforzare ancora una volta la volontà di battaglia degli ateniesi, i quali però furono battuti. Nel porto di Siracusa i greci perdettero il resto della flotta e il loro esercito di terra fu accerchiato presso il fiume Assinaro. E fu la catastrofe. I comandanti ateniesi furono giustiziati a Siracusa dal vincitore e settemila prigionieri furono assegnati alle cave di pietra, le Latomie, dove morirono di patimenti.

Fu, questa, l'ultima azione militare di grande portata in cui comparvero ancora nel meridione forze navali e terrestri etrusche.

Giochi popolari in occasione di un funerale, sul fregio nella Tomba della Scimmia a Chiusi. Vestita a lutto, i piedi appoggiati su di uno sgabello, siede la defunta sopra un divano di bronzo sotto un baldacchino a forma di ombrello, osservando la festa in suo onore. Una danzatrice, i crotali in mano, regge un candelabro in equilibrio sul capo. Un musico suona il doppio flauto. Due atleti si apprestano alla gara.

Col fallimento della spedizione attica, e con la sua fine tragica anche per l'Etruria, Siracusa salì al rango di prima potenza marittima greca. Gli uomini che la governavano, potevano ora estendere la loro signoria su tutta la Sicilia e l'Italia meridionale e anche sul secondo mare italico, l'Adriatico.

Gli etruschi dell'Italia settentrionale, le città della Lega nella Valle padana, sperimenteranno ben presto sulle loro coste il possente braccio della grande e vittoriosa Siracusa.

ULTIMA ECO DELL'ETÀ AUREA

« I vasi etruschi dorati e i bronzi etruschi di ogni genere, che si tengono in casa per ornamento o per uso quotidiano, stanno senza confronto al primo posto ». Non era uno slogan dei fabbricanti etruschi, al contrario. Queste parole uscivano dalla bocca di uno dei massimi esperti in materia, originario della terra che era la loro massima concorrente. L'alto elogio fu pronunciato da Critio, celebre fonditore di bronzo e scultore ateniese. E non era il solo a pensarla così, perché anche il commediografo Ferecrate, collega di Aristofane, e molti dei suoi concittadini erano pieni di ammirazione per i prodotti delle fonderie etrusche. Ferecrate fa chiedere in un dialogo a un suo personaggio:

« Da quale fabbrica provengono questi candelabri? »

« Sono etruschi, » risponde l'altro, « poiché gli etruschi, molto amanti delle belle arti, fanno lavori veramente eccellenti. »

Per triste che fosse la situazione del Tirreno dopo la vittoria navale siracusana, per quanto decisiva la perdita della Campania, l'Etruria riuscì presto ad adattarsi al nuovo stato di cose. Perché le sue ricchezze restavano pur sempre infinite. Intatta restava infatti la madrepatria e le dodici città settentrionali; intatta la sua capacità produttiva, le innumerevoli industrie e officine, a cominciare dalle miniere fino alle fonderie e alle fabbriche: non piegata l'operosità e lo spirito di iniziativa.

Il mare dinanzi alle coste non era più sicuro? C'erano altre vie: esportazioni e importazioni potevano passare per l'Appennino. Dalla Valle padana il flusso di merci e beni fluiva incontrastato, attraverso i porti adriatici, ad Atene e ad altre città greche amiche, e attraverso la catena alpina ai celti; due mercati, questi, che registra-

Sarcofaghi provenienti da tombe ormai dimenticate, nel cortile di un palazzo di Toscanella. Da un'antica incisione.

vano consumi crescenti, specialmente in prodotti di cui gli etruschi erano maestri: i bronzi.

L'offerta etrusca di bronzo era infatti unica e mirabile per varietà. Il catalogo andava dai più superbi prodotti degli ateliers di abili scultori e fonditori ai prodotti di massa di un supermercato del bronzo per oggetti d'uso quotidiano.

Ancor oggi l'opera di un grande fonditore etrusco, un tempo orgoglio di Roma e oggi ancora suo simbolo e stemma, resta come pezzo da museo sul Campidoglio: la celebre lupa. Il nome dell'artista che la creò verso la metà del v secolo, restò ignoto, come quello di tutti gli altri grandi maestri suoi compatrioti: a eccezione di uno, Vulca di Veio. E anche le loro creazioni andarono perdute, perché a migliaia trascinarono i romani le loro opere sul Tevere (dove scomparvero poi per sempre) come preda dalle città etrusche conquistate e distrutte. Dalla sola Volsinii vennero duemila statue.

Non descrive forse Vitruvio, architetto e ingegnere, nel *De Architectura* dedicato al suo imperatore Augusto, le superbe « statue di bronzo dorato » etrusche? E non dice forse Plinio il Vecchio che « i cosiddetti simulacri etruschi, sparsi per il mondo intero, sono stati costruiti certamente in Etruria »? E non ricorda come « si fossero fatte di bronzo anche le soglie e i battenti dei templi »; e non parla forse dell'« Apollo tuscanico nella biblioteca del tempio d'Augusto, la cui altezza è di cinquanta piedi, e del quale resta solo da chiedersi se sia più da ammirare il bronzo o la bellezza dell'esecuzione »?

Quanto di antico e di splendido v'era a Roma di statue di bronzo, veniva da maestri etruschi. Le poche notizie greche e romane rimasteci sono concordi nell'affermare che l'Etruria era famosa per la fusione del bronzo, dov'era altrettanto feconda e creatrice quanto Atene. Quanto i suoi maestri creavano, apparteneva alle opere più preziose della grande arte, anche se non seguivano — come spesso gli si rimprovera — il canone di Policleto, le regole dell'armonia del corpo umano quali sbocciarono nell'Ellade.

Il condizionamento della forma esterna, la perfezione irreale e idealizzante di figure troppo compiute, non li interessava; le loro creazioni erano più vicine al vivo, più profondamente dinamiche e sprizzanti vitalità: mai simmetriche, equilibrate o legate a un modello, si trattasse di figure umane o di animali. Così che le proporzioni esterne, come la precisione anatomica, furono spesso coscientemente eluse. Quanto più fortemente gli artisti etruschi accentuavano l'essenziale e l'individuale, tanto più erano spinti a rilevare e a lasciar parlare le forze interne, l'irrefrenato e il sotterraneo.

A cominciare dal 700, coi canopi di Chiusi, urne con testa umana, nacque così la prima grande arte del ritratto, quale l'Ellade mai conobbe o apprezzò. Le statue greche e le immagini dei morti appaiono sempre idealizzate: gli artisti etruschi cercavano invece di cogliere l'elemento caratteristico, personale di un soggetto e di fermarlo nell'arte realisticamente, senza preoccupazioni estetiche, anzi in tutta la sua eventuale bruttezza. Le loro opere divennero i modelli della ritrattistica romana, fiorita nel suo sobrio vigore soprattutto in epoca augustea.

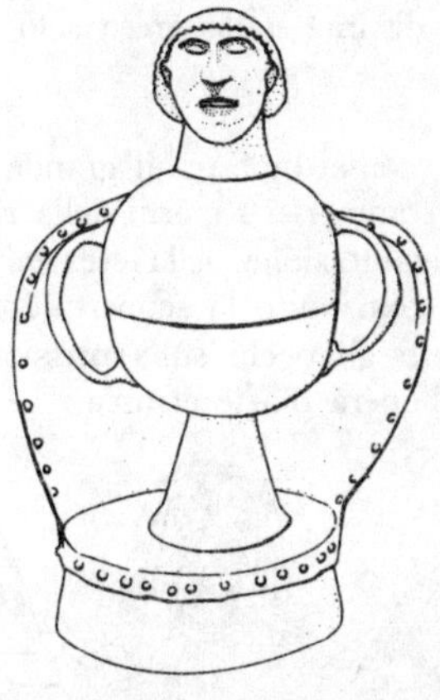

Le teste umane sulle urne cinerarie compaiono improvvisamente nel VII secolo nelle necropoli di Chiusi. È chiara l'intenzione di accentuare i tratti caratteristici del viso del defunto. Sono i preludi della futura grande ritrattistica etrusca, su cui si modellò la romana. In questo ritrovamento di Dolciano, l'urna e il trono sono di bronzo, la testa di terracotta rossiccia.

Le proporzioni, gli schemi fissati e attuati nella celebrata Atene di Pericle – le opere di un Fidia, come prima quelle di Mirone e di Policleto — divennero il canone della bellezza, e valsero in seguito per l'Europa come l'incarnazione e il coronamento supremo dell'arte occidentale. Accanto a esse, sparivano nell'ombra le opere dei maestri etruschi restati senza nome; e anche quando millenni più tardi alcune di queste tornarono in luce – i grandiosi bronzi etruschi della Chimera, di Minerva e dell'Arringatore, oggi vanto del Museo archeologico di Firenze –, nulla mutò nel giudizio. Perché si continuò a misurarle sul modello greco, senza capire che una grande arte può tendere ad altri ideali da quelli della forma canonica: gli ideali dell'espressione e del contenuto.

Così, le opere etrusche non ottennero mai la palma, e misconosciuto rimase il loro valore intrinseco, il loro significato e il loro particolare obbiettivo. Non fu solo il Mommsen, grande ammiratore dello stato militare romano, a pronunciare il duro giudizio che « si dica quel che si vuole, si è nondimeno costretti a sospingere gli etruschi, nella storia dell'arte italica, dal primo all'ultimo posto »; anche il celebre critico d'arte americano, Bernard Berenson, morto a Firenze nel 1959, condivideva tale opinione negativa quando disse che « l'arte etrusca può venir distinta dalla greca solo per l'originalità della sua impotenza ».

Solo recentemente (come dimostra il grande successo delle mostre di arte etrusca) sono cominciati i giorni della riabilitazione, del riconoscimento e della rivalutazione della creazione artistica etrusca; a cui, non ultima, ha contribuito la scoperta freudiana dell'inconscio umano, che ha aperto gli occhi sull'espressionismo così profondamente *non* greco dell'opera d'arte etrusca.

Sileni che suonano la zampogna di Pan, a sinistra, e il doppio flauto, a destra, accosciati ai lati di una sirena. Sotto di essi, onde marine stilizzate con delfini guizzanti in cresta; un gatto selvatico e un grifo — a destra — dilaniano un animale. Parte dell'enorme lampadario di Cortona, di meravigliosa fattura, che pendeva un tempo dal tetto di un tempio o di una tomba. Capolavoro dell'arte etrusca del bronzo del V secolo a.C.

Piene fino all'inverosimile sono le vetrine delle sezioni etrusche dei musei italiani: montagne di casse di reperti metallici – per parlare solo di questi – giacciono però ancora inclassificati e non catalogati nei magazzini. E tutti, testimoniano della molteplicità della produzione di un'industria d'oggetti d'arte e di consumo incredibilmente feconda. Vediamo per esempio gli accessori di una villa di lusso: preziosi vasetti cesellati per profumi e unguenti, pettini, orecchini, braccialetti e catenelle – le impugnature dei coperchi sono spesso costituite da due figure ritte che ne reggono una terza – quindi, adorni sul retro di immagini e scene incise, specchi politi sul davanti, candelabri riccamente decorati e bracieri per profumi, tripodi e incastellature di letti; e poi ancora elmi e corazze splendidamente ornati, scudi e gambali, candelieri e lampade di ogni specie.

Nel 1840, presso la cittadina di Cortona, fu rinvenuto un esemplare unico di lampada da soffitto, che ora costituisce l'orgoglio del locale museo. È fusa in un pezzo unico, misura sessanta centimetri di diametro e pesa oltre mezzo quintale. Dal fondo minaccia, cinta da teste di serpenti sibilanti, la terribile testa della Górgone. Sopra, corre ad anello una fascia scolpita: figure di animali in lotta accanita e mortale fra loro: leoni, pantere e grifi contro cavalli tori e cervi, simboli di un mondo agitato di lotte e sofferenze, nel quale il più debole cade implacabilmente vittima del più forte, del più potente e aggressivo. Seguono poi onde marine sulla cui cresta nuotano dei delfini. Sopra ancora, dei sileni nudi, con orecchie e piedi equini, in atto di suonare il doppio flauto e la *syrinx*, la zampogna di Pan. Fra loro si trovano figure dalle gambe di uccello, con le ali dispiegate e la coda a ventaglio. Coronano questi simboli di un mondo magico che tutto pervade, le coppe, sedici di numero, dove brillavano le fiamme dell'olio acceso.

« Il paragone con i giganteschi lampadari delle nostre chiese d'epoca ottoniana e romanica primitiva s'impone immediatamente », scrive von Vacano; « ma proprio dalla considerazione dei lampadari medievali balza agli occhi tutta la particolarità e la profonda diversità della lampada di Cortona. Come quelli sono corpi celesti ruotanti, attorno all'aurea volta rappresentata dal sole e da Dio stesso, questa si volge verso la notte e l'ignoto »; ed è « immagine del possente mondo infero ».

Dove sorgessero le fabbriche e le fonderie, i laboratori e le officine, non è tramandato; non esisteva ancora un marchio di fabbrica dal quale poter ricavare una ubicazione esatta. Si trovavano nell'interno del paese, in località che, dopo la perdita dei porti prima così importanti, conobbero un potente sviluppo. Ci sono giunti solo i nomi di alcuni centri più importanti, fra i quali Chiusi, specializzata in bellissime conche e in lampadari. Splendidi candelabri a più bracci, decorati di figure e gruppi mitologici, produceva anche Felsina; molto richiesti i preziosi boccali e i manici per vasi, i tripodi poggianti su zampe leonine e i bruciaprofumi con danzatrici e sileni di Vulci.

Fra i grandi acquirenti si contavano i greci, a quanto testimoniano i bronzi etruschi diffusi ovunque nell'Ellade come nella Magna Grecia, venuti in luce durante gli scavi a Locri, in Calabria, a Lindo, sull'isola di Rodi, e, in Grecia, a Olimpia e Dodona. Tripodi di Vulci si rinvennero anche nelle tombe di Spina; e quando ad Atene si sgombrarono le macerie risalenti alle guerre persiane, si scoprì sull'acropoli uno dei più bei tripodi etruschi.

Come sono oggi molto apprezzate le calzature bolognesi e fiorentine, così lo erano ad Atene le creazioni dei mastri calzaturieri etruschi. Impareggiabili erano considerati i graziosi sandali (*sandalae Tyrrhenicae*), allacciati con listelli d'oro e d'argento. È con un paio di questi sandali che Fidia ornò i piedi della sua Pallade partènia! I clienti transalpini non si mostravano invece interessati a simili raffinatezze, ma in compenso richiedevano bronzi di ogni tipo e ceramiche artistiche (vasi greci soprattutto) in misura sempre crescente. Nel frattempo però erano sorti dei forti concorrenti per gli esportatori etruschi presso le tribù celtiche: i greci di Massilia, che intensificarono la loro presenza sui mercati del nord.

Sotto lo stimolo incessante dei beni stranieri che si riversavano dal sud al di là delle Alpi, sorse presso le tribù celtiche della Media Renania e della Borgogna un primo stile artistico autonomo. Compaiono intorno al 450 a.C. i primi esemplari della cultura di La Tène, così chiamata dal luogo dei ritrovamenti.

Risalgono proprio a questo periodo le forniture etrusche di materiale da guerra, che trovò la più vasta eco presso gli indigeni e avrebbe avuto più tardi una parte di rilievo nelle loro spedizioni belliche per l'Europa. Questo materiale fu rinvenuto nelle sepolture di capi celtici nelle vicinanze di Coblenza e sulla Marna presso La Gorge Mullet: erano bighe da combattimento di provenienza etrusca.

Gli etruschi, che nella loro opera di edificazione in riva al Tevere avevano formato militarmente e armato modernamente i loro futuri – e mortali – nemici: i romani, contribuirono alla nuova tecnica bellica e alla strategia di combattimento di questi che sarebbero stati i loro secondi e più pericolosi avversari. Le loro forniture belliche favorirono infatti, come già era avvenuto per i latini, la maturazione delle tribù barbariche del settentrione. Mezzo secolo dopo, i comandanti delle orde celtiche irrompenti nella pianura a sud delle Alpi viaggeranno su carri da battaglia costruiti in serie sul modello di quelli importati dagli etruschi.

Nessuno scrittore classico ci ha lasciato un rigo sulla fiorente economia industriale di quei giorni e sul commercio estero degli etruschi. Neppure Erodoto spende una parola in proposito o, in generale, sulla vita in Etruria: eppure gli sarebbe stato facile procurarsi informazioni esatte, visto che per vari anni abitò nell'Italia meridionale, a Crotone. Quante notizie interessanti avrebbe potuto raccogliere dal punto di vista storico! Poiché i crotoniati erano coloro che, decenni prima, avevano distrutto la massima concorrente commerciale dell'Etruria in Magna Grecia: Sibari.

Un musico elegantemente vestito suona la cetra eptacorde. Accanto a lui, con indosso vesti sfarzose e adorna di braccialetti, collana e orecchini, la danzatrice. La posizione delle mani, caratteristica della danza etrusca, ricorda danze dell'Estremo Oriente, soprattutto di Bali. Si vedono chiaramente i sandali adorni di eleganti lacci. Scena nella Tomba del Triclinio, Tarquinia, V secolo a.C.

Solo un altro grande greco contemporaneo cita una volta brevemente gli etruschi: Eschilo, che dimorò ripetutamente presso il tiranno di Siracusa per organizzarvi nel locale teatro grandi feste teatrali, durante le quali si rappresentò per la prima volta la sua celebre tragedia *I Persiani*. Da lui apprendiamo che gli etruschi erano « un popolo preparato in campo medico ».

Un'idea dell'impulso e dell'estensione che doveva avere assunto il traffico commerciale di bronzi e vasi fra l'Etruria e Atene, venne ai posteri solo attraverso l'opera di quei cacciatori di tesori (interessati al denaro non meno che all'arte), che presero a scavare in lungo e in largo il suolo toscano durante il secolo scorso. Un'unica campagna di scavo avviata nel 1828 dal principe di Canino, alias Luciano Bonaparte, portò alla luce nello spazio di soli quattro mesi ben duemila vasi attici. E questo in un'area di un paio di ettari.

Il che contribuì a impinguare il patrimonio del principe, perché musei e collezionisti di tutto il mondo pagarono somme considerevoli per le superbe ceramiche, mai venute in luce in tanta abbondanza neppure in Grecia. Quello che andò così distrutto per sempre, rappresenta per la ricerca una perdita irreparabile. Altre poi ne seguirono. « Chi aveva terra nella zona, si mise ad arare per questa nuova messe, e più che ottimi furono per ciascuno i risultati. I Feoli, i Candeloro, i Campanari, i Fossati: tutti s'arricchirono coi tesori di questa miniera di tombe di Vulci. »

L'inglese Dennis, casuale testimone oculare di una di queste campagne predatorie, ordinata dopo la morte del principe di Canino dalla vedova, riferisce indignato:

« Sulle rive della Fiora, verso Cucumella, ci imbattemmo in un gruppo di scavatori al servizio della principessa di Canino. La maggior parte della necropoli è sua proprietà, una di quelle che forniscono al proprietario ricche percentuali. Poiché, mentre i suoi vicini si accontentano di campi folti di messi e di torchi traboccanti d'uva, la principessa aggiunge a questi un raccolto di nuovo genere: quello dell'oro fino, o di tutti quegli articoli suscettibili di diventarlo. Non che questo tipo di raccolto faccia trascurare l'altro; che anzi, le tombe, una volta spogliate, vengono ricoperte di terra in modo da non sciupare superficie seminabile a grano.

« All'imbocco della fossa dove essi lavoravano, » prosegue il Dennis, « sedeva – la doppietta a lato – il capo o sorvegliante. Noi capitammo là proprio mentre stavano aprendo una tomba, dal soffitto crollato e piena di terra, e gli oggetti dovevano esserne estratti uno per uno. Ora, questa è una cosa che richiede generalmente grande prudenza e calma; ma qui non sembrava assolutamente il caso, poiché, dai primi oggetti portati in luce, non si trattava evidentemente di roba di valore: rozze terrecotte senza figure, neppure verniciate, e una varietà di piccoli oggetti di argilla nera.

« Ma lo stupore eguagliò lo sdegno quando vedemmo il modo con cui gli operai buttavano là le terrecotte, calpestandole come se fosse erba. Invano mi intromisi per vedere di salvare qualcosa dallo scempio; anche se quegli oggetti non potevano tradursi in denaro, erano spesso di forma singolare e leggiadra, e di gran valore come resti insostituibili dei tempi antichi. Ma niente: erano ‹tutte sciocchezze›. Il capo fu irremovibile; i suoi ordini erano: ‹Distruggete immediatamente tutto quanto non ha valore venale›, ragion per cui non mi poteva concedere una sola di quelle reliquie.

« È deplorevole che si intraprendano scavi con questo spirito di puro guadagno, senza riguardi per i bisogni della scienza. Purtroppo, è così nella maggior parte dei casi, e di conseguenza, fatti di grande importanza rimangono inosservati e misconosciuti. Noi vediamo nei musei di tutta Europa, da Parigi a Pietroburgo, il prodotto di queste tombe di Vulci e ne ammiriamo l'incomparabile leggiadria e bellezza del disegno: ma non ne ricaviamo un'idea dei luoghi in cui furono conservati per tanti millenni, e del loro rapporto con tali luoghi. Si calcola che siano state aperte, sinora, seimila tombe di questa necropoli. »

Seimila tombe nel secolo scorso solo a Vulci! E ciò dopo che la necropoli in riva alla Fiora era stata da tempo spogliata nel corso di quasi due millenni, e quando ormai decine di migliaia di tombe erano già state spianate e cancellate dalla faccia della terra.

« Tutte le tombe sono vuote. Tutte sono state saccheggiate, » scrive D.H. Lawrence, il romanziere inglese che viaggiò per l'Italia nel 1920, della grande necropoli di Cere presso Cerveteri. « Forse i romani risparmiarono i morti, fin quando la loro religione possedette elementi etruschi a sufficienza per frenarli. Non appena però essi presero a raccogliere le antichità etrusche – non diversamente da quanto facciamo noi oggi –, cominciò il grande saccheggio delle tombe. Arraffati però dalle urne l'oro, l'argento e le pietre preziose – cosa che certo avvenne ben presto sotto la signoria romana –, restavano perlomeno al loro posto i vasi e i bronzi.

Poi, ancora nel primo secolo avanti Cristo, i romani furono presi dalla mania di collezionare vasi dipinti greci ed etruschi: ed ecco che anche questi furono trafugati dalle tombe. La loro smania si indirizzò quindi verso i bronzetti, le figurine, gli animali e le navi di bronzo poste dagli etruschi a migliaia nelle tombe, mostrando particolare predilezione per i bronzetti e le statuette votive, i *sigilla tyrrhena* dell'amor di fasto romano. Alcuni raffinati aristocratici arrivavano spesso a possederne mille o duemila, facendone gran sfoggio. Poi Roma cadde, e i barbari saccheggiarono il rimanente. E così di seguito. »

« Quale santo trofeo indica la terra consacrata? » chiedeva Byron. « Solo l'urna depredata e il tumulo sconsacrato. »

I vasi rinvenuti a Vulci – dispendiosa merce di lusso d'importazione ateniese – la dicono lunga sull'enorme ricchezza dell'Etruria – testimoniando di una pienezza fiorente di vita che la regione doveva soltanto alla diligente operosità della sua ricca produzione industriale e artigianale e al suo commercio estero su scala mondiale.

I centri delle sue Leghe erano grandi città, grandi anche secondo il nostro metro: Cere Tarquinia Vetulonia Vulci passavano le centomila anime. Tali cifre erano eguagliate solo da poche città greche fra le quali Atene, che, borgata modesta ancora al tempo dei Pisistratidi, conobbe subito dopo la vittoria sui persiani una rapida crescita accompagnata da un enorme sviluppo economico, sino a divenire la massima città greca. Solo Siracusa e Corinto potevano esserle accostate. Ma anche quando essa raggiunse verso la fine del v secolo il culmine della sua potenza, quando il porto del Pireo, opera di Temistocle, divenne il centro del traffico mondiale e fra le sue mura si sviluppò una fiorente attività industriale, in particolare della ceramica, anche allora le metropoli etrusche non le furono mai seconde in nulla, anzi la superarono ampiamente quanto a ricchezza e lussuoso tenore di vita.

Le pitture murali delle tombe non ci conservano che un pallido riflesso dello splendore e del fasto di quel tempo. Nella necropoli di Tarquinia ve ne sono molte fra le più belle e universalmente famose, miseri resti anch'esse di innumerevoli altre. Due in particolare ci trasportano nel cuore della vita di grandi famiglie etrusche del v secolo, rendendoci testimoni oculari, a quasi duemilacinquecento anni di distanza, delle loro feste e cerimonie, testimonianze uniche di un'era da tempo sprofondata e completamente obliata: di un popolo cui l'occidente e l'Europa tutta devono, dal loro risveglio in avanti, molto più di quanto oggi non si sospetti.

A nemmeno cento chilometri dal Tevere, dove Roma, repubblica solo da pochi decenni, era ripiombata in una semplicità spartana e cominciava a diffondersi uno spento grigiore di routine quotidiana, Tarquinia e le città sorelle sono pervase dal soffio di un mondo infinitamente ricco, d'alta cultura, uso a ogni raffinatezza. Chi scenda gli stretti scalini che portano alla Tomba dei Leopardi, la ritrova e la rivive all'improvviso.

Immersa in un mare di colore è la camera ricavata nel tufo: tinte fresche, quasi il pittore non vi si fosse accinto ventiquattro secoli fa, ma solo ieri. Rosso-ocra, blu, verde-oliva splendono gli affreschi su pareti d'un fondo opaco giallo-oro. Campi rosso-scuro e neri, gialli e blu, adornano la volta, cerchi gialli e azzurri le travature di pietra.

Sullo spazio trapezoidale di fronte all'entrata, due leopardi dinanzi a un albero vigilano con le fauci spalancate.

È in pieno corso un festino in tutto il suo splendore. Sull'ampio fregio variopinto si muovono a destra e a sinistra in solenne teoria verso la sala del banchetto, sfiorando ulivi carichi di frutti, alcune figure: quelle di sinistra procedono calme, quelle di destra sembrano in preda a una contenuta eccitazione: sono danzatori, sprizzanti vita e ritmo, che si muovono secondo una singolare dinamica: i passi misurati, sincronizzati i gesti delle braccia e il movimento del corpo, sulle spalle la tebenna, la veste etrusca a guisa di scialle. Li accompagnano dei musici, fra cui un giovinetto che trae una melodia dal doppio flauto, seguito da un uomo che pizzica la cetra. Davanti, una figura regge in mano un grande nappo di vino, volgendosi a dare con la sinistra un segnale: si dia inizio alla musica e alle danze!

A banchetto siedono i padroni di casa con gli ospiti, tre coppie che mangiano sdraiate sul triclinio cinto da alberelli d'alloro. Siedono a due a due, un uomo e una donna, ciascuno su una *kline*. Gli uomini hanno capelli neri, due dame capelli biondi tinti; tutti indossano vesti preziose, cinti il capo di mirto: gli uomini, nuda la parte superiore del corpo, portano una tunica a pieghe trapunta d'azzurro; le dame una veste sottilissima, il chitone, e, sulle spalle un manto colorato che scende sino ai fianchi. Le braccia sono ornate da braccialetti d'oro. Fra i letti, coperti di cuscini e drappi variopinti, i servi attendono ai loro compiti.

Scena di un banchetto. Gli ospiti sono sdraiati a coppie — un uomo e una donna insieme — su clini di bronzo. Coperte con preziosi ricami — rosse con fili blu — sono distese sui letti imbottiti. Particolare di una pittura murale della Tomba dei Leopardi, Tarquinia, verso il 470 a.C.

Uno schiavo nudo regge alta una brocca di vino, come a mostrare che è vuota. Sulla destra, un convitato mostra nella mano alzata, alla dama sdraiata accanto a lui, l'uovo, simbolo di feconda immortalità; la donna gli porge la mano. I convitati di sinistra, rivolti verso di loro, salutano con la destra, guardando interessati. Tutto è sereno, pervaso da una gioia festosa; eppure emana dalle figure e dalle scene un che di indescrivibilmente arcano.

Della stessa epoca di questa – 470 a.C. circa – è anche la Tomba del Triclinio, i cui affreschi, staccati con cura dalle pareti, sono custoditi nel Museo di Tarquinia. Negli anni successivi al 1956, essi migrarono, al seguito della prima grande mostra di arte etrusca, per l'Europa, suscitando ovunque appassionata ammirazione.

Il loro soggetto è ancora un banchetto con musica e danze. Una parte delle scene è oggi a stento riconoscibile, mentre nel secolo scorso erano perfettamente visibili. Il Dennis, che le vide, le descrive così: « Figure maschili e femminili stan sdraiate a coppie sui letti, mentre le servono un'ancella con un *alàbastron* o vaso per unguenti, e un ragazzo con una brocca di vino; nell'angolo, un *sùbulo* suona il doppio flauto. Dinanzi a ogni giaciglio una elegante *trapéza*, tavola a quattro gambe, regge molte tazze colme di rinfreschi. Dall'alto pendono sugli ospiti ghirlande multicolori. »

Banchetti di tanta eleganza e fasto, cosa comune in Etruria, erano per i romani della repubblica motivo di indignazione: gli affreschi che li rappresentavano avrebbero ben potuto essere un esempio di tutto ciò che è sconveniente e da evitare. Il galateo romano era d'una semplicità spartana, fatto su misura per una società di soldati e di contadini a base maschile. Plinio il Vecchio enumera orgogliosamente cosa fosse a Roma ritenuto decoroso e cosa invece spregevole e passibile di pene severe:

« Massimo crimine compiva colui che portasse un anello d'oro al dito. Con l'oro si procurò infatti alla mano, particolarmente alla sinistra, il massimo prestigio: ma non presso i romani, ché i loro anelli erano di ferro e simbolo d'onore per il valore dimostrato in guerra. Per lungo tempo neppure i senatori possedettero anelli d'oro: solo ai legati mandati in missione presso popoli stranieri venivano dati, a spese dello stato, anelli d'oro, perché così all'estero era costume riconoscere i più eminenti. E parimenti era costume che nessun altro li portasse, se non chi li avesse ricevuti dallo stato. Così generalmente si celebrava il trionfo; perché, se anche era d'oro la corona etrusca che si teneva alta sopra il trionfatore, di ferro era tuttavia l'anello che egli aveva al dito. E anche coloro che avessero ricevuto anelli aurei durante ambascerie, li portavano solo nelle cerimonie pubbliche, ma a casa li sostituivano con quelli di ferro. Ancora ai nostri giorni, » loda Plinio, « si dà alle fidanzate come pegno un anello di ferro senza pietra. »

Ciò che Roma elevò a virtù non era che la conseguenza della necessità. A Livio stesso, infatti, scappa detto: « Per lungo tempo si ebbe in città gran penuria di oro. » Tanta, che le Leggi delle dodici tavole promulgate verso il 450 a.C., non si limitavano a comminare gravi pene per il possesso di oro, ma proibivano persino di mettere oro nelle tombe dei morti: con la sola eccezione – a onore dell'invenzione e della tecnica etrusche – delle protesi dentarie.

Uomini e donne coronate di mirto in occasioni solenni come in Etruria, eran cosa impensabile per i romani, « i quali non conoscevano altra corona che quella militare ». Del resto, « l'onore di essere intrecciate », spettava unicamente « alle fronde di quercia »; e « le condizioni alle quali veniva assegnata la corona erano: l'uccisione di un nemico e la salvezza di un cittadino ». Questo tipo di incoronazione riservata agli eroi era tipica « del popolo romano più che di tutte le altre nazioni », come ci viene assicurato.

Nella città tiberina era fatto alle donne severissimo divieto di bere alcolici e tanto meno di partecipare ai banchetti: e guai a quella che fosse stata sorpresa a trasgredirvi in segreto! « Alle romane non era permesso bere vino », dice Plinio, enumerando disinvolto casi di trasgressione. « Fra l'altro trovo il caso della moglie di E.M., la quale, avendo bevuto vino da una botte, fu battuta a morte dal marito, che fu mandato libero. Fabio Pittore narra, nei suoi *Annali*, di una donna di rango condannata a morir di fame dai parenti per aver aperto uno scrigno dove stavano le chiavi della cantina. » E apprendiamo anche con quale trucco si controllavano le matrone amanti del bicchiere: « I parenti baciavano le donne sulla bocca per sapere se avessero bevuto. »

Che dei rozzi guerrieri-contadini non fossero in grado di apprezzare i costumi di un popolo di antica e profonda civiltà, da loro considerato dissoluto, si può ancora capire: ma che anche i greci osassero ergersi a esempio di morale, soprattutto in materia di donne, era quanto meno spudorato. I loro scrittori Timeo e Teopompo schizzarono certe immagini della pretesa sfrenatezza e depravazione sessuale delle etrusche, « che non cedono in nulla alla più maliziosa scostumatezza bizantina e francese », secondo un rilievo del Mommsen.

E bravi gli elleni che, in fatto di morale, relegavano in ombra perfino gli eccessi dell'odierna ondata sessuale! Quanto ai loro costumi,

Erodoto aveva ben detto ad Atene senza peli sulla lingua: « Vizi e piaceri, i persiani li hanno importati da paesi stranieri. Da noi elleni hanno imparato la pederastia, la prostituzione e l'uso di tenere, accanto alla moglie, un buon numero di concubine. »

I greci misuravano l'Etruria sul loro metro; le donne stese con gli uomini a banchetto sulla *kline* – il letto orizzontale – non potevano, secondo i costumi antichissimi dei greci, che fare una cosa ben pre-

Secondo il costume etrusco, la sposa veniva condotta alla casa dello sposo sotto un baldacchino a ombrello. Amici e parenti offrivano doni per il sacrificio.

cisa: doveva quindi trattarsi per forza di donne a pagamento, di etere. « Allo scopo di provvedere al nostro piacere, » assicura il grande oratore e statista attico Demostene, « abbiamo le cortigiane, le concubine per la salute del nostro corpo, e le mogli per procreare figli legittimi e mantenere salda la casa. »

Presso i greci, le stanze delle donne erano lontane da quelle degli uomini: il sesso debole abitava, e mangiava anche, separatamente, essendogli severamente vietato l'accesso al *mègaron*, cioè alla sala d'onore dove si tenevano i banchetti e pranzavano gli uomini. Le donne inoltre non potevano intervenire in discussioni politiche – cosa invece del tutto naturale in Etruria – né assistere alle feste ginniche. Come assicura Erodoto, ancora nel v secolo, a Mileto, le donne non partecipavano ai banchetti coi mariti: anzi, non gli era neppure consentito di chiamarli per nome.

Omero invece assegna nella sua opera un posto di privilegio alla donna. Gli achei erano monogami, e solo Priamo, il sovrano di Troia, aveva un *harèm*. Verso il 700 a.C., però, l'antico costume si mutò e s'introdusse la concezione della donna come essere inferiore. Esiodo, il pio poeta e rozzo agricoltore, di famiglia originaria dell'Asia Minore, predicava la misoginia: la donna era un dono funesto degli dèi. Pandora era infatti stata l'origine di ogni male: « A lei risale il turpe sesso e la schiatta muliebre. Portatrice di sventura essa dimora fra gli uomini mortali. » Da questo momento, la donna greca è bandita dalla vita pubblica e comincia a condurre una vita di *harèm*.

Alle ragazze da marito era vietato ricevere un'istruzione. Il divertimento e il piacere, i greci maschi li cercavano e li trovavano presso le « compagne », le etère, come essi definivano eufemisticamente le donne di conio. Fra queste alcune erano molto colte, esperte di musica, letteratura, arte e filosofia: le etère, e non le mogli legittime, erano ammirate e tenute in alto pregio. La storia greca ne è piena, e ne conserva con onore i nomi, da Glicèra, la Dolce, amata dal poeta Menandro ad Aspàsia, amante di Pèricle, a Làide che si diede gratis al povero Diogene e spillò tanto più ricchi doni al ricco filosofo Aristippo per i suoi servizi di *call-girl*, a Frine eternata nel marmo da Prassitele e alla quale, durante un processo in cui la difendeva, il retore Iperìde denudò il seno guadagnando i giudici alla sua causa.

L'unico modo per la donna greca di avere una posizione onorata in società era di farsi sacerdotessa. Onore che in tal campo ebbe anche presso i romani, dove però, come in Grecia, il *pater familias* era signore assoluto e la donna non aveva alcun diritto all'infuori delle cure domestiche. Scelte in numero prima di quattro, poi di sei, fra il sesto e il decimo anno di età, dovevano servire in castità per trent'anni, attendendo in particolare al fuoco sacro.

Nella considerazione del posto da assegnare alla donna due mondi stanno di fronte: da un lato gli indoeuropei greci e romani, dall'altro gli etruschi. In Etruria la donna era tenuta in alto pregio, godeva di un trattamento sociale pari a quello dell'uomo e prendeva parte alla vita pubblica. Tanaquil, sposa del primo re tarquinio di Roma, si interessava non solo di politica, ma era altresì esperta di scienze occulte.

Quello che sopravvisse, però, e che si impose non fu il modello e l'esempio etrusco, bensì il greco e il romano, e segnò la via alla donna europea, relegata all'ombra di un mondo maschile fino al più recente passato.

Posizione sociale e pregiudizi antifemministi non mutarono con l'avvento del cristianesimo che, stabilita la sua massima sede a Roma, seguitò in questo campo nelle idee dell'Urbe, se mai irrigidendole.

Mulier taceat in ecclesia; quindi né sacerdotessa più né predicatrice. E per quanto fosse grande la venerazione per la Vergine la posizione della donna non migliorò mai: non era stata la progenitrice Eva a gettare il mondo nel peccato?

Forse i Minnesänger medievali, che cantarono le belle fra le belle, avrebbero potuto portare un cambiamento, se l'amore cortese non fosse morto con la cavalleria. Solo con le suffragette inglesi cominciò la lotta per un diritto che l'Etruria aveva concesso alle donne già venticinque secoli prima: tanto a lungo l'Europa rimase preda di una concezione dogmatica instauratasi con i greci fra il VII e il VI secolo a.C.

Nel V secolo s'era offerta l'occasione di imporre la concezione etrusca all'Occidente: quando, pur dopo la perdita della città tiberina e della Campania, le ricche città-stato altamente industrializzate avevano ancora i mezzi e la forza per diventare signore dell'Italia intera, se solo vi si fossero accinte di comune volontà. Roma non poteva essere un ostacolo insuperabile, perché militarmente ancora in fasce e assolutamente insignificante rispetto all'Etruria. Da uno qualunque dei sette colli si aveva una panoramica intera del territorio romano. Ma era lontana dagli etruschi ogni volontà di potenza politica: altre erano le mete del loro operare, come ci mostrano gli affreschi delle tombe.

Di loro si è conservata un'immagine di meravigliosa scioltezza e serenità, di dedizione alla gioia dell'esistenza, figure di un mondo diverso, estraneo e felice, che, rapite ai campi terreni, sembrano sognare, inconsapevoli di ciò che le attende. O non piuttosto coscientemente ignari di quanto dice il Petrarca nel Trionfo del Tempo:

> Passan vostre grandezze e vostre pompe,
> passan le signorie, passano i regni;
> ogni cosa mortal tempo interrompe.

Eppure il futuro batteva insistente alle loro porte. Si rifiutavano di prenderne atto, di vederlo? Cominciava in quei giorni, con le prime scaramucce, il grande e fatale contrasto che li avrebbe visti, loro e i loro nipoti, tutto il loro popolo con la sua civiltà, cadere vittime e non più risorgere. Cominciava la lotta mortale di Roma contro l'Etruria.

IV · IL TRAMONTO DELL'IMPERO ETRUSCO

Furono dunque i romani più grandi degli etruschi perché li privarono della vita?

D.H. Lawrence, 1927

IL RITROVAMENTO DI VEIO

A poca distanza da Roma sorge, a nord del Tevere, la Campagna, una pianura fratturata in più punti ma nel complesso di andamento uniforme. Nel centro, dominante verso settentrione l'ampio territorio boscoso dei monti Cimini, sorgeva la potente Veio, la cui area di sovranità confinava a ovest con la città-stato di Cere e a est con l'alto Tevere fino alla foce, fino alla Ostia odierna, dove si stendevano le saline. La riva che costeggiava il Vaticano, il Gianicolo e Monte Mario, si chiamava allora riva etrusca.

Deserte giacciono oggi le rovine della città etrusca; e pochissimi, fra le migliaia di turisti che si recano ogni anno in visita a Roma, vi si spingono, salendo la ripida altura tufacea che seguita a dormire in muto abbandono. Quasi come ai giorni in cui, pochi anni avanti la nostra era, il poeta romano Properzio, salitovi e afferrato dal dolente abbandono in cui giaceva la città un tempo importante e famosa, così lamentava:

« Ahi Veio antica! Anche tu fosti un tempo un regno / E anche nel tuo foro fu posto il seggio aureo: / Ora canta fra le tue mura la bùccina del lento / pastore, e fra le tue ossa si mietono i campi. »

La città aveva circa centomila abitanti all'epoca del suo splendore: eguagliando per grandezza Atene – come attesta Dionigi – che misurava sei miglia di circonferenza. Quando Roma era ancora un modesto insediamento, già da tempo Veio troneggiava, grande, ricca di templi e di fastosi edifici, sull'altura presso la valle del Tevere. Per due secoli Roma visse alla sua ombra, finché, fattasi grande e forte, poté vibrare il colpo mortale alla superba vicina etrusca, che non si sarebbe più risollevata. Dopo il tramonto dell'impero, poi, il luogo piombò per lungo tempo in completo oblio.

Nel Medioevo nessuno sapeva più dove aveva avuto sede questa grande antagonista di Roma. La si cercò presso Civita Castellana, che, come oggi sappiamo, sorge sull'antica Falerii Veteres. Solo il secolo passato, che riscoprì il mondo etrusco, trovò il luogo della scomparsa Veio: a venti chilometri e settecento metri da Roma, sulla Cassia, nelle vicinanze del piccolo borgo d'Isola Farnese.

Ma le testimonianze furono, in principio, scarse. « È un vero peccato, » si doleva il Dennis, « che tanto poco vi sia da vedere dei morti così a lungo dimenticati di Veio. Era la massima, la più forte di tutte le città etrusche, eppure resta l'unico esempio di così poche tombe.

« E tuttavia vengono intrapresi frequenti scavi, quasi ogni anno. La maggior parte del terreno appartiene alla regina di Sardegna, che durante l'anno lo affitta a gente che fa scavi, per la maggior parte antiquari romani. Ma essendo il guadagno il loro unico scopo, costoro si contentano di spogliare le tombe di tutto quanto possa convertirsi in danaro, ricoprendole poi all'istante di terra. Una sola di esse è aperta, per dare ai viaggiatori un'idea dei luoghi di sepoltura dei Veienti. »

Il Dennis la visitò, quest'unica tomba: la Tomba Campana, scoperta nel 1843.

« A mezza via del declivio di un colle, Poggio Michele, si trova un lungo cunicolo, largo sei piedi, che porta attraverso la roccia verso il punto centrale della collina. Sull'entrata, da ambo i lati, un leone di pietra di quel particolare stile che, visto una volta, non si dimentica più, e che lo studioso d'antichità riconosce come la maniera etrusca di rappresentare il re degli animali. All'altro capo del cunicolo stanno rannicchiati altri due leoni del medesimo tipo, uno ad ogni lato della porta della tomba, intenti a rappresentare le vigili sentinelle del sepolcro.

« Antichissimo, e senz'altro orientale, l'uso della figura del leone come simbolo di potenza destinato a incutere rispetto: Salomone aveva leoni attorno al suo trono, egizi e indù ne posero all'entrata dei templi, e i monumenti licii e le tombe frigie presentano lo stesso animale in analogo rapporto: un forte punto di analogia fra l'Etruria e l'Oriente.

« È un momento emozionante quello del primo sguardo in una tomba etrusca dipinta.

« Il visitatore entra in una camera più bassa, oscura, scavata nella roccia, il cui colore grigio-cupo accresce ancora l'oscurità; quindi abbraccia d'uno sguardo incompleto le molte anfore di grandezza rilevante e i pezzi minori, oggetti di argilla e bronzi, posti sopra panche o per terra. Ma non fa in tempo a occuparsene, che già il suo occhio è preso dalle straordinarie pitture della parete interna dirimpetto all'entrata. Ci furono mai figure più strane e grottesche? Qua un cavallo coi piedi lunghissimi e molto sottili, e col petto e il posteriore costretti come da un busto. Il collo e la parte anteriore rossi a macchie gialle, la testa nera, la criniera e la coda gialle, il posteriore e la gamba posteriore sinistra nere. Lo stalliere in livrea rosso scuro, cioè nudo, poiché questo è il colore della sua pelle. Un ragazzo dello stesso colore siede in groppa al magnifico destriero. Un altro uomo, con in spalla un martello e una bipenne precede il cavallo, che reca accucciato in fondo alla groppa un gatto senza coda, multicolore come il manto del destriero, con una zampa fiduciosamente appoggiata alla spalla del ragazzo. Dietro il cavallo, un altro animale dalla testa di cane. Sotto, una sfinge, dal viso rosso e i seni biancomaculati, la chioma nera molto aderente, le ali corte con le punte increspate, a strisce nere, rosse e gialle. Dietro, una pantera seduta, ritta, una zampa sull'anca, l'altra sulla coda della sfinge; sotto la quale si trova un asino, se pure non è un capriolo. Tutti questi animali sono multicolori.

« Sul lato opposto, sopra, un cavallo con un ragazzo in groppa e

Veduta della « Tomba Campana » (Veio, VII secolo a.C.), che rimane tuttora fra le più antiche camere tombali etrusche affrescate. Quando la si scoprì nel 1843, sui catafalchi di pietra, circondati da preziosi utensili domestici, stavano ancora gli scheletri dei morti. Incisione dell'epoca.

un « pardo colorato » seduto per terra dietro a lui. Sotto, una bestia analoga, la lingua in fuori, e dietro una coppia di cani. Tutti questi quadrupedi sono pezzati allo stesso modo singolare di rosso, giallo e nero. Nelle decorazioni dei bordi a fiori di loto, posti sopra le figure a simbolo d'immortalità, si può riconoscere la terra del Nilo.

Uscita per la caccia con la pantera. Il mastro di caccia avanza per primo (a sinistra), con indosso un corto farsetto e in mano la doppia ascia. Un servo conduce il cavallo alla briglia, sul quale cavalca un paggio che tiene al laccio la pantera addomesticata. Particolare di un affresco della Tomba Campana, Veio, VII secolo a.C.

« Anche l'occhio più inesperto s'accorgerà al primo sguardo che questi dipinti appartengono a un periodo molto antico; e io non esiterei un istante a sostenere che si tratta della più antica tomba dipinta scoperta finora in questa regione, o, quanto meno, mai vista finora in Europa. » Dennis non si sbagliava: la Tomba Campana data della fine del VII secolo a.C.

Nel gennaio del 1958 fu scoperta a Veio una seconda, e più antica, tomba affrescata: la Tomba delle Anatre; anche qui l'artista aveva impiegato, oltre al nero, solo i colori astratti del giallo e del rosso.

Su un rosso lucente si muovono, lungo un fregio, cinque anatre su sfondo giallo, collo e testa ritti, sopra uno zoccolo tufaceo: la tomba del defunto. Dipinte fra il 675 e il 650, esse rappresentano, secondo lo studioso Alfredo d'Agostino, « la più antica pittura murale finora trovata in Etruria ». Mario Torelli parla di un « documento di straordinaria importanza, storicamente come artisticamente », che testimonia l'esistenza di una forma artistica monumentale già nell'Etruria di quel tempo lontano.

È rimasta, nonostante le scoperte, la solitudine che cinge la piatta collina di Veio: brulla e coperta di erba rada e cespugli; rimasto il sussurro delle acque che precipitano sfavillando nell'abisso; e le fonti versano i loro freschi umori in cunicoli antichissimi, scavati un tempo dagli etruschi nel tufo rossastro.

Ancora gocciolano le sorgenti dei recinti sacri; e dopo un acquazzone ancora brontola immutato, impetuoso e selvaggio, il Crèmera sotto il Ponte Sodo attraverso la galleria scavata nel fianco della rupe. Furono ingegneri etruschi a compiere il traforo; lungo ottanta metri, alto otto e largo quattro, esso taglia in linea retta la roccia massiccia.

Alto sopra la piana che i venti di millenni hanno reso brulla, rimane, là dove la roccia cade a picco da sessanta metri d'altezza, un frammento delle mura possenti che cingevano l'*arx*, la rocca fortificata di Veio.

Su un terrazzo roccioso, che sporge un poco dalla parete della montagna, i ricercatori trovarono, poco avanti lo scoppio della prima guerra mondiale, i primi resti di rilievo. Quivi era il recinto sacro magnificamente adorno di terrecotte dipinte e di statue, presso il dirupo, visibile per ampio tratto all'intorno. Un incendio ne distrusse le colonne di legno e il superbo tetto a spiovente, lasciando solo il podio di pietra, sopra il quale è chiaramente riconoscibile lo spazio occupato dalla cella principale in mezzo alle due secondarie.

Le rovine del tempio sono circondate da un labirinto di canali e canaletti, alimentati un tempo da gallerie scavate profondamente nella roccia da ingegneri idraulici e destinati a fornire acqua per i bagni rituali, per le cerimonie dei sacerdoti e dei fedeli, e per la purificazione dell'altare dal sangue degli animali sacrificati. Essi convogliavano inoltre in un ampio bacino di pietra le acque sulfuree e ferrose dalle vicine fonti sacre, usate per la guarigione di malati e infermi. Innumerevoli ex voto fanno pensare che il tempio etrusco godesse anche di una certa fama per le cure mediche.

Nel recinto sacro, l'archeologo G.Q. Giglioli ebbe la fortuna di trovare, il 19 maggio 1916, il più bel resto etrusco mai restituito dalla terra: una statua di terracotta a grandezza naturale, venuta in luce – ritta in piedi fra le macerie – durante uno scavo di assaggio lungo un muro.

Dapprima, apparve la testa; liberatala con cura dai detriti, emerse, intatto, un volto dal sorriso enigmatico, gli occhi obliqui come fissi verso remote lontananze. Era un essere ultraterreno, un dio; Apollo, figlio di Zeus.

L'inatteso spettacolo della testa divina restituita dal recinto sacro dopo millenni, lasciò ammutoliti i ricercatori. Preso da quell'attimo unico e irripetibile, Giglioli si buttò sulla statua e la coprì di baci.

Quindi si proseguì a scavare con ogni cautela. La statua misurava un metro e ottanta ed era dipinta: rosso bruno il viso e neri i capelli, ricadenti in lunghi riccioli sulle spalle. Il corpo è vestito d'una tunica a pieghe molto aderente.

Strappato alla sua antichissima dimora sacra, l'Apollo di Veio trovò una nuova sede nel museo romano di Villa Giulia: di dove, in un ambiente estraneo, circondato da ammiratori sembra quasi volersene andare, per tornare donde venne: in quel tempo e in quel mondo da lungo e irrimediabilmente sprofondati con lui.

Che cosa significa la statua per noi, cos'ha da dire a noi gente d'oggi? È diventata una preziosa reliquia di un passato lontano, che, a guardarla, stranamente ci commuove e pur sembra svuotata di senso, a noi estranea e inafferrabile a causa dei millenni che si frappongono in mezzo, i quali han mutato e portato a rovina tante e tante cose.

Il grande maestro che lo creò – lo si attribuisce a Vulca –, sentiva ancora profondamente questo dio.

L'Apollo apparteneva a un gruppo raffigurante il ratto della cerva sacra dal santuario di Apollo delfico compiuto da Ercole. Abbiamo, infatti, frammenti di altre figure trovati vicino alla statua, fra cui un Ermes scoperto in seguito. Nel 1939 venne infine in luce la statua di una donna con in braccio un bimbo.

Ma che rimane, ormai, del mito greco? In queste creazioni gli artisti etruschi ruppero con tutti i modelli ellènici, infrangendo le leggi di una forma prima ancora rigida. E al tempo stesso subentra un realismo insolito per quel tempo primitivo, e assolutamente ignoto ai greci; un realismo che sembra cogliere vive le inafferrabili potenze della creazione e la cieca crudeltà del cosmo. Non pare forse specchiarsi nell'arcano sorriso di quell'Apollo la scienza di un'immagine dell'universo da lungo perduta? Di tali figurazioni faceva parte una testa di Gòrgone d'aspetto demoniaco, cinta di serpi colorate, la lingua cacciata in fuori – espressione simbolica di quelle stesse forze naturali primigenie –, che ornava come acroterio il sommo del tempio, vicino al quale è venuta in luce solo di recente insieme con altri frammenti di sileni e di mènadi.

Privato dei suoi tesori e relitti più preziosi, sembra quasi che lo spazio deserto attorno alla sede di Veio antica si sia fatto ancor più desolato. Ogni sera, al calar del sole, rilucono d'un rosso cupo le pareti sbrecciate di tufo, finché il crepuscolo non confonde ogni tinta, e la notte non inghiotte nel buio l'isola rocciosa. Allora si profila all'orizzonte, come uno sfondo nerissimo, mentre le splende di contro in lontananza la corona di luci della Roma moderna, erede della Roma imperiale la cui ascesa cominciò duemilaseicento anni fa con la distruzione di Veio.

Ma chi, oggi, ne sa ancora qualcosa? Chi ancora conosce le lunghe lotte divampate attorno a questa potente città etrusca?

Eppure si enumerano non meno di quattordici guerre, tra Roma e Veio, le prime combattute già in epoca regia, anche se allora erano solo scaramucce occasionali in famiglia, combattute fra etruschi, perché etruschi erano allora i re di Roma.

Poi, però, Roma divenne repubblica; e la situazione mutò radicalmente, perché da quel momento non più gli etruschi ma i romani cominciarono a far politica sul Tevere. E questi ultimi avevano altri fini e ambizioni. Veio, la ricca città straniera alle loro porte, sarebbe stata la loro prima vittima.

Ma la città sul Crèmera non se ne accorse per tempo, e non prese per tempo le misure necessarie, quando ancora era all'apice della sua potenza. E fu segnata così la sua rovina irreparabile.

LA GUERRA DEI CENT'ANNI

Dall'inizio del v secolo, Veio non ebbe più pace. Era cominciata una serie ininterrotta di scontri e di guerre; nelle quali, anche se spesso patì severe sconfitte, Roma non mollò mai, ma tornò sempre all'assalto dello stato vicino finché, poco dopo il 400 a.C., raggiunse il suo obiettivo.

Penetrate le unità romane per la prima volta nel territorio di Veio nel 485, e datesi al saccheggio, si venne due anni dopo a una prima guerra di più lunga durata che infuriò per quasi un decennio. La tradizione romana la esalta, illustrando la lotta e il tramonto della gente romana dei Fabî.

« Mentre la guerra contro i veienti impediva ai romani di volgersi ad altre imprese », Roma fu improvvisamente minacciata dagli equi e dai volsci. « Appreso che anche i sabini, di conseguenza, si erano ribellati, » scrive Livio, « Ceso Fabio, console e capostipite della gente Fabia, sorse così a parlare: ‹Voi sapete, o senatori, che per la guerra contro Veio serve più una forte milizia difensiva di un potente esercito. Occupatevi quindi delle altre guerre e lasciate ai Fabî i veienti come avversari›.

« Il giorno seguente, prese le armi, i Fabî convennero al luogo fissato. Quando arrivò nel mantello purpureo del comandante in capo, il console trovò tutta la sua gente armata e pronta. La quale, come lo ebbe posto al centro delle sue schiere, ebbe da lui l'ordine di partenza. »

« Mai un esercito così piccolo di numero e così grande nei fatti, e tanto ammirato dai concittadini, passò per le strade di Roma, » dice Livio in tono di elogio.

Di tutti costoro, non uno sarebbe tornato vivo. Devastato il circondario di Veio, sul Crèmera, « i Fabî furono uccisi fino all'ultimo uomo e le loro fortificazioni conquistate... ». Roma aveva i suoi primi eroi, modello ed esempio per i suoi guerrieri.

Per rappresaglia partì da Veio un'altra spedizione che occupò il Gianicolo, mentre un altro distaccamento etrusco, passato il Tevere, irrompeva nell'urbe. Lo scontro coi romani avvenne in prossimità del tempio di Cerere. Superata ogni resistenza, gli attaccanti vennero a un duro combattimento presso la Porta Collina, nel quale ebbero però a patire gravi perdite perché il nemico, appoggiato da latini di Tuscolo, era in soprannumero e poté ricacciarli.

Negli anni seguenti penetrarono nel territorio avversario i consoli P. Valerio e A. Manlio. Due distaccamenti etruschi, circondati dai consoli e costretti, l'uno dopo l'altro, a volgere le spalle, furono annientati. Nel 474 si venne infine alla conclusione di un armistizio.

Il patto di tregua, fissato in quarant'anni, ripristinava lo statu quo dell'epoca regia: Veio doveva rinunciare alla città etrusca di Fidene sulla riva sinistra del Tevere.

La tregua non era però scaduta, che si venne, nel 445, a nuovi scontri, anche se limitati a scaramucce di confine e a spedizioni di saccheggio. Finché nel 438, con improvvisa defezione, i fidenati cacciarono la guarnigione romana, tolsero di mezzo i legati della città tiberina e, postisi agli ordini del re di Veio, Larth Tolumnias, scesero in guerra. Davanti alle mura di Fidene Larth Tolumnio cadde però in duello con il console romano Aulo Cornelio Cosso; il quale, issata la testa del vinto sulla lancia, e tenendola alta, passò al galoppo tra le file dei combattenti nemici, fidenati e veienti, che, presi di terrore per la perdita del loro regale comandante, volsero precipitosamente in fuga.

Il console romano, spogliato il cadavere di Larth Tolumnio della corazza di lino intrecciato, la depose nel tempio di Giove Ferètrio come *spolia opima*, trofeo che ancora si poteva vedere – contrassegnato da antiche iscrizioni – al tempo dell'imperatore Augusto.

Un anno dopo, Roma tornò all'attacco coi consoli M. Cornelio Maluginense e L. Papirio Crasso, che depredarono i territori della città vicina di bestiame e raccolto; e, proseguendo nel saccheggio, penetrarono per la prima volta nel territorio della città-stato di Falerii, alleata degli etruschi. Assediata e presa Fidene dai romani, Veio e Faleri mandarono nel 435 a.C. ambasciatori a tutte le città etrusche, chiedendo che fosse convocato immediatamente il consiglio supremo dei capi della Lega dei Dodici Popoli.

Braciere mobile del VII secolo proveniente dal corredo di una casa etrusca nell'area di Veio. La piastra bronzea è riccamente adorna: sul bordo una teoria di anitrelle, sotto il bordo un ornamento di foglioline.

La richiesta venne esaudita: nel tempio di Voltumna sul lago di Bolsena si adunano i rappresentanti etruschi. Roma, informata da spie e conscia della grave minaccia costituita da una eventuale coalizione etrusca, nomina senza esitare un dittatore e indice nuove leve in vista « del pericolo incombente da tutta quanta l'Etruria ».

La delegazione di Veio torna però dal tempio di Voltumna a mani vuote: le altre città-stato si sono rifiutate di venire in aiuto ai compatrioti minacciati, lasciandoli al loro destino.

Roma, appresa la notizia, si sente liberata da un incubo e tira un respiro di sollievo: « Tutto s'era volto al meglio. Essendo loro stato rifiutato l'aiuto, i veienti capirono di dover contare solo sulle loro forze per la guerra, e di dover abbandonare l'idea di trovare, nel momento della malasorte, alleati che non avevano mai cercato finché le cose erano andate bene. »

Al seguente raduno annuale della Lega, Veio ripete la sua richiesta, che viene, anche stavolta, respinta.

Durante i colloqui tenuti nel tempio di Voltumna, informa Livio, si pose la questione se dichiarare o no la guerra. Rimandata la decisione all'anno successivo, gli etruschi stabilirono solennemente (benché i veienti ripetessero che, in tal modo, la loro città avrebbe condiviso la sorte che aveva portato alla perdita di Fidene), che non si dovesse intraprendere alcuna azione prima della convocazione di una nuova adunanza.

Nessuno allora riconobbe il pericolo romano incombente su tutti: di qui gli indugi e le indecisioni, di qui la politica di attesa e di procrastinazione di una soluzione decisiva. Ognuno pareva occupato solo dei propri affari e del proprio interesse; d'altra parte, proprio in quel momento, veniva ad aggiungersi un'altra preoccupazione: dal nord, dalla Valle padana, era giunta una notizia inquietante: i celti avanzavano verso l'Appennino, secondo quanto annunciavano i messi. Le città-stato si diedero allora a rafforzare mura e fortificazioni, innalzando cinte ciclopiche, protette da torri, costruite con blocchi di pietra squadrati o poligonali. Dodici chilometri misurava la cinta di Tarquinia; nove quella di Volterra; sette quella di Bolsena, e ancora oggi sono visibili in molti luoghi resti di queste imponenti fortificazioni che servirono di modello a quelle romane.

Ridotta alla disperazione, Veio prende ancora una volta l'iniziativa, registrando iniziali successi: « In una sola battaglia Veio sconfisse tre comandanti romani. » Da tutti i territori la notizia attirò volontari speranzosi di fare un buon bottino. Anche ai fidenati l'oc-

Armati di fiaccole e serpenti, sacerdoti etruschi mascherati misero più di una volta in fuga i romani. Equipaggiato allo stesso modo appare il dèmone Charun sul sarcofago di una tomba di Orvieto.

casione parve buona per ribellarsi; onde i veienti trasferirono nella loro città la base delle operazioni belliche.

Al comando del dittatore Mamerco Emilio si muove contro Fidene un corpo di spedizione romano. Gli etruschi sono schierati in ordine di battaglia sotto le mura della città: fin dal primo scontro i romani vincono, e le schiere alleate stanno già ripiegando, quand'ecco aprirsi le porte e piombare improvvisamente sui nemici un'altra considerevole schiera, un esercito di cui non s'era mai visto l'eguale prima, dice Livio, né si era mai sentito parlare; una folla innumerevole di gente armata di fiaccole, con copricapi a forma di serpente, si precipitò, come pervasa da collera sacra, in corsa selvaggia contro il nemico.

Atterrite e confuse, le prime file romane ripiegano per un istante; ma poi si fa avanti la cavalleria che stermina l'insolita schiera dei guerrieri fidenati, e le file già vacillanti ripigliano vigore, tornano all'attacco e sbaragliano totalmente l'esercito etrusco.

Fidene, caduta, viene saccheggiata e distrutta. Chiunque sia in grado di reggere un'arma viene venduto come schiavo. A Veio il vincitore si assicurò una tregua di circa venti anni. Siamo nel 425.

Da questo momento, Roma si arma segretamente per poter un giorno affrontare Veio che con Fidene ha perso la sua unica alleata. E, quando nel 408 scade la tregua, tutto è ormai pronto. Con un esercito enorme Roma parte alla conquista dello stato vicino, col quale ha lottato per un secolo. Stavolta raggiungerà l'obiettivo.

« Una considerevole folla venne a riempire il Campo, » dice Livio. « I soldati ricevettero ordine di impugnare le armi, e il dittatore Camillo così parlò: ‹O Apollo Pizio, sotto la tua guida e la tua ispirazione io mi accingo a distruggere la città di Veio. A te io prometto la decima parte del bottino. E io ti prego, Giunone Regina che in Veio dimori: sèguici nella nostra città, che presto sarà la tua! In essa ti accoglierà un tempio degno della tua altezza.› Dopo questa preghiera egli attaccò la città da ogni lato perché aveva gente più che a sufficienza. »

La leggenda e la poesia romane si sono sbizzarrite nei particolari dell'assedio della forte città, che resistette, come Troia, dieci anni. E a ragione, perché qui si combatté con inaudito vigore per una posta inaudita: per la prima volta, infatti, i romani si accingevano a sottomettere una nazione di razza diversa, allo scopo di metter piede al di là degli antichi confini settentrionali del territorio latino, al di là del Tevere, e per sempre.

Per la prima volta, un esercito romano restò in campo estate e inverno, un anno dopo l'altro, mantenuto a spese dello stato. Perché, una volta incominciato, l'assedio di Veio non poteva essere interrotto. Terribile fu la lotta.

Roma passò all'assedio senza esitare. Due corpi operativi, al comando ciascuno di un tribuno militare, cinsero la città a tenaglia. Latini ed ernici, cui la caduta della temuta vicina etrusca prometteva non minor vantaggio e soddisfazione che ai romani, mandarono milizie ausiliarie. Veio era sola, completamente, abbandonata dal suo stesso popolo... Poche città vicine, fra cui Capena, Faleri e Tarquinia inviarono aiuti.

Per l'ultima volta essa chiese protezione e soccorso alle altre città-stato etrusche; ancora una volta non fu esaudita, e l'appoggio militare così necessario le venne a mancare. « Il grande consesso del tempio di Voltumna non fu d'accordo di difendere Veio con una guerra a cui avrebbe partecipato la nazione intera. »

E si rimase fermi su questa decisione che equivaleva a una condanna a morte. Anche l'anno successivo, al raduno generale nel tempio di Voltumna, la maggioranza delle città-stato rifiutò per l'ennesima volta l'aiuto a Veio.

Quale il motivo di un simile atteggiamento?

Dopo la morte del suo re Larth Tolumnius, anche Veio, come le altre città-stato, era stata governata da potenti funzionari annuali. All'unità dei pareri, poi, si arrivava solo nei momenti difficili. Allo scoppio della guerra, Veio, disperata, si era ridata un re: e fu per causa sua, stando almeno a Livio, che il consiglio supremo annuale si pronunciò contro i soccorsi, perché non gli perdonava di avere una volta ferito i sentimenti di tutti gli etruschi.

Fra i rappresentanti delle città federate veniva eletto un presidente, col titolo di *sacerdos Etruriae*. Ora avvenne che un giorno anche i veienti presentarono un candidato al ragguardevole incarico; ma, essendo stato eletto un altro al suo posto, questi, molto offeso, turbò le feste sacre dando ordine a ogni attore, danzatore, flautista e giocoliere veiente di lasciare immediatamente con lui il luogo del raduno. Nulla avrebbe potuto provocare maggior risentimento e sdegno presso un popolo come l'etrusco, così devoto a tutto ciò che era culto rituale e così attento a evitare anche la minima deviazione dal complesso, rigidamente fissato, delle regole sacrali.

Nessuno più può dire se questo sia stato effettivamente l'unico motivo per il quale la Lega rifiutò l'appoggio a Veio; è certo però che il tanto temuto *bellum Etruscum pro veiente* non avvenne e la città restò sola.

I romani tuttavia non si fidavano della situazione. Era giunto loro all'orecchio, tramite spie, che nel tempio di Voltumna, anche se la richiesta di Veio era stata respinta, esisteva pur sempre un forte partito antiromano. Non si poteva mai sapere! E a scanso di ogni eventuale attacco alle spalle, furono scavati per comando dei tribuni militari, appena cominciato l'assedio, due ordini di camminamenti attorno alla città.

Una sola volta, durante l'assedio durato sei lunghi anni in cui i romani avevano lavorato costantemente alle opere di fortificazione, la sorte della guerra parve volgersi dalla parte di Veio: quando falisci e capenati, le cui città sorgevano sull'alto corso del Tevere, dopo lungo esitare si decisero all'azione, allestendo un esercito e accordandosi mediante ambascerie segrete con la città assediata. Da tempo infatti si erano resi conto che Veio rappresentava anche per loro un forte baluardo contro la città tiberina; la sua caduta avrebbe significato l'invasione di tutto il paese, e per primo, del loro territorio che era il più vicino a Roma.

Spuntate all'improvviso le bande falisce e capenate alle spalle dei romani, anche i veienti si riversarono in massa fuori dalle porte, provocando fra le truppe nemiche, attaccate dai due lati, un tremendo scompiglio. Le perdite romane furono gravi: le truppe di guardia che non furono uccise o catturate presero la fuga, e i veienti distrussero tutta l'opera romana, già molto avanzata, di trinceramento e fortificazione. Per la prima volta, gli immediati dintorni della città erano di nuovo liberi da nemici. Ma non fu che un breve intermezzo.

Dopo questa sconfitta, Roma mise insieme immediatamente nuove soldatesche e ritornò all'attacco con forze fresche, le quali sconfissero le truppe di Capena e Faleri, cacciandole dalla zona, e respingendo nuovamente al di là delle loro porte i veienti.

Dopo anni di stenti, le forze degli assediati erano ormai all'esaurimento. Il vettovagliamento, possibile solo di notte, era agli sgoccioli; e mancava tutto, in primo luogo le armi. La situazione si faceva sempre più disperata. Con ripetute e pressanti richieste, i rappresentanti di Capena e di Faleri nel consesso del tempio di Voltumna riuscirono a ottenere che fossero reclutati volontari in tutta l'Etruria per Veio. Ma non era ormai troppo tardi?

Gli eventi erano andati ormai troppo oltre, e più che mai decisa era la volontà di Roma a non lasciarsi strappare la preda accerchiata. Perché, si vanta Livio, « il rispetto del nostro nome deve risiedere in ciò, che nessun assalto, per quanto interminabile, nessun inverno per quanto duro, può cacciare un esercito romano da una città circondata; il quale non conosce altra soluzione della guerra se non la vittoria, e nelle sue battaglie non solo attacca coraggiosamente ma anche dimostra resistenza e tenacia, doti entrambe indispensabili in ogni tipo di guerra, ma soprattutto durante gli assedi ».

Da otto anni durava ormai l'assedio quando si manifestarono nel 398 infausti presagi della fine prossima, strani fenomeni; quando gli dèi, si tramanda, inviarono un gran numero di segni terribili. Da principio a Roma non se ne fece gran conto; il che si spiegherebbe, secondo Livio, col fatto che durante la guerra non si potevano consultare gli arùspici, esperti nella interpretazione di questi segni. Ma un bel giorno giunse notizia di un altro fenomeno naturale non meno strano e inspiegabile, che gettò tutta Roma in sommo sconcerto: senza un motivo plausibile le acque del lago di Albano, nel cratere del monte omonimo, avevano preso a salire in modo preoccupante.

Era d'autunno, dice Plutarco, e il gran caldo si era allentato; d'altra parte, il tempo non s'era fatto né piovoso né particolarmente ventoso. Molti laghi, torrenti e fonti dell'Italia intera, parte entrarono in secca, parte restarono con poca o pochissima acqua; e i fiumi si abbassarono di livello come sempre d'estate.

E tuttavia proprio in un simile periodo di siccità generale lo specchio d'acqua di quel lago montano si era messo sempre più a salire. E quando il bordo del cratere, che trattiene il lago isolandolo dalla terra sottostante, cedette in un punto sotto il peso della massa liquida, un potente fiotto d'acqua si fece strada fino al mare inondando la campagna coltivata a cereali e a frutta.

V'era ora pericolo che la tremenda pressione spezzasse tutto il bordo del cratere, lasciando uscire l'acqua in tal volume da sommergere con un'ondata gigantesca, tutto l'agro romano. Una catastrofe, insomma.

Nonostante i sacrifici offerti, gli dèi apparivano manifestamente ostili, perché le acque del lago di Albano continuavano imperterrite a salire. Non sapendo più che cosa fare, Roma mandò messi a Delfi per chieder consiglio alla Pizia sul significato del miracoloso evento; ma ancor prima del loro ritorno, arrivò ai romani, per altra via e inaspettatamente, la spiegazione fornita da un arùspice etrusco catturato presso Veio.

« Mentre le sentinelle romane di guardia sotto le mura di Veio passavano il tempo in scherzi e in vicendevoli burle, » scrive Livio, « udirono un vegliardo etrusco annunciare con voce profetica che mai i romani avrebbero sopraffatto la città, se non avessero dato libero sfogo alle acque del lago di Albano. Sulle prime le sue parole non vennero prese sul serio, ma poi si cominciò a discutervi sopra; finché uno del posto di guardia, dopo aver scambiato quattro chiacchiere coi veienti al di là della barriera – cosa divenuta ormai usuale data la lunga durata dell'assedio – apprese che il singolare vecchio era un arùspice. Allora il romano cercò di parlare col canuto veggente, mandandogli a dire che gli occorreva il suo consiglio per spiegare un segno celeste che non riusciva a capire. Ambedue, disarmati, si appartarono dal resto delle truppe, ma all'improvviso il giovane forte e robusto assalì il vecchio, trascinandoselo dietro sotto gli occhi di tutti, fra le grida impotenti dei veienti, fino all'accampamento romano. Portato dal comandante e quindi in senato, fu interrogato dai padri sul significato del singolare vaticinio.

« Adirati contro i veienti dovevano essere stati gli dèi — disse il prigioniero – quel giorno che l'avevano spinto a tradire il destino fatale incombente sulla sua patria. Quanto allora aveva detto in preda alla sacra ispirazione, non poteva più ritirarlo ora; anzi, si sarebbe macchiato di un crimine se non avesse detto ora quanto gli immortali avevano voluto annunciare.

« Nei libri del destino e nella disciplina etrusca stava scritto che quando l'acqua dell'Albano fosse salita e i romani l'avessero fatta defluire secondo i riti del culto, Veio sarebbe stata condannata alla rovina. Prima di che, gli dèi non avrebbero abbandonato le mura dei Veienti. E, per finire, disse in qual modo il lago doveva esser deviato secondo la volontà degli dèi.

« I senatori romani, non volendo fidarsi delle parole di un singolo uomo, decisero di aspettare il ritorno dei messi inviati a Delfi ». I quali tornati, portarono, secondo quanto si legge presso Zonaras, il responso: che bisognava compiere determinate cerimonie sacre. Ma Apollo non faceva sapere né quali dèi, né in qual modo dovessero essere eseguite.

Quello su cui l'oracolo delfico osservava il silenzio, sembrava invece che l'etrusco lo sapesse molto bene. Perché, come apprendiamo subito dopo, « i romani, seguendo le sue istruzioni, compirono sacrifici e deviarono l'acqua per mezzo di un passaggio nascosto nella pianura », in modo che filtrasse tutta senza defluire in mare. Dunque, non solo la fondazione di una città era un'azione sacra, ma tale anche ogni opera d'ingegneria, da eseguire secondo riti molto precisi!

L'episodio, pur leggendario e singolare, è altamente significativo dal punto di vista storico, perché vede al suo centro un dato di fatto indubitabile: al tempo dell'assedio di Veio – a un secolo dal prosciugamento del Foro e dalla costruzione della Cloaca Massima – i romani non avevano ancora fatto propria la teoria e la pratica della scienza idraulica dei loro maestri etruschi!

Di più, non conoscevano nemmeno l'ubicazione esatta dei vari impianti idrici sotterranei di costruzione etrusca, che formavano nel Lazio un sistema vastamente ramificato di canali di scolo e d'irrigazione, profondo spesso più di quindici metri. Ma gli esperti etruschi, che invece se n'intendevano, sapevano anche di un gigantesco impianto costruito tempo addietro presso il lago di Albano.

L'arùspice di Veio doveva essere in possesso di informazioni ben precise al riguardo, sul « passaggio nascosto ». Il quale, dopo tanto tempo che nessuno più se ne curava, era adesso evidentemente otturato da ciottoli e masse di terriccio: « Seguendo le sue istruzioni », fu però ripulito e rimesso in funzione.

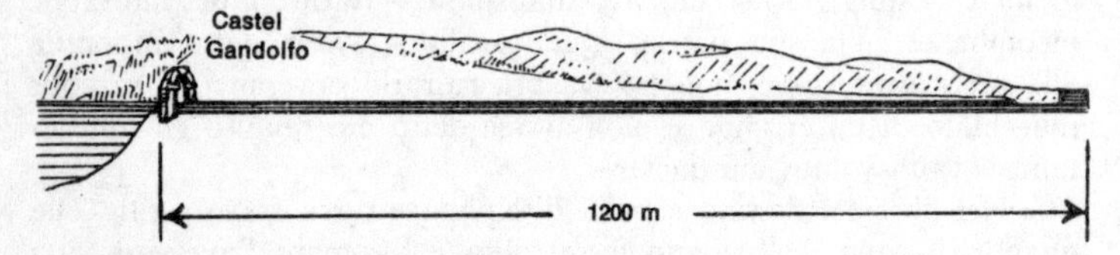

L'emissario del lago di Albano, capolavoro unico della tecnica idraulica etrusca, antico di duemilacinquecento anni. Furono ingegneri etruschi a scavare la galleria di milleduecento metri di lunghezza, per irrigare con le acque del lago vulcanico – passando sotto l'odierno Castel Gandolfo – i campi della Campagna e per evitare inondazioni catastrofiche in caso di innalzamento del livello dell'acqua.

Ancor oggi, a distanza di quasi duemilacinquecento anni, la derivazione dell'Albano esiste intatta; anzi, ripetutamente migliorata e ritoccata nel corso del tempo, funziona ancora perfettamente, adempiendo al suo scopo non meno della Cloaca Massima, ieri come oggi. Chiunque può visitare questa imponente opera etrusca sotterranea; e chiunque abbia conoscenza e interesse per le grandi realizzazioni tecniche dei popoli antichi e particolarmente degli etruschi, ne resterà entusiasta.

Sul bordo del lago di Albano sorge Castel Gandolfo, la residenza estiva del pontefice, costruito sul luogo dell'antica Alba Longa, capitale della Lega latina. Dalla Galleria di sopra – un passaggio che costeggia l'orlo del cratere, ombreggiato da querce sempreverdi – una scala conduce in pochi minuti giù al canale deviatore, al famoso emissario, facilmente raggiungibile anche dalla stazione ferroviaria.

Negli strati lavici che formano le pareti del cratere vulcanico è scavato un tunnel, che puntando verso sud-ovest, sbocca in mezzo alla Campagna presso Le Mole. Lungo milleduecento metri, è largo poco più di un metro e mezzo e ha un'altezza variante fra i due e i tre metri. Nel punto in cui le acque del lago entrano nell'emissario, un impianto moderno bada alla regolazione del deflusso, rompendo l'impeto talora forte della corrente e impedendo contemporaneamente, per mezzo di filtri e di reti a inferriata, che il canale venga otturato da ghiaia e detriti. Allo sbocco del tunnel, le acque sono convogliate in altri canali per l'irrigazione di campi e vigneti.

Il canale del lago di Albano supera di più del doppio il celebre tunnel di Siloè a Gerusalemme, fatto costruire dal re Ezechia verso il 700 a.C. forando la roccia. L'impianto del sovrano ebraico « che portò l'acquedotto in città » misurava « milleduecento cubìti », vale a dire cinquecentododici metri.

Se poi sia stata fatta anche per l'emissario dell'Albano, come a Gerusalemme, un'iscrizione sulla « storia del traforo », è dubbio: una simile iscrizione non s'è mai trovata. I romani non avevano interesse a tramandare ai posteri la perfezione e l'alto livello della tecnica idraulica degli etruschi...

Mentre i lavori di sgombero e di riattamento dell'antica galleria del lago di Albano volgono, sotto l'esperta guida dell'arùspice, alla fine, si viene nuovamente, e in modo assolutamente inatteso, ad accaniti combattimenti dinanzi a Veio.

Da ogni parte dell'Etruria arrivano infatti schiere di volontari armati, fra cui alcuni distaccamenti di Tarquinia. Questi, unitisi alle forze capenati e falisce ancora in campo, portano a termine una grande manovra di sorpresa: due corpi operativi romani posti a sbarramento delle strade per Veio vengono sopraffatti e i due tribuni militari uccisi. Il resto delle truppe romane prende la fuga.

L'infausta notizia precipita Roma nel terrore.

Per far fronte al pericolo di un attacco etrusco ormai profilantesi all'orizzonte, ecco scendere in campo Furio Camillo, rieletto dittatore, con un esercito di romani e di truppe raccolte qua e là per il Lazio. Imbattutosi nel grosso delle milizie etrusche presso la città falisca di Nepi, egli impegna battaglia senza esitare: e, grazie alla tattica superiore e all'inesperienza bellica dei volontari etruschi non soggetti a un comando unitario, riesce vincitore. Senza curarsi di inseguire i fuggitivi, si volge immediatamente contro Veio per stringerla nuovamente e saldamente d'assedio.

L'ultima ora della città sta per suonare.

Camillo sapeva che sarebbe stata impresa vana quella di prendere d'assalto le mura: i romani non conoscevano ancora le tecniche di sfondamento delle mura elaborate e sperimentate tanto tempo prima dai popoli dell'antico Oriente, assiri e babilonesi, e indispensabili alle loro spedizioni di conquista: arieti, magli e torri semoventi. Essi le appresero infatti secoli dopo dai greci, che a loro volta le avevano assimilate durante la spedizione di Alessandro Magno in Asia.

L'unico modo di prendere la città era l'astuzia. Camillo ricorse dunque a un espediente molto simile a quello usato da Davide nella conquista della cittadella gebusita di Gerusalemme. Appreso da alcuni informatori che la rupe era solcata in vari punti da stretti passaggi, costruiti dai veienti per procurarsi segrete vie di fuga o per attingere inosservati alle acque del Crèmera scorrenti in profondità, Camillo, ordinata una investigazione più accurata, scoprì un pozzo che, salendo gradatamente, portava in cima all'altura. Esso si presentava però semisepolto di ghiaia: allora il dittatore comandò di sgombrarlo, e quando, dopo giorni e notti di lavoro compiuto nella massima segretezza, si giunse alla fine dell'opera, si ebbe a disposizione un passaggio che menava dritto alla cittadella, finendo giusto sotto il tempio di Giunone.

Reso dunque praticabile il passaggio, vi si infilò un commando romano.

La tradizione romana così racconta lo svolgersi successivo degli eventi: « ...c'è un'antica leggenda a questo proposito. Avendo il re dei veienti fatto il sacrificio, l'arùspice disse che la vittoria sarebbe toccata a colui che avesse presentato agli dei il fegato della vittima sacrificata. I soldati romani nascosti nel pozzo, udito ciò, furono mossi a uscire, e, preso il fegato, a portarlo al dittatore... Una parte di essi assalirono alle spalle i veienti sulle mura; altri spalancarono le porte; altri ancora diedero fuoco alle case, dal tetto delle quali donne e schiavi scagliavano tegole e sassi.

Dovunque si udivano le grida degli assalitori e degli assaliti, a cui si mescolavano i lamenti delle donne e dei bimbi; da ogni parte i difensori furono ricacciati dalle mura. Le porte erano aperte e la città brulicava di nemici, i quali vi penetravano a frotte, scalando le mura indifese. Generale il combattimento. Dopo una lunga lotta, la battaglia cominciò a languire; allora il dittatore fece annunciare dagli araldi di risparmiare gli inermi: la carneficina cessò, e i veienti si arresero, mentre i soldati ebbero dal dittatore il permesso di darsi al saccheggio. Ben presto, Camillo vide che essi trascinavano un bottino ben maggiore e di più gran valore di quanto non avesse creduto o sperato... La giornata passò nella strage dei combattenti nemici e il saccheggio della città tanto ricca.

Il giorno seguente il dittatore fece vendere all'asta schiavi tutti i veienti liberi; e infine fu portata via da Veio ogni ricchezza possibile.

Poi, una volta spogliate d'ogni avere case private palazzi ed edifici pubblici, Camillo ordina di saccheggiare anche i templi e di asportarne i doni sacri. Le pesanti porte bronzee di superba fattura, e tutti gli oggetti preziosi e d'oro, il dittatore li fa invece mettere da parte per sé. Con la prima grande vittoria di un condottiero romano inizia anche la corruzione romana.

L'Apollo di Veio, l'Ermès, la donna col bambino, e tutte le altre splendide terrecotte che avevano ornato la sommità del tempio coi loro vivaci colori, vengono abbattute in una selvaggia furia di distruzione e restano fra le macerie. Non essendo altro che terrecotte, non hanno per i legionari valore alcuno.

Con tanto maggior rispetto e venerazione ci si volge alla statua cultuale di Uni, la Juno Regina, da trasferire ora a Roma.

Le superbe statue di terracotta rinvenute a Veio (fra le quali il famoso Apollo), ornavano un tempo il tetto del tempio etrusco. Si ergevano su zoccoli di terracotta disposti a sella. (Veduta del tetto secondo una ricostruzione).

« I più nobili giovani dell'esercito romano, preso un bagno purificatore, entrarono con grande reverenza, vestiti di bianco, nel tempio. Destinati a portare a Roma Giunone Regina, si misero all'opera con sacro timore, poiché, secondo il costume etrusco, nessun altro se non un sacerdote di una data famiglia poteva toccare la statua. E avendo uno di loro, per divina ispirazione o per scherzo giovanile, chiesto: ‹Vuoi andare a Roma, o Giunone?›, tutti gli altri esclamarono che la dea aveva ammiccato; anzi si vuole che si sia udito anche un ‹Sì›. » In ogni caso, sappiamo che essa si lasciò asportare dal piedestallo senza grandi sforzi e trasportare di buon grado, poiché ne aveva piacere. E senza danno raggiunse l'Aventino, che sarebbe divenuta sua duratura sede, dove il dittatore l'aveva invitata con le sue promesse. Conformemente alle quali fu quindi consacrato alla dea anche il tempio. »

Livio stesso non può rifiutarsi di elogiare la città conquistata: « Tale fu la fine di Veio, » suona il suo giudizio, « una delle più potenti città dell'Etruria: la quale seppe mostrare la sua grandezza anche nella rovina. Dopo un assedio di dieci estati e dieci inverni essa causava ancora più danni di quanti non ne soffrisse. Cosicché alla fine, quando calò su di essa il destino fatale, non per assalto fu presa, ma per astuzia di guerra. »

A Roma la notizia della caduta di Veio fu accolta con entusiasmo indescrivibile. « L'arrivo del dittatore fu il più solenne che si vide prima di allora. Tutte le classi gli si fecero incontro a schiere, e il suo trionfo superò di molto il modo usuale di festeggiare un simile giorno. Tutti avevano gli occhi rivolti a lui, che fece il suo ingresso in città su un carro tirato da cavalli bianchi. Sull'Aventino, egli pose la prima pietra del tempio di Giunone Regina, e consacrò quello della Mater Matuta. Quindi, assolti questi compiti divini e umani, depose la dittatura ».

Fra l'enorme bottino, Roma scelse un cratere aureo da mandare in dono a Delfi, che, consacrato ad Apollo, fu affidato alla tesoreria dei Massilioti. Il bottino veiente – soprattutto la parte in oro – avrebbe poi, solo pochi anni dopo, consentito ai romani, in un momento estremamente critico, di riscattare la libertà per se stessi e per la loro città.

Enorme il successo dell'impresa: la guerra di Veio significò infatti la pietra miliare e il punto di svolta; uno degli eventi più decisivi della storia romana.

Non è un caso quindi se anche nella tradizione storica essa segna una discriminante. A Roma, poco prima del 400 a.C., si affiancò a quella dei consoli la lista dei sacerdoti, che divenne fondamento della cronaca cittadina; da allora si segnarono su una tavola bianca, sotto il nome dei magistrati dell'anno, anche i principali eventi dell'annata. Così le tavole di questo archivio sacerdotale fornirono il materiale alla futura storiografia e costituirono la fonte principale della grande cronaca in ottanta libri, gli *Annales maximi*, che il *pon-*

tifex màximus P. Muzio Scevola pubblicò in seguito, in concomitanza con la cessazione della consuetudine di redigere le tavole.

La guerra con Veio, finita nel 396, fu scritta sulla tavola bianca. Con essa, con la prima campagna bellica di lunga durata, la città tiberina cominciava la sua ascesa.

Com'era lontano il tempo in cui, un secolo prima, Porsenna era stato così vicino a distruggere Roma! Ora, con la vittoria sulla forte Veio, Roma s'era svincolata dall'ombra della potente Etruria: suo ora il Tevere, trasformato d'un colpo da fiume di confine a fiume romano. Per la prima volta, anche, i romani mettevano saldamente piede in territori di antichissima appartenenza etrusca. Marco Furio Camillo aveva aperto alla giovane repubblica dei sette colli una breccia sulla strada delle future conquiste di stati e popoli stranieri; creato il trampolino di lancio, la base di operazioni di tutte le future campagne contro gli etruschi. Nel loro territorio d'origine — fino allora inviolato — era riuscita una penetrazione a fondo: con Nepi e la vicina Sutri, le città falisce alleate di Veio, erano cadute in mano romana anche le posizioni-chiave sulla via per l'Etruria interna.

« Il fatto che le altre città, nonostante tutti i tentativi di Veio di trascinare nella guerra tutta la Lega, partecipassero tanto poco all'evento, quando pure s'era ancora in tempo a fermare Roma », nota von Vacano, « dice chiaramente che gli etruschi della Lega non avevano previsto il modo dell'azione romana né avevano riconosciuto in tempo la sua portata nei riguardi della loro stessa esistenza. Il che sottolinea ancora una volta quello che le fonti indicano del resto ampiamente, e cioè che la Lega non era una struttura di potere con una politica ben determinata e in dinamico sviluppo, bensì un consesso religioso-cultuale di tipo antiquato, profondamente radicato in concetti magici. »

Significativo l'acquisto di terreno: le vittoriose lotte contro Fidene e Veio terminate con l'incorporazione delle loro terre, portarono a un considerevole ampliamento del territorio pubblico romano, a un dipresso del doppio: in luógo degli ottocentoventi chilometri quadrati di prima, arrivava ora a più di millecinquecento. La nuova area fu distribuita a coloni romani incaricati anche della sorveglianza del confine.

La conquista della potente Veio restò indimenticata, lasciando un'eco di giubilo ancora per lunghi secoli. Al punto che fino a tarda età rimase a Roma il costume di rappresentare durante le feste la vendita dei veienti: un'asta parodistica del bottino, che finiva con l'offerta di uno storpio vestito di un mantello di porpora e di ornamenti aurei, che impersonava il re dei veienti.

Camillo, il cui valore tanta parte aveva avuto nel successo romano, non ebbe alcuna gratitudine: citato dinanzi al popolo durante la contesa sorta per la spartizione dei tesori e del bottino di Veio, non attese la sentenza, preferendo lasciare Roma in volontario esilio per Ardea. Dove sarebbe rimasto per poco: perché, dopo soli dieci anni, accadde un fatto che minacciò di trascinare Roma in una catastrofe mortale, e che portò al suo ritorno e a nuovi onori e successo.

Roma sfrutta la vittoria. L'anno seguente i correi di Veio, i falisci e i capenati, pagano un duro scotto per l'aiuto prestato alla città etrusca. Roma dà un primo esempio di come intenda comportarsi verso quanti osino sfidarla opponendosi alle sue mire di conquista: e ordina di radere tutte le colture di Faleri e Capena.

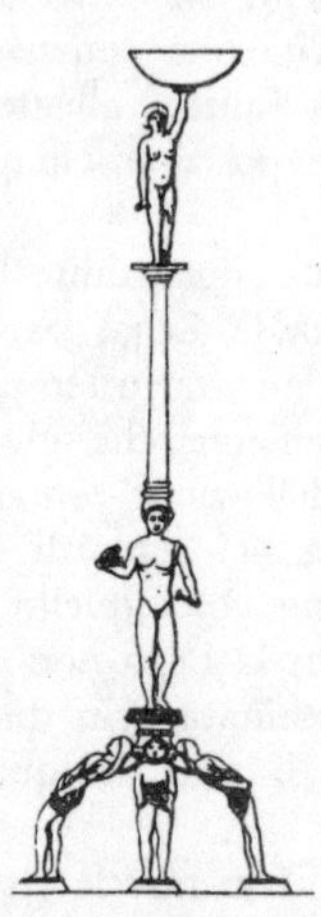

Candelabro adorno di figurine bronzee. Reggi-candele, reggi-utensili, lampadari e lampade d'ogni specie, appartenevano, come questo, al corredo della casa etrusca.

Vigneti, frutteti, oliveti – massima ricchezza delle due città agricole – vengono barbaramente distrutti, dati alle fiamme o devastati. Boschi e giardini fiorenti, divenuti tali a prezzo di un lungo e diligente lavoro, si trasformano in deserto sotto la furia dei soldati romani. I capenati son presi da terrore e, per far cessare lo scempio, chiedono la pace; i falisci, invece, scelta la lotta, una volta battuti in campo aperto si arroccano nella loro città. Solo nel 394 a.C., dopo un assedio di mesi che li riduce alla fame, si arrendono anch'essi al loro destino, offrendo la resa senza condizioni.

« Mentre ancora poco prima i cittadini, in preda all'odio, avrebbero preferito far la fine di Veio piuttosto che, come Capena, fare la pace », scrive Livio; « ora vi acconsentivano unanimi... » I falisci dovettero pagare il soldo militare per quell'anno, perché ciò fosse risparmiato al popolo romano; dopodiché si assicurò loro la pace e fu ricondotto a Roma l'esercito.

Due anni dopo le azioni punitive, Roma sperimenta, come un fulmine a ciel sereno, incursioni nel suo territorio: gli abitanti di Volsinii, la grande città-stato sull'attuale lago di Bolsena, avanzano numerosi saccheggiando.

La città nel cui territorio stava il tempio di Voltumna e che non s'era mossa nel momento del supremo pericolo per Veio, pensò improvvisamente, dopo la catastrofe, di poter far abbassare le arie a Roma. Che cosa poteva avervela indotta? Forse il desiderio postumo di vendicare Veio, che essa, come tutte le altre città-stato etrusche, aveva prima così vilmente abbandonato al suo destino? O si cullava nella temeraria speranza di prendersi una rivincita e di far girare all'indietro la ruota degli eventi? Nessuna tradizione ce ne tramanda il movente.

Si sa per certo, comunque, che anche questi « rinforzi postumi » furono battuti dai romani, e fin dal primo scontro in campo aperto. Ottomila etruschi, accerchiati dalla cavalleria romana, gettarono le armi arrendendosi; il resto si diede alla fuga. Gli aggressori se la cavarono a buon mercato: rifusione di tutti i danni causati durante la spedizione e pagamento del soldo dell'esercito romano. Con questo epilogo si concludeva la guerra dei cent'anni contro Veio...

LA CALATA DEI CELTI IN ETRURIA

I cittadini romani non dovevano godere a lungo del loro successo. All'ascesa e alla vittoria tenne dietro poco dopo la più rovinosa caduta. La catastrofe si avvicinava, messa in moto da una possente migrazione di tribù, calate in quegli anni dal nord nella penisola appenninica: i celti.

Irrequieti, i celti si erano dilatati dalle loro più antiche sedi in gigantesche migrazioni verso occidente, per quasi tutta l'estensione del continente medioeuropeo. Procedendo dalle terre sul Reno e sul corso superiore della Senna, si erano spinti al di là della Manica in Britannia e, passando i Pirenei, in terra iberica, dove alcune loro tribù s'erano impadronite della Spagna settentrionale. Verso il 400 a.C., si erano rimessi in movimento, prendendo questa volta la strada del sud, saccheggiando e depredando.

Varcate le Alpi, lasciando le loro sedi della Germania meridionale e della Svizzera settentrionale, comparvero improvvisamente nella pianura padana. Prima arrivò la popolazione degli ìnsubri, dai quali fu chiamata Insùbria la regione dei laghi.

Livio spiega anche il motivo per cui si venne a questa prima invasione guerresca di massa delle popolazioni nordalpine verso il meridione solatio. Esse si mossero « allettate dai dolci frutti, e specialmente dal vino a loro ancora ignoto ». Sappiamo però che il vino non era loro del tutto sconosciuto a quell'epoca, perché i reperti delle tombe dei principi celtici rivelano chiaramente la parte importante che il vino cominciava ad assumere nelle esportazioni etrusche del v secolo. All'epoca dell'invasione, i celti si erano già fatti il palato e, a giudicare dalla massa di recipienti da vino importati, erano anzi divenuti ottimi bevitori.

A questo proposito Livio e Dionigi raccontano un'altra leggenda di origine etrusca. Un tale Aruns di Chiusi avrebbe portato loro il vino per allettarli; facendo ciò per vendetta verso Lucumone, seduttore di sua moglie della quale era stato tutore. Non potendolo però punire senza un esercito straniero, essendo Lucumone un giovane di molto prestigio, Aruns fece da guida ai galli attraverso i passi alpini, muovendoli all'attacco di Chiusi.

Un dramma etrusco della gelosia, insomma, sarebbe alla base di un atto di vendetta dalle conseguenze catastrofiche. Con la calata celtica, infatti, tutta l'Etruria cadde in pericolo, e Roma stessa per un capello sfuggì alla distruzione totale. Forse però la « *Aruns-Story* » cela in sé anche un nocciolo di vero. In effetti ancor oggi, nei dintorni dell'antica Clusium, presso Chiusi, si produce un vino molto pregiato e apprezzato dagli intenditori, che porta il nome di una deliziosa cittadina medievale dei dintorni: Montepulciano. E la scena su un vaso di bucchero pesante a rilievi neri caratteristici di Chiusi accenna chiaramente alla gioia dei clusiensi per il succo d'uva: due figure sono intente al gioco con le pietre, sedute a un tavolo su cui si vede un recipiente a due manici, una tipica coppa da vino.

Gli etruschi della Padania, colti di sorpresa e impreparati a un attacco inatteso, non furono in grado di respingere gl'invasori. I quali « occuparono la terra che gli etruschi avevano coltivato ».

Sarà un caso, sarà una nostalgica leggenda: ma pare che lo stesso giorno della presa di Veio da parte dei romani, cadesse anche Melpum, la ricca città etrusca della Val padana — forse l'odierna Milano — conquistata e distrutta da ìnsubri, boî e sènoni. Il doppio attacco contemporaneo da nord e da sud che portò alla caduta di ambe le città di confine, sembrava annunciare l'imminente tramonto della grande nazione etrusca.

Due uomini, ognuno con uno scettro in mano, seduti a un tavolo su cui stanno pietre da giuoco; quello di destra siede su uno sgabello fisso, l'altro su uno pieghevole (adottato poi da Roma per i suoi funzionari). Tra i due una coppa da vino a due manici, detta càntaro. Una donna li serve; ai lati, guerrieri armati. Rilievo su un vaso di bucchero trovato a Chiusi, VI secolo a.C.

L'ondata celtica segnò il destino della Lega etrusca delle dodici città padane. D'ora in poi si narra la storia della sua rovina. Anche le altre parti dell'Italia, però, e l'Etruria centrale prima di tutte, piombarono in grave angustia; la città tiberina, anzi, in pericolo di morte.

Le schiere celtiche, presa Melpum d'impeto, dilagano nell'Italia settentrionale spingendosi in direzione dell'Adriatico. « Una delle tribù celtiche distribuitesi nella regione, » nota Diodoro Siculo, « era quella dei sènoni, ai quali era toccata la parte più lontana, situata sul mare. Ma trovando il clima troppo caldo, decisero di lasciare nuovamente quella sfavorevole sede, inviando schiere di giovani armati in cerca di una terra dove stabilirsi. » Tornate queste truppe di esploratori con buone notizie, essi ripresero il cammino, verso sud. A schiere innumerevoli gli armati s'inerpicano sulle pendici dell'Appennino, varcandone i passi.

L'Etruria, la madrepatria che da secoli non vedeva conquistatori stranieri né conosceva spedizioni guerresche; che intatta era fiorita in pacifica laboriosità sperimenta del tutto inaspettatamente l'invasione di selvagge orde di armati.

I sènoni irruppero in Tirrenia, riempiendo le valli dell'Arno del loro fragore, « forti di trentamila uomini ».

Gli abitanti sono assolutamente impreparati a una tale aggressione. Un gran terrore corre per la regione, dall'Appennino al mar Tirreno. Non un distaccamento etrusco affronta i guerrieri stanieri. La gente della campagna, in preda al panico, fugge a nascondersi nei boschi, mentre le città sprangano le porte ponendovi sentinelle.

Proseguendo nel saccheggio, i celti dilagano giù per la val di Chiana, passano dinanzi al Trasimeno e compaiono davanti a Chiusi, la potente città-stato di cui era stato re un tempo Porsenna. Ma si limitano a cingerla d'assedio, non potendo recarle altro danno data la loro abitudine al combattimento in campo aperto e la salda fortificazione della città.

« Grande fu il timore da cui furono presi gli abitanti alla vista di tanti nemici, di aspetto e di armi mai visti; che fu accresciuto inoltre dalla notizia che gli etruschi di qua e di là dal Po erano già stati da loro più volte battuti. »

Data la gravità della situazione, i capi della città mandarono segretamente messi a Roma a chiedere aiuto, benché non fossero né alleati né amici dei romani. Unico punto a loro vantaggio, non avevano aiutato i compatrioti veienti contro il popolo romano. Ma l'aiuto sperato non venne. In luogo delle truppe apparve infatti una delegazione di tre membri, al solo scopo di prendere informazioni e di trattare. Essi dovevano far capire ai celti che non potevano molestare gente che non aveva fatto loro nulla di male. A Roma si era ritenuto infatti prudente far conoscenza con questi galli stranieri piuttosto pacificamente che con le armi, onde evitare possibilmente una guerra.

La missione romana fallì: anzi attirò la sventura su Roma. « Quando la delegazione ebbe esposto il suo incarico nell'assemblea dei celti, questi risposero che gli abitanti di Chiusi dovevano sgombrare una parte dei campi che possedevano in gran numero, perché loro avevano bisogno di terra: altrimenti non vi sarebbe stata pace. E quando i romani chiesero con che diritto intendessero cacciare i proprietari dai loro campi minacciandoli di guerra, e che cosa mai essi avessero perduto in Etruria, i celti risposero alteramente che il loro diritto stava nelle armi, e che tutto spettava agli uomini valorosi. Dopodiché corsero alle armi ».

Si venne alla battaglia, celti contro etruschi. Ma anche i legati romani impugnarono le armi per combattere sotto le insegne etrusche. Uno di essi, « Quinto Fabio, trapassò con la spada, uccidendolo, un comandante celtico che troppo temerariamente si era spinto contro la cavalleria etrusca ». I celti, visto ciò, « soffocarono l'ira contro quelli di Chiusi e fecero suonare la ritirata », ma minacciarono i romani pretendendo soddisfazione per l'offesa arrecata dai legati al diritto delle genti. Il fatto che Roma, non prevedendo le conseguenze gliela rifiutasse « gettò in collera furente i celti, popolo assolutamente incapace di dominarsi ». Brenno, il capo dell'esercito, tolse l'assedio a Chiusi. Strappate le loro insegne dal terreno, si misero rapidamente in cammino, verso Roma!

Anche le campagne dell'Etruria meridionale sperimentarono il terrore dell'ondata celtica avanzante. « Le città presero le armi, mentre la gente dei campi fuggiva dinanzi all'approssimarsi di questo esercito simile a stormo fragoroso: il quale però spiegava a gran voce di essere in marcia contro Roma. Dovunque andassero, coprivano un vasto terreno con uomini e cavalli, e con una processione che si estendeva in larghezza e in lunghezza. »

Le truppe romane, messe insieme in tutta fretta, passano il Tevere per farsi incontro al nemico. Ma non vanno lontano, poiché, appena passata l'undicesima pietra miliare, si imbattono nell'avanguardia nemica. Già alla vista dell'orda selvaggia — guerrieri dall'aspetto marziale, i capelli induriti con calce, la barba arruffata e molto lunga, con indosso solo i calzoni, il torso nudo e un grosso cerchio d'oro al collo —, i romani sono presi da paura, accresciuta dal gran clamore che essi facevano. « Data la predilezione di questo popolo per il baccano, riempivano tutta la zona di canti selvaggi e di clamori in toni paurosi. » Tutto questo provocò scompiglio, e in un baleno i romani si trovarono accerchiati: quando meno se l'aspettavano, « si videro attorniati di nemici dovunque, davanti e sui due fianchi ».

In tale situazione si venne a battaglia il 18 luglio 390 vicino alla confluenza del fiumicello Allia, oggi Rio del Rosso sulla via Salaria, nel Tevere. Battaglia risoltasi per i romani in una catastrofe — il giorno nero dell'Allia —, nella più tremenda sconfitta mai registrata negli annali di Roma.

Le armi sguainate, i celti urlando si gettano a valanga sulla falange romana, stendendola. Il grosso dei vinti fugge, cercando scampo sulle alture di Veio, dove stavano ancora intatte le forti mura. Dei romani che avevano combattuto col fiume alle spalle, gran parte muore annegata nel tentativo di raggiungere la riva sinistra del Tevere: solo pochi raggiungono la città portando la triste notizia.

Roma era senza speranza in mano ai celti: gli uomini di guarnigione ancora disponibili non bastavano infatti a presidiare e a difendere l'intera cerchia lunga dodici chilometri delle mura. La popolazione fu a tal punto presa dal panico, che non pensò neppure di chiudere le porte. Una folla di inermi, donne e bambini, fuggì per i campi; i sacerdoti di Quirino e le vestali, caricatisi di tutti gli oggetti sacri trasportabili, si affrettarono a Cere. L'antica città etrusca diede loro asilo. Alta sopra il Foro, la cittadella fu presidiata e munita, ma scarsamente, di vettovagliamento.

Passano tre angosciosi giorni, ed ecco riversarsi in città le orde celtiche. Vengono, ammazzano, saccheggiano e appiccano fuoco, sotto gli occhi inorriditi della guarnigione romana sul Campidoglio, a ogni angolo della città. Mentre incombe su Roma lo sterminio, solo la cittadella resiste.

Per sette mesi i celti rimasero ostinatamente sotto la rocca, ma ogni tentativo di travolgerla, fallì. Non erano infatti allenati a prendere città fortificate e cinte di mura: la loro forza stava nel combattimento in campo aperto, dove avevano armi adatte alla lotta corpo a corpo. Non avevano forse i romani dovuto escogitare i quartieri invernali per i loro soldati nella stagione fredda di solito priva di guerre, allestire trincee, imparare a far i minatori e istituire un soldo militare, per poter, dopo dieci anni e a prezzo di uno stratagemma, penetrare nella salda fortezza di Veio in cima a un'altura?

Così il Campidoglio e il tempio di Giove restarono illesi. Alte sopra il fastigio del tempio, visibili da lontano guardavano giù su quel desolato caos le superbe terracotte colorate create da Vulca e dai suoi discepoli a Veio per commissione dei re etruschi. Laggiù però la peste afferrava, dalle case e dagli impianti idrici distrutti, gli assedianti.

Un atroce puzzo di cadaveri bruciati impregnava la città devastata. Ma i Celti non piegavano, e pretendevano un riscatto così alto come Roma mai avrebbe potuto metterlo insieme. E dove mai la repubblica, dopo decenni di guerre ininterrotte in cui non aveva potuto badare ai campi ai commerci e alle industrie, avrebbe potuto trovare tanti tesori?

« A Roma, » ricorda Plinio, « ci fu per lungo tempo scarsità d'oro. Dopo la conquista celtica, se ne sarebbero potute mettere insieme a stento mille libbre. » Era tutto; e anche quest'oro – com'è naturale supporre – non era frutto del lavoro, ma era caduto in mano romana da pochi decenni, col sacco dei ricchi tesori del tempio di Veio.

I celti, ignari della storia della città, non volevano credere che i romani fossero tanto poveri, e mantennero le loro richieste. Solo il sopraggiungere della notizia che in Val padana i venèti erano penetrati nel territorio recentemente conquistato da sènoni, spinse Brenno ad accettare il riscatto offertogli. E, senza incontrare resistenza e cariche d'un ricco bottino, le sue schiere si rivolsero al settentrione, riattraversando tutta l'Etruria.

Roma l'aveva scampata ancora una volta!

Da ogni parte ritornarono in patria i fuggiaschi. Da Veio, dove s'erano ritirati, tornarono i resti dell'esercito battuto all'Allia; con loro, Camillo, richiamato da Ardea, mentre i Galli mettevano l'urbe a ferro e fuoco, e rieletto dittatore.

La cosa più importante e urgente, ora, era la ricostruzione della città; e tuttavia ampie cerchie della popolazione non mostravano voglia alcuna di mettervi mano. Nulla pareva loro più ingrato di un faticoso lavoro fisico. Due secoli prima i loro progenitori erano stati costretti dai re etruschi a costruire la città: ora che si trattava di farlo volontariamente, rifiutavano. Non c'era forse poco lontano una grande città etrusca vuota e ancora quasi intatta? Non era più semplice trasferirsi in un luogo ben fortificato, dove la maggior parte delle case e degli edifici pubblici era ancora in piedi, e bastava solo prenderne possesso?

I tribuni della plebe, scrive Livio, « insistevano nei comizi perché il popolo lasciasse le rovine e si trasferisse a Veio. Anche i cittadini stessi erano propensi per questa soluzione ».

Ci volle tutta l'arte oratoria di Camillo per far balzare agli occhi dei suoi concittadini la vergogna di « abbandonare una città bruciata e ridotta in rovina, anziché incitare il popolo alla ricostruzione ». Con parole irate egli si rivolse loro: « Potete dunque sobbarcarvi a tale onta, solo perché non avete voglia di costruire? »

Il dittatore « impedì l'esodo per Veio... e si cominciò dovunque a costruire », obbligatoriamente. Ognuno « dovette nominare dei mallevadori, i quali garantissero che avrebbe terminato il lavoro entro l'anno ».

E cominciò la ricostruzione.

I pastori e i contadini di ieri, capaci di maneggiare solo la spada oltre all'aratro, non avevano assimilato nulla degli insegnamenti dei loro maestri etruschi; da tempo avevano tutto dimenticato. Architetti e ingegneri propri, in grado di dirigere i lavori, non ne possedevano: di conseguenza non si venne a una distribuzione pianificata del terreno, e i quartieri di abitazione furono ricostruiti senza un criterio.

« Nella fretta, non si poteva tener conto della direzione delle strade, perché ognuno poteva costruire sul primo posto trovato sgombro, senza curarsi se il terreno fosse suo o di un altro. » Le viuzze strette e tortuose rimaste fino a epoca imperiale, risalgono a questo periodo.

Neppure degli impianti sotterranei di scolo costruiti dagli etruschi, e della Cloaca Massima, sembra si conoscesse più il percorso: infatti vi si costruì in parte direttamente al disopra, senza saperlo o senza badarci. Perciò, spiega Livio, gli antichi canali che prima correvano sotto le strade, passano ora sotto molte case private.

Migliorato e rinnovato fu il Vallo Serviano. Possenti blocchi tufacei, fatti venire dalle cave di Veio, rinforzarono le fortificazioni, che assolsero egregiamente i loro compiti per oltre sei secoli.

Da Cere, tornarono con i sacri arredi i sacerdoti di Quirino e le vestali. La città etrusca si guadagna la riconoscenza di Roma « poiché aveva ospitato le cose sacre del popolo romano e i sacerdoti; e poiché si doveva al soccorso di questo popolo se non si era tralasciato di attendere al culto degli dei immortali ». Il senato romano garantisce a tutti i ceriti diritto di ospitalità; da questo momento, ogni visitatore di Cere sarebbe stato accolto a Roma a spese dello stato. Nessun'altra città etrusca partecipò mai di tanto onore.

A poco a poco la vita riprese il suo corso normale. Nessun disturbo dall'esterno, nessuno dagli etruschi. Solo nel territorio di Veio sembra si sia venuti a scaramucce proprio mentre Brenno metteva a sacco Roma. Ma si trattava di cose locali: due unità etrusche, costituite

Due lottatori in combattimento. Accanto a loro, il giudice di gara con in mano un bastone, simbolo della sua autorità. A sinistra, due partecipanti a una corsa a cavallo. Particolare di una pittura parietale nella Tomba della Scimmia di Chiusi.

in prevalenza di esuli veienti, non avevano voluto lasciarsi sfuggire l'occasione di occupare alcune terre del distretto cittadino. I soldati romani rifugiatisi nella fortezza sul Crèmera « li guardavano vagare per il territorio, osservando anche il loro campo nelle vicinanze di Veio ». Altri etruschi s'erano acquartierati presso le saline.

Le notizie liviane lasciano chiaramente capire che non si trattava di una vera e propria spedizione militare. La guarnigione di Veio dominò le bande etrusche senza sforzo: in due sortite notturne i romani le liquidarono, « quindi ritornarono a Veio lieti della doppia vittoria ».

Il resto dell'Etruria però, non toccato dai celti grazie alle salde città fortificate, non s'era mosso quando Roma, sconfitto e distrutto il suo esercito, messa a ferro e fuoco essa stessa, si trovò del tutto impotente e senza soccorso. Come i Lucumoni non avevano toccato le armi quando le legioni romane avevano cinto Veio di un assedio mortale, così, venuto il momento favorevole dopo la catastrofe dell'Allia, non intrapresero azione di sorta per strappare a Roma i territori confiscati.

Che grande, unica occasione si lasciò sfuggire la Lega! Gli etruschi non seppero uscire dalla loro natura, dal loro particolarismo che ostacolava ogni unità e unificazione delle città-stato.

Come avevano agito diversamente i greci un secolo prima per raccogliersi a un'azione comune! Quale splendido esempio avevano offerto al mondo in una situazione difficilissima e apparentemente disperata! L'esercito unito di un manipolo di città greche aveva piegato la potenza mondiale persiana, riuscendo, con lo sforzo inaudito di tutte le truppe, a respingere l'urto dell'Oriente e ad assicurare così la loro indipendenza.

Non altrimenti avevano reagito, sei secoli avanti, sull'altra sponda del Mediterraneo, le dodici tribù d'Israele, unite anch'esse dapprima – come i dodici popoli etruschi – in una lega sacrale attorno a un tempio, nella fede in Jahvè, simboleggiata dall'Arca Santa; ma la minaccia dei Filistei, che si erano buttati a occupare la loro terra, aveva dimostrato la necessità di un'alleanza politica più salda. Perciò, pur fra molte esitazioni e riluttanze, le dodici tribù rinunciarono alla propria autosufficienza e indipendenza, scegliendosi, nell'ora del supremo pericolo, un re e sottomettendosi a esso. In questo modo salvarono se stesse, il loro paese e il loro bene maggiore: la loro fede.

L'Etruria invece non s'affrettò a imitare nessuno dei due esempi, così che inarrestabile si delineò la china per la quale avrebbe d'ora innanzi preso a rotolare...

Più rapida del previsto fu la ripresa di Roma, la quale, con indomita energia, si rivolse all'antica politica, decisa a non rinunciare a un'unghia dell'antica posizione di potenza e a non abbandonare neppure una delle sue precedenti alleanze o conquiste.

La catastrofe dell'Allia aveva non solo interrotto i primi sviluppi di politica estera, ma fatto altresì vacillare le basi della sua posizione di potenza. I latini, non sentendosi più obbligati verso una Roma indebolita e vergognosamente battuta, denunciavano l'antico patto; contemporaneamente, si sollevarono anche altri popoli vicini. Così, apprendiamo, « sorse una terribile guerra verso l'esterno: quella contro i volsci, a cui si unì la defezione di latini ed ernici ».

Le forze romane impegnate nel sud offrivano all'Etruria l'occasione buona per spezzare il pericoloso cuneo inserito dai romani, dopo la caduta di Veio, molto profondamente di là dal Tevere nell'antichissimo territorio etrusco.

Roma, molto accortamente, aveva provveduto a rafforzare dal punto di vista strategico il neo-conquistato bastione verso nord « mediante una lega con le città falisce di Sutri e di Nepi ». Non vi poteva esser scelta migliore di questa: per usare le parole di Livio, con questi due baluardi si avevano in mano « le porte e le chiavi dell'Etruria ».

Ancor oggi, la strada da Roma al cuore dell'Etruria passa per la stretta di Sutri. Fra le due località non vi sono neppure cinquanta chilometri in linea d'aria, eppure sembra un viaggio in un altro mondo. Passando davanti alle rovine di Veio l'antica via Cassia attraversa prima una zona quasi piana ancora, piacevole anche se monotona; poi il quadro muta: si aprono strette spaccature, profondamente incise e solcate da torrenti selvaggi. Dirupati, bizzarri zoccoli tufacei color rosso-bruno emergono dal paesaggio, in cima ai quali si arroccano pittorescamente piccoli borghi. Comincia il paesaggio vulcanico dell'Etruria meridionale: selvaggio, spezzato, frastagliato, modellato da forze primitive fin da tempi immemorabili e nuovamente foggiato da torrenti e acque impetuose, scanalato a formare un singolare scenario.

Cinto dai monti sta a sinistra, simile a un vecchio specchio di metallo ingiallito, il lago di Bracciano nel cratere di un vulcano spento. Venti chilometri più a nord, ai piedi del monte Venere, circondato dalle gobbe dei monti Cimini, spunta un altro lago vulcanico, quello di Vico. Sutri sta proprio sulla retta che unisce i due laghi;

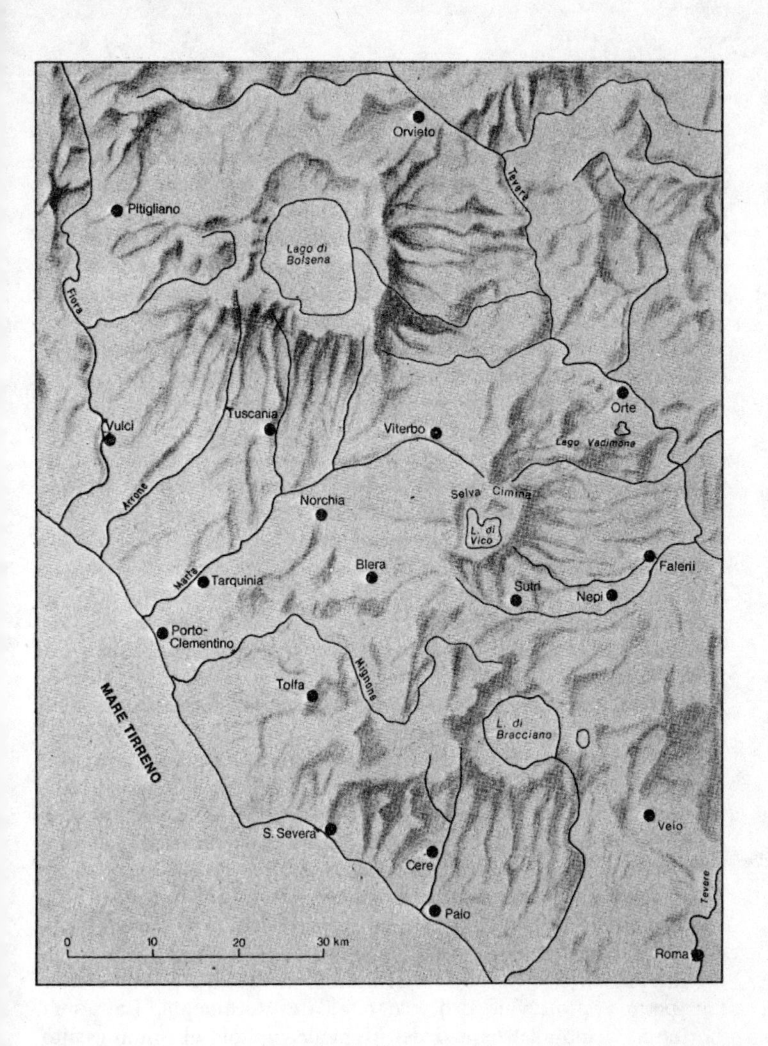

Etruria meridionale. Il paesaggio delle città-stato meridionali è modellato dalle forze vulcaniche; laghi riempiono crateri un tempo giganteschi. In questa zona, dove sorgevano con Tarquinia Cere e Vulci le lucumonìe più antiche, si svolsero, dopo la caduta di Veio nel 396 a.C., le accanite battaglie con le legioni romane che si spingevano verso nord in spedizioni di conquista. Intorno al lago di Vico, la famosa Selva cimina.

a una buon'ora di strada, verso l'interno e il tortuoso corso del Tevere, Nepi.

Sutri sta appollaiata, a guisa di rocca, sopra un piano roccioso tra profonde fenditure che attraversano la piana in ogni direzione. Rupi scoscese, rafforzate ulteriormente da mura, le forniscono una protezione sicura. Anche Nepi, cinta da ripide gole, è in posizione di difficile accesso. Entrambe le località sembrano naturalmente predestinate a far da baluardo e da fortezze di confine, da porta di entrata e di uscita verso i quattro punti cardinali. Chi le dominasse, aveva aperta la via a ovest, in direzione del mare, per la valle del Mignone, verso la potente Tarquinia; a est, verso Falerii, l'odierna Civita Castellana, che controllava il traffico del corso superiore del Tevere; verso nord, superati i boscosi monti Cimini, nel cuore dell'Etruria.

Marco Furio Camillo si era messo in marcia nella regione con truppe di nuova leva, contro i Volsci, lasciando una retroguardia per assicurare il passaggio del Tevere. Le truppe etrusche attaccarono battaglia; non le truppe dell'Etruria intera, perché solo Tarquinia ne aveva mandate: messo in pericolo il suo territorio dalla cintura di sbarramento romana, sperava di poter sfidare Roma da sola con un colpo di mano.

Assediata Sutri e intimatale la resa, gli abitanti non piegano, ma inviano celermente e segretamente messi a Roma per chiedere rinforzi. La città glieli promette, ma l'aiuto così necessario e urgente non arriva. Camillo infatti è troppo impegnato contro i volsci per poter marciare ora verso il nord.

Nel frattempo, a Sutri il vettovagliamento viene a cessare, e la città è costretta ad arrendersi per fame. Un lungo corteo di esuli fugge verso Roma: a mezza strada, però, s'imbatte in Camillo, liberatosi finalmente dall'altro teatro di guerra. Con lui arriva, quando tutto sembra ormai perduto, la salvezza: affrettatosi a Sutri, il dittatore l'assale, facendo prigionieri gli etruschi colti di sorpresa.

Nello stesso anno (387) Tarquinia sperimenta il pesante braccio di Roma: uno dei due eserciti consolari penetra improvvisamente nel suo territorio, dirigendo il suo attacco contro due rocche di confine poste a protezione dell'accesso all'area tarquinate. La prima, Cortuosa, vicino alle sorgenti del Mignone capitola al primo assalto.

Le truppe romane, avvicinatesi col favor della notte in perfetto silenzio alla città, aprono le ostilità alle prime luci dell'alba. La sorpresa riesce, e Cortuosa viene saccheggiata e data alle fiamme. A Contenebrae, invece, l'avvicinarsi dei legionari viene scoperto, cosicché, dato l'allarme, si può organizzare la resistenza.

Non disposti a impegolarsi in un assedio di lunga durata che impegnerebbe truppe assolutamente indispensabili altrove, i romani scelgono un'altra strategia d'attacco. Diviso l'esercito in sei unità capeggiate ciascuna da un tribuno militare, danno l'ordine di attaccare senza sosta le mura nell'unico punto accessibile. Ogni scaglione romano deve restare in prima linea per quattro ore, quindi gli viene dato il cambio: in tal modo gli assediati sono costretti a restare notte e giorno sulle mura per respingere o abbattere le file che continuano a rinnovare gli assalti. A un simile sistema di attacco a oltranza gli abitanti della città non sono abituati, così che, in capo a pochi giorni, le loro ultime forze sono esaurite.

E i romani piombano nell'interno e si danno al saccheggio.

La rapida caduta delle due rocche fu un grave colpo per i tarquinati. La loro linea difensiva, che si stendeva in ampio arco lungo i monti della Tolfa e i Sabatini fino alla Selva cimina, era sfondata; libera e incontrastata ormai ai romani la via nel loro territorio. Una sola rocca restava a proteggere la strada verso l'interno: Luni, che però, in caso d'assedio, avrebbe resistito poco. I tarquinati l'avevano costruita su una rupe soltanto all'indomani della caduta di Veio, ma troppa era stata la fretta, della quale testimoniano ancora oggi, vicino alla stazioncina di Monte Romano, i resti di mura messe insieme alla rinfusa con blocchi tufacei di varia misura.

In vista della seria minaccia, Tarquinia prepara la controffensiva. Stavolta non è sola, perché si è fatti alleati i falisci ai cui confini stanno accampate, dalla caduta di Veio, truppe romane di guardia; stavolta vengono prima spediti messi a Sutri e a Nepi, camuffati da mercanti, per preparare con cura il terreno. Questi avviano trattative coi cittadini ostili ai romani, i quali avrebbero il compito, durante l'assedio, di ricevere nelle due rocche i distaccamenti etruschi. Allo scopo, poi, di impegnare le forze nemiche contemporaneamente su due fronti, Tarquinia manda legati anche ai volsci. E anche questa ambasceria raggiunge l'intento: i volsci, già di per sé furiosi contro Roma, si dichiarano pronti a scender in campo nello stesso istante degli etruschi.

Nel giorno stabilito, i volsci si sollevano, mentre gli etruschi, venendo dai monti Cimini, piombano di sorpresa su Sutri e Nepi, impadronendosi degli avamposti di entrambe le fortezze. A Nepi tutto procede come stabilito: con l'aiuto dei loro alleati segreti, gli etruschi riescono a entrare in città. A Sutri invece il colpo di mano fallisce, perché la guarnigione locale – costituita esclusivamente da romani e da fedeli alleati di Roma – sventa il tentativo di resa e oppone resistenza. Si viene all'assedio; ma, poco dopo, arriva dal sud la notizia che Furio Camillo, inviato subito dal senato nella terra dei volsci, è riuscito a domare fulmineamente la rivolta di quel popolo e a marce forzate si avvicina all'Etruria.

Notabili della città di Chiusi in vivace discussione durante una riunione di consiglio. Due reggono il bastone pastorale, simbolo del sacerdozio; un terzo, una lunga asta o uno scettro. Tutti hanno preso posto su sgabelli pieghevoli. Frammento di un cippo, primo quarto del V secolo a.C.

Massacrati gli assedianti etruschi, Sutri viene liberata. Nepi invece rifiuta di aprire le porte a Camillo. Etruschi e locali si gettano nella lotta, ma i romani riconquistano d'impeto anche questa fortezza. Il senato ordina una rappresaglia esemplare: e Camillo fa decapitare sul posto tutti gli abitanti traditori.

L'intera estremità meridionale del territorio fra il Tevere e la Selva cimina era di nuovo in mano romana. E, diceva Seneca: « Dovunque Roma vince, vi si tiene salda. »

Dopo la catastrofe gallica già Roma aveva istituito quattro nuove tribù sull'ex territorio di Veio; nel 383 furono inviati nell'area di Nepi e di Sutri veterani delle guerre latine, e furono rafforzate le fortificazioni delle due rocche di confine. Da questo momento, questa fertile striscia, popolata ora di coloni romani, si avvia irresistibilmente e a gran passi verso una romanizzazione completa.

« Uno dei paesaggi dove la natura rivaleggia in perfezione con l'arte, » definì il Dennis la zona di Nepi. Una località cinta da romantiche forre, nelle quali mormorano cascate tumultuose, sovrastata in lontananza dalla cresta dentata del Soratte; una tranquilla cittadina di campagna, oggi, i cui abitanti fanno seccare le pannocchie di granturco al sole sul tetto delle case o in strada, e dove sorgono tuttora resti delle mura prese d'assalto dai soldati di Camillo, sfondo di antichissime rovine e teatro di accanite battaglie. Chi mai le visita oggi! La fiumana motorizzata degli stranieri sfreccia lontana di qui sull'autostrada del Sole. Piuttosto, ogni tanto, venendo da Roma sulla Cassia, uno straniero sosta presso la vicina Sutri, per visitare il luogo natale del prefetto romano Pilato. Sul luogo della città falisca sorge una cittadina medievale che ne ha conservato il nome. Resti delle antiche mura cittadine testimoniano dei remoti fatti d'armi, e una delle porte – la Furia – conserva ancora nel nome il ricordo dell'invincibile avversario degli etruschi, pronto a sventare ogni loro tentativo di lotta per la loro terra: Furio Camillo.

LA SPEDIZIONE PREDATORIA DI DIONISIO

Le disgrazie non vengono mai sole. Non sono ancora medicate le ferite della fallita impresa di Tarquinia, che l'Etruria viene colpita, del tutto inaspettatamente, da un altro grave colpo, questa volta non sferrato da Roma. Al rovescio nell'interno segue, come effetto, una non meno dolorosa perdita sulla costa: Cere, la grande città-stato vicina di Tarquinia, con il grande porto di Pyrgi, cade vittima di un attacco corsaro greco condotto con grande superiorità di naviglio.

Siracusa non aveva dimenticato l'aiuto prestato dall'Etruria ad Atene durante la guerra siciliana del 414-413; né aveva dimenticato o perdonato alle varie città etrusche di aver offerto appoggio ad Alcibiade e alle sue unità, inviando a combattere contro di lei, nello schieramento attico, le loro quinqueremi da guerra.

A trent'anni di distanza, dopo lunghe e vittoriose battaglie contro Cartagine avida di impadronirsi della parte greca della Sicilia, Siracusa è al vertice della sua potenza, e si è spinta fuori dell'isola per attaccare l'Italia meridionale, ad opera di un sol uomo bramoso di gloria: il tiranno Dionisio I. Ma i preparativi e la condotta della guerra, e un dispendioso programma edilizio, hanno rovinato le finanze. Un esercito permanente di ottantamila uomini, una gigantesca flotta di trecento grandi legni da guerra, la fortificazione di

Siracusa con alte mura di blocchi squadrati, e non ultima la pompa e il fasto della corte, con spettacoli teatrali e ospiti illustri come Eschilo e Platone, hanno inghiottito somme enormi.

Non esisteva ancora una banca mondiale a cui domandar credito, e restava quindi un solo tipo di autoapprovvigionamento in denaro: la rapina. L'oggetto su cui esercitarla fu presto trovato: l'Etruria, alla quale, anche se un po' in ritardo, si faceva scontare la lotta a fianco di Atene. E poi a Siracusa si ricordava fin troppo bene quanto avessero reso le scorrerie di un secolo prima contro l'Elba, la Corsica e le coste etrusche.

Il pretesto non mancava certo al tiranno privo di scrupoli: gli etruschi, egli affermava, continuavano a esercitare la pirateria ed erano un pericolo per la navigazione pacifica.

Per metter fine a queste malefatte, « Dionisio il Vecchio mandò in Etruria una possente flotta da guerra ». A centinaia escono dal porto di Siracusa le triremi in rotta verso nord. Simili a uno stormo di avidi uccelli da preda, esse trascorrono le coste del Lazio e la foce del Tevere, per dirigere subito dopo, allo spuntare della prima città etrusca, le prore verso terra. Ancoratesi, vomitano sulla terraferma schiere di mercenari pesantemente armati.

Scena di processione. In testa, un uomo barbuto con arco e frecce, seguito da una figura muliebre con un ramoscello e da un uomo con una lancia. Tutti e tre sono vestiti solennemente e portano calzature con la punta ricurva. La piastra di terracotta dipinta della fine del VI secolo a.C. ornava probabilmente un edificio pubblico o privato di Cere.

La città-stato di Cere subisce tutto l'impeto del primo attacco, ritraendone grave danno. Nessuno delle tre piazzaforti e porti marittimi viene risparmiato: Alsium, Punicum e Pyrgi vengono distrutte e depredati i loro depositi stipati di merci preziose. I Siracusani non arretrano neppure davanti al famoso tempio di Leucotèa, la dea protettrice della gente di mare e dei porti. Il tempio viene spogliato, arraffati tutto l'oro, l'argento e gli oggetti preziosi che si riesce a scovare e caricati sulle navi da guerra. Smisurate erano le ricchezze del suo tesoro, strapiene dei doni e delle offerte più costose: solo il bottino del corredo d'oro e d'argento doveva ascendere a mille talenti, e altri cinquecento ne rese la vendita dei prigionieri e degli altri oggetti saccheggiati.

Il teatro dell'attacco siracusano è stato riscoperto solo recentemente. A cinquantadue chilometri a nord di Roma, la via Aurelia passa per la piccola località balneare di Santa Severa, distante, in linea d'aria, circa tredici chilometri dall'antica Cere. Sulla spiaggia si erge, bagnata dalla risacca, la massiccia torre rotonda di un castello medievale. Chi passi sul mare in questo punto, scorge sul fondo, attraverso l'acqua cristallina, possenti blocchi squadrati, i resti dell'antico molo del porto principale di Cere. Il castello sorge esattamente sul suolo dell'antica città marinara. L'eterno battere dell'onda ha eroso a poco a poco il fronte della spiaggia, avanzando sempre più nel corso dei secoli, così che la costa è molto più indietro rispetto ad allora.

Quando negli anni cinquanta, nel quadro della riforma agraria, le scavatrici meccaniche rivoltarono profondamente il terreno attorno a Santa Severa, venne in luce una quantità di cocci d'argilla. Un pezzo in particolare mise in allarme gli etruscologi: una testa maschile con barba, dipinta a vari colori, in stile tardo arcaico. La terracotta in questione non sembrava provenire da una necropoli, ma era visibilmente un pezzo ornamentale del tetto di un tempio. La supposizione si rivelò esatta; dopo un'indagine accurata, si scoprirono le fondamenta di un tempio importante. Liberatele dai detriti, si vide che il pavimento era costituito da lastroni squadrati a regola d'arte. Il tempio misurava ventiquattro metri di larghezza e trentaquattro di lunghezza, e possedeva tre celle; sul davanti, un grande atrio con tre file di colonne, come nel tempio di Giove Capitolino.

Nelle sue immediate vicinanze, gli scavatori trovarono i resti distrutti di un intero gruppo di figure di terracotta, rappresentanti la lotta degli dei coi giganti: Atena, Zeus e un dio ignoto con la barba, in lotta con un gigante. La ricerca rivelò che le statue dovevano esser state incendiate nella prima metà del v secolo a.C., probabilmente verso il 460. Dopo aver ornato per quasi un secolo il frontone del tempio, erano state ridotte in cenere dai mercenari siracusani.

Devastati i porti di Cere, la flotta greca fece rotta per la Corsica; dove, cacciati tutti gli etruschi, Dionisio fece installare a ricordo un porto, il Porto Siracusano. L'odierno Porto Vecchio pare sia sorto sopra un precedente insediamento etrusco. Questa aggressione segnò la fine del dominio etrusco sulla Corsica.

La ricca città marinara di Cere non riuscì più a riprendersi dei danni patiti dalla sua economia in seguito alla spedizione siracusana. Il suo tempo era ormai passato; i suoi porti, anche se ricostruiti, non videro più il traffico vivace di navi straniere e locali, che qui venivano un tempo ad ancorarsi. Mancava anche la protezione armata di navi da guerra proprie.

Il fatto poi che alla spedizione piratesca greca non venisse opposta la minima resistenza dimostra chiaramente che la talassocrazia etrusca, un tempo tanto ammirata e temuta, apparteneva già al passato. Il blocco totale del mare non toccò seriamente solo Cere e le altre città-stato costiere, bensì anche le lucumonìe dell'interno, facendosi sentire sulla loro economia, industria, artigianato e commercio. Esso chiudeva con violenza una porta molto importante, aperta da secoli verso l'estero. Con la paralisi totale del commercio marittimo sul Tirreno le rilevanti entrate di importazioni ed esportazioni vennero a cessare.

In quell'anno 384, i sacerdoti etruschi appresero, a quanto si tramanda, dagli arcani segni degli dei, la fine della quinta era della loro nazione: la quarta cominciava sotto tristi auspici...

I DANZATORI ETRUSCHI CONTRO LA PESTE

A trent'anni dalla sconfitta dell'Allia giunge a precipitare i romani « in grande terrore » la notizia che i galli sono di nuovo in marcia verso sud. Fra la massima sorpresa « sorse improvvisa la voce dello scoppio di una guerra gallica, che indusse i cittadini a nominare dittatore Quinto Servilio Ahala ». Questa volta lo scontro avviene non solo alle porte di Roma, ma nella zona dei colli Albani. « Migliaia di barbari caddero in battaglia e migliaia furono uccisi quando si conquistò il loro accampamento. Il resto fuggì per lo più in Puglia, sottraendosi al nemico con la fuga e disperdendosi in ogni direzione. »

Anche questa invasione celtica percorse all'andata e al ritorno l'Etruria: facendo sperimentare per la seconda volta alle sue città e campagne, col passaggio di orde di armati, aggressioni, ruberie di bestiame e di raccolti, saccheggi e incendi. Ma nulla ci è giunto di quanto accadde allora fra il Tevere e l'Arno; Roma tramandava solo quanto la riguardava personalmente.

Danzatrice etrusca sontuosamente vestita. Sopra un finissimo chitone trasparente, uno scialle colorato a mo' di mantello preziosamente trapunto, inoltre i sandali, un'ampia collana e braccialetti. La posizione delle mani ha un significato rituale ignoto. Disegno del XIX secolo da un affresco nella Tomba del Triclinio di Tarquinia.

Nel 364 a.C., tre anni dopo la vittoria sui celti, l'urbe fu colpita da un grave flagello: la peste, che si portò via i cittadini a migliaia. Invano si cercò di porre un argine all'infuriare del morbo mediante un lettisternio « per cattivarsi il favore degl'immortali. Nessun mezzo umano o aiuto divino riuscì a fermarne la violenza ». Provati senza esito tutti i rimedi, ci si ricordò degli etruschi. Non conoscevano forse speciali « giochi espiatori contro l'ira degli dei », danze mimiche dove non si dava canto alcuno e nessuna rappresentazione del contenuto?

Così si fecero venire istrioni dall'Etruria: cosa assolutamente nuova per un popolo guerriero avvezzo sin qui ad assistere soltanto a giochi nel circo, nota giustamente Livio. Come la musica e il canto non furono mai veramente curati presso i romani, popolo del tutto privo di senso artistico, così anche la danza si opponeva alla *gravitas* latina. Se mai facevano della musica, si limitavano ad alcuni strumenti a fiato, il corno ereditato dagli etruschi; e soprattutto la tromba militare.

Si ebbe così nella città sul Tevere la grande « prima » di un corpo di ballo etrusco. I romani assistettero a bocca aperta allo spettacolo esotico, notando, come prima impressione: « Senza canto, senza voler esprimere coi gesti un contenuto, gli istrioni fatti venire dall'Etruria eseguivano, con eleganti movimenti, danze accompagnate da un flauto ».

Le figure dei danzatori etruschi che vediamo pervase da capo a piedi di gioiosa armonia negli affreschi e sugli specchi, nelle terrecotte e nei bronzi, ci danno, pur mute e fermate a mezzo del movimento, come un pallido esempio della loro capacità artistica. Ci appaiono come in *trance*, in preda al ritmo di un mondo di arcana magia. Gli esperti che hanno studiato queste scene di danza, non han trovato nulla di simile nelle danze di altri popoli: esse sono tipicamente etrusche, un mistero di più tessuto intorno a questo popolo.

L'Etruria era di nuovo maestra di Roma, poiché « la cosa trovò buona accoglienza e si migliorò con l'esercizio », nota Livio; il quale ci informa altresì che « in etrusco l'attore è detto *hister* ». E fu così che gli epìgoni romani ebbero il nome *histriones*.

Romani che ballano? « Nessuno danza da sobrio », si lascia sfuggire ancora Cicerone « a meno che non sia fuori di senno. » Come stupirsi che la importazione etrusca, vista in quell'occasione e « migliorata con l'esercizio », divenne poi tutt'altro presso un popolo di soldati e di contadini! I romani, seguendo il loro gusto, fecero di un'antichissima danza magico-cultuale una solenne buffonata popolare: i giovani, che imitavano gli etruschi, presero a recitare versi liberi e scherzosi. Il vero gusto del mimo venne loro solo alcuni secoli dopo, in epoca imperiale, ma non per ragioni magico-cultuali o estetiche, bensì per la moda allora in voga praticata nei palazzi dei ricchi degli spettacoli da tabarin, come puro stimolante erotico.

La nuova importazione etrusca non servì però contro la peste di quel 364: « I giochi », si dovette malinconicamente ammettere, « non placarono le sofferenze del corpo. » Tuttavia anche in un'altra evenienza si ricorse, nella città tiberina, a un antichissimo uso etrusco: « Avendo il Tevere, uscito dagli argini, allagato l'ippodromo interrompendo i giochi nel bel mezzo, la gente si spaventò molto, convinti che gli dei fossero divenuti ostili e ripudiassero persino i mezzi scelti per placare la loro collera. »

Stavolta ci si ricordò di un uso già attinto un tempo dagli etruschi ma poi da lungo caduto in oblio: quello di piantare un chiodo nel tempio di Giove Capitolino; i vecchi si rammentavano che già una volta la peste era stata placata per l'appunto piantando un chiodo e vollero provare di nuovo.

Ogni anno, durante le feste panetrusche nel *Fanum Voltumnae*, il massimo dignitario etrusco piantava solennemente un chiodo nel sacrario di Norchia. L'annalista Cincio Alimento, che si recò un giorno a visitarlo, informa che in questo modo si sarebbero contati gli anni. Chiodo su chiodo s'allineavano nel tempio sulla parete della divinità; ma, secondo l'idea etrusca, a codesto calendario metallico era connesso un profondo e fatale significato. Ogni chiodo infatti non designava soltanto la fine di un altro breve periodo nella vita del popolo, ma raffigurava anche l'irrevocabilità e la limitatezza di ogni evento ed esistere umano. Nei chiodi annuali si scorgeva l'inarrestabile corsa del tempo, che implacabile s'affrettava incontro al sicuro e già prefissato tramonto, dell'individuo come della nazione.

Anno dopo anno, i convenuti nel Fanum Voltumnae vedevano farsi più piccola la superficie libera da chiodi sulla sacra parete del tempio; sapevano che, quando fosse tutta riempita, sarebbe venuta anche l'ultima ora del *nomen Etruscum*.

Questa concezione non era meno presente nella vita quotidiana. Anche quando le belle delle ville eleganti s'adornavano per la festa o il convito nella cerchia degli amici, dovevano essere richiamate alla caducità della vita, come rivela uno specchio bronzeo della fine del IV secolo scoperto a Perugia, posato un tempo sulla toilette di una etrusca di rango. Il retro del disco di metallo polito reca figure della leggenda greca, ampiamente conosciuta presso gli etruschi; furono essi a trasmetterla ai romani – la prima lezione umanistica – ben prima che questi conquistassero la Grecia.

Durante una caccia in Etolia, si narrava nell'Ellade, Meleagro aveva un giorno ucciso un enorme cinghiale che infestava i dintorni della città di Calidone. Ci era però riuscito solo perché la cacciatrice Atalanta lo aveva già gravemente ferito nella macchia con la sua lancia. Meleagro allora, preso di amore, regalò la pelle dell'animale alla vergine coraggiosa. Seguì una contesa in cui Meleagro uccise due zii che invidiosi di Atalanta le avevano sottratto il trofeo. Questa uccisione egli doveva scontarla con la vita. Sua madre infatti aveva tolto dal focolare e custodito gelosamente un tizzone, dopo aver appreso da un vaticinio che suo figlio sarebbe vissuto fin quando fosse durato quel legno. E ora, adirata per quel fatto di sangue, lo rigettò nel focolare: caduto il tizzone in cenere, anche Meleagro trasse l'ultimo respiro.

All'artista etrusco creatore dello specchio – uno dei più grandi e di maggior bellezza mai trovati – la leggenda straniera diede solo lo spunto per un altro vaticinio importante. Armata di lancia, la giovane e coraggiosa compagna di caccia siede accanto al famoso cacciatore innamoratosi follemente di lei. È l'istante successivo all'uccisione del cinghiale: eppure non v'è gioia nei due visi, i cui occhi sono come fissi. Poiché ora il destino prende il suo corso. Alta e dritta si erge al loro fianco la dea del fato – Athrpa –, le ali ancora

La cerimonia del chiodo del destino, che si compiva annualmente nel sacrario di Nortia durante le feste panetrusche nel tempio di Voltumna. Retro del cosiddetto specchio bronzeo di Athrpa, da Perugia, fine del IV secolo a.C.

spiegate come se fosse appena giunta. Il suo sguardo fissa penetrante il giovane. Nella sinistra levata in alto tiene un chiodo; nella destra, il martello pronto a battere. Nulla può più ostacolare ciò che è irrevocabile, predestinato. Athrpa è Nortia, che simbolicamente guida l'inarrestabile corso degli anni e degli eventi.

Anche nella città tiberina si fece allora quello che i fedeli radunati nel tempio di Voltumna vivevano ogni anno. I romani, preoccupati di non sbagliare nulla, curarono tutti i particolari del sacro rito; e poiché presso gli etruschi solo il massimo dignitario poteva attendere al compito, « il senato decise di nominare un dittatore per piantare il chiodo ». Ancora in epoca imperiale, un'iscrizione del tempio di Giove Capitolino ricordava questa particolare usanza di importazione etrusca: sulla parete destra della cella di Giove (che la separava da quella adiacente di Minerva) si poteva leggere, scritto in lingua e caratteri arcaici, che toccava al *praetor maximus*, cioè il sommo magistrato, piantare di volta in volta un chiodo alle Idi di settembre.

Non si addivenne però mai sul Campidoglio a una usanza regolare di piantare chiodi come in Etruria; poiché i romani, non afferrando il significato più profondo del culto, si tennero pedissequamente alla prescrizione etrusca che soltanto il detentore del sommo potere compisse l'azione. E Roma, normalmente retta da due consoli, nominava un dittatore solo nei momenti del bisogno.

TARQUINIA SFIDA ROMA

Una generazione era stata necessaria perché Roma ristabilisse la sua posizione di potenza, severamente scossa dopo la catastrofe dell'Allia, di fronte ai latini e alle altre popolazioni a sud del Tevere scese in rivolta. Dopo una dura lotta condotta senza risparmio di forze, aveva raggiunto l'obiettivo: nel 358 poté venir rinnovato il trattato coi latini e gli ernici con cui si ristabiliva la sua egemonia. Nello stesso anno le riuscì anche di stringere un'alleanza coi bellicosi e inquieti sanniti nel meridione.

In tutti questi anni la tradizione romana non fa parola dell'Etruria, silenzio indicativo della calma regnante nella terra della Lega dei dodici popoli.

Solo ora che Roma ha le mani di nuovo libere divampa a un tratto la rivolta nel territorio di confine verso nord; gli etruschi riprendono le armi per riconquistare le città loro sottratte.

Improvvisamente « i tarquinati percorrono saccheggiando l'agro romano, soprattutto nella zona di confine con l'Etruria ». Roma, sdegnata per l'inattesa aggressione che diffuse grande terrore per la pianura, chiese soddisfazione: non avendola ottenuta, dichiarò la guerra. Ma il console Caio Fabio, mandato a domare la rivolta, non seppe prendere in pugno la situazione: troppo acerba era la rabbia accumulatasi negli etruschi contro i romani. E quando i tarquinati riuscirono a battere in uno scontro le truppe consolari, si abbandonarono a una orribile vendetta, massacrando pubblicamente sulla piazza del mercato della loro città trecentosette prigionieri romani.

L'attacco iniziale di una singola città, si allargò ben presto in una rivolta a raggio sempre più vasto. L'esempio tarquinate trascina alle armi anche i vicini falisci; cosicché l'anno seguente il console Marco Fabio Ambusto, incaricato della condotta della guerra, si trova di fronte l'esercito unito dei due alleati.

Al primo scontro, gli etruschi che si battono come furie riescono a mettere in fuga i nemici. « Da principio falisci e tarquinati sconfissero il console, » informa Livio, spiegandone anche il motivo. Si era cioè ripetuto quanto era già accaduto alla battaglia di Fidene: « Un grande terrore sorse quando i loro sacerdoti si fecero sotto come furie, con serpi e fiaccole ardenti; e i soldati romani, all'insolita vista, furono presi da tanto spavento che l'intero spiegamento vacillò per un attimo, e quindi tutti, come inseguiti dagli spettri, si precipitarono nelle trincee. » Le immagini su innumerevoli tombe e sarcofaghi ci danno una idea di codesta mascherata intesa a incuter paura: così infatti apparivano nelle rappresentazioni etrusche i dèmoni del mondo infero, che accompagnavano il morto nel suo ultimo viaggio: figure sinistre, che vibrano il martello e hanno serpenti nelle mani. Ma il terrore provocato nei romani dalla inattesa apparizione delle inquietanti figure dei sacerdoti fu ben presto superato. Infatti quando « il console e gli ufficiali d'ogni grado presero a dileggiarli gridando che si comportavano come fanciulli di fronte a una mascherata, la vergogna restituì loro il coraggio, ed essi si riversarono con impeto contro quelle medesime apparizioni dinanzi alle quali erano fuggiti ». Non avevano finito di strappare la maschera al nemico e di buttarsi sugli armati, che tutta la linea fu costretta alla fuga; così che in quello stesso giorno conquistarono l'accampamento e se ne tornarono vincitori e carichi di bottino, fra ogni genere di scherzi e di motteggi sullo stratagemma nemico e sulla loro propria paura.

La notizia del cattivo esito del combattimento fu un segnale per l'intera regione: tutti gli etruschi si sollevarono.

Venne allora progettato un altro piano di battaglia. Scartata l'idea di uno sfondamento fra il lago di Vico e quello di Bracciano, protetto dalle piazzeforti di Sutri e di Nepi dove stavano pronte forti unità romane, si decise di sorprendere il nemico per altra via nel suo stesso territorio: mediante un'abile manovra di accerchiamento lungo la costa.

Messi segreti s'affrettarono a Cere, per il cui territorio sarebbe dovuta avvenire l'avanzata, per informare di tutto quelli dei capi cittadini che si sapevano fidati e ostili ai romani. Al loro ritorno, si seppe che Cere, pur non potendo far nulla ufficialmente, si impegnava a non ostacolare minimamente l'impresa dei compatrioti, anzi ad appoggiarla in segreto secondo le sue forze.

Questa volta la fortuna della guerra sembrava dalla parte degli etruschi. La sorpresa riuscì: « Guidati da tarquinati e falisci, gli etruschi giunsero fino alle saline. »

La notizia della comparsa di forze nemiche alla foce quasi indifesa del Tevere presso Ostia, e voci che « la zona delle saline era stata messa a sacco e una parte del bottino trasportata nel territorio di Cere, soldati della quale erano stati pure presenti, senza combattere, al fatto » piombarono Roma nel massimo allarme. Pronta fu la sua reazione.

Caio Marcio Rutilo, nominato dittatore in vista del pericolo, uscito dalla città, traghettò l'esercito ora su questa ora sull'altra riva del Tevere dovunque sentisse notizie del nemico, e piombò su alcune pattuglie che saccheggiavano la zona. Con un attacco di sorpresa conquistò inoltre il loro accampamento, facendo ottomila prigionieri e uccidendo o cacciando il resto dei nemici dall'agro romano. I *fasti triumphales* dell'anno 366 hanno conservato il ricordo di questa vittoria *de Tusceis.*

Alta sopra il letto scosceso del fiume Marta si leva la rupe tufacea sulla quale sorgeva un tempo Tarquinia, la città-madre dell'Etruria antica. A destra, in primo piano, l'ingresso di una tomba. (Disegno di James Byres del 1750.)

Le tre città-stato dovevano pagare il fio della loro azione. Nel 354, il console Caio Sulpicio Patico guidò le sue legioni in azioni punitive nel territorio di Tarquinia, con l'ordine preciso di sequestrare come risarcimento di guerra tutto il bestiame e i raccolti, e di devastare la zona in lungo e in largo.

Le truppe etrusche si gettano disperatamente contro i romani che fanno « terra bruciata » della loro patria, ma invano. Troppo inferiori di numero, vengono sconfitte; e « su Tarquinia gravò un severo giudizio ». A punizione dello sterminio dei trecentosette legionari prigionieri, Roma decretò un terribile esempio: « Dopo che molti etruschi furono uccisi in combattimento, vennero scelti dal grande numero dei prigionieri i trecentocinquantotto più nobili da mandare a Roma: il resto fu passato per le armi. » Ma anche quelli inviati nell'urbe non ricevettero un trattamento diverso, perché furono tutti sferzati e decapitati nel foro dal popolo. Così si ricambiò il nemico per il sacrificio dei romani nella piazza del mercato di Tarquinia.

Roma non conosceva pietà; per il senato valeva solo – e così fu per anni – la legge del taglione. Mentre « il territorio tarquinate veniva devastato dal console Sulpicio », le legioni del console Quintilio marciavano, sempre distruggendo e saccheggiando, nel territorio falisco. E anche quando non incontrarono più resistenza in alcun luogo, proseguirono imperterrite negli atti di terrorismo. « Poiché il nemico non si schierava più a battaglia in nessun luogo, esse

Danzatore nella casa addobbata a festa di un ricco etrusco. Le pareti e gli alberelli sono decorati di serti variopinti e di drappi di lana. Sopra e sotto una tavola di bronzo, vasi preziosi: al centro, un grande cratere per mescolare acqua e vino, accanto due vasi a figure nere; sotto, coppe a doppio manico. Affresco del V secolo a.C. nella Tomba dei Vasi Dipinti di Tarquinia.

proseguirono la guerra più con la regione che con gli esseri umani, mettendo tutto a ferro e fuoco; finché il dissanguamento per tale serpeggiante consunzione non piegò la caparbietà dei due popoli ».

I legionari imperversarono fino al 352 nei territori dei falisci, i quali dovettero scontare la rivolta con la cessione di terre e col pagamento di un forte tributo di guerra. L'anno seguente, 351, il senato decise di interrompere finalmente le misure di rappresaglia anche contro Tarquinia, i cui legati « ottennero una tregua quarantennale ».

Terribile il bilancio della disperata e vana lotta degli etruschi per la riconquista della libertà: il numero dei caduti e dei ridotti in schiavitù delle due città alleate ascendeva a parecchie migliaia, e i loro territori offrivano un triste aspetto dopo il ritiro delle legioni che vi avevano infuriato per anni.

Distrutti, bruciati gli oliveti e i vigneti; inselvatichiti i campi estesi e prosperosi un tempo, e poi, per paura della furia dei legionari, non più coltivati; innumerevoli impianti idrici distrutti, o insabbiati, o in rovina; a pezzi, devastate dal fuoco, numerose officine e industrie; deserti d'abitanti e saccheggiati molti villaggi.

Non c'era abbastanza manodopera per riparare a tanto sfacelo. Un fiorente paesaggio culturale era stato distrutto, annientata l'opera diligente di parecchie generazioni; e anche qui, come nelle già ricche campagne di Veio, la fertile terra d'Etruria cominciò a inselvatichirsi...

Anche Cere era stata nel frattempo severamente punita, perché, malgrado non avesse partecipato apertamente alla lotta in grazia dell'antico patto d'amicizia con Roma, aveva tuttavia permesso non soltanto il passaggio delle truppe etrusche e falisce nel suo territorio, ma offerto loro anche, segretamente, milizie volontarie. Gli ambasciatori mandati a Roma « a implorare il perdono per il traviamento », non trovarono ascolto né presso il senato né presso il popolo.

Invano cercarono di attenuare e scusare la condotta dei loro ottimati, adducendo che « non si doveva chiamare premeditazione ciò che era da definirsi necessità e costrizione. L'esercito tarquinate, quando s'era mosso attraverso il loro territorio (dopo aver ottenuto nulla di più che il libero passaggio), aveva trascinato seco alcuni contadini nella sua azione di saccheggio, che ora veniva imputata a Cere. Se i romani ne volevano l'estradizione, la città era pronta a consegnarli; se ne pretendevano l'esecuzione, essi avrebbero pagato con la vita ».

Né valse che i legati ricordassero quanto Cere aveva fatto per

Roma nell'ora del massimo pericolo; invano parlarono anche di quegli dei « le cui *sacralia* i ceriti avevano accolto e convenientemente curato durante la guerra gallica »; invano, « rivoltisi al tempio di Vesta, rammentarono l'ospitalità data ai sacerdoti e alle vestali »: i romani non si lasciarono piegare, e ai ceriti fu riservata la sorte dei traditori: cessione di gran parte del territorio e degradazione da soci a soggetti senza alcun diritto politico.

La fine di Cere come stato autonomo significò per le altre città-stato etrusche una perdita irrimediabile: dopo la caduta di Veio e l'avanzata romana sino alle pendici della Selva cimina, era infatti crollato l'ultimo pilastro del vallo che proteggeva al sud l'Etruria dal nemico avido di conquista. Ora, anche lungo la costa si stendeva libera dinanzi alle legioni romane la strada verso il nord.

LA CATASTROFE NEL SETTENTRIONE

Tutto il mondo sembrava aver congiurato d'un colpo contro l'Etruria: non bastando a compiere il colmo della sventura le sconfitte di tarquinati e falisci da parte romana, la spoliazione dei porti di Cere e la perdita della Corsica da parte dei greci, arrivarono proprio allora funeste notizie anche dal nord, dalla regione oltreappenninica.

Dopo anni di resistenza Felsina, capitale della Lega delle Dodici città padane, aveva ceduto all'attacco di forze celtiche, le cui schiere avevano assalito e distrutto anche la ricca Misa sul Reno. Erano così caduti i bastioni che proteggevano e sbarravano la via dei passi appenninici: l'accesso all'Etruria interna stava indifeso e libero dinanzi alle orde galliche...

La caduta delle due città segnò la fine della signoria etrusca nella Valle padana e quella della grande Lega delle Dodici città padane; a solo mezzo secolo dacché, lo stesso giorno di Veio, Melpum era stata travolta dal primo assalto celtico.

Dopo la ricca Campania, l'Etruria perdeva il suo secondo e ultimo grande dominio.

Le conseguenze – per tacere della perdita di prestigio e di potenza politica – non erano trascurabili, anzitutto in campo economico. L'Etruria viveva, con la sua produzione industriale e artigianale altamente sviluppata, sul commercio con l'estero: ora, con una Padania popolata di tribù celtiche nemiche, veniva interrotto ogni invio di merci verso l'Adriatico per la via appenninica, reciso l'ultimo collegamento commerciale ancora intatto con la Grecia e gli altri popoli. L'Etruria era isolata dal resto del mondo. Dopo un'irruzione violenta nella più grande e più fertile pianura dell'Europa d'allora, i celti l'avevano occupata tutta, pezzo per pezzo. Nulla aveva potuto impedire questa penetrazione: troppo superiore il loro numero. In sempre nuove ondate erano calati da nord e da nord-ovest a migliaia, come sciami di cavallette, con donne, bambini, carri e bestiame.

Stele funeraria dell'epoca dell'invasione celtica nella Valle padana etrusca (fine del V secolo). Dall'alto in basso: lotta di un serpente con un ippocampo; viaggio del defunto nell'Aldilà sopra una biga tirata da due cavalli alati, preceduta da un demone alato; il defunto a cavallo in lotta con un gigantesco Gallo nudo.

Le prime schiere si erano fermate nelle valli montane delle Alpi meridionali e nelle pianure adiacenti: gli ìnsubri a Milano, i cenòmani a Brescia e Verona. Altre tribù premendo dal nord le avevano seguite: i boî, che diedero il loro nome alla città di *Bonomia* – Bologna – e i sènoni, che, passato il Po su zattere, si spinsero combattendo e saccheggiando fino all'Adriatico.

Le città della Lega non erano preparate a una simile invasione. Le loro milizie furono battute; una città dopo l'altra, un luogo dopo l'altro caddero sotto l'ondata; la popolazione cercava scampo nella fuga.

Alcune schiere di etruschi fuggiaschi riuscirono ad arrivare, passato l'Appennino, fino alle città compatriote; altre trovarono asilo nelle valli alpine orientali, mescolandosi coi rezî. Lo stato selvaggio del luogo, dice Livio, trapassò in loro, lasciando per tutta eredità null'altro che il suono della lingua, e anche questo non in forma pura.

Ciò significherebbe che nel retoromanzo (ancora vivo nei Grigioni e in Engadina) persisterebbero, anche se mutile, tracce della lingua etrusca. In effetti si sono trovate iscrizioni in alfabeto etrusco sul versante meridionale delle Alpi e nelle valli, originarie di Tresivio (Valtellina), Voltina (Lago di Garda) e Rotzo (presso Bassano). In Val d'Adige, da Verona in su, ne vennero in luce a Bolzano e persino a Matrai presso Innsbruck. Anche certi toponimi in -enna ricordano gli etruschi, ad esempio la città rètica di Chiavenna.

Gli invasori celtici perseverarono nel loro modo di vita barbarico; e la regione, prima riboccante di messi e trasformata in una fiorente oasi, cominciò a inselvatichirsi e cadere nella desolazione. Colture, impianti di drenaggio e d'irrigazione, canali e deviazioni fluviali andarono in rovina in un rapido tramonto, testimoniato dai resti archeologici: nelle tombe celtiche si ritrovano solo oggetti e utensili ancora primitivi.

Solo alcune località più a est, vicine al mare, furono risparmiate dall'invasione e conservarono una prevalente popolazione etrusca. Fra esse, Mantova, posta su un'isola nel letto del Mincio, accessibile solo attraverso lunghi ponti di legno. Protetta dalla sua posizione, essa poté resistere all'aggressione gallica, e sopravvivere il più a lungo possibile, serbando intatto il suo carattere fino in epoca imperiale. « Mantova, » ci informa Plinio, « è l'unica città etrusca rimasta al di là del Po. » Il famoso « periplo » – descrizione delle coste con istruzioni marinaresche – del greco Skylax (336 a.C.), designa come zona etrusca anche la regione di Adria e di Spina.

Gli impianti portuali di Spina, e la città stessa – essi pure protetti dalla loro stessa posizione fra il mare e la laguna – restarono intatti e servirono ancora a lungo da porto di carico e scarico, benché fosse finita per sempre la loro grande epoca di stazione commerciale sull'Adriatico, mancando ormai un entroterra che fornisse un ricco mercato e un fruttuoso smercio. Le masse celtiche stanziate fra le Alpi e gli Appennini erano povere e senza esigenze; e l'unica merce di scambio che avevano da offrire erano i cereali, che razziavano nei campi etruschi. Così l'attività commerciale di Spina finì per limitarsi esclusivamente alle spedizioni di grano verso Atene che, con la sua popolazione in costante crescita, rappresentava il cliente più interessato e bisognoso di rifornimenti.

L'ironia della sorte fece però sì che, a eccezione di Atene, amici di lunga data cercassero di interrompere queste esportazioni di granaglie dalla Valle padana: fuggiaschi etruschi, stabilitisi in varie località fuori mano della costa adriatica, armarono navi corsare che confiscavano quanto potevano. Lo facevano per ritorsione contro i celti, ma chi ne faceva le spese era Atene.

La guerra di corsa etrusca prese ben presto proporzioni tali che Atene fu costretta a intervenire. Iperète e Dinarco, celebri oratori, ammonirono in grandi adunanze del pericolo che, a causa degli etruschi, minacciava lo stato e loro tutti. Nel 325 esce quindi – com'è testimoniato – un editto che parla d'urgenti e necessarie misure di sicurezza contro le navi etrusche, volte a proteggere il commercio ateniese e l'approvvigionamento di viveri alla città.

« Se intendesse qui più o meno riferirsi a gente etrusca, » scriveva il Mommsen, « non erano più che singoli resti e frammenti dell'antica potenza. Alla nazione etrusca non tornò più di vantaggio quanto eventualmente conquistato da singoli in questo campo vuoi coi traffici pacifici vuoi con la guerra sul mare. »

Cupo epilogo, giunto presto alla fine, ultima pagina di un grande capitolo nella storia della nazione etrusca...

LE LEGIONI NEL CUORE DELLA TOSCANA

Le notizie di fonte romana s'interrompono nuovamente con gli avvenimenti del 351 a.C.: sconfitte e perdite dei tarquinati e dei falisci alleati, umiliazione dei ceriti. Per quattro decenni la tradizione tace: non una sola parola sugli etruschi.

Nulla si mosse nella loro terra in un periodo in cui, in altri teatri, accadevano grandi eventi, decisivi per il futuro di tutta quanta la penisola italica: quando, all'est, Alessandro Magno conquistava in una serie di strepitose vittorie il mondo dell'antico Oriente alla grecità, creando uno dei massimi imperi mondiali.

Eppure non sembra che allora gli etruschi restassero inattivi nel campo della politica estera. Alcune notizie frammentariamente conservate accennano a un effettivo loro contatto col grande greco: riponevano forse in lui segrete speranze di liberazione? Lo scrittore greco Arriano – che nel II secolo d.C. scrisse un'opera sulla campagna di Alessandro – accenna a un'ambasceria etrusca a Babilonia nel 323 a.C.,; la quale, ricevuta dal condottiero macèdone, ebbe da lui ordine di interrompere la pirateria. Si trattava qui evidentemente della guerra di corsa esercitata dagli etruschi nell'Adriatico contro le esportazioni di cereali da Spina, come atto di vendetta contro i celti che li avevano cacciati dalla pianura padana. Sembra del resto, dice il Lopes Pegna, « che di tale ambasceria facesse parte il noto sacerdote indovino, od arùspice, Pitagora di Amfipoli, il quale per mezzo dell'epatoscopia fece la predizione ad Alessandro, che avvertì d'essere esposto ad un pericolo mortale, perché ‹il fegato era senza testa› ».

Mentre sorgeva in Oriente un grande impero greco, Roma, non disturbata da torbidi o da eventi guerreschi in terra etrusca, attendeva a espandere ulteriormente la sua area di dominio mediante conquiste nel meridione.

Nell'Italia meridionale era sorta una potenza di rilievo: la Lega sannitica. Tribù di questo popolo forte, straordinariamente valoroso e bellicoso, erano già intervenute un tempo in modo decisivo nella storia: il loro assalto, unito all'aggressione greca, aveva un secolo prima travolto la Lega delle Dodici città della Campania, portando alla perdita della regione per gli etruschi. Da tempo ormai i successori di quella prima ondata di montanari e pastori erano divenuti popolazione sedentaria, insediata nelle città; ma la popolazione delle antiche sedi montanare d'origine s'era frattanto ingrossata a tal punto, che i sanniti furono costretti a rimettersi in cerca di terra.

Uniti in un patto giurato, riuscirono a metter piede in Puglia, spingendosi, a est fino all'Adriatico, e a ovest, fino al golfo di Salerno. La piana campana era una seconda volta sotto la minaccia di un'invasione sannitica. I suoi abitanti però – la ricca città di Capua anzitutto –, decisi a non perdere la propria indipendenza, si sottomisero, alla fine degli anni quaranta, alla protezione di Roma, che promise loro aiuto. In tal maniera, senza colpo ferire, l'urbe vedeva estendersi d'un colpo la sua area d'influenza fino alla Campania e ai confini del Sannio.

La promessa protezione romana suonava come un atto di sfida, e portò poco più tardi alla guerra.

Quando i sanniti devastarono certe zone del territorio capuano, i romani scesero in campo: e fu lo scoppio della prima guerra sannitica (343 a.C.). Pur avendo le legioni riportato tre vittorie nel primo anno di guerra, Roma concesse due anni dopo ai sanniti una pace equa, e apparentemente generosa. E sapeva bene perché.

Era scoppiata una grave crisi che minacciava di distruggere il fondamento della sua potenza: la rivolta dei latini alleati, i quali, con la pretesa dell'eguaglianza dei diritti, avevano impugnato le armi nel 340. Ma Roma superò anche questo pericolo per merito dei suoi consoli che vinsero i latini nella battaglia del Vesuvio. Incontrastate penetrarono quindi le legioni nel territorio latino, conquistando una città dopo l'altra. La guerra terminò due anni dopo con la totale sconfitta dei rivoltosi: i latini persero l'indipendenza politica diventando sudditi, i loro stati vennero incorporati nel territorio statale romano. Più forte che mai Roma stava adesso nuovamente ai confini dei sanniti.

Gli etruschi erano rimasti a guardare; e continuarono nell'inazione quando nel 326 riscoppiò la guerra fra romani e sanniti, non scuotendosi neppure quando nel 321 toccò a Roma, alle Forche caudine, una delle più pesanti e vergognose sconfitte della sua storia; né quando, nel 315, battute le legioni romane al passo di Terracina, confine naturale fra Italia centrale e meridionale, fu aperta la via del Lazio alle schiere sannitiche.

Solo nel 311, « essendo la guerra sannitica quasi alla fine », arrivano sul Tevere, dal nord, notizie preoccupanti: gli etruschi levano e armano truppe.

Eran quarant'anni che stavano tranquilli; quarant'anni durante i quali Roma non s'era mai vista minacciata nella sua esistenza: e si muovevano ora, quando la città tiberina aveva di nuovo ripreso il sopravvento. C'era dunque voluta la parentesi della guerra sannitica per fargli finalmente capire a che mirassero i disegni di Roma? S'accorgevano soltanto ora che l'unica meta di tutto il suo operare, di tutta la sua politica, era la sottomissione di tutti i popoli, la conquista dell'Italia intera? Nessun autore classico ci ha lasciato una risposta a queste domande: la tradizione dice solo che « la voce di una guerra con gli etruschi » suscitò gran spavento a Roma. Un'Etruria in rivolta significava dunque per sempre una enorme minaccia; difatti, come dice apertamente Livio, non v'era a quel tempo alcun altro popolo le cui armi, accanto alle invasioni galliche, fossero maggiormente temute, sia per la vicinanza del territorio sia per la grandezza del numero.

Il senato agì conformemente. Caio Sulpicio Longo, eletto dittatore, « fece, come esigeva l'entità del pericolo, prestar giuramento a tutti i soggetti al servizio militare, approntando le armi e tutto il necessario ». Ciononostante, non era « tanto superbo, da pensare a una guerra d'aggressione »; perché sapeva esattamente che avrebbe potuto incappare nella situazione più pericolosa per la Roma di allora, cioè nella guerra su due fronti. Pertanto decise di stare tranquillo in attesa dell'attacco etrusco. E poiché « le stesse considerazioni (armarsi e stare a vedere) guidavano anche gli etruschi, nessuna delle parti passò il confine ».

Ma l'anno dopo avvenne la cosa tanto temuta: le popolazioni etrusche aprirono le ostilità. Un grande distaccamento proveniente dall'interno s'era messo improvvisamente in marcia verso sud, ponendo l'assedio alla città di Sutri. E nuovamente divampò la lotta per il possesso della forte rocca di sbarramento, le cui mura erano già state tanto frequentemente testimoni di accese battaglie fra etruschi e romani. Livio ci informa diffusamente dello svolgersi degli avvenimenti:

« A soccorso degli alleati si mosse il console Quinto Emilio Barbula », il quale pose « il campo dinanzi alla città », mentre « i sutrini portavano gran quantità di viveri ai romani ». Gli etruschi « passarono il primo giorno a deliberare se condurre una guerra rapida o lenta; essendosi i loro capi decisi per la via più spiccia, il giorno seguente, al sorger del sole, spiegate le insegne, si mossero allo scontro ».

Quando il console ne ebbe notizia, fece far colazione ai soldati; quindi, come si furono rifocillati, comandò loro di muoversi e li dispose in ordine di combattimento non lontano dal nemico. A lungo stettero i due eserciti in ansiosa attesa, e già ardeva il sole del mezzodì, che non si era ancora scambiato un solo colpo.

In questo momento gli etruschi, per non doversi ritirare ancora una volta lasciando le cose a mezzo, lanciano il grido di battaglia, e, al suono delle trombe, fanno avanzare le insegne. Con pari ardore i romani si gettano nella battaglia, venendo a uno scontro accanito: i nemici di numero, essi superiori in valore. La lotta si portò via i più valorosi di ambe le parti; ma solo quando la seconda linea romana sottentrò alla prima, le forze fresche a quelle decimate, si venne al mutamento.

Gli etruschi, non soccorsi da rincalzi freschi, caddero davanti e accanto alle loro insegne. Mai una battaglia avrebbe visto meno fuggiaschi e più caduti, se non fosse sopraggiunta la notte sopra gli etruschi decisi a morire. Solo dopo il tramonto fu suonata la ritirata; e tutti tornarono, nella notte, ai loro accampamenti.

Entrambi gli avversari avevano patito forti perdite senza per questo esser venuti a una soluzione decisiva. Dell'esercito etrusco, « sterminata in quell'unico scontro tutta la prima linea, rimase solo la retroguardia, a stento in grado di proteggere l'accampamento »; e i romani — come ammette apertamente Livio — ebbero un tale numero di feriti che i morti per ferite riportate durante la battaglia superarono i caduti sul campo.

Invece della sperata liberazione della rocca assediata si venne, dinanzi alle sue mura, a una guerra di posizione. Come si legge laconicamente: « Nulla di notevole accadde più in quell'anno davanti a Sutri ».

Charun, il sinistro demone alato dell'inferno etrusco, dalle orecchie a punta e dal naso a becco. Affresco del III secolo a.C. nella Tomba dell'Orco di Tarquinia.

Roma dovette prender atto di non aver forze bastanti a condurre con successo la guerra contemporaneamente su due fronti, a nord e a sud tanto distanti fra loro. Ma, conscia della posta in gioco, si regolò di conseguenza. Il censore del 310 a.C., Appio Claudio, riorganizza l'esercito, accrescendo le sue forze a centonovantatré centurie. Al tempo stesso si decide di tenersi sulla difensiva nel Sannio, e di riversare sull'Etruria — donde minaccia ora il massimo pericolo — tutte le truppe disponibili.

Nella primavera del 309 marciano con le legioni verso l'Etruria i due consoli Quinto Fabio Rulliano, comandante sperimentato nelle guerre sannitiche e Caio Marcio Rutilio. « Ma come Fabio portava rinforzi da Roma », così « anche gli etruschi avevano richiesto e ottenuto un esercito fresco dalla loro patria », disponendo nel frattempo un saldo anello di assedio intorno alla rocca di Sutri.

Livio descrive ora dettagliatamente il corso degli eventi bellici. Gli etruschi si schierarono in ordine di battaglia contro il console Fabio, portatosi sull'estremità inferiore delle colline. Ma visto il loro enorme numero nella piana ai suoi piedi, egli decise, per motivi tattici, di portarsi con l'esercito un po' più in alto – dove era una gran pietraia – e di schierare qui i suoi uomini di fronte al nemico. L'abile manovra gli consentì di attestarsi in una posizione sopraelevata rispetto agli etruschi, costretti ora, per combattere, a salire.

Aperte le ostilità, e buttatisi a fitte schiere a scalare l'altura, per far più in fretta « si sbarazzarono dei dardi, estraendo le spade mentre ancora correvano all'assalto del nemico »; così che « i romani li coprirono ora di frecce ora di pietre, che il luogo stesso forniva abbondantemente ». Sotto la grandine mortale di frecce e pietre, che batteva senza sosta le loro file, gli etruschi furono costretti a fermarsi.

Era l'istante che Fabio attendeva. Egli impiegò le truppe di riserva tenute finora nascoste, e questo diede il colpo di grazia. Quando gli astati e i principi, rinnovando il grido di guerra, si gettarono, la spada sguainata, all'assalto, tutta la prima linea vacillò. Gli etruschi non ressero all'urto, e, voltisi, si buttarono in selvaggia fuga verso il loro campo. Ma la cavalleria romana, traversata la piana, si buttò contro i fuggiaschi, i quali dovettero quindi rinunciare a tornare al campo e affrettarsi sui monti. Di dove, quasi ormai senz'armi e malridotti per le ferite, s'addentrarono nella Selva cimina. I romani, uccise parecchie migliaia di etruschi e prese trentotto insegne, conquistarono anche il campo nemico facendo grande bottino.

I romani avevano subito perdite relative e le loro forze non erano esaurite, ma « si tenne » egualmente « consiglio se inseguire o no il nemico ».

Se non si procedette immediatamente a incalzare gli etruschi sconfitti una ragione c'era: la zona montuosa in cui erano fuggiti, totalmente sconosciuta e coperta di boschi oscuri, incuteva timore ai legionari ancora sotto il colpo della sconfitta alle Forche caudine. Ne è ancor vivo il ricordo secoli dopo nella notizia di Livio: « Ancor più impraticabile e sinistra delle foreste germaniche di oggi doveva essere allora la Selva cimina, che nessun mercante aveva osato percorrere fino a quel tempo. Nessuno, eccetto il comandante, se la sentiva di addentrarvisi con l'esercito. »

Uno solo trovò infine il coraggio di prendere l'iniziativa: Marco

Fabio Ceso, fratello del console Fabio, che si offerse di andare in avanscoperta e di portare in breve informazioni esatte su tutta la situazione.

Marco Fabio sembrava l'uomo adatto all'impresa: allevato a Cere presso amici di famiglia, era stato istruito nelle scienze etrusche e possedeva perfettamente la lingua etrusca. « Poiché allora si usava, come oggigiorno nelle greche, fare istruire i giovani romani nelle scienze etrusche ». Involontariamente Livio ci conferma con questa osservazione che ancora a quel tempo l'istruzione e la scuola romana lasciavano molto a desiderare, se, a due secoli dalla signoria regia etrusca, le più nobili famiglie non erano manifestamente in grado di provvedere a una solida educazione dei figli nella loro propria patria.

Come unico compagno della spedizione Marco volle uno schiavo che, come lui, parlava etrusco. Quello era ben più che uno sconfinamento: si trattava di una ricognizione in un mondo ancora ignoto, perché mai fino allora piede romano aveva calcato la Selva cimina, nessuno sapeva che cosa ci fosse al di là. E d'altra parte non potevano « procurarsi che informazioni generali sopra la natura del luogo dove dovevano recarsi, né chiedere come si chiamassero di nome i capi delle singole popolazioni, per non tradirsi in qualche modo nella conversazione ». Travestiti dunque da pastori, armati ambedue secondo il costume contadino etrusco di falce e lancia, partirono.

Nessuno degli stranieri incontrati, con i quali scambiarono brevi parole, nutrì sospetti: perché non era tanto la loro perizia linguistica e il travestimento a proteggerli da un riconoscimento, quanto l'assoluto candore degli etruschi; nessuno avrebbe mai immaginato che un romano osasse avventurarsi nella Selva cimina.

La missione ebbe pieno successo. Tornato, Marco fece una relazione dettagliata di tutto quanto aveva esplorato: strade e condizioni del terreno, città e loro fortificazioni, nomi dei capi etruschi, forza e armamento delle loro unità.

Le informazioni mossero il console a osare un'avanzata attraverso i monti boscosi. Per la riuscita dell'impresa occorreva però che gli esploratori etruschi non notassero la partenza delle truppe; e il console diede perciò ordine che si muovessero solo al calar della notte.

« Verso la prima vigilia il console fece partire le salmerie, a cui tennero dietro le legioni. Egli invece rimase indietro con la cavalleria, e, all'alba del giorno seguente, cavalcò avanti e indietro dinanzi alle postazioni nemiche situate al bordo della selva ». Ingannato in tal modo il nemico e assicuratosi che la sortita notturna della fanteria romana era sfuggita agli etruschi, tornò all'accampamento. Dal quale uscì segretamente passando per la porta opposta e raggiungendo così ancor prima di notte il suo esercito.

L'abile manovra diversiva era riuscita. « Il giorno seguente, ai primi albori, raggiunse le alture della Selva cimina, di dove scrutò le ricche campagne d'Etruria. »

Grande animazione in una casa etrusca per preparare il cibo del banchetto. A sinistra, un garzone batte la carne da arrostire sul fuoco già acceso; all'estrema destra, un servo impasta la farina in una grande conca; in mezzo, altri aiuti apparecchiano varie tavole, dalle gambe artisticamente lavorate, con coppe, scodelle e ciotole coi cibi pronti. Un familiare dell'ospitante vestito a festa — il terzo da destra — bada a che tutto proceda per il meglio. Come in tutte le attività etrusche, anche qui c'è musica, grazie al suonatore di doppio flauto. Affresco nella Tomba Golini presso Orvieto, IV secolo a.C.

I guerrieri romani si erano spinti in una terra dove regnava una pace profonda. Dovunque nei prati e nei campi, fra vigneti e uliveti, i contadini attendevano al lavoro usato senza sospettare di nulla. Numerose greggi di bestie al pascolo, non un soldato di guardia. Visto ciò, il console fece avanzare i suoi uomini: ma, in luogo del previsto combattimento si venne a un selvaggio saccheggio.

I romani trascinavano ormai in quantità le loro prede, quando si trovarono di fronte alcuni gruppi di armati, « ma così in disordine che codesti vendicatori del bottino rischiarono di divenir bottino essi stessi. Assalitili e gettatili in fuga, e menato ampio saccheggio nelia zona, i romani tornarono vincitori nel loro accampamento e con ricche prede di ogni genere ».

A Sutri attendevano Fabio cinque legati con due tribuni della plebe, venuti da Roma con importanti ordini, superati però ormai dalla riuscita della spedizione. Avevano infatti incarico dal senato « di mettere in guardia il comandante contro una spedizione attraverso la Selva cimina ». Arrivati troppo tardi, tornarono ora come messi di vittoria alla città tiberina.

Le preoccupazioni di Roma, come si sarebbe visto in seguito, erano tutt'altro che ingiustificate: infatti, invece di risolverla, l'impresa del console scatenò ancor più la guerra. La notizia dell'aggressione e delle devastazioni a cui s'erano abbandonati i legionari nell'entroterra pacifico, suscitò l'ira « non solo delle popolazioni etrusche, ma anche della vicina Umbria ». Scoppiò così una rivolta generale che vide tutta l'Etruria in armi. Un esercito di grandezza mai vista si mise in marcia alla volta di Sutri.

Giunti dinanzi alla rocca, gli etruschi volevano attaccare immediatamente battaglia. Il loro esercito « non si limitò ad accamparsi fuori dalla foresta, ma, spinto dalla brama di combattere appena possibile, scese nella piana, dove si fermò schierandosi in ordine di battaglia e lasciando al nemico spazio per schierarsi a sua volta ». Vana fu la loro attesa, poiché i romani non gli si fecero contro; e quando gli etruschi, infine, si spinsero fino al campo fortificato romano, s'accorsero che « anche le postazioni avanzate erano state ritirate dietro le trincee ». Frustrati nel loro progetto e quindi tanto più furiosi, presero una decisione che li avrebbe perduti.

Urlando pretesero dai capi che per quel giorno si portasse loro il rancio dal campo. Volevano restare lì a tutti i costi in armi, per attaccare la notte stessa o quanto meno all'alba successiva, l'accampamento nemico.

Intanto, il comandante romano prendeva le sue decisioni in perfetta calma. Incoraggiò i suoi uomini spaventati dalla folla dei nemici, quindi li fece mangiare e riposare, pronti a un allarme.

« Verso la quarta vigilia circa », i legionari presero le armi, « senza far rumore. Quindi, poco avanti il sorger del giorno, nell'ora in cui nelle notti estive il sonno è più profondo, fu dato il segnale ». I soldati irruppero fuori del vallo distrutto, gettandosi sui nemici sparsi qua e là e addormentati. I pochi che trovarono il tempo di armarsi, furono cacciati in fuga dai romani e inseguiti dalla loro cavalleria; alcuni si precipitarono al loro campo, altri corsero verso i boschi, che assicuravano miglior rifugio. Il campo, situato nella pianura, fu espugnato il giorno stesso. Del bottino, l'oro e l'argento spettò al console, il resto ai soldati.

L'esperienza e l'abilità superiore di un comandante romano, e la disciplina dei suoi legionari sperimentati in tante battaglie, avevano inflitto una mortale sconfitta a un esercito etrusco stragrande per numero ma inesperto. Terribilmente alte furono le perdite etrusche: « Essi perdettero quel giorno, tra morti e prigionieri, circa sessantamila uomini. »

L'esito della battaglia riunì tutti gli etruschi, l'occasione così spesso perduta dal tempo della guerra di Roma con Veio. Ora, finalmente, sembravano aver compreso che solo un'azione comune avrebbe potuto salvarli da una sottomissione completa. Per la prima volta fu messa in vigore nel tempio di Voltumna la *lex sacrata*, l'antichissima legge sacra per la quale ognuno doveva scegliersi personalmente il compagno di lotta.

Dovunque in Etruria fu un concorrere a schiere di volontari: dimenticato finalmente l'antico particolarismo delle singole città-stato, che, d'ostacolo sino allora a ogni azione comune, aveva offerto per oltre un secolo con la frammentazione delle forze, un aiuto alle conquiste romane delle terre etrusche, si faceva ora strada un pensiero politico comune.

Presso il lago Vadimone il contingente della lega etrusca si scontra con le legioni del console Quinto Fabio Rulliano. Sulle rive del laghetto vulcanico dalle acque solforose a ovest del Tevere – vicino alla stazioncina di Orte sulla linea Firenze-Roma – infuriò allora una battaglia d'una asprezza quale mai l'Etrutria aveva sperimentato prima.

Tanta era l'ira « di ambe le parti, che nessuna si servì delle armi da getto ». La battaglia fu aperta con la spada, e l'inaudita violenza del suo inizio s'accrebbe ancora durante la lotta, che restò a lungo indecisa; « al punto che si pensava di non aver a combattere con gli etruschi così spesso battuti, bensì contro un popolo nuovo. Nessuno pensava alla fuga ».

Il comandante romano osserva preoccupato il vacillare delle file dei legionari. Cadono i combattenti di prima linea, e allora, « per non lasciare le insegne senza custodi, la seconda linea sottentra alla prima, quindi ad essa le milizie ausiliarie ». Ma anche le truppe di riserva vengono decimate in breve tempo.

In questo istante di supremo pericolo, il proconsole si risolve a giocare la sua ultima carta: dando ordine alla cavalleria di smontare e di buttarsi in prima linea con la fanteria, passando vedette e cadaveri.

L'improvviso intervento di forze fresche salvò la situazione. « Questa nuova schiera levatasi fra i decimati, gettò lo scompiglio tra le file etrusche. » Il resto dell'esercito, per provato che fosse, appoggiò l'attacco buttandosi contro le schiere nemiche, la cui pervicacia cominciò allora a spezzarsi. Alcune insegne si volsero e, appena girate completamente le spalle, cominciò anche la fuga.

« Questo giorno, » conclude Livio, « abbatté per la prima volta la potenza etrusca fiorente per lunga fortuna. Il nucleo del popolo restò sul terreno, il campo fu preso e saccheggiato nel medesimo impeto. »

Quinto Fabio Rulliano sfruttò la vittoria faticosamente conquistata gettando la cavalleria alle calcagna dei fuggitivi; e, per schiacciare anche l'ultima resistenza, dopo aver coperto a marce forzate in due giorni e una notte la distanza di cento chilometri, si spinse con la fanteria leggera fin sotto Perugia. Dinanzi alle sue mura sconfisse il resto del grande esercito nazionale etrusco, ricevendo da vincitore anche la resa della città. « Disposta una guarnigione a Perugia, il console spedì al senato di Roma un'ambasceria etrusca che chiedeva amicizia. » Rientrato in trionfo nella città tiberina, Quinto Fabio Rulliano « fu confermato nel consolato in premio della gloriosa sottomissione dell'Etruria ».

Un'ultima resistenza viene soffocata l'anno successivo. Il console Publio Decio, incaricato della guerra in Etruria, penetra con un esercito bene armato nel territorio di Tarquinia: all'ordine di gettare le armi e di arrendersi, gli abitanti obbediscono, vista l'inutilità di ogni tentativo di proteggere la propria indipendenza contro le soverchianti forze nemiche.

« Costretti dalla paura, » acconsentono alle richieste romane di « fornire granaglie all'esercito e di chiedere un armistizio », fissato in quarant'anni. Tarquinia deve inoltre rinunciare a una striscia di costa — presso l'odierna Porto Clementino — dove viene fondata nel 181 a.C. la colonia di Graviscae.

Da Tarquinia, Decio passò nel territorio di Volsinii dove però, alla richiesta di sottomissione all'autorità romana, fu risposto con le armi. Tuttavia i difensori, non bastando a sostenere un combattimento in campo aperto contro le preponderanti truppe nemiche, si trincerarono in luoghi di difficile accesso e in cittadelle.

Fu l'ultimo disperato tentativo di opporsi ancora una volta al destino: in breve tempo Decio stroncò la resistenza di Volsinii, costringendo altresì le vicine città-stato etrusche a piegarsi all'autorità di Roma.

« Agli abitanti di Volsinii egli conquistò d'impeto molte roccaforti, distruggendone alcune perché non servissero di rifugio al nemico; e comparendo dappertutto con il suo esercito si fece tanto temere che tutto il popolo etrusco lo pregò di un trattato di pace. La richiesta fu respinta, ma venne accordata una tregua di un anno ». In cambio, gli etruschi dovevano « pagare il soldo dell'esercito romano per quell'anno e consegnare due vesti pre ogni uomo. Tale il prezzo dell'armistizio ».

Non era ancora finito l'anno 308, che la calma completa regnava nuovamente in Etruria. La lotta per la libertà era fallita. Indebolita economicamente dalle molte distruzioni e devastazioni, dissanguata dalle forti perdite umane nelle sconfitte patite, l'Etruria era stata costretta ad accettare la supremazia romana. In soli due anni i romani erano riusciti a neutralizzare il grande pericolo sorto con la coalizione di tutti gli etruschi.

I DEMONI NELLE TOMBE

Inarrestabile appariva il tramonto della potenza etrusca. La nazione che duecento anni prima aveva dettato legge alle più importanti regioni della penisola italica, si vedeva ora confinata nell'angusto spazio fra l'Appennino e le alture della Selva cimina. Irrecuperabile ormai il tempo del grande dispiegamento di potenza e del prestigio mondiale: già verso la metà del IV secolo non ne rimaneva se non il ricordo.

Da un pezzo ormai le navi etrusche non potevano più avventurarsi in mare aperto, ed era in pericolo anche una ultima, modesta navigazione costiera. E all'alleata di un tempo, Cartagine, forte sul mare e nei commerci, i loro oppressori e nemici, i romani, porgevano ora la mano stringendo con essa, nel 348 a.C., un trattato commerciale e d'amicizia.

Il futuro della nazione etrusca appariva senza speranza. Le severe sconfitte e le dure perdite subite dalla sua flotta e dal suo esercito a opera di romani, celti e greci, non restarono senza profonde conseguenze, imprimendosi indelebili e paralizzanti nella sua volontà e nel suo animo. Si diffuse allora una profonda depressione morale, come un cupo presentimento della fine imminente. Quello che non tramanda il cronista è rivelato a chiare lettere dalle necropoli tornate alla luce: nelle camere tombali cominciano a fare il loro ingresso figure e scene di terrore e di orrore. I banchetti funebri non sono più improntati a serenità e imperturbabilità spirituale; svanito per sempre il sorriso dei defunti: visi attoniti, pieni di dolore e di lutto. La gioia e l'affermazione traboccante della vita cedono a una severità melanconica, che cresce fino a diventare cupo fatalismo.

La rappresentazione di un pauroso aldilà, popolato di terribili dèmoni e sinistre figure del mondo infero, avvolge sempre più tutte le cose, e fa comparire sulle pareti delle tombe le visioni di un mondo sotterraneo di morte e di annientamento, colmo di spavento e di orrore. Il gioioso convito degli ospiti a banchetto nella cerchia familiare o degli amici diventa il mistico banchetto funebre nell'Ade; il veloce girotondo dei danzatori e dei musici si trasforma nel mesto corteo delle anime verso un regno sotterraneo, all'ombra del quale dimorano esseri spaventosi. Lunghi cortei funebri si muovono spettrali verso la porta degl'Inferi; accompagnati da dèmoni con serpenti nei capelli, brandenti martelli e clave, tenaglie e lacci. La morte, che vedeva prima processioni così sciolte e tranquille, riceve ora un aspetto selvaggio, che suscita orrore.

Il suolo di Tarquinia antica ci ha conservato una testimonianza sconvolgente di quel tempo pervaso dalla sensazione di un'imminente rovina: la Tomba dell'Orco, scoperta nel 1828; originaria appunto, nelle parti più antiche, di quei decenni in cui la città-madre dell'Etruria antica stava contro le legioni di Roma in disperata lotta difensiva.

Ripidi scalini portano da un campo di grano in profondità. Solo pochi passi, eppure un salto all'indietro di duemilaquattrocento anni, nel cuore del mondo etrusco del IV secolo avanti Cristo. Membri dell'aristocrazia tarquinate fecero scavare la tomba per la loro

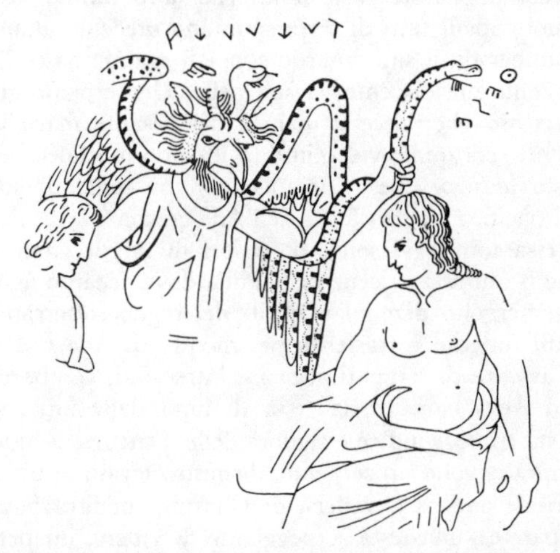

La più spaventosa figura dell'inferno etrusco: ancor più sinistro a vedersi di Charun è il demone Tuchulcha. Sopra un naso da avvoltoio e due occhi malvagi, le orecchie d'asino spuntano fra i serpenti che gli fanno da chioma. La pelle riluce di un pallore cadaverico. In questo affresco nella Tomba dell'Orco egli sorveglia, un gigantesco serpente in mano, l'eroe greco Teseo.

famiglia: una stanza quadrangolare, cinta ai lati da panche che reggono i sarcofaghi. Oggi è riconoscibile solo una parte degli affreschi, frammenti di un banchetto funebre.

Due figure di danzatori che brandiscono serpenti sorvegliano il vano, il quale serba qualcosa della cupa atmosfera, che lo fa sembrare un modello pagano delle raccapriccianti rappresentazioni infernali delle chiese medievali toscane.

Dal grigio di colori ormai consunti e di stinti contorni, guarda il visitatore, a destra sull'umida parete, l'immagine di una giovane donna; la quale ha indosso i suoi più begli ornamenti, orecchini a grappolo e preziose collane, e veste una tunica bianca. Fogliolinе d'alloro dorato le cingono la chioma, tenuta composta da una reticella sulla nuca; ai suoi piedi, i contorni di un letto mortuario, coperto di drappi e cuscini variopinti. La bella si chiamava Velia, ci dice un'iscrizione. Il volto pallido, colmo di malinconia; doloroso il tratto delle labbra piene, sensuali, quasi essa richiamasse invano alla memoria le gioie della vita cui è stata strappata.

Paurosa, simile a un'ombra, sta dietro di lei una creatura dell'oltretomba dalle ali gigantesche: Charun, il messo etrusco della morte, l'accompagnatore delle anime nel loro ultimo, oscuro viaggio. Dai suoi capelli fatti di serpi spuntano orecchie animali a punta; rosso lampeggia il suo sguardo sopra il grande naso d'avvoltoio: verdastra, come marcescente, la sua pelle. Un serpente gli si erge a lato; minaccioso ghermisce il manico del pesante martello, simbolo del suo potere, col quale viene inferto il colpo mortale che spegne la vita. Questo mostro, questo dèmone non ha nulla di comune con Caronte, il pacifico traghettatore dell'Ade greco.

Nella stessa tomba vi sono, posteriori di un decennio, immagini mitologiche frammiste a scene dell'aldilà, dove accanto agli dei e agli eroi greci emergono dèmoni e spiriti del regno sotterraneo etrusco. Il banchetto funebre è trasferito nel mondo di Ade e di Persèfone.

Il capo avvolto di serpenti attorti e intrecciati, compare Persèfone accanto ad Ade, barbuto, la testa di lupo dalle fauci spalancate. Egli siede sul trono, giudice e signore delle Tenebre, il braccio destro teso con sopra avvolto un serpente, il sinistro levato in alto.

Più terribile ancora a vedersi di Charun, un'altra figura si disegna sulla parete: una testa serpeggiante di vipere, un perfido becco da uccello rapace, orecchie d'asino. Ha grinfie e artigli: è Tuchulcha, che minaccioso si erge fra Teseo e Piritòo, quest'ultimo a stento riconoscibile. Teseo siede triste, prostrato dinanzi allo sguardo malvagio e penetrante di Tuchulcha.

Due giovani dèmoni con enormi ali da rapaci fanno i preparativi per il rituale banchetto funebre; e si vedono, evanescenti, i contorni di altri esseri sinistri. Anche se molto, troppo è andato distrutto dopo la scoperta della tomba, quanto rimane basta a dar l'impressione dell'orrore di un mondo infero che sembra annunciare una visione del futuro inferno cristiano.

A partire dal IV secolo spuntano dovunque i dèmoni col martello e il naso da rapace. Le loro figure e i loro nomi si trovano sulle pareti tombali come su vasi, specchi e sarcofaghi: simboli dell'angoscia e dell'oppressione che sale dall'inconscio. E sempre più la scelta degli artisti etruschi passa nei temi della mitologia greca a scene di eventi sanguinosi e tragici: sacrifici umani, l'assassinio di Clitemnestra, l'eccidio dei prigionieri troiani, la lotta di Etèocle e Polinìce che si uccidono a vicenda, diventano il motivo sempre ritornante.

Due furie con ali gigantesche e serpi in mano assistono su un sarcofago a rilievo trovato a Torre San Severo presso Orvieto, alla strage dei prigionieri troiani perpetrata da Achille per l'anima dell'amico Pàtroclo. Come un fantasma, l'eroe morto si regge alla stele della sua tomba.

Charun è sempre presente quando la morte s'avvicina, nell'istante in cui la vita, in casa o in combattimento, minaccia di spegnersi. Solo o con un suo simile egli spunta sempre, la figura massiccia e il volto dai tratti selvaggi, in mezzo a scene di battaglia, come accompagnatore dei defunti o guardiano delle loro tombe. La sua arma è

Viaggio nell'Aldilà. Il morto è a cavallo, seguito da un suo fido. Charun, il demone del mondo infero, un possente martello in ispalla, regge la briglia. Rilievo su un'urna, da Volterra.

sempre il possente, grave martello. Più tardi, nella Roma imperiale, sarà così armato e mascherato l'uomo che, nei giochi gladiatorii, ha il compito di trascinare fuori dall'arena i cadaveri dei caduti.

Raramente Charun e Tuchulcha appaiono soli: un intero esercito di altri dèmoni della morte maschili e femminili – fra cui la dea Vanth – tutti simboleggianti l'ineluttabilità del destino, li accompagnano, facendo loro da aiutanti. Anch'essi alati, stivali da caccia ai piedi, muniti di mazza, tenaglia o laccio, brandenti fiaccole e magli, serpenti nelle mani. Minacciosi aleggiano sopra le scene dove la morte miete la sua messe, o se ne stanno discosti in attesa. Prendono in consegna i defunti, strappandoli ai loro parenti e trascinandoli via; guidano il cavallo della morte, accompagnano il carro funebre o lo tirano essi stessi; marciano davanti o dietro il corteo o aspettano all'ultima porta.

Altri simboli di morte che popolano il mondo infero sono mostri e feroci animali selvaggi. Stanno in agguato sul frontone delle tombe, accucciati e pronti al balzo nei fregi che corrono lungo le pareti tombali: chimere e sfingi, leoni, pantere e grifi, che assalgono bestie e uomini, cacciando, dilaniando o divorando le loro vittime.

Ineluttabili, impietose governano le eterne potenze del cosmo, ineluttabili come il tramonto della nazione etrusca. Gli etruschi dovevano avere avvertito un cupo, angoscioso presentimento: i loro anni di popolo libero erano ormai contati. Un altro mondo ignoto si approssimava, lugubre e disperato...

RIVOLTA AD AREZZO

L'Etruria era sottomessa.

Liberata da questo incubo, Roma poteva dedicare tutte le sue forze alla fine della guerra sannitica. I sanniti avevano infatti trovato nuovi alleati negli umbri dell'Italia settentrionale, e nei marsi e peligni dell'Italia centrale, senza contare i volontari ernici. Mancavano soltanto quelli che avrebbero potuto avere un peso decisivo sulla bilancia: gli etruschi.

Quando però gli umbri ebbero allestito un forte esercito, decisi « a marciare direttamente su Roma per cingerla d'assedio », anche nella vicina Etruria scoppiarono torbidi. « Una gran parte degli etruschi » si lasciò « trascinare alla rivolta; ma Roma reagì così prontamente alla dichiarazione di guerra degli umbri, che non si venne neppure più a un aiuto militare etrusco.

A marce forzate, giunse con le sue legioni dal sud Fabio Rulliano. « L'improvvisa apparizione del console che credevano lontano occupato in un altra guerra nel Sannio, atterrì gli umbri a tal punto, che alcuni preferirono ritirarsi nelle città fortificate, altri sospendere la guerra. » Solo gli abitanti di una provincia assalirono con i loro soldati Fabio mentre apprestava il vallo attorno al suo campo; ma vennero battuti e « il giorno seguente e quello successivo si sottomisero anche le altre popolazioni umbre ».

Fabio prosegue con l'esercito, domando le popolazioni minori ribelli del Lazio. Tre anni dopo, nel 305 a.C., anche la campagna sannitica viene, dopo gravi devastazioni territoriali, a soluzione. Il capo sannita Stazio Gellio viene fatto prigioniero ed è presa Bovianum. La caduta della piazzaforte principale mette termine alla seconda guerra sannitica durata vent'anni.

Roma aveva così compiuto un passo decisivo verso il dominio dell'Italia; ma la sua egemonia era tutt'altro che assicurata.

Nella città tiberina non ci si fanno illusioni: le forze del valido popolo montanaro non sono esaurite, e si dovrà quindi contare su una ripresa delle ostilità; ben sapendo inoltre quale pericolo significherebbe un'alleanza di sanniti ed etruschi, Roma prende le necessarie misure di sicurezza.

Fra l'Italia meridionale e il nord si dispone un forte sbarramento. Nel territorio di confine fra Etruria e Sannio vengono costruite due strade militari, protette da fortificazioni e roccaforti. All'estremità settentrionale del lago Fucino sorge, rocca e punto di forza dell'Italia centrale, Alba, con una guarnigione di seimila coloni; sull'alto Liri, la rocca di Sora, con una legione di quattromila uomini.

La città tiberina agisce dunque con piena coscienza dei suoi obiettivi, decisa a trovarsi tempestivamente armata contro ogni possibilità di nuove lotte; i suoi avversari, invece, sono indecisi e sciupano tempo prezioso senza prendere le misure necessarie. Una rivolta locale etrusca, in cui Roma s'inserisce, offre spunto a un nuovo confronto.

Nella primavera del 302 scoppia una guerra civile ad Arezzo, situata nella Val di Chiana a sud-est dell'odierna Firenze, e città etrusca fra le più importanti del nord-est insieme con Perugia e Cortona. La plebe si solleva « per cacciare con le armi la potente famiglia dei Cilnii, di cui vede di malocchio le ricchezze ».

« Dopo l'eliminazione della monarchia verso la fine del VI secolo, aveva preso il potere dovunque la nobiltà di origine tirrenia, quindi l'alta borghesia che si atteggiava a nobile. In questo periodo, le dodici città erano repubbliche plutocratiche rette da una aristocrazia, » dice l'etruscologo Pfiffig. « Le classi inferiori, prevalentemente di origine italica, si sentivano sempre più schiave dei ricchi mercanti e dei baroni terrieri. Nella libera Etruria, tuttavia, non si diede il caso di una schiavitù vera e propria come in Grecia e a Roma, ma piuttosto di un vassallaggio della più antica popolazione italica.

« È evidente che la sorte dei contadini-vassalli si fece più gravosa via via che si esaurivano le fonti della ricchezza etrusca proveniente dal commercio marittimo; data la situazione, i signori etruschi si rivolgevano ora sempre più alle possibilità di guadagno offerte dalle proprietà fondiarie. »

Alla notizia di una « lotta tra le fazioni », Roma si intromise senza esitare. In sé, la lotta interna aretina le era indifferente, anzi gradita, perché disgregava la compagine della potenza etrusca; ma Roma, che si sentiva la protettrice dell'ordine, non poteva tollerare sovvertimenti indotti con la violenza.

Il senato decide di venire in aiuto alla famiglia cacciata con un corpo militare. I Cilnii, antichissima stirpe di re (donde in seguito nacque il celebre Mecenate, amico e consigliere di Augusto) potevano servire da garanti ai romani dell'armistizio trentennale, manifestamente poco popolare, a cui era stata costretta Arezzo otto anni prima insieme con Perugia e Cortona.

L'immischiarsi di Roma negli affari interni di una lucumonìa etrusca scatena un'ondata di rivolta e di odio. La vista dei legionari risveglia le antiche emozioni, e si viene a una rivolta che si spande improvvisa per il paese. « Giunse notizia che l'Etruria cominciava una nuova guerra »; fu eletto dittatore Marco Valerio Massimo.

Subito all'inizio delle ostilità, gli etruschi registrarono un notevole successo. Una parte dell'esercito romano, agli ordini del comandante della cavalleria Masso Emilio Paolo, « incappa in un'imboscata, perde varie insegne e viene ricacciata nell'accampamento. Vergognose allo stesso modo e la perdita di soldati e la fuga. Roma ordina la sospensione di ogni attività giudiziaria (*iustitium*), come se fosse stato annientato l'esercito intero, e vengono stabiliti posti di guardia alle porte e sentinelle a protezione delle mura. » Il dittatore si affretta in Etruria con nuove truppe e traversa la regione fino al mare nel territorio di Rusellae.

Il combattimento decisivo si svolge lontano da Arezzo, vicino alla costa.

La città di Roselle (a sud-est di Vetulonia da cui dista soli quindici chilometri in linea d'aria), era annoverata fra le più antiche e potenti lucumonìe. Protetta da possenti mura per una lunghezza di tre chilometri e mezzo, si stendeva su un'altura affacciata sulla valle dell'Ombrone. Dal suo porto sul Prilio – un lago salmastro oggi asciutto che allora si stendeva per largo tratto all'interno – le navi accedevano al mare aperto.

Così apparivano i palazzi della nobiltà etrusca del IV-III secolo a.C., quando le legioni romane si impadronirono della loro terra. Quest'urna cineraria ne ha conservato l'architettura.

Le forze etrusche, che avevano seguito come un'ombra i romani in marcia, tentarono di vincere con l'inganno presso Roselle il nemico soverchiante di numero.

« Nelle vicinanze del campo romano erano ancora in piedi le case semidistrutte di un villaggio messo a fuoco durante il sacco della regione, » informa Livio. Soldati armati, quivi nascosti, fecero passare dinanzi all'esercito nemico, comandato dal legato Cneo Fulvio, mandrie di bestiame, ma nessuna postazione romana abboccò a questa esca. Alla fine un pastore, spintosi molto profondamente verso il vallo, chiese gridando ai mandriani, che ora facevano avvicinare lentamente le bestie dalle rovine del villaggio, perché mai indugiassero: potevano attraversare senz'altro il campo romano, non c'era pericolo.

Fattosi tradurre il discorso da uomini di Cere, Fulvio ordinò di « accertare se il modo di parlare del pastore fosse di un cittadino o di uno di campagna ». Saputo che « la cadenza, le maniere e l'aspetto curato apparivano troppo raffinati per un pastore », il legato fece dire al travestito che le sue manovre erano scoperte. « Allora, d'un tratto, balzarono fuori uomini armati e si portarono con le loro insegne in uno spazio aperto ben visibile. »

Mentre le legioni marciavano, al grido di guerra, in battaglia, il dittatore fece intervenire all'improvviso e di sorpresa le truppe a cavallo. « La cavalleria si buttò a stormo sopra i nemici, non equipaggiati per un combattimento a cavallo. »

Fra le file etrusche fu il caos: « I nemici sconfitti correvano al loro campo, piegando sotto l'assalto dei romani e ammucchiandosi verso l'estremità più esterna. I fuggiaschi ostruivano le strette porte; molti si inerpicavano sul vallo per difendersi dall'alto o per scamparla in qualche modo. In un punto dove non era abbastanza solida, la palizzata cedette sotto il peso degli uomini precipitandoli nel fossato antistante. Così la scamparono più i disarmati che gli armati. »

Lo scontro, nota Livio, infranse per la seconda volta la potenza degli etruschi.

Ai legati etruschi il senato romano concede solo una breve tregua di due anni; pretende inoltre il soldo annuale per la truppa romana e la fornitura di grano per due mesi.

Il successo romano significava una nuova e più profonda penetrazione in terra etrusca. Con la vittoria di Roselle, l'importante regione metallifera del nord, l'entroterra delle ricche città-stato di Vetulonia, Populonia e Volterra, era aperto all'aggressione degli eserciti di Roma. Gli ultimi grandi rifugi si trovavano ormai in prima linea...

CON GLI ESERCITI SANNITI CONTRO ROMA

Il nuovo colpo doloroso non ridà più la pace all'Etruria. La perduta battaglia di Roselle ha dimostrato l'impotenza di una lotta isolata: soltanto una grande coalizione potrà strappare le sue conquiste all'insaziabile stato militare. In essa le città-stato ripongono ora ogni loro speranza.

Non è ancora scaduto l'armistizio, che già si stendono le antenne per crearla. Legati etruschi escono segretamente dal loro paese per allacciare trattative onde guadagnare a una lega comune tutti i popoli e le tribù italiche ostili ai romani: umbri, sabini e sanniti.

Disgrazia volle che proprio in questo periodo penetrasse in Etruria un grande esercito gallico, « che li tenne col fiato sospeso... costringendoli per breve tempo a desistere dall'impresa ». Le città-stato cercarono, pagandoli, « di farsi alleati questi nemici, per far con loro guerra ai romani ». E poiché i galli non sembravano del tutto contrari alla proposta, si venne a trattative e persino a versamenti di denaro.

Ma gli etruschi furono ingannati. Le schiere galliche, richieste di combattere al loro fianco, si rifiutarono: perché, dissero sfacciatamente, avevano concordato la somma non per una guerra contro Roma. Avevano accettato l'oro e il denaro per non devastare la regione etrusca e non trattare da nemici i suoi abitanti. Erano sì, pronti « a fare la guerra, ma a condizione che fosse loro assegnata una parte del territorio etrusco e una sede stabile ».

Gli etruschi, dopo aver discusso le nuove richieste nelle loro assemblee, alla fine le respinsero, temendo la vicinanza « di un popolo tanto selvaggio ». Dopo di che « i galli se ne andarono portandosi via un mucchio di denaro, senza aver mosso un dito o aver corso pericoli per procurarselo ».

Era andato così perduto un tempo prezioso per i preparativi di guerra, e l'Etruria avrebbe ben presto sperimentato le conseguenze di questo sventurato caso. Roma infatti, informata da spie dei preparativi di guerra e delle trattative coi galli, aveva nel frattempo preso l'iniziativa: avide di lotta, le sue legioni attraversarono ora la regione in lungo e in largo.

Gli etruschi, ancora insufficientemente preparati, non osando scendere in campo, si tennero nelle loro città saldamente munite; per cui i romani presero a devastarne il territorio e ad appiccar fuoco alle case, e furono bruciati « non solo edifici, ma interi villaggi ». Nel bel mezzo della campagna di devastazione, 298 a.C., esplode la notizia che i sanniti si sono sollevati.

Testa di górgone su una moneta etrusca. Didracma d'argento del V/IV secolo a.C.

Era la guerra su due fronti. Sul Tevere nessuno sospettava quale pericolosa congiura e coalizione vi fosse dietro. I nuovi consoli si divisero le aree d'azione: L. Cornelio Scipione ebbe l'Etruria, Cneo Fulvio il Sannio. « Quindi partirono ambedue in direzione opposta, ciascuno verso la ‹sua guerra›. »

Scipione, che « contava su una guerra di lunga durata come l'anno precedente », ebbe una sorpresa: nella parte settentrionale della regione, vicino alla città di Volterra nella valle del Cècina, gli si fanno incontro, inattesi, gli etruschi con un esercito ben equipaggiato, e lo assalgono. « La battaglia durò quasi tutto il giorno, con gravi perdite da ambo le parti. Quando calò la notte non si sapeva ancora chi fosse il vincitore. » L'oscurità costrinse i contendenti a separarsi; ma quando il mattino seguente i romani si schierarono nuovamente, ebbero un bel guardare: il nemico era scomparso.

Spintisi sino all'accampamento etrusco, lo trovarono senza un'anima, ma ne trassero ricco bottino. Così, caricatoselo, tornarono al sud, deponendolo nella città di Falerii. Quindi il console ordinò azioni punitive, la « politica della terra bruciata », tanto cara e tanto praticata dai guerrieri-contadini di Roma. « Le sue truppe attraversarono saccheggiando il territorio nemico. Tutto fu distrutto col ferro e col fuoco e dappertutto si fece preda. Al nemico si lasciò non solo devastata la terra, ma bruciate rocche e villaggi ».

Anche nel sud, i sanniti non riuscirono a spuntarla sui romani, anzi perdettero una battaglia e due città. Entrambi i consoli ebbero l'onore del trionfo.

Roma stava accingendosi alla nuova elezione del comandante supremo, quando apprese « che etruschi e sanniti preparavano grossi eserciti. Nelle pubbliche assemblee etrusche si rinfacciava aspramente ai patrizi di non aver coinvolto a ogni prezzo i galli nella guerra. Quanto al governo dei sanniti, gli si rimproverava di aver messo in campo contro i romani un esercito che al massimo poteva andar bene contro nemici come i lucani ».

Tutto faceva pensare che i nemici mobilitassero « ancora una volta le loro forze e quelle alleate, e che ci si dovesse attendere una lotta impari ».

Si allestirono pertanto due eserciti consolari da destinare all'Etruria e al Sannio; ma, poco avanti la loro partenza, vennero da settentrione notizie che mandarono a monte la progettata campagna. Informatori di Sutri, Nepi e Falerii avevano comunicato che « le popolazioni etrusche discutevano nelle loro assemblee di una richiesta di pace a Roma ».

Roma non sapeva di esser caduta nella trappola di una falsa informazione, diffusa ad arte perché dormisse i suoi sonni tranquilli e fosse distratta dai preparativi e dai piani della potente coalizione, allora già in corso.

« Così tutto il peso della guerra si spostò nel Sannio. » Entrambi gli eserciti, penetrati nella regione, « la devastarono per intero durante cinque mesi » senza incontrare un nemico. I romani restarono nel Sannio anche l'anno seguente; e ancora non si venne a scontri con l'esercito sannitico, ma si proseguì nelle devastazioni e nei saccheggi. Finché un giorno il senato apprende, atterrito, che Gellio Egnazio, comandante dei sanniti, è riuscito a sfondare la linea fortificata dell'Italia centrale. A marce forzate, aggirando la città tiberina, è riuscito a raggiungere i confini tra l'Umbria e l'Etruria con un esercito forte e ottimamente equipaggiato.

Da altre notizie Roma si rende finalmente conto della minaccia che si addensa nel nord: l'arrivo dei sanniti non è che il segnale di una levata di scudi generale. Si viene così a formare una forza nemica come mai si era vista prima in Italia: tutta l'Etruria o quasi era in armi, insieme con gli alleati umbri, sanniti e... galli.

Quattro popoli marciavano con i loro eserciti contro l'odiata nemica.

Le lucumonìe non avevano badato a sacrifici pur di rendersi alleate le schiere galliche. E poiché queste non combattevano che dietro denaro sonante, si erano fatte collette in tutte le città, e persino sottratti grandi tesori al tempio di Voltumna. Le monete d'oro e d'argento pretese dai galli erano state fatte coniare nella città amica di Taranto.

Roma ordina la cessazione di ogni negozio, vengono formate coorti di seniori, si immettono liberti nelle centurie e si levano truppe in Campania. Il comando dell'esercito per l'Etruria viene affidato ai comandanti più esperti: Publio Decio e Quinto Fabio Rulliano: le forze ammontano a sessantamila uomini. Restano di riserva due altri eserciti: uno a Falerii sotto la guida di Cneo Fulvio, l'altro alle porte delle mura serviane al comando di Lucio Postumio Megello.

Frattanto, si erano riuniti i contingenti dei quattro alleati, etruschi, sanniti, umbri e galli: punto di raduno l'Umbria, dove si incontrano le strade dei territori gallico etrusco e sabino. Era una distesa sterminata di armati: « Sono accampati in due luoghi diversi, » informano gli esploratori, « perché uno solo non basterebbe a ospitare una simile folla. »

Di comune intesa i comandanti stabiliscono il piano di campagna.

« Ai sanniti furono sottoposti i galli, agli etruschi gli umbri; venne deciso il giorno del combattimento, e le operazioni militari furono affidate ai sanniti e ai galli. Gli etruschi e gli umbri dovevano attaccare il campo romano durante la battaglia. »

A marce forzate, « risalendo il Tevere sulle due rive », avanzano i consoli col grosso dell'esercito; ma prima ancora di imbattersi nella schiera alleata, vengono a conoscenza dei suoi disegni. « Tre disertori di Chiusi, giunti segretamente di notte dal console Fabio, diedero informazioni sui piani dei nemici »; dopo di che furono « congedati con doni, e con l'ordine di informare il console di volta in volta di ogni nuova risoluzione ».

I consoli presero immediatamente nuove disposizioni per scongiurare il pericoloso attacco congiunto: l'assalto degli etruschi e degli umbri al campo romano. Fulvio e Postumio ricevettero ordine « di avanzare entrambi, l'uno dal territorio falisco l'altro dalla zona del Vaticano, contro Chiusi, e di devastare la regione nemica con ogni mezzo »; la manovra aveva per scopo di stornare truppe etrusche dal teatro bellico principale.

I romani riuscirono effettivamente nell'intento: « La notizia delle devastazioni mise in marcia gli etruschi a protezione della loro ter-

Orecchino d'oro con pendagli riccamente lavorati, da Todi, nell'Umbria sotto l'influenza etrusca.

ra. » Li seguirono contingenti degli umbri, che temevano devastazioni anche per la loro patria. Le file dell'esercito alleato furonó in tal modo gravemente assottigliate.

Appena ricevuta notizia del ritiro di forze etrusche, i consoli « si affrettarono a venire a battaglia. Nel territorio di Sentino si incontrarono col nemico ».

Sulle pendici orientali dell'Appennino, in un'afosa giornata estiva del 295 a.C., la valle del Sentino, su cui s'affaccia, oggi, da un'altura la cittadina di Sassoferrato, divenne il teatro della battaglia.

Passati due giorni in scaramucce preliminari, nel terzo si scese in battaglia con tutte le forze in campo. Al primo cozzo, nota Livio, si combatté a forze tanto pari, che se si fossero presentati sul campo di battaglia o nell'accampamento gli etruschi e gli umbri, in qualunque direzione avessero attaccato, avrebbero inferto una sconfitta ai romani.

All'ala destra, dove combatteva con le sue legioni Quinto Fabio contro l'esercito sannitico al comando di Egnazio, il combattimento restò a lungo indeciso. « I romani, più che attaccare, si difendevano. » All'ala sinistra, comandata da Publio Decio, la lotta contro i galli prese improvvisamente, dopo iniziali successi romani, una piega pericolosa: « Essi furono sorpresi da una tecnica di combattimento per loro assolutamente nuova. Il nemico armato, avanzando tra un possente frastuono di cavalli e di ruote su carri da guerra, fece impennare i cavalli dei romani, non avvezzi a un simile trambusto. La cavalleria, stordita, si disperse; e nella fuga disordinata caddero cavalli e cavalieri. » Quando anche la fanteria cominciò a ripiegare, il console Decio « spinse il suo cavallo in mezzo alla linea gallica, e cadde ».

La morte deliberata del comandante ridiede ai ranghi volontà di combattere. Contemporaneamente Fabio gettò la cavalleria di riserva a sostegno dell'ala minacciata; l'assalto improvviso, sul fianco e alle spalle, gettò lo scompiglio fra i galli, cacciandoli in fuga. Un selvaggio attacco delle truppe di Fabio, quando già cominciava a scendere il crepuscolo, piegò la resistenza dei sanniti, che ripiegarono ritirandosi nel loro accampamento. Il loro comandante, Egnazio, fu ucciso.

La battaglia era decisa: vincitori i romani. Enormi per ambe le parti le perdite: ottomilasettecento legionari rimasti sul campo, venticinquemila alleati caduti e ottomila fatti prigionieri.

Frantumati, si sciolsero i resti del grande esercito della coalizione; e con essi la Lega. I galli fuggirono, e i sanniti superstiti ripassarono gli Abruzzi verso la loro patria. L'Umbria restò in mano romana.

I romani vinsero anche su suolo etrusco – « senza contare gli enormi danni causati al nemico con la devastazione del territorio » – al comando del pretore Cneo Fulvio: « Furono uccisi oltre tremila uomini di Perugia e di Chiusi, e prese circa venti insegne. » Per motivi di sicurezza Quinto Fabio lasciò di guarnigione « l'esercito di Decio in Etruria ». Tornato con le legioni a Roma, trionfò « su galli, etruschi e sanniti ».

Un solo giorno era bastato per spezzare la lega delle popolazioni anti-romane...

Eppure il 295 non portò la pace: perché nessuno dei due popoli più forti era stato piegato nel suo proprio territorio, né gli etruschi né i sanniti. Così la guerra andò avanti.

Perugia allestì nuove truppe, invitando con messi segreti anche le città vicine a sollevarsi: ma solo la lucumonìa di Volsinii accolse l'esortazione. Con il coraggio della disperazione i guerrieri dei due stati scesero in campo contro le legioni di Fabio. Quattromilacinquecento etruschi restarono sul campo, millesettecentoquaranta furono fatti prigionieri: per ognuno di essi fu pagato un riscatto di trecentodieci assi. Il bottino fu diviso fra i soldati romani.

L'anno dopo Roma mandò altri due eserciti per rappresaglia. Il console L. Postumio Megello, penetrato nel territorio di Volsinii, ne devastò le campagne. Unità etrusche decise a impedire le barbare devastazioni furono battute con gravi perdite « non lontano dalle loro stesse mura ». Caddero duemilaottocento guerrieri.

Dopo quest'azione, il console marciò verso l'Etruria settentrionale, facendo devastare i campi vicino a Roselle. Anche qui ogni resistenza fu vana: duemila etruschi uccisi, altrettanti fatti prigionieri. I romani, assalita la città saldamente fortificata, la espugnarono.

Roselle è rimasta muta fino a oggi. A dieci chilometri a nord-est di Grosseto, dall'Aurelia verso l'interno, su una via di campagna un cartello indica le rovine di Roselle. Un tortuoso sentiero fra rosse querce da sughero porta al sito dell'antichissima lucumonìa. Gli ultimi abitanti lasciarono il luogo otto secoli fa, quando se ne andò anche il vescovo che qui risiedeva.

« Da allora Roselle è rimasta come la vediamo oggi: un deserto di dirupi e di macchie, frequentato soltanto da pastori e pecorai, che se ne stanno seduti il giorno intero sull'erba o girano uno sguardo stupito sulle immense rovine di cui ignorano l'origine e la storia. »

Ciò che il Dennis scriveva centovent'anni fa, è ancora valido. Ancora sorgono, infatti, le cerchie delle grandi mura, costruite in alcuni punti di blocchi ciclopici, di quattro metri cubici ciascuno. Un porcaro vive sull'altura solitaria, donde lo sguardo spazia per ampio tratto fino al mare. Che occasione unica – e pur mai sfruttata – di riportare in luce fin dalle fondamenta, in questo luogo appartato, una delle più importanti metropoli etrusche!

Solo in alcuni posti s'è scavato il terreno. Nel 1960 ci s'imbatté, nel lato sudorientale della collina, in tracce di strade, canali e cisterne. Sotto giacciono le rovine risalenti al VI secolo a.C., l'epoca aurea della nazione etrusca; e riposano indisturbati, allora come ora, i segreti della potente Roselle. Finora non si è ottenuto il permesso per una ricerca sistematica: è l'Italia dunque sempre decisa a non saper nulla dei primi grandi maestri e signori del suo territorio?

Dopo la conquista di Roselle, gli etruschi, finalmente, piegarono. Chiesero la pace le tre città più potenti: Volsinii, Perugia e Arezzo. A prezzo di una fornitura di indumenti militari e di granaglie, essi ottennero dal console il permesso di inviare messi a Roma; dove « il Senato accordò loro un armistizio quarantennale », dietro pagamento di mezzo milione di assi per ognuna delle tre città.

L'Etruria sembrava essersi arresa al suo destino.

Quattro anni dopo cessavano nel sud anche le lotte contro gli alleati degli etruschi: il trattato di pace del 290 segnò la sottomissione dei sanniti.

Roma era diventata la potenza suprema della penisola. Ma a quale prezzo!

L'Europa che, affascinata, lesse per secoli solo la storia dell'ascesa vittoriosa di questo stato militare avido e posseduto da una volontà di dominio mondiale, storia scritta da Roma medesima, dimenticò il lato oscuro: il cimitero di popoli, la devastazione di regioni ampie e feraci, l'annientamento e lo spegnimento sistematico dell'antica Italia, così piena di vita nella sua multiforme struttura.

I CELTI AL SOLDO DEGLI ETRUSCHI

A neppure un decennio dalla battaglia di Sentino, si costituì ancora una volta, a nord e a sud, un'alleanza di tutti i nemici di Roma.

Nell'Italia meridionale si ribellarono a Roma i lucani e i bruzzî, abitanti a sud del Sannio, annodando segrete trattative con i loro vicini per metter in piedi una coalizione italica. Ammoniti da Roma, ne fecero prigionieri i legati, e aprirono le ostilità chiamando contemporaneamente sanniti e tarentini, etruschi, umbri e galli, alla lotta per la libertà comune.

Quando comparvero in Etruria gli « arruolatori » del sud, l'opinione si mostrò divisa. Nella parte settentrionale della regione, le città si mostrarono riottose e fermamente decise a opporsi a qualsiasi partecipazione a una lega anti-romana; ma molte altre città-stato, fra le quali Volsinii e Vulci, e anche Chiusi, si dichiararono d'accordo e cominciarono a far piani, riuscendo altresì, per mezzo di legati, a farsi degli alleati tra i galli che già da tempo sognavano la riscossa per la sconfitta di Sentino. Poterono così venire assoldate numerose schiere mercenarie galliche.

Rilievi di tombe in forma di tempio scavate direttamente nella parete rocciosa (necropoli di Norchia). Sul frontone rovinato, un tempo sorretto da colonne, cortei funebri, teorie di guerrieri e scene di guerra. (Disegno di George Dennis, XIX secolo).

Nel 285 apparve inaspettatamente sotto le mura di Arezzo una schiera imponente di senoni e di volontari etruschi, allo scopo di costringere con la violenza la città-stato a entrare nella coalizione. Roma s'affrettò a mandare aiuto agli oppressi; ma la legione inviata, al comando del console Lucio Cecilio Metello, venne sconfitta, perdendo sul campo il console stesso, sette ufficiali superiori e tredicimila legionari. Dai tempi dell'Allia Roma non aveva più patito tanta sventura.

La notizia della sconfitta romana fu il segnale della rivolta per l'Etruria intera.

Due nuove legioni si misero in marcia alla volta di Arezzo, mentre il senato spediva legati ai senoni per il rilascio dei prigionieri. Durante le trattative, nelle quali i galli presero chiaramente partito per gli etruschi, si venne ad accesi scontri, che finirono con l'uccisione dei negoziatori romani.

Roma rispose con una spedizione punitiva, inviando il console Publio Cornelio Dolabella con un forte esercito nel territorio dei senoni lungo l'Adriatico. I legionari fecero piazza pulita fra i celti senza pietà: quelli che non passarono a fil di spada, li cacciarono dalla regione. A Sena, città portuale e capitale dei senoni, fu dedotta una colonia di veterani. Così Roma metteva saldamente piede su un altro punto della costa adriatica, assicurandosi nel contempo una piazzaforte marittima in posizione strategica.

Le rappresaglie indiscriminate precipitarono nella ribellione i galli boî, vicini e compatrioti dei senoni. Passato l'Appennino a schiere in cerca di vendetta, vennero a unirsi agli etruschi che continuavano nella lotta coi resti delle bande senoni.

Il contingente gallo-etrusco si mise in marcia verso Roma, discendendo il Tevere. Attraversata la valle, si imbatté nel nemico in prossimità del lago Vadimone. L'esercito romano era guidato dal console P. Cornelio Dolabella.

Al sordo rullio dei tamburi cozzano insieme le armi etrusche, galliche e romane. Lo scontro con le legioni porta alla sconfitta: talmente catastrofica che solo pochi scampano con la fuga. Fu un vero bagno di sangue di etruschi e galli, ci informa la tradizione; « così terribile, che le acque del Tevere diventarono rosse, e i cittadini romani appresero la notizia della battaglia ancor prima dell'arrivo dei messi inviati dal console ad annunciare la vittoria ».

Il lago Vadimone era tornato a esser teatro di una totale sconfitta etrusca; nel 309, infatti, sulle sue rive i romani avevano « spezzato per la prima volta la loro potenza »: ora, solo una generazione più tardi (283 a.C.), l'avevano spezzata per la seconda.

Nessuna guida turistica, antica o moderna, segna questo lago, che si cercherebbe invano anche su un atlante. Caduto in oblio, ciò che ne resta è un piccolo stagno ameno. Lo si raggiunge in pochi minuti a piedi partendo dalla stazione di Bassano in Teverina, nelle cui vicinanze l'autostrada Orvieto-Roma varca, in ampio arco, tre volte successivamente il Tevere. In epoca etrusca, esso costituiva, in mezzo alla piana cinta di colli, un grande bacino circolare, le cui acque non videro mai una barca. Era sacro; e vi era proibita finanche la pesca.

Sembra quasi che la natura rigogliosa abbia voluto spegnere anche il ricordo di eventi che qui accaddero un tempo a rovina degli etruschi. Solo di rado l'aratro riporta alla luce dalla terra scura vicino alla riva frammenti di un'armatura, di una spada o di un elmo, ultime testimonianze delle terribili battaglie che qui infuriarono.

Con un'altra pesante sconfitta di etruschi e boî nell'anno successivo alla battaglia del lago Vadimone, finiva nel 282 anche la lotta comune di entrambi i popoli. I boî, stretta la pace coi romani, si volsero ad altri piani di conquista, lasciando l'Italia per i Balcani. Saccheggiando e diffondendo il terrore, compaiono alle Termopili e a Delfi, donde si spingono fino in Asia Minore. La terra dove si stabilirono prese da loro il nome di Galazia. Ai loro discendenti, i gàlati, l'apostolo Paolo indirizzerà in seguito la sua famosa epistola.

Con la vittoria romana sui galli la sorte del nord era decisa. L'Etruria scendeva al rango di teatro minore di guerra; da essa non venne più alcun serio pericolo alla città tiberina.

SI SPERA NEL RE PIRRO

Roma aveva ora agio di estendere altrove la guerra. E non esitò un istante. Con tutta la sua energia la riprese nell'Italia meridionale, dove la scarsità di truppe l'aveva costretta a segnare il passo.

Da principio tutto andò come sperato. Un esercito consolare riuscì a battere i lucani. Le città greche, pericolosamente minacciate da questa popolazione, accolsero dovunque i romani come salvatori; così, Turi, Locri, Crotone e persino Reggio accettarono di buon grado guarnigioni romane all'interno delle loro mura. Ma appunto questo avrebbe dato origine a un futuro conflitto.

I successi di Roma svegliarono l'opposizione della più potente città della Magna Grecia: Taranto, la quale si sentiva ora minacciata nella sua attività marittima e nella sua posizione di primo piano.

Un caso grave, l'assalto della popolazione tarantina a una flotta romana che, nel viaggio dal Tirreno all'Adriatico, era venuta ad ancorarsi in questo porto, portò alla rottura e alla guerra con Roma.

Taranto, non in grado di affrontare le armi romane, si rivolse a una potenza straniera, chiamando in suo aiuto – e con successo – il più celebre condottiero della Grecia di allora: Pirro, re dell'Epiro.

Nell'autunno dello stesso 282 sbarcava a Taranto l'avanguardia del re; il quale arrivò di persona la primavera seguente con un grande esercito, forte di ventimila falangisti, duemila arcieri, cinquecento frombolieri e cinquemila cavalieri: non inferiore, dunque, a quello con cui, cinquant'anni prima, Alessandro Magno aveva passato l'Ellesponto. Come speciale arma tattica di sicuro effetto, si era portato inoltre venti elefanti da guerra, i primi su suolo europeo.

La notizia dell'inatteso arrivo dei mercenari di Pirro si sparse per la penisola in un baleno. I nemici di Roma respirarono a pieni polmoni; e sanniti, lucani e bruzzî non esitarono un istante a unirsi ai greci. Arrivarono segretamente a Taranto anche messi dal nord: etruschi, che fecero sapere di essere pronti a intervenire. La superiorità romana sembrava minacciata di sconfitta.

Roma prese dunque provvedimenti precauzionali d'ordine generale. A protezione della città fu lasciato un esercito di riserva; un secondo si mosse, al comando del console Tiberio Coruncanio, alla volta dell'Etruria, dove bande di volontari erano schierate attorno a Vulci e a Volsinii. Il grosso dell'esercito romano, forte di quattro

Rovine della porta e delle mura di Cosa presso Ansedonia. La colonia militare romana sorse nel 273 a.C. sul territorio strappato alla città di Vulci. Le mura avevano allora quattro porte e diciotto torri.

legioni per complessivi cinquantamila uomini (comprese le milizie federate), si mise in moto a marce forzate, al comando del console Publio Levino, contro Pirro.

Gli avversari si scontrarono presso Eraclèa, la colonia tarentina sul fiume Aciri. Nonostante la superiorità numerica, le legioni non erano all'altezza della strategia ellenistica; e il re, pur a prezzo di gravi perdite, riportò la vittoria. La sconfitta piombò i romani in estrema angoscia. Nel frattempo, infatti, affluivano da ogni parte a Pirro schiere di lucani, sanniti e bruzzî, dalla cui parte si schierarono anche tutte le città dell'Italia meridionale a eccezione di Reggio. Pirro poté così penetrare in Campania senza incontrare resistenza. Qui giunto, il re diede a un tratto ordine di proseguire per Roma. Il suo piano era infatti di congiungersi con gli etruschi, sobillare gli alleati romani e minacciare la città stessa.

Pirro riuscì ad avanzare sino a Preneste, a solo pochi chilometri da Roma, e a impadronirsi della rocca. Nessun esercito lo contrastò: Levino infatti seguiva la marcia del re con le sue truppe come un'ombra, ma sempre a distanza di sicurezza, in modo di non farsi coinvolgere in un combattimento. Ciò che Pirro si augurava, però, non avvenne: nessuno degli alleati defezionò. Dovunque, nel Lazio, trovò le porte sbarrate. Anche i sabini e gli umbri non si mossero.

Forse il re avrebbe egualmente proseguito nella sua avanzata, se non fossero giunti corrieri dall'Etruria con la notizia che Vulci e Volsinii, le uniche città-stato che si erano sollevate alla lotta per la libertà, avevano ceduto ai legionari. La prima aveva perso la sua indipendenza ed era stata costretta a cedere il suo territorio costiero e larga parte di quello interno.

Svanita dunque l'occasione di un sollevamento generale contro Roma, che era sembrato tanto a portata di mano dopo il trionfo di Eraclea. A Pirro, contro il quale marciavano ora l'esercito romano disimpegnatosi in Etruria e le riserve di stanza nella città tiberina, non restava che far marcia indietro. Per qualche tempo ancora vagò incerto per la Campania col suo esercito mercenario; l'arrivo dell'inverno lo vide di nuovo a Taranto.

Così finiva l'anno 280 a.C., con una vittoria di Pirro...

Dopo la perdita dell'indipendenza di Vulci in seguito all'ultima offensiva romana, restava libera soltanto una lucumonìa ancora: la ricca e potente Volsinii.

Ultimo pilastro dell'impero etrusco in frantumi, la città-stato si ergeva ancora intatta in mezzo a tanta rovina. Ora che il libro della storia s'era chiuso sugli etruschi come popolo libero, anche i suoi giorni erano contati.

L'atto conclusivo della lotta secolare fra l'Etruria e Roma resta oscuro, perché è andato perduto il libro liviano sopra la caduta e la rovina di Volsinii. Un quadro approssimativo degli eventi ci è offerto soltanto da frammenti di altre tradizioni. Le lotte senza fine, e le gravi perdite umane che esse costarono, avevano costretto i patrizi ad armare sempre più schiavi e liberti da mettere in campo, i quali, in nome dei servizi prestati, avevano strappato loro, grado a grado, concessioni e importanti diritti civili.

« La città di Volsinii, » osserva Valerio Massimo, « precipitò in grave e indegna rovina. » Ricca, ordinata con costumi e leggi eccellenti, riguardata a un certo punto come la capitale dell'Etruria, era a poco a poco scivolata nell'abisso dell'infamia col sottomettersi alla sfrontata tirannia degli schiavi. I quali erano dapprima riusciti a intrufolarsi nel senato, quindi si impadronirono del governo. Dopodiché rilasciarono leggi arbitrarie sulle eredità, proibirono i banchetti nuziali e le radunanze dei liberi, e sposarono perfino le figlie dei loro antichi padroni. « Con la parola ‹schiavi›, » dice il Pfiffig, « si intendeva la *plebs*, cioè il popolo dei proletari, contadini, operai e lavoratori. »

Nel decennio successivo alla sconfitta del 280, le contese interne di Volsinii si acuirono, sembra a un punto, che i patrizi non si sentirono più sicuri né della vita né dei beni. In tale situazione, decisero un bel giorno di rivolgersi a Roma.

Legati incaricati di trattative confidenziali partirono alla volta dell'urbe. Poiché il loro passo doveva restare ignorato da tutti, il senato si dichiarò disposto a riceverli in una casa privata. Sfortuna volle però che un sannita, ospite casuale, ascoltasse non visto i colloqui svelando ogni cosa.

Mentre se ne tornavano ignari verso Volsinii, i legati vennero assaliti da un gruppo in agguato che, presili, li torturò e poi li giustiziò. Scoppiò una rivolta, e i ribelli s'impadronirono della città, dando inizio a un governo terroristico quale mai la storia etrusca aveva conosciuto. I patrizi furono cacciati o uccisi, privati delle mogli e delle figlie. I possedimenti dei ricchi furono saccheggiati e le terre divise fra il popolo.

La notizia della sedizione offrì a Roma l'occasione buona per un'azione militare contro l'ultima grande lucumonìa. Sotto il pretesto di reinsediare nei suoi diritti il cacciato regime aristocratico, la città mise in marcia le sue legioni.

Troppo tardi gli abitanti di Volsinii si accorsero di quanto avevano provocato con la lotta fratricida: la disperata volontà guerriera che s'accese unanime all'apparire degli odiati romani, non bastò più a salvare la città. Il console Quinto Fabio Massimo batté le forze mandategli incontro in tutta fretta, cadendo egli stesso in battaglia. Il suo successore nel comando, il console M. Fulvio Flacco, al rifiuto della resa da parte di Volsinii, fece costruire trincee attorno alle mura.

Straziata dalla fame, esaurite le forze durante le battaglie difensive, la città soccombette dopo un prolungato assedio.

Tutti i capi congiurati su cui si poté metter mano furono giustiziati. Quindi cominciò il grande saccheggio. Anche di fronte al venerando *Fanum Voltumnae*, il vicino tempio della Lega, i legionari non arretrarono, depredandolo di tutti i suoi ricchi e preziosi tesori, offerte votive e doni sacri. Ricchezze smisurate, paragonabili solo agli ori delle camere dei templi di Delfi, raggiunsero Roma in lunghe colonne di carri. Secondo la tradizione, con il gigantesco bottino furono portate via ben duemila statue di bronzo, che sparirono per

Chimera bronzea rinvenuta nel 1552 presso Arezzo. Essere favoloso dalla figura leonina; sul dorso gli spunta una capra cornuta e per coda ha una serpe. Il mostro sta mugghiando di dolore: ferito a una zampa durante una lotta, sanguina anche dalla testa caprina morente. Su una zampa l'originale porta l'iscrizione « tinscvil » (offerta votiva). Capolavoro unico dell'arte etrusca del bronzo del V secolo a.C.

sempre. Perdita enorme, se si pensa ai pochi, unici capolavori degli artisti etruschi che il caso ci ha conservato: la lupa, la chimera e l'arringatore.

Metrodoro di Scepsi accuserà poi i romani di aver conquistato Volsinii solo per impadronirsi delle duemila statue: che essi depredarono non per passione dell'arte etrusca o per ornarne la loro città, ma per fonderle tutte! Il motivo? Il senato aveva stringente bisogno di mezzi per riempire l'erario vuoto in vista di una nuova campagna di conquista. I preparativi per la progettata guerra contro Cartagine richiedevano difatti somme spropositate, e poiché mancava l'argento, si decise di coniare l'*aes grave*. Così i tesori di Volsinii finirono in monete di bronzo, impiegate per l'acquisto di armi contro l'antica alleata e amica africana!

La smania distruttiva di Roma giunse al punto da voler cancellare per sempre Volsinii dalla faccia della terra: nulla in futuro doveva ricordare la superba città che per secoli aveva incarnato la potenza e la grandezza etrusche. Furono così distrutti tutti gli edifici, e abbattute mura e fortificazioni; degli abitanti, quelli che erano sopravvissuti e non erano stati venduti schiavi, furono radunati e cacciati dal luogo, costretti a stabilirsi altrove.

Il 1° novembre 264 il console M. Fulvio Flacco ebbe il suo trionfo. Per l'ultima volta fu notato sulle tavole dei *fasti triumphales* il nome di una città etrusca: *de Vulsiniensibus.*

La caduta e la distruzione di Volsinii significarono la capitolazione totale degli etruschi, la pietra tombale sulla loro storia di nazione indipendente. Questo accadeva centotrent'anni dopo che Roma, con la conquista di Veio, aveva festeggiato la sua prima grande vittoria e penetrazione in Etruria, quasi un quarto di millennio dalla cacciata dei tarquinii dall'urbe. Gli arùspici, narra la tradizione, avevano predetto la fine della sesta età del loro popolo in quell'anno.

L'Etruria era ormai alla mercé degli ordini e del dispotismo di una potenza straniera d'occupazione. Roma assicurò alle città-stato soggette un'autonomia solo apparente: perché tutti i loro atti erano costantemente sorvegliati dalle colonie militari di Sutri e di Nepi, dalla guarnigione di Arezzo, da forze di polizia e da un esercito di informatori. Alle città era però lecito esercitare il commercio; liberi anche l'artigianato e la fabbricazione della ceramica.

Alle direttive e ai severi controlli di Roma sottostava per contro la produzione di metallo per armamento. Tutto il ferro grezzo richiesto passa d'ora innanzi negli altiforni del vincitore presso Pozzuoli, e il bronzo viene trasportato per nave a Brindisi. L'industria pesante un tempo fiorente precipita inesorabilmente così, grado per grado, a un livello infimo; le fonderie sono sostituite da officine e fabbriche di ceramica dipinta che cominciano a produrre in serie articoli a buon mercato. Mancano ormai i clienti di un certo gusto.

La storia e il destino di Volsinii caddero in oblìo, e non restò neppure notizia del luogo dove era sorta. Dopo la distruzione, la città sembrò scomparsa dalla faccia della terra, cancellate per sempre anche le sue ultime tracce.

Gli studiosi l'hanno cercata in vari luoghi: taluni credettero di poterla indicare in Orvieto con il suo roccione ripido sulla valle, della quale era ed è rimasto ignoto il nome etrusco. Sorgeva forse qui Velzna, com'era il nome dell'antica Volsinii su monete etrusche? Che la città sul Paglia, troneggiante come una visione sulla collina tufacea rosso-bruna cinta di vigneti, fosse già in epoca etrusca una località importante, lo testimoniavano molti resti, fra cui frammenti di decorazioni di terracotta del tempio, di camere tombali affrescate e un grande sarcofago dipinto.

L'ultimo venne in luce un giorno che un fulmine sradicò un vecchio albero. Ai piedi della rupe si disseppellì anche la necropoli detta *Crocefisso del Tufo*, sulle cui strade ad angolo retto si allineano, parete contro parete, le camere tombali. Sulle porte, incisi nella pietra, i nomi dei defunti in grandi lettere etrusche.

Ma l'antica lucumonìa andava cercata là dove il suo ricordo è rimasto fino ai giorni nostri nel nome di una località e di un lago!

Cinto dal materiale lavico di un potente cratere, dal quale un vulcano di proporzioni gigantesche eruttava un tempo verso il cielo vampe infuocate e fumose, giace il lago di Bolsena. Sulla sua riva settentrionale, diciannove chilometri a sud-ovest di Orvieto, sta accoccolata la cittadina dello stesso nome: Bolsena.

Argento-pallido riluce lo specchio del grande bacino, sul quale vanamente si cercherebbe il trascorrere di una vela o di una barca. Solo due isolette, la Bisentina e la Martana, rompono la monotonia della superficie, emergendo, pari a scogli puntuti, da una profondità senza fondo. Folti boschi e macchie impraticabili coprono fitte dal piede alla cima le ripide pendici del cratere, simile a un cupo anfiteatro modellato dalle forze primigenie della natura: luogo inameno, sopra il quale incombe, anche quando il sole splende in un cielo senza nubi, una misteriosa malinconia.

Quanti eventi hanno vissuto questo luogo e i suoi dintorni nel corso dei millenni! Sull'isola di Martana, l'anno 535, fu imprigionata e strangolata nel bagno, per ordine di suo marito Teodato, la regina Amalasunta, figlia del re ostrogoto Teodorico il Grande. Assassinio che portò all'indimenticata « lotta per Roma », offrendo all'imperatore Giustiniano il pretesto per assalire l'impero ostrogoto, che ne uscì distrutto.

In una grotta della chiesa di Santa Cristina a Bolsena si vede tuttora l'altare della santa con un tabernacolo del IX secolo. Qui, stando alla tradizione cattolica, avvenne il cosiddetto miracolo di Bolsena. Un sacerdote praghese, tormentato da dubbi sulla transustanziazione, fermatosi a Bolsena durante il suo pellegrinaggio alla Città Eterna, volle cogliere l'occasione per celebrarvi una messa. Al momento della consacrazione, vide sbalordito sgorgare dall'ostia alcune gocce di sangue. In ricordo dell'evento, il papa Urbano IV istituì, nel 1264, la festa del Corpus Domini.

A sud-est di Bolsena, nella cittadina di Montefiascone, una lapide tombale ricorda la morte di un alto prelato, non tormentato certo da dubbi di coscienza nel suo viaggio per Roma. La singolare iscrizione comincia con le parole: *Est Est Est*; le quali si riferiscono a un fatto inconsueto. Il vescovo d'Augusta Giovanni von Fugger, grande amatore di vini, si faceva precedere nel suo pellegrinaggio da un servo incaricato di scrivere la parola « Est » (cioè: qui *c'è* il vino buono) sopra la locanda dove fosse il vino migliore. Ora avvenne che a Montefiascone il vino fosse così eccellente, che il servitore scrisse non una, ma tre volte est. Il vescovo non raggiunse mai la meta del suo viaggio, perché, giunto a Montefiascone, vi s'ubriacò a morte. E ancor oggi i viticoltori locali chiamano *Est-Est-Est* il vino reso celebre da quel buon bevitore di vescovo.

Corteo funebre in onore di un defunto. Dinanzi ai parenti solennemente vestiti, musici con la tromba e il corno grande. Affresco da una camera tombale presso Orvieto.

La ricerca tanto lunga e vana della scomparsa Volsinii doveva finire sulle rive di questo lago. Un giorno che si scavava in vicinanza di antichissime rovine ai bordi della cittadina di Bolsena, vennero in luce strade selciate a grandi lastre squadrate, un anfiteatro, un foro e le fondamenta di una villa. A un esame più approfondito, però, i resti si rivelarono originari di epoca romana. Erano le rovine della città dove gli esuli avevano dovuto stabilirsi per ordine dei romani: *Volsinium novum*, la Bolsena nuova, ancora in piedi, com'è testimoniato, in epoca imperiale. Tacito la vuole luogo di nascita di Seiano, il quale, dopo aver retto a lungo nelle sue mani, come favorito di Tiberio, i destini di Roma, fu dall'imperatore fatto giustiziare; e Strabone la menziona come una delle più eminenti città etrusche del suo tempo.

Ma dove sorgeva la città-madre, l'*urbs vetus*, tanto famosa un tempo?

La risposta venne solo dalle scoperte del più recente passato, quando, nel 1946, si cominciò a scavare sulle rive del lago vulcanico per opera dell'Istituto Archeologico Francese di Roma.

Due chilometri a est di Bolsena si erge sopra il lago, in posizione dominante, un colle alto seicentoventidue metri: la Mozetta di Vietana. Sulle sue pendici, vanghe e picconi s'imbatterono in un possente impianto di fortificazione. In mezzo alla boscaglia e ai vigneti vennero in luce resti di mura ciclopiche di più d'un metro e mezzo di spessore, costituite di grandi blocchi parallelamente commessi, con incisi i segni delle compagnie di scalpellini etrusche. La datazione assegnava l'opera, senza ombra di dubbio, al V-IV secolo a.C. Le mura si stendono per quattro chilometri, cingendo varie altre collinette. La posizione e la costruzione accurata dell'imponente fortificazione testimoniano dell'importanza della città di cui stavano a difesa, protetta a nord e a ovest da ripide gole. L'acqua potabile era assicurata agli abitanti da gigantesche cisterne, una delle quali, scoperta dai francesi durante gli scavi, era lunga quaranta metri. Gli autori classici descrivevano l'antica Velzna come « cinta di mura ».

« Recenti scavi, » dice il Pallottino, « hanno confermato, contro una precedente ipotesi che la identificava con Orvieto, che Volsinii sorgeva proprio nella località dell'odierna Bolsena, che ne ha ereditato il nome. Una poderosa cinta di mura a blocchi squadrati e doppia cortina recinge l'acropoli dominante il lago, sulla quale si sono rinvenuti resti di un piccolo tempio di età ellenistica. »

Nonostante tale scoperta, restava però insoluta l'altra grande questione che da lungo inquietava gli studiosi: dove poteva essere la sede del celebre *Fanum Voltumnae*?

Volsinii, come informa la tradizione, ospitava nel suo territorio urbano il famoso santuario dove convenivano tutti gli etruschi per le grandi feste sacrali. In esso si veneravano due divinità: Nortia, nel cui tempio si piantavano i chiodi del « calendario » etrusco, e Velthune, da Varrone definito *Deus Etruriae princeps*: donde l'opinione di alcuni che esso sia da identificarsi col dio tusco Tinia. I compagni di Celio Vibenna l'avrebbero portato a Roma dov'era venerato dalla colonia etrusca. Ancora in epoca imperiale si poteva vedere una sua statua di bronzo alla confluenza del *vicus Tuscus* col Foro.

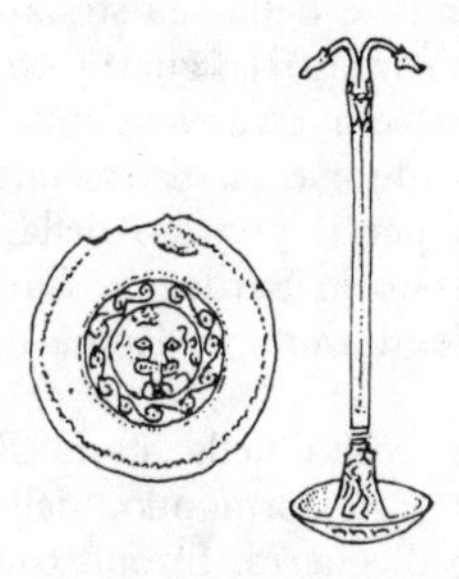

Ramaiuolo bronzeo riccamente decorato: teste equine all'impugnatura e una figura umana in basso. La base — a sinistra — è adorna di una testa di górgone. Da una tomba di Orvieto, V/IV secolo a.C.

Grandi feste avevano luogo ogni anno nel *Fanum Voltumnae*, dove i rappresentanti dei Dodici popoli trattavano gli affari politici ed economici della Lega, eleggendo un presidente, il *sacerdos Etruriae*. Dinanzi al tempio i sacerdoti, seguendo i precetti dei capi, celebravano le sacre funzioni, invocando, volti verso levante, le divinità e gli spiriti benigni, e scongiurando, verso ponente, quelli maligni. Alle preghiere e al sacrificio seguivano agoni sportivi e musicali, i quali, insieme con un grande mercato annuale dove venivano esposti i prodotti di tutto il paese, attiravano da ogni parte gente disposta a divertirsi. Convenivano regolarmente alla festa anche mercanti di Roma e di altre terre.

Tutte le ricerche per ritrovare il teatro delle solennità panetrusche rimasero senza frutto. Sulla rocca della Volsinii vecchia si trovarono, è vero, i resti di un tempietto: ma d'epoca ellenistica.

« Un'altra area sacra, » informa il Pallottino, « era stata precedentemente scoperta più in basso, nella località Mercatello. Manca ogni indizio per l'identificazione delle divinità venerate in questi santuari: tanto meno per localizzare il famoso tempio della dea Nortia, nel quale s'infiggevano i chiodi per segnare il numero degli anni. »

Sembra quasi che la terra di Volsinii antica, attorno al gigantesco lago vulcanico, rifiuti di rivelare il suo ultimo, grande mistero.

SOTTO LA POTENZA D'OCCUPAZIONE ROMANA

A un anno dall'azione contro Volsinii, la vincitrice si vide irretita in un duello dove ne andava della sua stessa esistenza.

Nel 264 a.C. scoppiò infatti la guerra contro Cartagine: il possente scontro nel quale solo centovent'anni dopo Roma raggiunse l'ambita meta con la caduta e la distruzione della capitale punica. Il conflitto ebbe inizio per il possesso della Sicilia, nella cui parte occidentale, come del resto in Sardegna, Cartagine possedeva da secoli, ben prima della fondazione di Roma da parte etrusca, importanti piazzeforti.

Mentre per la prima volta nella storia Roma usciva all'attacco fuori della terra italica, trasformando, nella sua lotta per l'isola, anche il mare in teatro di guerra, furono concessi all'Etruria, tagliata fuori dagli avvenimenti, anni di tranquillità e di pace; la sua popolazione trovò tempo di risollevarsi dai gravi rivolgimenti sociali ed economici provocati dalle guerre e dalla perdita totale dell'indipendenza; e anche i rapporti con la città tiberina cominciarono a poco a poco a distendersi. Fu in questo periodo, per l'appunto, che emerse a Roma per la prima volta un antichissimo costume preso dal culto etrusco dei morti. « Decimo Giunio Bruto, » si apprende all'anno 264, « dà il primo spettacolo gladiatorio in onore del padre morto. »

Già da epoca precedente l'Etruria conosceva spettacoli sanguinosi di combattimento, ma solo nelle cerimonie funebri dove essi avevano, appunto, sostituito gli antichi sacrifici di vittime umane.

Sinistri spettacoli di maschere ci sono testimoniati, per Tarquinia, da affreschi tombali. La Tomba degli Àuguri (VI secolo a.C.), ci conserva le cupe sequenze di uno di quei giochi funebri rituali ormai incomprensibili alla mentalità dell'uomo moderno. Queste scene ci rendono visibile e tangibile il culto di un mondo estraneo, misterioso e da tempo scomparso.

Sotto un frontone due animali da preda, gli artigli spietati simboleggianti l'inevitabile aggressione della morte, dilaniano una capra selvatica. Due uomini barbuti dinanzi a una porta gigantesca levano le mani sul capo in segno di dolore; alla loro destra, due lottatori in combattimento, completamente nudi. Un sacerdote, giudice di gara, riconoscibile dal *lituus*, li osserva.

Accanto, subito dopo, un macabro gioco di vita e di morte in pieno svolgimento. Un uomo mascherato con la barba e un berretto a punta, designato come Phersu, eccita un grosso cane scuro, tenuto a un lungo laccio, contro un altro uomo seminudo, al quale la bestia sta mordendo la coscia. L'aggredito tenta disperatamente di difendersi con una clava: ma alla cieca, costretto com'è ad agire col capo ricoperto da un sacco che gli impedisce ogni visuale. Così batte selvaggiamente attorno a sé, nella speranza di colpire a morte, prima o poi, il suo aguzzino che ritorna continuamente all'attacco. L'aggredito sanguina ormai da profonde ferite; e anche l'unica possibilità di difesa che gli resta può risolversi nella sua rovina. Quando la clava si impiglia nel guinzaglio, che già gli ha irretito i piedi, egli si trova disarmato e cade vittima dell'animale.

Scena di un giuoco funebre etrusco. Un personaggio mascherato, Phersu — il nome a sinistra del berretto — aizza un cane al guinzaglio contro un uomo armato di clava e con la testa coperta da un sacco. Particolare di un affresco nella Tomba degli Àuguri di Tarquinia, VI secolo a.C.

Senza speranze è l'orrendo gioco funebre, che porta inevitabilmente a una fine sanguinosa, al sacrificio umano in onore del defunto. Tenuto in occasione dei festeggiamenti in onore del morto, esso ricorda contemporaneamente ai vivi l'inevitabilità della morte, rappresentando visibilmente nel rito cultuale la limitatezza effimera di ogni esistenza, così dell'uomo come dei popoli.

Dal nome etrusco dell'uomo mascherato, Phersu, sorse il vocabolo latino *persona*, che presso i romani designò la maschera di teatro, il personaggio, prima di assumere il significato di personalità, individualità.

Questi giochi di origine etrusca imperniati sulla lotta furono accolti dai romani, che li tennero però inizialmente solo in occasione di cerimonie funebri. Non andò molto, tuttavia, che svuotati di senso nel nuovo ambiente straniero e offerti alla vista di un popolo diverso e prosaico, persero per sempre il loro profondo significato originario. Da un atto cultuale, in cui si specchia l'inafferrabile e crudele governo del cosmo, discende, verso la fine della repubblica, una rappresentazione puramente laica, uno spettacolo sanguinoso destinato al divertimento delle masse: i famigerati giuochi gladiatorii.

Solo verso la fine della prima guerra punica l'Etruria cominciò ad avvertire gli effetti del potente conflitto. La regione venne ancor più saldamente inglobata nel sistema militare romano, perché l'esperienza delle lotte coi cartaginesi, le cui navi da guerra si erano spinte fin nelle acque campane, indusse i romani a fondare una serie di colonie marittime a sicura protezione della costa tirrenica. Nei confiscati territori di Cere e di Veio si venne, negli anni 246 e 245 a.C., alla fondazione di due nuove piazzeforti: le città portuali di Alsium, vicina all'odierna Palo, e di Fregene, dove oggi si trova Maccarese.

Quattro anni dopo si iniziò la costruzione della grande strada costiera, la famosa via Aurelia, che deve il suo nome al direttore dei lavori, il censore L. Aurelio Cotta. Come per altre grandi costruzioni stradali, i romani sfruttarono anche qui in gran parte il precedente tracciato etrusco. Nel 241 finiva anche la prima fase della lunga accesa lotta contro Cartagine con la prima vittoria di Roma fuori del suolo italico.

Il trattato di pace costrinse i cartaginesi a rinunciare a tutti i loro possedimenti siciliani; così, tranne la regione di Siracusa, tutta la grande isola, comprese le isolette di Lipari, diventava ora romana. La Corsica, un tempo etrusca, era già stata strappata a Cartagine nel 259, e Roma aveva fondato ad Aleria una propria stazione marittima. Solo la Sardegna restò, ultimo grande dominio dinanzi alle coste della penisola, in mano punica, per tre anni ancora. Quando nel 238 vi scoppiò una sommossa, i romani non esitarono un istante — col pretesto della violazione del trattato di pace — a impadronirsi anche di questa grande isola. Le loro flotte dominavano ora indisturbate il Tirreno.

Con la vittoria su Cartagine, Roma era diventata una grande potenza. La lunga durata della guerra, che impegnò tutte le sue forze per quasi un quarto di secolo, non sembra rimasta senza ripercussioni in Etruria. Forse città singole avevano cercato di riannodare amichevoli rapporti con Cartagine e di cospirare in segreto con la grande alleata d'un tempo? Si era venuti a rifiuto di obbedienza, ad atti di sabotaggio contro la potenza d'occupazione straniera?

Ci resta notizia di un caso di resistenza aperta, riferita nell'epìtome del diciannovesimo libro di Livio andato perduto: « I falisci ribelli, sconfitti in sei giorni, si arresero ». E Polibio precisa che i romani, subito dopo il trattato di pace coi cartaginesi, « avevano dovuto affrontare una guerra interna coi falisci, a cui posero termine celermente e vittoriosamente impadronendosi in pochi giorni della loro capitale ». Quattro legioni al comando dei consoli Q. Lutazio e Aulo Manlio Torquato condussero la campagna-lampo contro la lucumonìa ribelle: Falerii, posta su una collina tufacea alta centoquarantacinque metri, soccombette all'assalto, e conobbe, dopo lo smantellamento delle sue salde fortificazioni, la stessa sorte di Volsinii. I suoi abitanti, infatti, dovettero sgombrare per sempre quel luogo di difficile attacco, per stabilirsi, d'ordine dei romani, in un posto di pianura strategicamente indifeso. La nuova città, Falerii novae, sorse a circa sei chilometri dall'antica capitale.

Civita Castellana, una borgata vicino alla via Flaminia, cinquantaquattro chilometri a nord di Roma, custodisce nel sottosuolo il sito dell'antica città faliscia. Ancora deserta un millennio dopo la distruzione romana, la località vide costruzioni e fortificazioni solo nell'VIII e IX secolo a causa delle sue buone possibilità di difesa, e l'inizio di una nuova storia. Solo il terreno conservò il ricordo della sua passata grandezza.

A ogni passo ci s'imbatteva in monumenti d'epoca etrusca, e tornavano in luce resti di templi e di terrecotte ornamentali. Sotto il doppio arco di un ponte medievale, Ponte Terrano, si stende in una gola ombrosa coperta da boscaglie una necropoli. Un silenzio di tomba avvolge il luogo, che serba immutata la sua arcana magìa. La stessa di cui fu preda più d'un secolo fa Dennis, che così scriveva nel suo diario: « Dove trovare un luogo di sepoltura più impressionante di una valle a strapiombo come questa, essa medesima una enorme tomba, grandiosa e arcanamente oscura? Qui, profondamente al di sotto del chiasso cittadino, essi potevano sedere accanto ai sepolcri dei loro defunti, prestando orecchio al mormorio del torrente, emblema d'eternità nella loro immaginazione. Le pareti scoscese, l'esile striscia di cielo sovrastante, la luce soffusa e l'umida frescura s'accordavano con la sacralità del luogo a destare sentimenti solenni. I colombi selvatici, che nidificavano nelle crepe della roccia e intrecciavano voli sopra le loro teste, apparivano forse alla loro fantasia come le anime dei defunti, indugianti nelle vicinanze del loro soggiorno terreno. »

Il popolo della città tiberina celebrò con un trionfo la vittoria delle sue legioni. Erano bastate poche settimane a domare la rivolta dei falisci e a cancellarne la capitale dalla faccia della terra. Nulla avrebbe potuto rappresentare più drasticamente e con maggiore efficacia agli occhi dell'Etruria battuta la sua impotenza e la fine della sua indipendenza.

Prima del volgere del secolo, tuttavia, i territori delle sue città, travolti nelle lotte di conquista dell'avida Roma, vissero nuovamente tristi tempi. Due volte ancora le sue terre furono teatro di scontri bellici: e per tutte e due le volte l'assalto venne dal nord. Gigantesco come allora minacciò all'orizzonte il pericolo celtico.

Roma non conosceva soste nel cammino ormai imboccato della sottomissione di genti straniere. Dopo il successo contro i cartaginesi nel meridione, le sue mire espansionistiche si erano rivolte all'Italia settentrionale; obiettivo, tutta l'area fino alle Alpi.

A ovest, « per la prima volta un esercito avanza contro i liguri », dice la tradizione. Nel 238 cominciò, presso la foce dell'Arno a Pisa, la costruzione di un solido porto di rifornimento, destinato anche alla protezione della via di mare. Sulla costa adriatica, invece, i romani decisero di dedurre colonie nei territori conquistati. Quando però, nel 232 a.C., presero a spartire fra i loro concittadini i campi del territorio gallico a sud di Ariminum, l'odierna Rimini, tutti i galli scesero in rivolta preparandosi a restituire il colpo.

I boî di Bologna e gli ìnsubri di Milano cominciarono ad armarsi, chiedendo altresì aiuto alle tribù consanguinee d'oltralpe. Lasciando le sedi montuose sul corso superiore del Rodano si mosse, al comando di Concolitano e di Aneoresto, un grande esercito di gesati, soldati mercenari, al quale si unirono altre popolazioni cisalpine, fra cui i taurisci.

Un contingente celtico di cinquantamila guerrieri combattenti a piedi, ventimila a cavallo o sul carro, confluì nella Valle padana, mettendosi in marcia per l'Appennino nel 225 a.C.: la meta, in ricordo dell'antica conquista, aveva nome Roma.

Nessuno era preparato a un attacco da questo lato; così, quando arrivarono le notizie, i celti avevano già varcato l'Appennino, spingendosi incontrastati nelle piane etrusche.

Saccheggiando rotolano le loro schiere per la valle dell'Arno, aggirando Arezzo fortificata e presidiata da truppe romane, per giungere nel territorio di Chiusi, a tre giorni di marcia da Roma. Vicino a Chiusi, sulla collina di Acqua Santa (dove sono oggi le famose terme di Chianciano), si levava il tempio di Diana, di cui restano solo sparse vestigia e che si suppone saccheggiato e distrutto dai galli.

Frattanto, corrieri del senato si erano affrettati in Sardegna per richiamare con la massima celerità il console Caio Attilio Regolo con le sue due legioni. Le truppe del secondo console Emilio Papo erano state raggiunte dall'ordine di lasciare Rimini, via Appennino, alla volta dell'Etruria. Nella città tiberina si formò una riserva di cinquantamila uomini. Oltre a ciò fu mobilitata la lega italica, e dovunque, anche in Etruria, furono chiamati alle armi tutti gli abili al servizio militare e costituiti depositi di armi e rifornimenti.

Primo giunse sul posto l'esercito romano proveniente a marce forzate dalla costa adriatica. Quando la sua avanguardia, passato l'Appennino, spuntò sul fianco dei galli, questi decisero una manovra diversiva: invece di avanzare, come previsto, da Chiusi verso

Un giudice di gara, con calzature a punta ricurva fino al polpaccio, impartisce le istruzioni durante una festa sportiva. Accanto a lui, un aiutante con un seggiolino pieghevole e un servo accosciato. Pittura murale nella Tomba degli Àuguri di Tarquinia, fine del VI secolo a.C.

sud, si volsero improvvisamente in direzione nord, verso Fiesole. Il piano di attirare i nemici inseguitori in una trappola riuscì: i romani perdettero seimila uomini. Nel frattempo era arrivato il grosso dell'esercito consolare, i galli perciò decisero di non impegnarsi in ulteriori battaglie e di tornarsene alle loro sedi, carichi del bottino fatto in Etruria.

Per ingannare il console, le cui truppe li inseguivano a distanza di sicurezza, i galli, apparentemente in marcia verso Roma, fecero una grande deviazione. Lasciato il territorio di Chiusi, girarono intorno al massiccio dell'Amiata, quindi si volsero al mare marciando lungo la costa verso nord. Non potevano immaginare che sarebbe stata proprio questa manovra a uncino a condurli dritti alla rovina.

Nel frattempo infatti le legioni del console Attilio Regolo di ritorno dalla Sardegna, approdate a Pisa, si erano messe in marcia in direzione di Roma: sulla stessa strada costiera che i galli stavano risalendo. Nella baia di Talamone, fra la sorpresa reciproca, i due eserciti vennero a uno scontro, e ai piedi del colle di Talamonaccio divampò la battaglia. Dopo un iniziale successo gallico – Caio Attilio Regolo, colpito a morte, cadde da cavallo e la sua testa fu portata trionfalmente ai capi gallici – proprio quando la battaglia sembrava già in mano nemica, i galli furono attaccati alle spalle dalle truppe del console Emilio Papo.

L'esercito celtico si dispose coraggiosamente a sostenere l'attacco su due fronti: mai il grido di guerra gallico risuonò così possente – colle e valle, boschi e campi ne echeggiarono, come si narra –; mai la loro furia bellica divampò più acerbamente. Nelle prime file si buttarono contro il nemico i gesati senz'armi difensive, avvezzi com'erano al combattimento corpo a corpo, e subirono terribili perdite a opera dei giavellotti e delle frecce romane. Anche gli ìnsubri e i boî, malgrado il loro impeto, dovettero soccombere; alla fine, un attacco della cavalleria romana sul fianco risolse la battaglia. La sconfitta fu totale: il campo era coperto da quarantamila cadaveri gallici, fra cui quello del re Concolitano; Aneoresto e il suo seguito si suicidarono; e sedicimila celti furono fatti prigionieri. La battaglia di Talamone decise di tutta la guerra: il pericolo gallico era stato cacciato come uno spettro maligno.

Anche i romani pagarono a caro prezzo la vittoria, registrando alte perdite fra i legionari; ma più colpita fu l'Etruria, che aveva visto sulle sue terre il selvaggio impeto degli eserciti stranieri devastare i suoi campi, requisire raccolti e bestiame, rapinare città, infliggere gravi danni all'economia e al commercio. E i tesori, l'oro e l'argento presi dai galli, non tornarono più dagli etruschi; l'enorme bottino caduto in mano romana andò a finire nell'erario della città tiberina.

Nulla di visibile nei dintorni ricorda più questo evento decisivo del 225 a.C. presso Talamone, un villaggio trasognato con un porticciuolo su cui incombe la cresta dei monti dell'Uccellina, di cui si serba ancora il nome etrusco: Tlamu. Un tempo doveva essere una città non insignificante, poiché batteva moneta propria, con la sigla *Tla*. All'altro lato della tranquilla baia azzurra, direttamente sull'Aurelia che la segue in stretta curva, si leva il colle di Talamonaccio, dominato da un antico forte. Ai suoi piedi, nella piana costiera, si scontrarono quel giorno romani e galli...

Nel secolo scorso, l'aratro riportò ai contadini le ultime testimonianze della battaglia: armi e oggetti votivi, ora custoditi nel Museo Archeologico di Firenze insieme con terrecotte che ornavano il frontone di un tempio di Talamone. Si vedono due figure di guerrieri, probabilmente i capi gallici Aneoresto e Concolitano.

Fu l'ultima grande invasione celtica a minacciare Roma e a devastare l'Etruria.

Dopo la vittoria i romani si diedero decisi ad assoggettare i galli fra l'Appennino e le Alpi. Con la presa di Mediolanum, l'odierna Milano, dopo la sconfitta degli ìnsubri nel 222 a.C., la signoria gallica della Padania volse alla fine.

A protezione del passaggio del Po fu costruita sulla riva destra, nel luogo di una città etrusca, la salda città fortificata di Placentia, oggi Piacenza; e non molto lontano, sulla riva sinistra, Cremona. Nel territorio strappato ai boî sorse Mutina, oggi Modena, anch'essa un tempo città etrusca.

La notizia della conquista di Milano non poteva non destare dolorosi ricordi negli etruschi: centòsettantacinque anni prima, infatti, lo stesso giorno in cui cadeva la superba Veio, la Lega delle Dodici città etrusche aveva perso nella regione padana Melpum; e ora Roma, vincitrice degli etruschi, aveva raggiunto il punto più settentrionale del loro ex-impero.

Ma Roma non vi coltiverà come loro il commercio, l'economia e l'agricoltura; e un giorno traverserà i passi alpini non carica di merci, da pacifica signora dei commerci...

Non passò un decennio e l'Etruria, ora inseparabilmente legata al destino di Roma, si trovò coinvolta in un nuovo confronto militare: nel 218 scoppiava infatti la seconda guerra punica.

Cartagine, non piegata dalla sconfittta, restituiva il colpo: dalla Spagna, il suo nuovo dominio dopo la perdita della Sicilia e delle importanti isole tirreniche. Con una truppa scelta, forte di novantamila fanti, dodicimila cavalieri e trentasette elefanti, nell'estate Annibale si mise improvvisamente in marcia per l'Italia seguendo la via di terra. Varcati i Pirenei e traversata la Francia meridionale, passò le Alpi alla fine di settembre, in quindici giorni d'indicibili fatiche.

Cinque mesi dopo la sua partenza da Cartagine Nuova, il comandante punico stava nelle pianure dell'Italia settentrionale, ricevendo nuovi aiuti: a schiere confluivano infatti sotto le sue insegne i galli appena battuti dai romani, bramosi « di bottino e saccheggio ».

Ancor prima del cadere dell'inverno si venne a battaglia con le legioni. In uno scontro a ovest del Ticino, la cavalleria numidica vittoriosa costrinse alla ritirata il console P. Scipione, e i romani allo sgombero del territorio a nord del Po. Annibale si gettò al loro inseguimento, passando il Po su zattere. Giunto frattanto il secondo console Sempronio Longo, i due eserciti romani, buttatisi all'attacco presso la Trebbia, affluente di destra del Po, furono duramente sconfitti. Tutta l'Italia settentrionale era ormai perduta per Roma: era la volta dell'Etruria...

Annibale s'acquartierò per l'inverno, per riprendere la marcia verso il sud non appena la stagione lo permettesse. La sua meta, umiliare la città tiberina. A schiere, altri guerrieri gallici, fanti e cavalieri, si aggiunsero al suo esercito; ma più che su questi, egli riponeva le sue speranze nella defezione degli alleati di Roma. « Libertà a tutti gl'italici », era il suo slogan. Fra i prigionieri, fece dividere i romani, incatenandoli come schiavi, e lasciò invece liberi tutti gli italici, perché annunciassero che Annibale muoveva guerra a Roma soltanto, non all'Italia. Ai liberati sarebbe seguito il liberatore.

Finito l'inverno, Annibale si rimise in marcia.

Nel frattempo erano stati allestiti due eserciti consolari per sventare la penetrazione cartaginese nell'Italia centrale: uno di stanza sull'Adriatico al comando del console Gneo Servilio, l'altro accampato presso Arezzo sotto Caio Flaminio.

Ciononostante, Annibale varcò incontrastato l'Appennino e, attuata un'abile manovra d'accerchiamento, aggirò Flaminio marciando per quattro giorni « attraverso le paludi dove l'Arno aveva appunto provocato una inondazione insolita », riemergendo quindi del tutto inaspettatamente in Etruria.

Era una delle più feraci regioni italiche, informa Livio; i campi etruschi tra Fiesole e Arezzo prosperavano di cereali, bestiame e tutto il resto, in grande abbondanza. Annibale, lasciato il nemico a sinistra, marciò in direzione di Fiesole attraverso le campagne d'Etruria, a farvi bottino, e, uccidendo e bruciando, offrì da lontano al console il quadro di una devastazione il più possibile estesa. Il cartaginese lo faceva apposta, « per provocare il console spingendolo a compiere un'imprudenza ». Procedendo nella ricca val di Chiana alla volta di Perugia, colpì « tutta quanta la zona fra Cortona e il lago Trasimeno di tutti gli orrori immaginabili della guerra, per stimolare l'ira dei nemici al punto da indurli a vendicare le violenze contro gli alleati. »

Questa tattica d'altronde sembrava tutt'altro che adatta a cattivarsi volontari, e ancor meno a spingere alla rivolta e alla defezione la massa della popolazione etrusca. Le speranze accese nella tranquilla Etruria alla comparsa del condottiero punico nella Valle padana venivano gravemente deluse.

Annibale però non aveva sbagliato i suoi calcoli, perché la sua condotta ottenne l'effetto desiderato: « Flaminio, vedendo messi a sacco quasi sotto i suoi occhi i possedimenti degli alleati », ritenne un disonore personale che il Cartaginese infuriasse proprio al centro dell'Italia, spingendosi, senza trovare resistenza di sorta, fin sotto le mura di Roma, per prenderle d'assalto.

Invano, durante un consiglio di guerra, tutti consigliarono « di attendere il console Servilio, per venire a battaglia concordi, con gli eserciti uniti, e secondo un piano comune »; il comandante non sentì ragione e fece suonare la partenza. A tappe forzate s'affrettò dietro l'esercito nemico, portando le sue truppe alla rovina.

A nord del lago Trasimeno, le colline scendono aspre fino alla riva, e in mezzo corre, incassata, un'unica strada. In questo luogo fatto apposta per le imboscate il Cartaginese si fermò ad aspettare l'avversario, piazzando la cavalleria « proprio all'imbocco dell'angusto passaggio, dove i colli offrivano un opportuno riparo » e bloccandone l'uscita col grosso della fanteria.

Flaminio, raggiunto il lago verso sera, cadde nella trappola senza sospettar di nulla. « Senza previa esplorazione, il giorno seguente, prima ancora che fosse ben chiaro, si cacciò nella strettoia. Quando il Cartaginese vide il nemico stretto fra lago e monte e circondato dalle sue truppe, diede il segnale d'attacco. » L'assalto di sorpresa risolse la cosa in poche ore, perché i romani non ebbero né tempo né spazio per schierarsi secondo il loro solito. Furono sterminati quasi tutti, il console compreso. Solo « quando il calore solare crescente ebbe rotto la cortina di nebbia, lasciando filtrare la luce del giorno, colli e pianura rivelarono l'orrenda scena della battaglia perduta e dell'esercito abbattuto ». Era il 21 giugno 217.

Quindicimila romani uccisi, altrettanti prigionieri, diecimila dispersi: « Una sconfitta del popolo romano, quale solo raramente si ricorda. »

Ancora una volta Annibale comandò di incatenare i prigionieri romani e di mandar liberi tutti gli altri. « Stavolta, » scrive il Pfiffig, « il gesto fece effetto. Alla notizia della sconfitta romana al Trasimeno, si sollevarono nell'Appennino e nell'Etruria settentrionale celti, liguri ed etruschi dichiarandosi apertamente per Annibale. Assaliti i romani nei loro territori, li uccisero o li consegnarono ai cartaginesi. Né Livio né Polibio adducono ragioni comprensibili per questo fatto. Al vincitore del Trasimeno era ora devota una gran parte dell'Etruria settentrionale. »

Ma il Cartaginese non sfruttò l'occasione. Era forse non tanto sicuro della sua causa? Aggirata la città tiberina, proseguì infatti per l'Italia meridionale, dove l'anno seguente (216 a.C.), a Canne, inflisse ai romani la massima sconfitta della loro storia. Dopo questa vittoria gran parte della Puglia e del Bruzzio passò dalla sua; così come in Campania Capua, e in Sicilia Siracusa.

Quando poi, nell'inverno 213/212, Annibale ebbe in mano sua anche Taranto, si venne a sommosse pure in Etruria; ciò costrinse Roma a farvi stazionare stabilmente due legioni, che non riuscirono però a impedire il segreto diffondersi del fermento nella regione.

Anche presso i latini i pareri mutarono. Nelle loro adunanze si cominciò a protestare apertamente contro i continui reclutamenti di truppe e gli aumenti dei tributi. Quando nel 209 si presentarono a Roma i legati di trenta colonie, dodici dichiararono « ai consoli di non esser più disposti a fornire uomini e denaro ».

Più ostinati di tutti si mostrarono, ad Ardea, i legati di Nepi e Sutri, ai quali invano i consoli fecero presente che ciò significava tradire lo stato romano per dare la vittoria ad Annibale. Quelli ribatterono che non sapevano che farci e che d'ora innanzi si vedevano costretti a lasciar proseguire la guerra ai soli romani.

Naturale dunque che la resistenza fra gli etruschi fosse ancor più vivace, poiché l'Etruria era più che mai zona di requisizione per i rifornimenti militari. Nel 210 erano comparsi due legati con non meno di mille uomini, per « acquistare » cereali, ed era stata scoperta una congiura a favore di Annibale.

Nel 209 il senato ricevette una notizia preoccupante da Arezzo: Caio Calpurnio Pisone, il comandante dell'esercito accampato fuori le mura della città, era capitato sulle tracce dei preparativi di una rivolta. Roma s'affrettò allora a spedire quivi il console M. Claudio Marcello, che riuscì a soffocare i torbidi.

Un anno dopo, però, si avvertirono nuovamente segni di mene rivoltose. Il nuovo comandante della piazza, Caio Ostilio Tubulo, ricevette ordine dal senato di procedere senza indugio a un esempio magistrale. Fatte entrare in città con le insegne le due legioni accampate fuori le mura, scrive Livio, occupò i punti principali. Quindi, convocati nel foro i senatori, diede ordine che fossero preparati degli ostaggi. Quando quelli chiesero un respiro di due giorni per consigliarsi, egli rispose che o glieli davano subito o avrebbe fatto prigionieri il giorno seguente tutti i loro figli. Prima ancora che fossero messe sentinelle alle porte, « avanti il cadere della notte, fuggirono coi figli sette senatori ».

Scoperta il mattino seguente la fuga, C. Ostilio Tubulo agì con dura decisione: i beni dei fuggitivi, confiscati, furono messi pubblicamente all'asta, e centoventi figli di senatori presi come ostaggi, furono consegnati al propretore Caio Terenzio Varrone da portare a Roma. Nel frattempo, Ostilio intraprese con le due legioni spedizioni

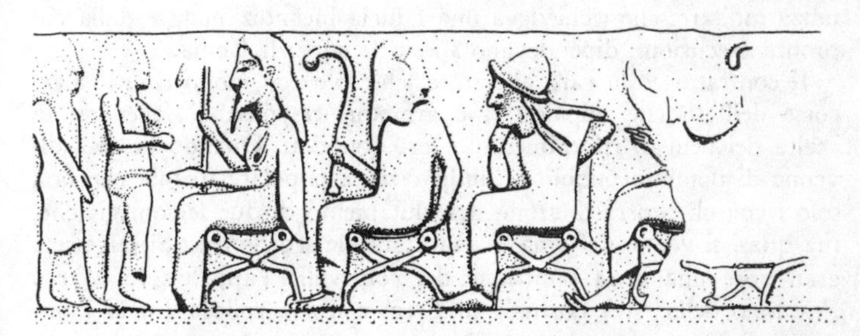

Magistrati in seduta ricevono due cittadini. I magistrati siedono sulla « sellae curules »; il primo, con la barba, ha in mano uno scettro, l'altro un pastorale. Tutti portano le tipiche calzature a punta ricurva. Terracotta di rivestimento di un tempio a Velletri. VI secolo a.C.

punitive per tutto il territorio, a intimidazione degli abitanti « che anelavano a un rivolgimento della situazione ».

Così, soffocata ancora sul nascere la rivolta dall'energica azione di Roma, fu ristabilita la calma. Restò però la resistenza sotterranea: quando Terenzio Varrone, tornato ad Arezzo, chiese le chiavi della città per chiuderne le porte la notte, non riuscì a ottenerle. Convocati al suo cospetto, i senatori affermarono arditamente che le chiavi « non si trovavano », sicché al propretore non rimase altro se non farne fare di nuove, addebitandone il costo alla cassa cittadina.

Più di una volta venne ad espressione in quei giorni il sentimento anti-romano degli etruschi; e sappiamo di cospirazioni segrete coi cartaginesi, di atti di sabotaggio contro le installazioni militari romane e di atti di resistenza coperta, di sollevamenti e di rivolte locali.

Dopo anni venne infine in luce una manovra raffinatamente ordita, una truffa sua larga scala che provocò grave danno allo stato romano. Secondo le indagini della polizia romana, ideatori dell'impresa erano due eminenti etruschi.

Nel 215 a.C., un anno dopo la catastrofe di Canne, il senato s'era visto costretto a ricorrere a compagnie commerciali private per i trasporti marittimi; si trattava di provvedere di tutto il sostegno necessario le truppe di stanza in Spagna, Sardegna, Corsica e Sicilia. Il contratto prevedeva la fornitura regolare di vettovaglie e di armamenti di ogni genere a mezzo di navi da carico con partenze a scadenze fisse per i porti oltremare; essendo la flotta romana impegnata seriamente altrove, solo eccezionalmente erano disponibili navi da guerra per la protezione dei trasporti: un incarico, dunque, d'importanza militare, che richiedeva una fiducia incondizionata e dalla cui pronta esecuzione dipendevano spesso le sorti di Roma.

Il contratto costò caro allo stato, che solo con molto ritardo s'accorse dell'uso che appaltatori e armatori responsabili facevano in realtà dei beni di rifornimento a loro confidati. Quando la cosa divenne di dominio pubblico, l'indignazione popolare fu tale che non solo i consoli procrastinarono il reclutamento di due legioni civiche, ma quasi si venne a Roma « a una grande sedizione ». Si esigeva a gran voce una dura punizione dei colpevoli: l'appaltatore Marco Postumio della città portuale di Pyrgi e il suo collega Lucio Pomponio di Veio, entrambi etruschi.

Di che cosa si erano resi colpevoli?

« Caricate navi vecchie e avariate con poche cose di nessun valore, » informa il rapporto che ci è stato tramandato, « costoro le affondavano in alto mare, dopo aver trasferito gli equipaggi su imbarcazioni già pronte; e ancora avevano la spudoratezza di sostenere che il carico era stato molto maggiore e di maggior costo. » Presentato un esagerato conto dei danni alle autorità, ne riscuotevano grandi somme in risarcimento, « poiché lo stato rispondeva dei danni causati dalle tempeste durante il trasporto di rifornimenti militari ».

Poiché nessuno sembrava nutrire sospetti, Postumio e Pomponio si spinsero ancora oltre, inventando senza alcun scrupolo naufragi mai avvenuti. Denunciando la perdita di grosse navi, mai partite o addirittura inesistenti, facevano con questa flotta fantasma, affari ancora maggiori, favoriti dalle false informazioni e dichiarazioni di tutta una serie di complici prezzolati: produttori e magazzinieri, capitani e marinai. Non soltanto l'erario subì gravi danni ma – cosa ancor più grave – le legioni oltremare si trovavano a volte in situazioni critiche. La rete dei complici, dei cointeressati e delle persone corrotte e addentro nell'affare doveva essere molto sicura e ben organizzata se la truffa poté continuare indisturbata per anni. Anche quando a Roma si cominciarono a nutrire i primi sospetti e presero a circolare le prime denunce, non accadde nulla da principio. Il senato, avvertito della cosa, non prese provvedimenti punitivi, perché « data la situazione presente » non si voleva « offendere il ceto degli appaltatori di stato ».

La penosa faccenda non poté tuttavia esser tenuta più a lungo segreta, perché troppe cose erano ormai trapelate. A Roma scoppiò una rivolta perché « più severo era il popolo contro la frode »; e alla fine, « data l'indignazione e l'offesa generale, due tribuni della plebe furono incaricati di citare in giudizio Marco Postumio, punendolo con una multa di duecentomila assi di rame. » Al che si venne a un tumulto e allo scandalo pubblico.

« Il giorno del processo il popolo concorse tanto numeroso, che il posto libero sul Campidoglio bastava appena a contenere la folla. » Dopo che Postumio ebbe pronunciato la sua orazione di difesa e furono ascoltati i testimoni, la votazione del verdetto fu impedita con la violenza. Accadde infatti qualcosa d'incredibile: d'un tratto gli appaltatori statali – probabilmente colleghi di Postumio come lui implicati nell'affare – si spinsero nell'emiciclo inveendo contro il popolo e contro i tribuni. « E s'era già vicini a una rissa, » quando, per impedire gravi scontri e una sollevazione generale, ai tribuni non rimase che sospendere il processo. « Il popolo fu congedato. »

Questo era troppo, e finalmente ora il processo prese l'avvio. Convocato in tutta fretta il senato, « i consoli si pronunciarono sull'atto sfacciato e violento con cui gli appaltatori statali avevano turbato la pubblica assemblea. » Fra la massima indignazione si mise a protocollo che Postumio di Pyrgi aveva strappato al popolo romano il diritto di voto, impedita con la forza l'assemblea popolare, privato i tribuni della loro autorità, spiegata una linea di battaglia contro il popolo romano, e occupata la curia per dividere i tribuni dal popolo e impedire la sollevazione delle curie quando si doveva venire al voto. Nulla aveva trattenuto la folla da uno scontro più sanguinoso, se non l'arrendevolezza delle autorità che, nell'istante della sfacciata follia di pochi, si era indotta a cedere insieme col popolo romano, facendo cessare di sua volontà un processo che l'accusato voleva impedire con la forza delle armi, per non offrire pretesti di sorta agli attaccabrighe. Il senato dichiarò « quell'atto di forza crimine di lesa maestà e pernicioso esempio. »

Non si trattava ora più di una pena pecuniaria, bensì di un processo penale. I tribuni della plebe citarono Postumio per alto tradimento, ordinando ai loro aiutanti di arrestare e imprigionare l'appaltatore nel caso si rifiutasse di presentare mallevadori. « Postumio, pur avendoli presentati, non si presentò il giorno stabilito. » Fu dato allora ordine che « qualora Marco Postumio non si presentasse il primo maggio a rispondere del suo mandato di comparizione, e non fosse in grado di giustificare in modo plausibile la sua assenza, fosse da considerarsi proscritto, i suoi beni incamerati, e a ognuno proibito di dargli fuoco e acqua. »

Postumio fu dichiarato colpevole, e furono citati in giudizio penale anche alcuni altri appaltatori che avevano cercato di impedire con le armi la celebrazione del processo disperdendo l'assemblea. « Richiesti dei mallevadori, furono gettati in prigione prima coloro che non ne avevano presentati, poi anche quelli che lo avrebbero potuto; onde la maggior parte se ne andò in esilio per sottrarsi a tale pericolo. » Solo il secondo principale colpevole, Lucio Pomponio, rimase indisturbato, perché, a quanto si narra, se la svignò per tempo, passando in Lucania « dalla parte dei Cartaginesi, fingendo di esser stato fatto prigioniero dalla loro cavalleria ».

Il fatto che i promotori e le eminenze grige di questo colpo in grande stile fossero etruschi, fa pensare che fosse in gioco, più che questioni di denaro, il disegno di sabotare l'enorme sforzo bellico romano.

In favore di tale ipotesi parla anche un altro fatto. Proprio in quel tempo sacerdoti e vati avevano diffuso tra il popolo romano i riti esotici di una nuova religione: subito proibita dal senato, che ordinò altresì la confisca di tutti i libri rituali e vaticinatori.

« Evidentemente tutta questa mistica messa in scena, » osserva il Lopes Pegna, « faceva parte di un segreto piano di propaganda disfattista preordinato dagli etruschi, ai quali senza dubbio si doveva l'occulta ed anonima introduzione degli sconfortanti e pessimistici vaticini, il cui contenuto era certamente connesso all'andamento della guerra, esiziale per i traffici e le attività commerciali e industriali di tutte le popolazioni italiche alleate, nolenti o volenti, dei romani. »

A dieci anni dalla presenza di Annibale in Italia, gli eventi dovevano improvvisamente acutizzarsi in modo drammatico. In un tempo già pieno di torbidi e di fatti di guerra esplose la notizia (preoccupante per Roma, ma fonte di segreta gioia e attesa tra le cerchie etrusche) che Asdrubale, fratello di Annibale, partito improvvisamente dalla Spagna, aveva passato le Alpi. Nel 207 a.C. lo troviamo nell'Italia settentrionale con il suo esercito.

Ancora una volta le sorti di Roma sembravano gravemente minacciate: la riunione dei due eserciti cartaginesi poteva imprimere una nuova pericolosa svolta alla guerra in Italia, nella quale, ultimamente, le cose cominciavano a mettersi sfavorevolmente per Annibale. Le notizie dal nord dicevano che Asdrubale era ormai sul Po e stava assalendo Piacenza, mentre i galli confluivano a schiere sotto le sue insegne come un tempo sotto quelle del fratello. Anche volontari etruschi e umbri andavano a ingrossare le file del suo esercito. In Toscana s'aspettava già il liberatore, quando Asdrubale prese un'altra strada per il sud: la costa adriatica attraverso il territorio gallico. Quivi però lo raggiunse il destino, che pose fine a tutti i suoi piani ambiziosi. A sud di Rimini, in riva al Metauro, battuto da due eserciti consolari, fu ucciso in battaglia. Come una fiaccola nell'acqua si spegneva anche la speranzosa attesa dell'Etruria.

Riavutasi dallo spavento, Roma intende ora vendicarsi e punire tutti coloro che l'hanno attaccata alle spalle. Un decreto senatorio spedisce il console Marco Livio « in Etruria, a investigare quali popolazioni etrusche o umbre avevano scelto di defezionare da Roma all'arrivo di Asdrubale, e quali l'avessero appoggiato con truppe, viveri o in qualsiasi altro modo ».

Furono istituiti tribunali di guerra. Per poter condurre i processi per alto tradimento con la massima severità, e per spezzare ogni resistenza locale, M. Livio ricevette l'ausilio di due legioni di *volones*, volontari reclutati esclusivamente fra detenuti e schiavi.

Roma, molto prudentemente, tace su quanto venne allora in

luce, sul numero dei processi e delle condanne a morte; dalla tradizione si sa soltanto – ma è più che sufficiente – che M. Livio dovette restare tre anni in Etruria per adempiere al suo incarico. I procedimenti giudiziari a punizione dei disegni e degli atti rivoltosi degli etruschi durarono fino al 205 a.C.; e proprio in quell'anno fu inflitta all'Etruria, dopo la conclusione dei processi per alto tradimento, un'ultima grave pena: economica, stavolta.

Nel 205 a.C., P. Cornelio Scipione, terminata vittoriosamente la guerra di Spagna, come console alla testa dello stato, sollecitò risolutamente a riprendere l'offensiva contro Cartagine in territorio africano. Il senato si disse d'accordo con il disegno, ma non concesse che esigui mezzi.

Scipione ricevette però egualmente quanto richiedeva una spedizione oltremare. « I costi della quale, » scrive il Mommsen, « particolarmente quelli, considerevoli, dell'allestimento della flotta, furono

Veduta di una villa etrusca. Spesso i vani mortuari rispecchiano fin nei dettagli le abitazioni dei vivi. Questa è la parete di una vasta tomba di Cerveteri. Nella nicchia per il defunto, che imita un elegante « kline » dai piedi di bronzo battuto, stanno due cuscini. In primo piano, a sinistra, un demone dalla coda di pesce con un remo in ispalla; a destra, un cane infernale tricipite sopra uno sgabello su cui è posato un paio di graziosi sandali. A sinistra, un comò a due cassetti (il superiore con serratura), sopra il quale sta accuratamente piegata della tela di lino. Ai due pilastri sormontati da capitelli e, sopra la nicchia mortuaria, oggetti d'uso quotidiano e strumenti bellici: sul pilastro di sinistra, una coppa, un busto e un bricco; su quello di destra, un ventaglio di piuma, una canna, due ghirlande e un busto egualmente mutilo. Sopra: scudi, un elmo, una spada. Tutti i rilievi sono modellati a stucco e dipinti a vari colori. Tomba dei Rilievi, III secolo a.C.

coperti da un cosiddetto libero contributo delle città estrusche: cioè per mezzo di una tassa di guerra levata per punizione sugli aretini e sugli abitanti delle altre città notoriamente filofenicie. »

Le forniture etrusche avute da Scipione sono minutamente elencate da Livio: Cere fornì « cereali per i marinai e viveri d'ogni specie »; Populonia ferro scavato nelle miniere dell'Elba e fuso negli altiforni del continente; Tarquinia « lino per vele »; Volterra, « resina e pece per le navi, e cereali »; Perugia, Chiusi e Roselle, « legname da costruzione e gran copia di cereali ».

Una città però, Arezzo, le superò tutte: la quale fornì « tremila scudi, tremila elmi, centomila lance corte e lunghe, e cinquantamila giavellotti »; « asce, pale, uncini, conche e mortai, quanti se ne richiedono per l'equipaggiamento di quaranta navi da guerra »; e inoltre « centoventimila moggi di grano », e « il denaro per il vitto dei rematori e dei loro sottufficiali ».

« Questo, » osserva il Pfiffig, « era il conto presentato da Roma agli etruschi per l'appoggio fornito ad Annibale e ad Asdrubale. I ‹donatori volontari› sono definiti dall'inchiesta ‹criminali di guerra›. »

Quanto poco ci si fidasse dell'Etruria è del resto rivelato da un altro fatto: non se ne fa mai parola nei contingenti militari. Tra i settemila volontari raccolti da Scipione non c'era un solo etrusco!

La legge di guerra aveva costretto le città etrusche a prestare enormi aiuti all'odiata Roma: e proprio contro Cartagine, la loro segreta amica! Senza il loro contributo forzoso, ben difficilmente Scipione avrebbe potuto preparare tanto in fretta la sua spedizione. Dopo soli quaranta giorni, infatti, la sua flotta era pronta a salpare; e solo con le forniture d'armi di Arezzo i romani furono in grado di equipaggiare un numero di soldati ben maggiore delle truppe di Scipione.

La notizia liviana getta altresì luce sulla situazione e sulla struttura economica dell'Etruria, e mostra che le sue città erano pur sempre produttive. E tuttavia, quanto diverso il quadro di quei giorni in confronto a prima! « Ciò che colpisce in questa lista, » nota Jacques Heurgon, « è che i centri del benessere etrusco si sono spostati verso l'interno e che, a giudicare dalle notevoli forniture così di metalli come di prodotti agricoli, Arezzo sembra esser salita al rango di capitale economica dell'Etruria.

« Ora, se consideriamo i contributi delle città costiere, e anzitutto di quelle fra Tarquinia e Roselle – che, posta un poco a nord dell'odierna Grosseto, era già precedentemente sottentrata a Vetulonia – ci troviamo davanti a una striscia vuota di un centinaio di chilometri circa. Proprio nella culla della grandezza etrusca — dove sorgevano tante località un tempo famose per i loro contributi di civiltà — Talamone, Cosa (l'odierna Ansedonia), Sovana, Vulci — non si era riusciti a raccogliere neppure un quintale di cereale. Brilla soprattutto per la sua assenza Vulci, che sorgeva in riva al fiume Fiora.

« Non che qui la vita fosse completamente spenta, che anzi a quel tempo la città aveva ancora i suoi *zilath*, i magistrati supremi preceduti in solenne corteo dai littori, e più tardi ancora si appassionò (nella tomba François) al glorioso ricordo di Aulo e Celio. Però il fatto che non si fosse osato levarvi il tributo, dimostra a che punto fosse in rovina. E Tarquinia stessa, che si vantava di aver visto emergere in tempi leggendari dai suoi solchi il divino Tagete, non aveva potuto trarre dalle sue riserve che una fornitura di prodotti tessili. »

Due secoli di conquiste romane, di azioni punitive e di rappresaglia, e la confisca di importanti territori, avevano lasciato segni profondi. Tramontati ormai lo splendore e la ricchezza delle città etrusche, fiorite un giorno nel sud e lungo le coste tirreniche; ridotti a borgate insignificanti i grandi centri, il cui spirito pionieristico e dinamismo avevano irradiato i più possenti stimoli: là dove pulsava il cuore della madrepatria, imperava la rovina. Mai più quei territori riuscirono a riaversi dalle enormi perdite e danni; e divennero *hinterland*, provincia insignificante: traversati dalle strade militari del vincitore, guardati da salde piazzeforti, occupati da colonie di veterani stranieri.

Da tempo ormai l'Etruria aveva cessato d'essere il granaio a cui Roma attingeva a ogni minaccia di carestia. Dove prima campi arati e frutteti avevano carpito alla terra ricchi raccolti, si stendevano ora enormi pascoli. Invano il navigante che s'appressava alla costa cercava con lo sguardo le colonne di fumo delle fonderie una volta innumerevoli: i grandi stabilimenti siderurgici di Populonia non lavoravano più, e nell'interno anche le officine di Vulci e di Bisenzio sul lago di Bolsena avevano chiuso le porte, mentre distrutte giacevano quelle di Volsinii. I vincitori avevano confinato l'industria pesante in certe zone secondo un disegno tecnico-strategico, oppure le sorvegliavano strettamente mediante guarnigioni come nel caso di Arezzo.

Rovinate erano pure le fabbriche di Perugia, deserte le manifatture di Vetulonia. Cere, una delle più lussuose città del mondo d'allora, si dedicava, non diversamente da Tarquinia, ormai soltanto all'agricoltura e alla produzione di sartiame e telerie...

Dovunque, alle grandi sono sottentrate le piccole industrie: l'Etruria si è trasformata in un paese di innumerevoli officine artigiane che producono oggetti d'uso quotidiano, e agricolo in particolare: aratri, falci, badili, roncole, scuri; accanto a queste fabbriche, numerosi laboratori e manifatture dove si lavorano oggetti artistici d'ogni specie.

Nell'estate in cui Scipione veleggiava verso l'Africa, in Etruria il sentimento antiromano trovò nuovo impulso: si assisté infatti, in Italia, allo sbarco del tutto inatteso di un altro comandante cartaginese. Magone, un altro fratello di Annibale, approdò nel 205 presso Genova, occupando di sorpresa la costa; e poiché le sue truppe non bastavano per una campagna militare, invitò a unirsi a lui liguri e galli. L'oro promesso come soldo e la prospettiva del bottino di guerra attirò molta gente.

Magone spedì in Etruria corrieri, arruolatori e commandos: i quali ebbero successo, perché i volontari non mancarono, si fecero preparativi e in vari luoghi della regione si scese in aperta rivolta. A soffocare l'incendio furono mandate non meno di tre legioni al comando del proconsole M. Livio Salinatore, che riuscì, data la preponderanza delle sue forze, a spezzare i preparativi bellici etruschi. Ma l'irrequietezza rimase. Tanto che l'anno successivo il nuovo console Marco Cornelio si vide costretto « a tenere in obbedienza più con lo spauracchio delle esecuzioni capitali che con le armi » gli etruschi, che « propendevano quasi tutti per Magone, dal quale si aspettavano un mutamento della situazione ». Iniziò allora il terrore dei tribunali militari romani.

Dovunque il console dispose severe inchieste e interrogatori, e si venne a un'ondata di arresti di tutti i sospetti di defezione o di rivolta coperta. « Il console, forte di un decreto senatorio, condusse tali inchieste penali senza scrupoli di sorta. » Anzitutto furono imprigionati e condannati molti eminenti etruschi, i quali o erano passati di persona nelle file di Magone, o avevano segretamente trattato la defezione delle loro genti; quindi furono condannati in contumacia quanti erano riusciti a sottrarsi all'arresto con la fuga. E poiché erano sfuggiti alla punizione, si videro confiscare i beni.

Le condanne a morte comminate furono molto numerose e le confische tanto cospicue da rimpinguare notevolmente il dissanguato erario romano.

Roma puniva spietatamente la terra etrusca, che aveva osato ancora una volta sperare in una liberazione; e tuttavia i torbidi non cessarono e si venne a nuovi complotti. Anche nel 203 a.C. apprendiamo di processi per alto tradimento: « Per decreto senatorio il console Gaio Servilio aprì un'inchiesta sulla congiura degli ottimati. » Si contava forse ancora, disperatamente, in Etruria su una vittoria della grande alleata di un tempo?

In quel periodo, richiamato a Cartagine, Annibale si preparava a lasciare l'Italia, per schierarsi all'ultima battaglia sul suolo della patria africana.

E un anno dopo, il 202 a.C., si ebbe non lontano da Zama, a cinque giorni di marcia da Cartagine, lo scontro decisivo che mise fine alla grande lotta, estinguendo nel contempo le ultime speranze degli avversari di Roma. Annibale, invitto fino allora sul campo, fu sconfitto da Scipione.

La pace cui Cartagine fu costretta, annullò la sua signoria nel Mediterraneo occidentale, destituendo la città dal rango di grande potenza ed elevando invece Roma a prima potenza del Mediterraneo. Tutto l'Occidente stava ora sotto l'influenza della città tiberina, che disponeva di un potenziale di forze col quale nessuno dei suoi vicini, prossimo o lontano, era più in grado di misurarsi.

MENTRE CARTAGINE E L'ELLADE SOCCOMBONO

Nonostante l'enorme sforzo della guerra punica, la vincitrice non si concede un attimo di respiro: a solo un anno dal trionfo su Cartagine Roma si dispone all'attacco armato dell'Oriente. Con la dichiarazione di guerra a re Filippo di Macedonia del 200 a.C., apre una lotta che, come in Occidente sui cartaginesi, affermerà la sua supremazia sul Mediterraneo orientale.

A tre anni dal trasporto di un esercito romano in Illiria, si ha la prima battaglia decisiva; essa vede in Tessaglia una severa sconfitta di Filippo, il quale viene costretto a una pace che lo riduce all'impotenza quasi completa. Nello stesso periodo scoppiano torbidi in Toscana.

« In Etruria si era prossimi a una guerra, provocata, » secondo la definisce Tito Livio, « da una congiura di schiavi. » Contro i rivoltosi viene intrapresa una massiccia operazione di polizia sotto la direzione di un alto funzionario della giustizia, « il pretore Manio Acilio Glabrione, inviato con una delle sue legioni urbane », che riesce con drastiche misure, a ripristinare la calma, « vincendo gli uni, costituitisi in bande in uno scontro che vide parecchi morti e prigionieri; e applicando agli altri un crudele tipo di esecuzione capitale originario dell'Asia e finora impiegato solo da sciti, assiri, persiani e cartaginesi: la fustigazione e crocifissione pubblica dei capi della congiura ».

Si era effettivamente trattato soltanto di una rivolta di servi della gleba? Molti fatti inducono a credere che in realtà fosse scoppiata una rivolta degli etruschi oppressi e schiavizzati da Roma. Riguardo alle crocifissioni così argomenta il Lopes Pegna: « ... il supplizio è quello riservato agli schiavi, ma anche – come un altissimo esempio storico insegna – a coloro che tentavano di usurpare pubblici poteri.

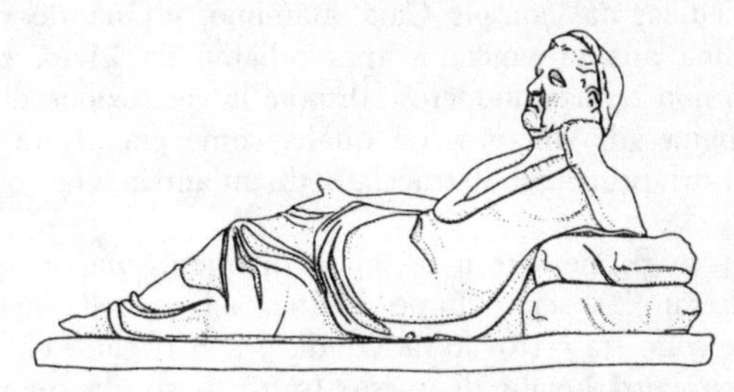

Scultura-ritratto di un nobile etrusco sopra un'urna cineraria dell'epoca tarda. Appoggiato ai cuscini, il personaggio guarda rassegnato in lontananza: l'epoca d'oro del suo popolo è tramontata. Chiusi, II secolo a.C.

L'intervento di Roma, secondo la tradizione annalistica, si verifica tre volte in Etruria, e sempre in seguito ad ammutinamento di servi o di plebei. Questa versione è, come le precedenti, adulterata; ed adombra con un velo di calunniosa mistificazione storica – supremo oltraggio del vincitore – il più glorioso ed eroico tentativo compiuto dagli etruschi per riconquistare una libertà dissennatamente perduta. »

Tutti i tentativi etruschi di resistenza erano destinati inevitabilmente a fallire, perché troppo era cresciuta la potenza romana e troppo importante era divenuta l'Etruria come zona di passaggio per le legioni dirette a settentrione e a nord-ovest. Gli abitanti della regione sono costretti ad assistere impotenti all'infittirsi della rete delle piazzeforti militari romane. Nello spazio di un decennio Roma ordina la creazione di quattro nuove colonie. Nel 191 a. C., l'anno della sconfitta celtica nella Valle padana, vengono piazzate due guarnigioni nel territorio confiscato di Cere, due colonie di veterani dedotte a Pyrgi e a Castrum Novum. Nel 183 « viene fondata, » nelle campagne di Vulci, « Saturnia, e a ogni colono vengono assegnati dieci iugeri ». Due anni dopo « furono insediati coloni a Graviscae nei fondi tolti un tempo agli abitanti di Tarquinia. Ognuno ricevette qui cinque iugeri di terra ». Tracce di questa colonia restano tuttora a Porto Clementino vicino alla foce del Mignone. Con la fondazione di queste località fortificate Roma completò la linea difensiva lungo la costa tirrenica.

Nel frattempo, una nuova strada militare, da Arezzo a Bologna, collegò l'Etruria settentrionale con la Valle padana, assicurando il passaggio dell'Appennino verso le colonie romane della Gallia cisalpina. La strada fu fatta costruire dai suoi legionari nel 187, finita la guerra celtica, dal console Caio Flaminio. « Quando ebbe restituito la calma alla provincia, » apprendiamo da Livio, « perché il suo esercito non restasse inoperoso dispose la costruzione di una strada da Bologna ad Arezzo. » La quale, come già prima l'Aurelia, seguì nei tratti principali il tracciato di un'antica via commerciale etrusca.

« Ho potuto riconoscere il tracciato di questa via, in gran parte adesso obliterato... » scrive Lopes Pegna. « Due belle stele funerarie etrusche sono state trovate a Londa e a S. Agata. »

Anche vari altri luoghi di questo tratto di strada sono ricchi di resti archeologici d'epoca etrusca e romana.

Solo una volta ritorna il nome dell'Etruria in quei decenni, ma in tutt'altro campo da quello politico-militare.

Nelle città e nelle campagne s'era diffuso in modo preoccupante un culto accompagnato da cerimonie orgiastiche: uomini e donne si davano « in cerimonie notturne e segrete » ai piaceri dei baccanali. Troppo tardi si accertò a Roma « che già da tempo in tutta Italia, e ormai anche in vari luoghi della nostra città, si celebrano feste bacchiche ». I consoli ai quali era stata affidata « l'inchiesta contro le associazioni segrete », trovarono che « un greco ignoto, sacrificatore e indovino » aveva « introdotto per primo i misteri in Etruria. Simile a un morbo infettivo, tale vergognosa rovina era poi penetrata anche a Roma ».

Un senatoconsulto (quello *de bacchanalibus* del 186) proibì la celebrazione dei riti dionisiaci. Un'azione poliziesca, che portò a numerosi arresti e anche a condanne a morte, mise fine a queste cerimonie esotiche e suscitatrici di pubblico scandalo.

I baccanali non erano né un'invenzione degli etruschi – provenivano da oriente, dalla Grecia – né avevano trovato presso di loro maggior diffusione che a Roma o altrove: rimase tuttavia addossata all'Etruria l'onta degli eccessi religiosi.

Gli abitanti della terra occupata apprendono solo per sentito dire delle grandi lotte che si svolgono lontano dalla penisola italica. In guerre senza soste Roma estende la sua area di dominio, sottomettendo e riducendo al rango di provincia terra dopo terra nell'ovest e nell'est.

Nel 211 Publio Scipione era andato in Spagna; nel 168, presso Pidna, il re Perseo fu battuto dalle legioni, e la Macedonia venne divisa in quattro province; la ricca Rodi viene umiliata e perde i suoi possedimenti. Enorme il bottino trasferito a Roma.

I tesori e i beni preziosi predati ai popoli sottomessi arricchiscono d'un colpo smisuratamente i romani prima poveri in canna. Comincia a farsi strada la corruzione e il peculato: nel 190 si celebra il processo contro gli Scipioni, accusati di appropriazione indebita durante la campagna contro Antìoco.

La potenza militare romana, a cui nessuno è in grado di opporsi,

Sirena nuda dalle estremità di pesce serpentinamente attorte all'ingresso della Tomba della Sirena presso Sovana. Nella nicchia arcuata un epitaffio etrusco. Disegno di George Dennis.

non conosce freno e agisce senza scrupoli di sorta: la prossima vittima, dopo la Grecia, saranno i cartaginesi.

La città africana, perduta dopo la seconda guerra punica ogni importanza politica, ha però conosciuto nuovamente un enorme sviluppo economico, spina nell'occhio per i suoi vincitori. Catone, senatore dei più influenti, che la visita nel 157 e considera con la massima invidia la sua fiorente ricchezza, comincia a istigare alla guerra, divenendo il becchino di Cartagine. Instancabile ripete l'invito a distruggere la città: *Ceterum censeo Carthaginem esse delendam.*

Sbarcati in Africa nel 149 a.C., i consoli presentano una richiesta inaudita: i cartaginesi devono lasciare la loro città e andare a stabilirsi a quindici chilometri dal mare! Scoppia la terza guerra punica: nel luglio 146 la metropoli cade e viene distrutta.

Per diciassette giorni infuria il fuoco nella città, uccidendo gran parte della popolazione. I sopravvissuti sono fatti schiavi, e Cartagine viene rasa al suolo. La possente alleata e amica dell'Etruria nella sua epoca d'oro ha cessato di esistere. Come un messaggio di sventura corre la notizia per la terra etrusca.

Nel 146 a.C. gli arùspici annunciano al popolo la fine di un'altra era della nazione etrusca: la settima.

CITTADINI PER GRAZIA DI ROMA

Nello stesso anno in cui Cartagine viene ridotta a un cumulo di rovine riarse, viene degradata a provincia romana, in seguito a una rivolta, la Macedonia un tempo così superba. Con ciò finisce per sempre anche la libertà della Grecia: nel 146 le legioni annientano l'esercito greco, distruggono la gloriosa Corinto e riducono a provincia la terra nota sotto il nome di Acaia. Altre due battaglie decisive avvengono solo un decennio più tardi. Dopo dure lotte Roma riesce finalmente nel 133, con la presa della celtìbera Numanzia, a sottomettere definitivamente la Spagna; mentre, messo piede per la prima volta in Asia Minore, crea la provincia d'Asia...

Enorme il successo, appena immaginabile l'estensione del suo dominio. L'impero abbraccia ora, oltre all'Italia intera, le province di Sicilia, Sardegna e Corsica; Spagna e Africa; Macedonia, Grecia e Asia. Ma le vittorie mondiali non recano al vincitore pace e felicità, anzi! Le gigantesche conquiste in tutto il mondo esterno portano a gravi conseguenze sul piano interno: le regioni italiche entrano in crisi, scuotendo la politica e l'economia. Comincia un periodo di acerbe lotte fra le fazioni, di pericolosi torbidi intestini, di rivolte e di tremende guerre civili. Durante i sanguinosi contrasti nei quali si affossa la repubblica, cominciano a sparire anche le ultime tracce di vita etrusca.

Dalla Roma di un tempo, dal minuscolo villaggio, era uscita una città capitalistica, grazie alle enormi ricchezze accumulate con le sue guerre e costituite dai patrimoni predati agli erari e ai templi dei paesi e dei popoli soggiogati, oltre che dalle tasse e dai tributi provenienti dalla lunga serie delle province di recente istituzione. Senza contare il gigantesco bottino umano: le masse di schiavi trascinati nel territorio metropolitano.

Avrebbe potuto aprirsi un periodo di benessere generale, ora che le guerre devastatrici erano state bandite dall'Italia e Roma era signora del mondo; il momento del ringraziamento e della ricompensa per tutti coloro che avevano accumulato lunghi anni di incessanti sacrifici. Ma la cricca dirigente romana non permette che alcuno partecipi ai frutti delle conquiste; egoisticamente tesa solo al proprio interesse, nega alla popolazione non soltanto ogni partecipazione al gigantesco bottino, ogni utile dalla nuova ricchezza, ma anche il diritto a un miglioramento della situazione economica.

L'enorme messe fu mietuta solo da una piccola cerchia: gli ottimati, cioè l'aristocrazia senatoria ed equestre della città, sotto il cui governo fece il suo ingresso un'economia di tipo capitalistico che si sarebbe rivelata delle più fatali per il paese. Sorsero possedimenti estesissimi, sui quali, in luogo di contadini liberi, lavorava un esercito di schiavi a basso costo, e dove un'economia estensiva a pascolo cominciò a minacciare l'agricoltura: tanto, i cereali venivano importati a prezzi irrisori dalla Sicilia. Si fa insomma irresistibilmente strada, a grave danno dell'agricoltura libera, l'economia del latifondo, la quale costringe al fallimento un numero sempre maggiore di piccole e medie aziende non in grado di reggere alla concorrenza. I loro proprietari, costretti a vendere o ad appaltare i campi, s'impoveriscono e vanno a ingrossare la massa proletaria delle città.

Lo stesso processo si verifica in Etruria, dove il numero delle grandi aziende cresce in misura impressionante.

Benché tutto gridi in favore di una riforma agraria, il senato non prende provvedimenti di sorta; ma ecco divampare, suo malgrado, la lotta per una giusta spartizione della terra. I contadini impoveriti trovano nei fratelli Tiberio e Caio Gracco gli uomini che sposano la loro causa. Fu forse lo squallido aspetto dei latifondi etruschi a spingere il più anziano dei due alla decisione di rimediare a tanta calamità. « Quando Tiberio Gracco nel suo viaggio per Numanzia traversò l'Etruria, » dice uno scritto contemporaneo, « e vide la desolazione della regione, e osservò che i lavoratori dei campi e i pastori erano tutti schiavi prigionieri di guerra, gli si affacciò primamente il disegno che innumerevoli guai avrebbe portato a lui e al fratello suo. »

Nessuno dei due riuscì nell'intento di salvare il ceto agricolo italico; troppo forte fu la resistenza degli ottimati, troppo grande la potenza dei membri del possente partito senatorio. La causa del popolo soccombette.

Carro etrusco a due ruote riccamente decorato e coperto da un tendone, usato dai notabili e dai sacerdoti. A Roma ricevette il nome di « carpentium ».

Eletto tribuno della plebe nel 133 a.C., Tiberio Gracco presentò in effetti una nuova legge agraria che limitava i diritti dei latifondisti appaltatori di terre demaniali, assegnando la terra così liberata ai contadini nullatenenti. Il popolo ne fu entusiasta. E già si era messa all'opera una commissione agraria con l'incarico di procedere alla misurazione e alla distribuzione della terra.

Gli ottimati, però, per nulla intenzionati a tollerare la riforma, pensarono di vendicarsi del rivoluzionario. Erano potenti abbastanza per imporre la loro volontà, e sapevano di poter contare anche sull'appoggio di molti latifondisti non romani. I latifondisti etruschi e umbri, secondo informa Appiano, temevano di perdere, insieme alle terre demaniali appaltate, i possedimenti ereditari; per cui, sentendosi minacciati dalla legge agraria di Tiberio, si schierarono al fianco del partito senatorio.

A un anno dalla promulgazione della legge, gli ottimati decisero di farla finita. Provocata una rivolta, i senatori, armati di randelli e di gambe di seggiola, irruppero nei comizi uccidendo Tiberio Gracco e trecento suoi partigiani.

Il medesimo anno però Caio Gracco riprese il programma del fratello, spingendosi ancora oltre: aveva perfettamente capito che solo una riforma radicale dello stato avrebbe potuto metter fine agli abusi ed ebbe la temerità di limitare il potere della cricca dirigente, tentando altresì di far ottenere i diritti civili romani alle masse italiche. Aperta la lotta contro il senato, fallì come già il fratello, e come lui trovò una morte violenta.

La morte di Caio Gracco nel 121 a.C. significò anzitutto la vittoria della reazione. La riforma agraria fu liquidata; i latifondi non solo rimasero ma si estesero ulteriormente, compiendo con la loro economia primitiva l'opera di distruzione della regione resa fiorente dagli etruschi, iniziata con le devastazioni di campi e di tenute agricole ad opera delle legioni. La vasta rete degli impianti etruschi di irrigazione e drenaggio cadde in rovina o si intasò, e si assistette al riformarsi di acquitrini, soprattutto lungo le coste, e all'impaludarsi delle valli: covo d'ora innanzi delle zanzare, portatrici di malaria. Sorsero così zone pestifere: le famigerate « maremme ».

Le terribili conseguenze si videro già in epoca imperiale. A Graviscae, la piazzaforte marittima fondata in territorio tarquinate nel 181 a.C., la febbre mieté innumeri vittime; « per colpa, » dice Catone, « dell'aria malsana » di Graviscae, definita da Virgilio località « dal clima pestifero »; Sidonio Apollinare chiamò la zona *pestilens regio Tuscorum*, mentre Plinio il Giovane afferma in una lettera che il clima delle coste etrusche era malsano e opprimente.

La regione doveva soffrire di questo flagello per quasi duemila anni: le maremme durarono infatti per tutto il medioevo sino in epoca moderna. Ancora nel 1850 si stendevano ampie zone infette: « L'Etruria, fittamente popolata in antico, » scriveva il Dennis, « presenta ampi tratti deserti e spopolati dalla malaria. E ciò che ora è canneto paludoso e giungla, dimora del cinghiale, del bufalo, della volpe e di biscie pericolose, fuggita dall'uomo come zona pestifera, produceva in antico ricche messi di cereali e prosperi raccolti di uva e olive, e vedeva sul suo suolo numerose città forti e fiorenti. La maggior parte dei luoghi dove esse sorgevano, è ora priva d'abitanti e lasciata a se stessa come zona selvaggia e improduttiva. »

Solo nel secolo passato si fecero tentativi di migliorare il territorio. Nel 1828 il granduca Leopoldo di Toscana sottoscrisse infatti un decreto che prevedeva la bonifica delle maremme, anche se si dovettero attendere i provvedimenti governativi degli ultimi decenni per compiere l'opera immane. Oggi, finalmente, rivediamo campi fecondi, com'erano quelli strappati alla natura dalle tecniche agricole dell'antico Oriente e importate dagli etruschi più di duemilacinquecento anni fa.

L'Italia non ritornò alla pace: il fuoco della rivolta contro l'ordine vigente acceso dai Gracchi non si sarebbe più estinto; anche se il loro tentativo era fallito, la rivoluzione scatenata dalla loro azione proseguì. I *populares*, appoggiati da un numero sempre maggiore di sostenitori, lottarono per la giusta causa contro gli *optimates*, contro il governo senatorio e l'aristocrazia.

Il malcontento e la rivolta aumentarono quando il governo si oppose a un'altra ancor più risoluta richiesta: il diritto di cittadinanza romana preteso dagli alleati italici in nome dei duri sforzi sopportati in guerra a fianco di Roma. Su tale questione scoppiò nell'anno 91 a.C. la tempesta.

Il tribuno della plebe M. Livio Druso, che aveva presentato la proposta di conferire il diritto di cittadinanza a latini e alleati, fu assassinato ancor prima della votazione; la sua uccisione dimostrò agli italici che cosa dovevano aspettarsi da Roma. L'Italia centrale e meridionale si leva in armi e divampa nuovamente l'antico odio contro Roma. I ribelli più accaniti fra le tribù ormai decadute erano le popolazioni sannitiche che, fondata una capitale dal simbolico nome di Italia, avevano persino coniato alcune monete dove si vedeva un toro assalire la lupa atterrata.

Cominciò così la guerra sociale, che scosse la potenza romana sin dalle fondamenta.

I rivoltosi presero l'offensiva; bande sannitiche avanzarono in Campania e le colonie latine furono trascinate nell'uragano. Roma si trovò in una situazione disperata. Gravissime infatti sarebbero state le conseguenze se la rivolta si fosse estesa anche alle altre popolazioni soggette; per il momento, però, da questo lato c'era calma, perché nulla si mosse né in Etruria né in Umbria.

Nella città tiberina, d'ordine del senato, furono schierati a battaglia tutti gli atti alle armi, liberti e schiavi. Le truppe mandate al fronte, però, non riuscirono a padroneggiare la situazione; quando poi, verso la fine dell'anno, l'esercito ribelle riuscì a battere le forze del console P. Rutilio Lupo, le cose si misero davvero male per i romani.

Alla notizia della sconfitta si profilò la minaccia di una sollevazione anche nel nord: in Etruria i pareri mutarono, Arezzo, Chiusi e

Volsinii si dichiararono pronte a intervenire contro l'antica nemica ereditaria, e anche l'Umbria cominciò a vacillare.

Il pericolo appariva immane, pari a quello del 310 a.C.: ma mentre allora la lega sannitico-etrusca aveva spronato i romani al massimo sforzo, ora questi reagirono altrimenti, dichiarandosi pronti a fare concessioni. Dopo averlo rifiutato per anni, nel 90 a.C., sotto la pressione del momento, Roma concedeva il diritto di cittadinanza ai latini e agli alleati rimasti fedeli con una legge presentata dal console Lucio Giulio Cesare, la *lex julia*; e l'anno seguente faceva ancora un passo avanti con la promulgazione di un'altra legge che prometteva il diritto di cittadinanza a tutte le popolazioni che avessero deposto le armi.

La ben calcolata mossa politica ottenne il suo effetto, riuscendo, d'un colpo, a toglier vento alle vele di ulteriori disegni rivoltosi o aspirazioni ribelli. La resistenza etrusca, appena iniziata, si spense in un baleno, mentre la guerra proseguì nell'Italia meridionale: finché anche i sanniti, gli unici a proseguire caparbiamente nella lotta, non furono battuti.

Tre secoli dopo la caduta di Veio, con la quale si era avviata la conquista romana, si chiudeva così il ciclo storico: gli abitanti della libera e potente Etruria di un tempo diventavano ora cittadini romani, membri dello stato vincitore. Quando le nuove leggi promulgate dal senato furono rese note nelle città e nei villaggi della terra etrusca, molti le salutarono forse con favore.

Testimonianza di questo periodo resta, presso Perugia, la tomba della famiglia etrusca dei Velimna, scoperta nel 1842 e nota in seguito col nome di Tomba dei Volumni. È un vasto ipogeo scavato nel tufo a forma di atrio. Intorno a una stanza centrale si raggruppano varie camere. Nel tablino, sopra grandi urne cinerarie in forma di letti riccamente drappeggiati, riposano, accanto al capo della famiglia Arnth Velimna, le figure come vive dei membri più prossimi. Due genî alati, quali appariranno più tardi nelle opere di Michelangelo e di Jacopo della Quercia, stanno a guardia dello zoccolo sul quale sono incisi i nomi dei defunti.

George Dennis, che visitò la tomba subito dopo la sua scoperta, ne ricavò un'esperienza che lo mosse a viaggiare in lungo e in largo per la terra degli etruschi. « Non dimenticherò mai, » egli scrive, « con quale strano sgomento entrai nell'oscura grotta, osservando le inspiegabili iscrizioni sulla porta, le urne immerse nella tenebra e la famiglia sui letti funebri. Le figure esotiche alle pareti e sul soffitto eccitarono la mia fantasia. Le furie dagli occhi sfavillanti, i denti scoperti e il ghigno spettrale; i serpenti che sembravano animare le pareti; e soprattutto le stanze laterali deserte mi fecero rabbrividire, colmandomi di un senso di arcana paura. La tomba stessa, così ben scavata e adorna, e pur tanto cupa; in forma di casa, e pur priva di abitanti: tutto era così estraneo, così nuovo. Era come una magia, irreale; era la concretizzazione delle immagini di palazzi sotterranei e di esseri stregati. »

Pesanti pilastri quadrangolari sostenevano il soffitto basso della Tomba del Tifone di Tarquinia, la più recente e l'ultima delle tombe affrescate rinvenute sinora. I sarcofaghi sono disposti su tre piani lungo le pareti; sopra il coperchio, le immagini di pietra dei defunti. Fra le pitture stinte e molto danneggiate delle pareti, emerge, spettrale, un corteo di figure vestite di bianco, che, accompagnate da dèmoni dalla chioma serpentina, avanzano verso il regno delle ombre. Tre creature fantastiche stanno a guardare: due tifoni alati dall'estremità di serpente, che danno nome alla tomba, e un lare dalle lunghe ali. Le iscrizioni non sono più etrusche ma latine; e romano lo stile pittorico. Solo il motivo dei delfini guizzanti serba un riflesso della felice epoca arcaica ormai tramontata. Una profonda tristezza e una severa solennità pervade la tomba, monumento

Tifone alato dai piedi di serpente, che regge la cornice con le braccia. Affresco nella Tomba del Tifone di Tarquinia, I secolo a.C.

al confine di due mondi. L'epoca d'oro dell'antichissimo popolo è trascorsa.

Dopo la lunga via crucis, sembrò aprirsi una parentesi nuova: ma quanti avevano nutrito tali speranze furono gravemente delusi.

Il partito senatorio, per nulla intenzionato a passare la mano, negò alla nuova legge ogni valore pratico, ricusando di equiparare ai vecchi i nuovi cittadini nel diritto di voto. Tale opposizione scatenò un enorme sdegno. I contrasti fra ottimati e popolari si fecero più aspri che mai: le scintille della guerra sociale appena spenta si erano comunicate alla politica interna, accendendo un fuoco distruttore. La rivoluzione proseguì, con lo scoppio della guerra civile.

La città tiberina stessa diviene teatro di sanguinosi scontri proprio in un momento di massimo pericolo dall'esterno: si profila all'orizzonte la guerra asiatica. Fra le sue mura divampò il duello per il potere fra Silla, campione del senato nemico di ogni innovazione, e Mario, il difensore dei diritti dei popolari.

Già Silla, che aveva schiacciato definitivamente i sanniti, era stato eletto console e incaricato della condotta della guerra contro il re Mitridate; ma il popolo ottenne che gli venisse tolto il comando supremo in favore di Mario. Silla rifiutò la deposizione; marciò su Roma alla testa del suo esercito e fece spietatamente strage fra i nemici del senato e della nobiltà. Mario, proscritto insieme coi suoi più fedeli partigiani, riuscì, in circostanze avventurose e travestito da schiavo, a riparare in Africa.

Rimasto a Roma giusto il tempo di rimettere in sella la reazione, Silla volse le spalle alla città e all'Italia – troppo grave era il momento – e partì per la guerra.

Terribile fu il bagno di sangue in cui fu immerso per suo ordine il partito popolare, anche molto al di fuori di Roma. Eppure il grande conflitto era tutt'altro che risolto; i popolari erano stati sconfitti e respinti ma non annientati, e conservavano pur sempre un gran numero di sostenitori nel paese. Troppo deboli erano le fondamenta del potere su cui si reggevano i vincitori a Roma; troppo salde le forze della resistenza.

Anche l'Etruria fu coinvolta negli eventi bellici. Sulle rive del Chiana il giovane Pompeo aveva costretto alla fuga, dopo accanita resistenza, un esercito di mariani. Durante la battaglia e la ritirata precipitosa caddero ventimila uomini, fra cui migliaia di etruschi. Ma la fiamma della rivolta continuò a propagarsi, fino al centro della Toscana. I resti dell'esercito battuto del console Carbone, partigiano di Mario, avevano ripiegato su Arezzo, guadagnandosi nuovi sostenitori. La rivolta doveva riaccendersi appunto dall'Etruria settentrionale, dove essi avevano stabilito il loro quartier generale.

Il futuro si profilava oscuro. In quell'anno 88 si assistette a un segno inconsueto: dal silenzio di un cielo sereno risuonò improvviso e squillante il suono di una tromba. Finiva, dissero gli arùspici, l'ottava era della vita della nazione etrusca, e cominciava, tra presagi di sventura, la nona...

IL BAGNO DI SANGUE DI SILLA IN TOSCANA

Gli arùspici avevano interpretato il presagio fin troppo esattamente: ancora una volta la guerra civile avrebbe inflitto all'Etruria profonde ferite in perdite umane e distruzioni.

Mentre Silla combatte contro Mitridate nel lontano Oriente, scoppia in patria la tempesta contro il restaurato predominio degli ottimati.

Ancor prima che finisca l'87 a.C., il regime rafforzato dalla violenza sillana viene rovesciato, e gli sottentra quello dei popolari scacciati e proscritti.

Richiamato dai suoi partigiani, Mario si affretta a tornare dall'Africa, approdando a Talamone sulla costa etrusca. A schiere corrono a lui i volontari, perché egli promette libertà e indipendenza a tutti i popoli e le tribù italiche soggette a Roma. Ben presto la sua forza conta seimila uomini e quaranta navi; le quali, bloccata la foce del Tevere, danno la caccia a tutti i carichi di cereali destinati all'approvvigionamento della capitale.

Il console Cinna, cacciato dal senato, era frattanto riuscito a guadagnarsi le truppe stanziate in Campania; così che lui e Mario poterono marciare su Roma con gli eserciti uniti. Cominciò un nuovo Terrore, nel quale trovarono la morte tutti gli uomini eminenti del partito sillano.

I mariani tennero incontrastati il potere per quattro anni; poi anche la loro signoria finì, com'era cominciata, con la violenza. Non le sopravvissero né Mario, morto già nell'86, né Cinna, assassinato durante una sedizione nell'84.

Nella primavera dell'83 Silla, conclusa la pace con Mitridate, è di nuovo su suolo italico. Da Brindisi, alla testa del suo esercito vittorioso cui si uniscono anche Pompeo e Crasso, intraprende la sua seconda marcia su Roma.

I mariani, ben sapendo che con Silla tornava il loro massimo nemico e s'avvicinava la reazione, si prepararono alla battaglia a Roma e nell'Italia intera, mobilitando tutte le forze. Il consolato fu ricoperto da due dei loro capi più risoluti: Carbone e il figlio di Caio Mario. In Toscana fu mandato ad arruolare nuove truppe Quinto Sertorio. E fu un successo, perché di là confluirono cospicui reparti di nuova formazione, ai quali si aggiunsero, seguendo la fama del figlio, grandi schiere di veterani mariani. Nessuno in Etruria si immaginava a quale terribile prezzo i suoi abitanti avrebbero pagato la loro entusiastica adesione al partito mariano, alla causa della rivoluzione.

Fu un cattivo presagio, un segno degli dei, ciò che accadde proprio allora nella città tiberina? Nella notte del 6 luglio 83, avvolto in un mare di fiamme, bruciava sino alle fondamenta sul colle capitolino il tempio di Giove. Da quasi mezzo millennio l'imponente edificio parlava sulla rocca di Roma dell'antica grandezza dei re etruschi; quando Tarquinio il Superbo l'aveva fatto costruire, quando aveva chiamato da Veio superba Vulca per scolpire le statue divine del timpano, l'Etruria, con le sue città federate, era al culmine della potenza; e ora sembrava quasi che il repentino incenerirsi del monumento annunciasse la rovina che incombeva sugli Etruschi.

La quale cominciò difatti l'anno seguente.

Nell'anno 82, lasciati gli accampamenti invernali in Campania, Silla si diresse dritto su Roma, sconfiggendo e chiudendo in Preneste l'esercito comandato dal console Caio Mario venutogli incontro nel Lazio. La via era libera; Roma poté essere occupata. Silla si concesse appena il tempo di dare le disposizioni indispensabili, poi si affrettò oltre: il nemico doveva essere battuto anche nell'Italia settentrionale.

Silla penetrò in Etruria con due corpi di truppa, uno dei quali, avanzando lungo la costa, si scontrò tra i fiumi Ombrone e Albegna con un gruppo di volontari mariani, che soccombette dopo breve combattimento presso Saturnia. Ma Silla, che sperava di strappare rapidamente la vittoria decisiva nella roccaforte della resistenza, la Toscana, fu disingannato; inizialmente registrò un secondo successo poiché le sue truppe costrinsero alla fuga reparti montati dell'avversario in val di Chiana; ma quando si scontrò poco dopo nel territorio di Chiusi, il quartier generale mariano, con l'esercito di Carbone e si venne a una grande battaglia, l'esito rimase incerto. Le sue perdite furono così elevate, che non poté più rischiare un'ulteriore penetrazione e la sottomissione dell'Etruria. Lo scontro in questo teatro di guerra così importante e accanitamente difeso ebbe una battuta d'arresto.

Ben diversa la situazione sugli altri fronti, dove le forze sillane mietevano continui successi. Nel nord fu assoggettata tutta quanta la regione compresa fra le Alpi e l'Appennino: le forze qui impegnate erano ora disponibili per un attacco all'Etruria.

Quando ne ebbe notizia, il comandante Carbone si perdette d'animo e, lasciato segretamente il suo quartier generale di Chiusi, si imbarcò per l'Africa. L'esercito, privo del suo capo, fu battuto da Pompeo; e i resti dell'armata popolare furono sconfitti da Crasso il primo novembre presso Porta Collina.

Silla era il signore assoluto dell'Italia.

Soltanto in una regione v'erano pur sempre degli antisillani in armi: in Etruria, dove ostinatamente si difendeva Populonia e resisteva eroicamente Volterra, saldamente fortificata.

A Volterra, dinanzi alle cui mura s'era trincerato un esercito di quattro legioni, la capacità militare di Silla, il quale poteva vantarsi di non aver mai perduto una sola battaglia, subì uno smacco. Invano diresse di persona la lotta: tutti i suoi tentativi di impadronirsi della fortezza fallirono, ed egli fu costretto a passare il comando a Caio Carbone, fratello del console fuggito, perché proseguisse l'assedio strappando con la fame la vittoria che non era possibile ottenere con le armi.

Con tali azioni belliche non era però finito lo spargimento di sangue; al vincitore non bastava sapere battuto, schiacciato, umiliato l'avversario, ma lo voleva annientato per sempre. Così, nominato dittatore nel novembre dell'82, Silla si diede spietatamente alla rappresaglia: facendo seguire ai brutali massacri dei prigionieri di guerra – quattromila sanniti nella sola battaglia davanti alle porte di Roma – esecuzioni in massa quali mai avevano avuto luogo nella storia delle conquiste romane.

Furono introdotte le liste di proscrizione e le tavole esposte pubblicamente. Chiunque vi comparisse, oltre ad avere confiscato ogni suo bene, poteva essere impunemente ucciso e l'uccisore per di più riceveva il prezzo della taglia; nessun discendente del proscritto, fino ai nipoti, poteva ricoprire cariche pubbliche; non erano previsti né processi né commutazioni di pena. Si instaurò una turpe e selvaggia speculazione sui beni e le proprietà confiscate. Punite con confische territoriali e con la perdita o la limitazione dei diritti civili furono anche tutte le città che avevano militato sino alla fine nella parte avversa.

La punizione di Silla colpì in modo terribile, oltre il Sannio, la terra che aveva osato sfidarlo più lungamente. In preda a cieca ferocia il vincitore infierì contro le famiglie etrusche: commandos composti di ufficiali e sottufficiali sillani passarono di località in località, procedendo ad esecuzioni sommarie e cacciando gli abitanti dalle loro sedi. Romani influenti e favoriti del dittatore s'arricchirono dei beni mobili e immobili delle ricche famiglie eliminate. Un Domizio Enobarbo si impossessò di un latifondo presso Cosa, e le famose e lucrative fabbriche di ceramica di Arezzo finirono nelle mani di speculatori romani.

Antica incisione della Valle dei Sepolcri presso Castel d'Asso con le facciate dei templi scolpite nella roccia.

Si procedette anche a una decimazione inesorabile dei confini delle città etrusche: così Arezzo, Chiusi e Fiesole si videro confiscate larghe zone territoriali.

Come una cappa di piombo pesò sugli abitanti l'angoscioso timore del diritto di vita e di morte del vincitore, che non accennava a placarsi. Nella valle superiore del Cecina continuavano a restare accampate truppe sillane, e imperversava la lotta per Volterra. Solo tre anni dopo l'ultima grande battaglia dinanzi a Roma tacquero finalmente anche qui le armi: nel 79 a.C., quando capitolarono i difensori della città etrusca che si era battuta da sentinella perduta, lo stesso anno in cui Silla deponeva la dittatura. Nel 78 anch'egli moriva, di un'emorragia.

L'Etruria non si rimise mai più da questo salasso: troppo grandi e terribili le perdite e i danni causati alla regione come agli abitanti, col ferro e col fuoco, dalla guerra civile e dalle azioni punitive di Silla. La regione era stata colpita a morte nella sua intima essenza; soffocati sanguinosamente dal pugno di ferro degli ufficiali sillani anche gli ultimi stimoli di una volontà nazionale. Nelle città vinte e saccheggiate furono dedotte colonie di veterani romani; e come le antiche famiglie di Fiesole, Arezzo, Cortona, Populonia, Volterra e di molte altre città furono costrette a tollerare cittadini stranieri entro le loro mura, così anche in campagna aziende, campi e piantagioni passarono attraverso le confische in mano estranea.

Da allora la romanizzazione prese un corso rapido e inarrestabile, e cominciò a un ritmo sempre più veloce il processo di fusione che, in pochi decenni, doveva cancellare anche le ultime espressioni indigene della cultura e del costume etruschi.

Le aree di campagna andarono sempre più spopolandosi; e rapida procedette nelle città, dove confluiva la maggior parte della gente impoverita, spogliata dei campi e di un lavoro, la mescolanza con elementi di altre popolazioni italiche. Molti indigeni si unirono in matrimonio coi nuovi coloni, molte famiglie aristocratiche voltarono le spalle all'antica patria, lasciando ad amministratori la cura delle loro proprietà per andare a stabilirsi nella città tiberina. La vita a Roma, che assumeva sempre più il carattere di una metropoli mondiale, appariva loro più attraente e interessante, ricca di possibilità economiche col suo fiorente commercio a livello internazionale. Così in breve si romanizzarono, adottando lingua, usi e costumi del nuovo ambiente e dimenticando la propria origine.

Solo in singole località riprese l'antico estro artigiano, soprattutto nel campo della ceramica. Arezzo visse addirittura anni di rifioritura economica; i suoi celebri vasi di *terrasigillata* erano sempre molto richiesti; venivano fabbricati in grandi laboratori, il più importante dei quali apparteneva alla famiglia etrusca dei Perennii.

Per merito soprattutto di Cicerone, gli aretini rientrarono in possesso delle terre confiscate dopo le guerre civili e riottennero il pieno godimento dei diritti di cittadinanza romana. Come per Arezzo, così anche per Volterra si batté l'oratore, ottenendo la cancellazione delle dure misure punitive imposte da Silla: poiché, faceva notare Cicerone, gli abitanti di entrambe le città erano diventati « sudditi leali e buoni romani ».

Le antiche tradizioni non cessano per questo di vivere, anche se vengono passo dopo passo sopraffatte dalla nuova vita e dal nuovo operare che tutto muta. Ora come un tempo i morti vengono sepolti secondo l'antico costume, ma sempre più frequenti si fanno, accanto alle etrusche, le iscrizioni latine.

In quel tempo, come volessero serbarne alla posterità almeno il ricordo, i sacerdoti etruschi disposero la codificazione delle antichissime dottrine sacre del loro popolo. Tarquizio Prisco ne tradusse in seguito una parte in latino; ma tanto l'originale quanto la traduzione sono andati perduti.

Alla conservazione e preservazione dell'antichissima *disciplina* fu estremamente interessata, ora come allora, la stessa Roma. La quale riteneva di non poter fare a meno dell'arte degli arùspici, soprattutto quando si trattava di spiegare eventi o fenomeni insoliti. Nel *De Divinatione*, Cicerone menziona un senatoconsulto del 154 a.C. in proposito. Esso disponeva che « fossero istruiti nella *disciplina* dieci figli di nobile famiglia per ognuno dei dodici popoli etruschi, perché la nobile e importante arte non avesse a perdere, se esercitata unicamente da gente inesperta, il prestigio della professione religiosa abbassandosi ad artigianato ». In un progetto di legislazione, Cicerone medesimo propone che « i prodigi e i portenti vengano affidati agli arùspici etruschi, quando il senato ordini che siano i nobili etruschi a insegnare la disciplina ».

La storia etrusca, ormai prossima a spegnersi, non registra più alcun fatto di rilievo: anche se per lungo tempo ancora non regnerà la calma nella regione fra il Tevere e l'Arno; anche se più volte ancora questa regione sarà teatro di rivolte, di avvenimenti decisivi sul piano politico e di scontri guerreschi.

Dapprima si ribellarono i soldati stanziati di forza in Toscana. Il tentativo sillano di fare di veterani avvezzi alla guerra e all'avventura dei laboriosi coltivatori del suolo era miseramente fallito. Non stupisce! In un'orazione del novembre del 63 a.C., Cicerone diceva: « Codeste colonie sono piene degli uomini più valorosi e tuttavia fra essi se ne trovano alcuni... » e precisa poi che molti erano così indebitati da non vedere altra via d'uscita alla miseria se non in una congiura. « Non avvezzi, né disposti ad avvezzarsi, a un lavoro onesto e faticoso, cominciarono a farsi riottosi. »

Gli scontenti trovarono un capo in L. Sergio Catilina, il quale esigeva una cancellazione dei debiti, e si venne alla rivolta cui parteciparono anche etruschi di Fiesole e di Arezzo spogliati dei loro campi. Le truppe mandate da Roma batterono però le bande di veterani, ristabilendo l'ordine; e Catilina stesso cadde nel 62 presso Pistoia.

Nel 59, durante il suo primo consolato, Caio Giulio Cesare si occupò degli abusi in Etruria, deciso a riportare la calma nella regione. Mediante nuove distribuzioni di terre a cittadini impoveriti ma desiderosi di lavorare, la disperata situazione economica doveva migliorare giungendo nel contempo al ripristino di amichevoli rapporti con Roma. Contro la resistenza del senato, egli fece passare la sua legge agraria fortemente osteggiata dai latifondisti. Molte località, fra cui quelle di Veio e Capena nel sud, furono ripopolate di coloni, e nel nord furono da lui fondate due nuove colonie, una nelle vicinanze di Arezzo e l'altra nella pianura non lontana da Fiesole. Anche i contadini etruschi cacciati ricevettero campi insieme con i veterani.

Nel 56 si incontrarono al confine con l'Etruria i tre grandi dell'epoca, Cesare, Pompeo e Crasso, rinnovando a Lucca la promessa fatta in occasione del primo triumvirato, secondo la quale « non sarebbero state intraprese azioni politiche non gradite a uno dei tre ». Sette anni dopo, nel 49, Giulio Cesare spediva in Toscana al comando di Marco Antonio sette coorti, destinate a proteggergli il fianco, dalla loro base di Arezzo quando il 10 gennaio egli avrebbe pas-

Un arùspice etrusco nel suo costume caratteristico: alto berretto a punta, tunica senza maniche e sopra una sorta d'ampio mantello bordato detto poi dai romani « pallium », fermato da una spilla di sicurezza, detta « fibula ». Bronzetto trovato in una tomba in riva al Tevere.

sato il Rubicone, il fiume di confine della sua provincia, per marciare contro Roma.

La popolazione etrusca era per Cesare, come dimostrano innumerevoli testimonianze di benevolenza. Fra i suoi consiglieri egli annoverava l'arùspice Spurinna, che invano lo ammonì a guardarsi dalle idi di marzo. Quando nel 44 si sparse la nuova della sua uccisione durante una seduta in senato, tutta la regione ne pianse la morte.

Proprio in quei giorni aveva riempito gli animi di timore un fenomeno insolito. Angosciato, ognuno levava gli occhi al cielo notturno solcato dalla scia di una gigantesca cometa, quella di Halley, come oggi sappiamo. E sgomenti appresero da Roma gli etruschi che durante i funerali di Cesare l'arùspice Volcacio aveva annunziato nell'assemblea romana la fine del nono *saeculum*, venuto dopo solo quarant'anni. Contro la volontà degli dei egli lo rivelava — erano parole sue — ben sapendo che avrebbe pagato con la vita. E poi era stramazzato a terra morto, senza causa apparente...

FINIS ETRURIAE

Divampa per l'eredità di Cesare l'ultimo grande scontro che suggellò il tramonto della repubblica: esplode il conflitto fra Ottaviano, figlio adottivo ed erede del defunto dittatore, e Marco Antonio. La soluzione verrà solamente nel 31 ad Azio. Nel turbinare delle rivalità e delle lotte che scossero per più d'un decennio l'impero romano fin nelle province più remote, emerge per l'ultima volta il nome di una città etrusca: Perugia.

L'autunno del 42 aveva visto la sconfitta a Filippi e il suicidio dei cesaricidi Bruto e Cassio; l'anno seguente, mentre Antonio si dava al bel tempo ad Alessandria con Cleopatra, Ottaviano cominciò, secondo la promessa fatta a Filippi, a stanziare i veterani nelle città italiche. Quando però i primi espropri portarono a dure contese fra soldati e popolazioni locali, e scoppiarono torbidi, il console Lucio Antonio, fratello di Marco, si oppose alle nuove disposizioni. Si venne così allo scontro armato fra lui e Ottaviano: al *bellum Perusinum*.

Dopo aver occupato addirittura Roma per breve tempo, Lucio Antonio fu respinto in Etruria e si chiuse in Perugia. Ottaviano allora cinse fittamente la città di trincee, tagliando fuori dal mondo gli assediati. Nel marzo del 40 Lucio Antonio fu costretto a capitolare per fame.

Se a lui personalmente non accadde nulla, tanto più orrenda fu però la sorte riservata alla sventurata città.

Il vincitore infatti, il futuro celebratissimo imperatore Augusto, applicò spietatamente il diritto di guerra, dando il via a crudeli rappresaglie, all'assassinio e al saccheggio indiscriminato. Tutti i membri del senato locale vengono passati a fil di spada, e a trecento perugini dei più eminenti viene riservato il destino di vittime sacrificali · alle idi di marzo, infatti, per ordine espresso da Ottaviano, vengono immolati pubblicamente dinanzi a un altare del divo Giulio: Cesare deificato. Ottaviano assiste impassibile all'orrenda strage.

Fu, questo, uno dei più vergognosi eccessi di tutto il periodo rivoluzionario, che mise in ombra perfino le proscrizioni sillane. Una sola volta i romani avevano commesso qualcosa di simile: nell'anno 353, quando trecentocinquantotto prigionieri di Tarquinia erano stati uccisi nel foro della città tiberina, a vendetta dell'analoga esecuzione di trecentosette soldati romani per mano dei tarquinati.

L'Arco etrusco — detto anche Porta d'Augusto — una delle più grandiose porte ad arco che s'aprivano nelle possenti mura di Perugia, fatte di blocchi squadrati di travertino, testimonianza dell'arte della fortificazione etrusca. La città conserva anche la Porta Marzia, la cui loggia sovrastante, adorna di statue di divinità, risale invece ad epoca romana.

Scure nuvole di fumo salirono in cielo dopo il sacrificio, ampiamente visibili all'intorno. In preda alla disperazione, il perugino Cesto Macedonio aveva appiccato un incendio che, propagatosi in un baleno di casa in casa, aveva inghiottito quasi tutta la città. Solo un edificio scampò all'incendio: il tempio di Vulcano; dell'antica e solenne città etrusca non restò che un cumulo di rovine incenerite, cinte dalle alte mura di travertino. Ancora Dante ne ricorda il destino nel verso 75 del VI Canto del Paradiso: « ... e Modena e Perugia fu dolente ».

Un'ondata di terrore percorse l'Etruria alla notizia della sorte di Perugia. Molti etruschi, temendo ulteriori rappresaglie, seppellirono i loro tesori e le cose preziose in zone di campagna e si rifugiarono nei boschi. Resti archeologici rinvenuti nel secolo scorso ricordano la grande paura di quei giorni. Vicino alla fonte Coniaia presso Arezzo fu scoperto nel 1851 un tesoro di cinquecento monete d'argento d'epoca repubblicana, e un altro di più di tremila denari argentei dello stesso periodo venne in luce nel circondario di Lucca; nel 1871 il piccone si imbatté in denaro sepolto anche a Montefalco, non lontano da Perugia; e nel XIV secolo pare si trovassero nel « Vecchio Casentino » grandi quantitativi di monete della stessa epoca.

Ottaviano, divenuto signore assoluto dopo la vittoria di Azio su Antonio e Cleopatra e la loro morte, cercò di riparare al malfatto dando ordine, ormai imperatore, di ricostruire Perugia in tutto il suo splendore. A ricordo della ricostruzione la città si chiamò da allora *Augusta Perusia*, nome che è rimasto sino a oggi inciso sulla possente porta ad arco delle antiche mura etrusche, detta appunto Arco di Augusto.

Era stato il rimorso per la sua strage inumana a spingerlo a tale opera? Possiamo solo supporlo; certo però deve avervi avuto una parte non indifferente l'influenza del suo intimo amico e consigliere Caio Cilnio Mecenate, il quale, originario di Arezzo, discendeva da una schiatta regale etrusca. Si tramanda poi che Augusto, durante i suoi viaggi per le province, si fermò ripetutamente a Firenze e in altre località vicine; e che, prima della sua grande riforma amministrativa, fondò in Toscana molte nuove colonie destinate a imprimere un rinnovato slancio all'economia in rovina con la messa a coltura dei campi deserti. Di esse faceva parte Saena Julia, la Siena odierna, sorta su un'antica località etrusca.

Perugia sembra esser rifiorita in epoca imperiale. Sotto Treboniano Gallo, intorno alla metà del III secolo d.C., fu elevata al rango di colonia. Delle altre città etrusche, soprattutto Arezzo conobbe sotto Augusto una nuova fioritura economica e ridivenne ricca e famosa grazie ai manufatti di ceramica: le sue tazze, piatti, scodelle e coppe color corallo dipinte a scene conviviali, erotiche o venatorie, e decorate di ghirlande o maschere, rispondevano al nuovo stile e divennero il vasellame per eccellenza dell'epoca imperiale. I mercanti romani lo esportarono in tutto il mondo, fino in India. Ancor oggi se ne trovano cocci dovunque, dall'Inghilterra al Sahara. In Gallia, a Lezoux e a Granfesenque, come pure in seguito nella Germania romana, sorsero le prime manifatture di ceramica su modello aretino.

Roma, ora residenza imperiale, ha bisogno di una nuova veste; e da tipica *parvenue* comincia ad adornarsi con fasto eccessivo. L'imperatore Augusto trasforma la città coi suoi secolari e brutti edifici di mattoni in una spocchiosa metropoli, e vengono abbattuti interi quartieri coi loro vicoletti tortuosi per far posto ai nuovi edifici marmorei: il Foro cesareo con il tempio di Venere e il Foro augusteo con quello di Marte.

Sette secoli avanti erano stati gli etruschi i primi grandi legislatori d'Italia e maestri urbanisti e architetti di Roma: i romani invece, privi di estro creativo, non avevano mai sviluppato uno stile proprio. Ora guardano alla Grecia come grande modello: fa il suo ingresso nella città tiberina, prima solo intesa a disegni di guerra e di conquista, l'arte ellenistica.

Fiorisce finalmente, sotto Augusto, una poesia originale latina, anche qui per merito di un discendente dell'antichissimo popolo « maestro »: Mecenate. Fu lui, un etrusco, a destare in Roma la gioia dell'arte e a farsi munifico promotore della poesia. Con occhio esperto si diede alla scoperta di giovani talenti letterari, raccogliendo attorno a sé un circolo di spiriti eletti. Fra i suoi amici intimi, accanto a Virgilio, Properzio e altri poeti, fu soprattutto Orazio, il quale ebbe in dono da lui quel podere nei monti Sabini che gli rese possibile di dedicarsi, sgombro di ogni preoccupazione economica, alla sua opera di scrittore e poeta.

Fu Orazio a esprimersi con parole entusiastiche sull'origine regale di Mecenate, dopo avergli fatto visita nella sua villa sull'Esquilino. Le pareti dell'atrio erano adorne di ghirlande dipinte, dov'erano segnati i nomi degli antenati. L'albero genealogico della sua famiglia risaliva al IV secolo, al tempo del governo dei Cilnii ad Arezzo. « Di tutti i lidî che mai vissero in terra etrusca, » scriveva Orazio, « nessuno fu più nobile di te, o Mecenate, i cui antenati in linea di madre e di padre comandarono un tempo grandi eserciti. »

Il nuovo fasto architettonico fece il suo ingresso, dalla capitale, anche in Etruria; e sorsero, sul modello di quelli tiberini, edifici pubblici e privati: palazzi a colonnato con vaste terrazze, cinti da giardini con giochi d'acqua e laghetti artificiali; e poi terme pubbliche, teatri e anfiteatri. Anche nelle solitarie zone di campagna cambiò il quadro: i ricchi cittadini romani, cominciando a pregiare le gioie della vita campagnola, si fecero costruire residenze eleganti, dove, circondati da schiere di servi, trascorrevano le vacanze pescando e cacciando. Dalle pendici appenniniche fino alla costa sorsero così numerose le celebri ville romane.

Cominciò in questo periodo anche un tipo assolutamente nuovo di turismo. A migliaia affluivano i visitatori in cerca di ristoro o di guarigione, attratti dalle innumerevoli fonti termali che l'Etruria deve al suo terreno vulcanico. Non c'era altra regione, appena fuori le porte dell'urbe, che potesse vantare tante acque salutifere. Da tempo poi si sapeva che gli etruschi erano sempre stati esperti nell'arte e nella terapia dei bagni curativi, dai fanghi radioattivi alle acque minerali. Il flusso sempre crescente di pazienti diede origine al fiorire di una regolare industria termale: luoghi tranquilli, frequentati da secoli solamente dalla gente del luogo, divennero frequentatissimi luoghi di cura, provvisti di alberghi confortevoli. La maggior parte è tuttora celebre nel mondo intero. Dove un tempo gli abitanti dell'etrusca Chiusi curavano le loro malattie epatiche, sorgono oggi modernissimi impianti per la terapia del fegato e dei reni.

Con la grande riforma amministrativa di Augusto, l'Etruria riceve nuovi confini, diversi da quelli delle dodici città federate. Sparisce il nome romano di *Tuscia* e si parla, come ci informa Plinio il Vecchio, di VII Regione « che abbraccia l'Etruria ». L'estensione, però, non è più la stessa: a nord tocca il territorio dei liguri sino al fiume Magra; a sud arriva solo al Tevere; mentre l'antica zona di lingua etrusca sull'altra riva del fiume viene assegnata all'Umbria. Solo con Carlomagno ricompare l'antica denominazione: il territorio a settentrione di Viterbo e di Bolsena riceve il nome di *Tuscia*, Toscana. L'antica zona etrusca di Tarquinia, Veio e Cere viene assegnata al Lazio. Un millennio più tardi rispunterà anche l'altro nome della regione: la pace di Lunéville del 1801, assegna al principe Ludovico di Borbone, figlio del duca di Parma, il regno d'Etruria.

Orazio celebra nelle *Odi* la felice situazione instauratasi con la signoria di Augusto: la fine delle guerre civili, la pace e la sicurezza dai nemici esterni, l'indisturbato fiorire dell'agricoltura e del commercio; ma non voce di poeta si levò a lamentare l'ora della morte etrusca, che cominciava a battere quando con grida di giubilo si salutava il ritorno dell'età dell'oro.

La VII Regione non restò una semplice formula amministrativa: a ritmo veloce si compì l'ultimo processo di fusione. Il regno di Augusto durò quasi mezzo secolo, quarantasette anni per l'esattezza; e col periodo classico che egli inaugurò, si perdettero le ultime tracce, scomparvero in pochi decenni le ultime manifestazioni vitali caratteristiche del grande popolo antico.

Visitando un museo etrusco o con sezioni etrusche vediamo quanto rapidamente e in che misura « gli etruschi si adattarono », per usare le parole di Diodoro Siculo, « ai nuovi padroni ». Non si venne a un contrasto con la nuova arte dominante: lo slancio, la sostanza del loro momento creativo si erano esauriti e ci si contentava ora di seguire la corrente. Non c'è più traccia di uno stile proprio. Il classicismo del periodo augusteo impronta di sé, da quel tempo, quanto si costruisce e si crea nel paese: dai monumenti pubblici alle ville private, fino agli oggetti d'uso quotidiano.

Nella produzione artigiana comincia la fabbricazione in serie di copie del nuovo stile di moda. Anche nelle tombe si fanno sempre più rare, fino a scomparire del tutto, le testimonianze dell'antico popolo; e, dopo la metà del primo secolo della nostra era, di iscrizioni etrusche non se ne trovano più. Anche l'etrusco, come ci lascia capire Seneca, non è più capito: nell'Etruria romana s'è ormai imposto il latino.

In latino erano anche i testi delle grandi lapidi commemorative fatte affiggere nel foro cittadino intorno al 40 d.C. dal senato di Tarquinia. Di codesti *Elogia* rimangono solo esili frammenti, scoperti

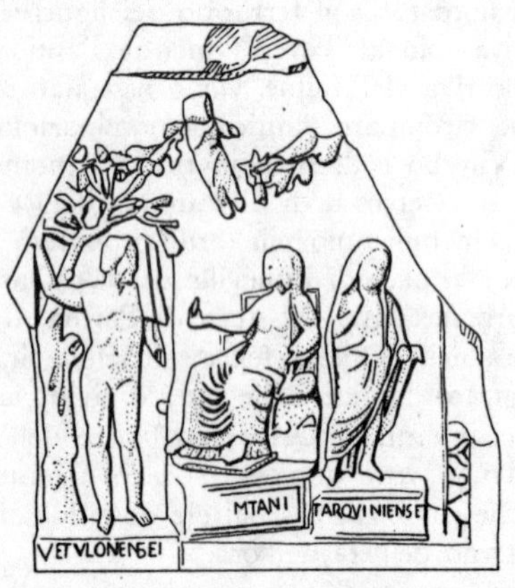

Tre « popoli » etruschi — Vetulonia, Vulci e Tarquinia — su un rilievo marmoreo d'epoca imperiale.

per caso dallo studioso M. Pietro Romanelli. Essi narrano episodi di storia etrusca completamente ignoti. A quanto si suppone, derivano dagli scritti di storia nazionale « degli autori tusci », citati dall'imperatore Claudio.

Sui resti di una delle tavole di marmo si legge il nome del leggendario fondatore della città-madre: Tarchon; sotto, Etruria e Tarquinia. Otto righe di un'altra iscrizione enumerano le gesta di un sovrano dal nome sconosciuto, che primo dei condottieri etruschi condusse il suo esercito in Sicilia, e fu premiato per i successi quivi ottenuti con le insegne del trionfo: lo scettro con l'aquila e il diadema aureo. Ma non resta nulla che permetta di stabilire l'epoca di tale spedizione.

Un terzo frammento celebra le gesta di un etrusco originario di Norchia. Anche il suo nome è scomparso, ed è rimasta solo la notizia della sua vittoria sopra un re di Cere, di un trionfo su Arezzo e della conquista di nove città fortificate.

Resti di un grande passato, ben poco considerato e svuotato ormai di senso, statue superbe e terrecotte dipinte serbano il ricordo dei tempi della grande arte etrusca, quando « le più celebrate immagini delle divinità erano di argilla ».

Ancora si stendevano dinanzi alle rovine di antiche città etrusche le gigantesche necropoli, spuntavano in un ambiente divenuto ormai estraneo i tumuli possenti, nel cui interno si celavano, in camere frescate, i più preziosi tesori: ma chi sapeva più dei morti ivi sepolti per l'ultimo riposo, e dei tempi da essi vissuti; chi delle schiatte ricche e famose che per secoli avevano signoreggiato questa terra?

Il ricordo delle gesta del grande popolo antico cominciava già a impallidire, quando proprio dalle file dei suoi avversari e vincitori emerse un uomo che si diede a raccogliere tutto quanto degno di nota era ancora reperibile del suo passato. A tale compito si dedicò nientemeno che il futuro signore dell'impero romano: Claudio.

La storia di questa impresa comincia ancora ai tempi di Augusto.

Frequentava la corte imperiale una nobile dama di antica progenie etrusca: Urgulania. Il suo nome, scoperto di recente a Tarquinia sopra un'iscrizione, non lascia dubbi sulla sua origine. Intima amica di Livia, la moglie del *princeps*, era riuscita con questa relazione a procurarsi una tale posizione di prestigio da « poter scavalcare le leggi ».

Citata un giorno a deporre in senato come teste – apprendiamo da Tacito che ci ha lasciato un vivo ricordo della personalità di questa etrusca influente – e ritenendo ciò incompatibile con la sua dignità, si dovette mandare un pretore a interrogarla a casa. Ma si sottrasse anche a questo interrogatorio facendosi portare al palazzo imperiale.

Il prestigio e le relazioni altolocate permisero a Urgulania di esercitare anche una propria politica nepotistica, immischiandosi risolutamente nelle faccende intime della famiglia imperiale con l'occuparsi, anzitutto, della vita del nipote della sua amica Livia, il giovane Claudio.

Questi, che passava per l'idiota della famiglia e godeva del disprezzo generale, dava non poca preoccupazione ai nonni, i quali si chiedevano disperati che farne di quel « disgraziato ». Ne è testimonianza una lettera di Augusto a Livia. Alla fine si seguì il consiglio dell'amica Urgulania e si affidò l'ulteriore educazione del giovinetto Claudio al pretore M. Plauzio Silvano, un etrusco, il nipote più anziano della dama. Si provvide anche a una sposa adatta al fanciullo, e la scelta cadde su una principessa etrusca di nome Urgulanilla, altra nipote di Urgulania.

Legato così intimamente agli ultimi rappresentanti della nobiltà etrusca, Claudio prese a interessarsi appassionatamente dell'antica nazione, dandosi con serietà e diligenza scientifica a investigarne il passato. Allo studioso rampollo della casa imperiale si aprirono naturalmente gli archivi privati severamente custoditi dalle grandi famiglie nei palazzi toscani di Tarquinia, Volterra a Chiusi. E, dopo un lavoro di anni, nacque l'opera gigantesca dei *Tyrrhenikà*, la Storia degli etruschi, in venti libri.

Anche quando più tardi la vita di Claudio prese una piega im-

Claudio scrisse i « Tyrrhenikà » una storia etrusca in venti libri, prima di essere fatto imperatore, all'epoca del suo matrimonio con la principessa etrusca Urgulanilla. La moneta, che lo raffigura imperatore, è del 46 d.C.

prevista, e lo vide imperatore e marito di un'altra donna, egli non si scordò del mondo etrusco; per consiglio di Tarquizio Prisco (discendente da una celebre famiglia di arùspici i cui rappresentanti avevano già tradotto in latino vari libri etruschi), si adoprò a preservare l'antica scienza sacerdotale. Nel 47 d.C., in una delle sue orazioni sul sacro collegio aruspicale, egli esortò a salvare « la più antica *Disciplina* italica » dalle erbacce minacciose di superstizioni straniere, ricordando i tempi nei quali « i grandi etruschi, per scelta personale o per decreto del senato, avevano appoggiato e promosso codesta scienza nelle loro famiglie ». Durante il suo governo fu istituito un *ordo LX haruspicum*, con il compito preciso di conservare pura e incontaminata l'antica disciplina etrusca, e di affidarla al futuro. Il collegio ebbe sede a Tarquinia, poi a Roma, e si mantenne fino in epoca bizantina.

I *Tyrrhenikà*, l'opera claudiana di valore inestimabile, e con essi la storia degli etruschi, non erano destinati a giungere alla posterità. Sparirono senza lasciare traccia, salvo qualche frammento citato da Tacito e da Plinio il Vecchio. Ai romani, anche ai letterati e ai colti, era materiale che non interessava, poiché illustrava un passato che Roma, ormai metropoli mondiale e al culmine della sua potenza, non amava le fosse ricordato.

Gli studi di Claudio furono sbeffeggiati. Significativa la satira che Seneca osò pubblicare subito dopo la sua morte, avvenuta per avvelenamento a opera della quarta moglie Agrippina. Si intitolava *Apokolokỳntosis*, alla lettera: « zucchificazione », dove la zucca era simbolo di stupidità. Con acrimonia Seneca illustra la morte e il viaggio al cielo e poi all'inferno dell'imperatore assassinato. Nel 54 d.C., l'anno della sua morte, secondo narra Tacito, « durante il consolato di Marco Asinio e Manio Acilio fu annunciato da frequenti presagi l'avvento di gravi vicende »; e di nuovo, come alla morte di Cesare, si vide una cometa descrivere nel cielo notturno la sua scia di fuoco.

Con la morte di Claudio si chiuse anche, come si tramanda, la decima età etrusca, l'ultima. Gli arùspici annunziarono, decisa dall'immutabile volontà dei celesti, la fine della nazione etrusca...

V · LA GRANDE EREDITÀ

Etruria: la gemella della Grecia nell'opera di civilizzazione dell'Europa.

George Dennis, 1845

La grande importanza degli etruschi risiede nella loro opera di mediazione culturale.

Franz Altheim, 1956

Per la storia antica dell'Italia, il mondo etrusco fu una rivelazione altrettanto inattesa quanto la civiltà cretese per la storia del mondo greco. Né dall'una né dall'altra scoperta, però, sono state finora tratte le debite conseguenze.

Pierre Grimal, 1965

LA DIMENTICATA EREDITÀ ETRUSCA

« Quand'anche le città greche siano oggi impotenti e piccole, e fino una Sparta e una Atene non siano che l'ombra d'un tempo, incanutite come esseri umani; tanto maggior reverenza tu devi loro: rispetto per i templi, rispetto per la storia loro. Abbi riguardo per codesto popolo; conservagli la libertà dell'autogoverno e non lo umiliare. Poiché l'Ellade è il paese al quale noi romani medesimi dobbiamo la legge e il diritto, vale a dire la nostra struttura sociale e la nostra cultura. »

Queste parole scriveva intorno all'anno 100 d.C. Plinio il Giovane al legato imperiale governatore della Grecia. Roma, dopo averla sottomessa, dopo averla depredata dei suoi tesori e convogliato sul Tevere migliaia di colonne e di statue, di fregi e di libri, è finalmente caduta sotto il suo fascino. Ora è di moda tutto ciò che è greco. E come secoli prima si era adornata delle penne etrusche, così ora Roma riveste le penne greche.

Non una riga è rimasta che dimostri un analogo pensiero, un desiderio analogo per l'Etruria. La memoria dei popoli è corta, inesistente la riconoscenza: il debitore, in genere, odia il creditore.

A quell'epoca era ormai dimenticata da tempo la grande eredità trasmessa dagli etruschi a Roma, e oscurato con favole leggendarie persino il fatto che etruschi erano stati i fondatori della città e del suo stato, etruschi quelli che avevano insegnato ai romani a leggere e scrivere, facendogli conoscere inoltre, per la prima volta, le opere dell'arte greca. Perché già in epoca regia, mezzo millennio prima che lo stato conquistatore venisse a diretto contatto con la grecità durante le sue spedizioni belliche in Italia meridionale, gli etruschi avevano portato ai romani dall'Ellade i più splendidi vasi greci e li avevano fatti partecipi dei miti e delle leggende elleniche.

Di questo passato i pronipoti imperiali dei pastori dei colli tiberini non ne volevano più sapere, e anzi facevano tutto il possibile per cancellarne anche il ricordo. E a quel modo che i nuovi arricchiti e gli ultimi venuti amano fregiarsi di titoli e di antenati di celebre schiatta, così anche Roma si costruì il suo bravo albero genealogico con, a capostipite, Enea di Troia.

Gli etruschi, soggetti e occupati in casa loro da soldati e coloni stranieri, non esistevano più come nazione: eppure sopravvissero, nel senso che durò la loro influenza. Troppo forti e ovunque vive erano ancora le opere e i modelli da loro creati: troppo profonde e troppo ampiamente ramificate le radici da loro piantate nelle terre italiche, soprattutto in Toscana, perché non mettessero nuovi germogli, e ancora per lungo tempo.

Il velo da sposa e la cerimonia dell'anello faceva parte degli usi nuziali introdotti dagli etruschi in Occidente. La scena mostra una coppia di sposi durante la solenne cerimonia delle nozze, che avveniva mediante l'unione della mano destra degli sposi. Rilievo su un sarcofago di epoca romana.

Ciò che essi avevano lasciato, seguitò a suscitare molteplici impulsi, in campo materiale come in quello spirituale, dall'architettura e dall'arte fino alla religione. Erano stati i primi a costruire su suolo italico volte, archi e cupole: le loro porte, frammentariamente conservate ancora oggi a Perugia, Volterra e Civita Castellana, servirono ai romani di modello ai loro grandiosi archi trionfali di epoca imperiale. Roma condivise anche la predilezione etrusca per gli edifici e le volte circolari di cui testimonia già nel v secolo a.C. la necropoli di Cerveteri, e volse l'architettura etrusca al monumentale.

Le gigantesche colline dei tumuli, ampiamente visibili all'intorno e cinte di mura di pietra, nelle cui profondità giacevano sepolti i prìncipi etruschi, servirono da modello alle monumentali tombe di famiglia degli imperatori: i famosi mausolei di Augusto e di Adriano nell'odierna Engelsburg. Queste tombe si tennero architettonicamente fedeli alla possente cupola semisferica su base circolare, differendo solo nelle proporzioni. Il basso tamburo di pietre squadrate che cingeva il tumulo etrusco, divenne un alto muro circolare rivestito di marmo, appiattendo la collina a cipressi che coronava l'edificio. Anche nel Pantheon di Roma rivive la forma antichissima: il tumulo etrusco divenuto cupola di pietra sopra il possente spazio circolare interno.

Suggerimenti dell'architettura tombale etrusca furono accolti dai costruttori romani più tardi anche in edifici profani: come i bagni pubblici, le terme, rotondi e sormontati dalla cupola. Da Roma, mausolei e terme si diffusero in tutto l'impero, in tutte le città e le guarnigioni maggiori. In Oriente, la pianta circolare coperta da cupola, che dall'Etruria aveva iniziato la sua marcia vittoriosa, divenne poi tipica delle grandiose chiese bizantine; madrine, a loro volta, delle case del dio della nuova religione islamica, le moschee.

Anche la religione etrusca restò della massima importanza per i romani dell'epoca imperiale. Secondo il costume etrusco l'imperatore Caligola fece appendere al petto della figlia Drusilla, dopo la sua nascita, un'immagine cultuale di Minerva, invocata a nutrire e a favorire la crescita della bimba.

L'antichissima *Disciplina* sacra continuò a essere curata da sacerdoti etruschi anche se tutti gli sforzi per preservarne la purezza non poterono salvarla dagli influssi delle dottrine mistico-filosofiche provenienti dalle regioni orientali dell'impero e dall'Oriente: il culto egizio di Iside, quello persiano di Mithra e il cristianesimo. Si ignora invece quanto di etrusco sopravvisse come lingua cultuale o, almeno, in formule e versetti: forse continuò a esistere per qualche tempo, come oggi il sanscrito, pur dopo aver cessato di essere lingua comune dell'uso. Lucrezio cita i *Carmina tyrrhena* che venivano letti da destra a sinistra. Quanto all'Ordine dei sessanta arùspici fondato per disposizione di Claudio, esso rimase in vita fino al IV secolo della nostra era.

Quando si trattava di interpretare prodigi o di investigare il futuro, gli imperatori si rivolgevano ancora a sacerdoti etruschi. Ne abbiamo infiniti esempi; e conosciamo dalla tradizione i nomi di molti arùspici.

La svolta si ebbe solo con Costantino il Grande, che rilasciò nel 313 a Milano l'editto in favore dei cristiani. Egli fu infatti il primo imperatore romano a vietare più volte, per mezzo di editti, l'impiego di vaticinatori etruschi per investigare il futuro, anche se in segreto si comportava poi ben diversamente. Si sa per esempio che interrogò degli arùspici per sapere quali riti espiatori si dovessero compiere quando un fulmine cadeva sul palazzo. Egli volle inoltre che la festa nel *Fanum Voltumnae* ritrovasse l'antico carattere di solennità centrale etrusca, dispensando, dietro loro richiesta, gli umbri dal parteciparvi e concedendogli di celebrare giochi propri nella loro terra.

La situazione cambiò ancora con Giuliano l'Apostata, il quale revocò il divieto della divinazione del futuro. Alla sua corte vivevano molti arùspici, che lo seguivano in tutte le campagne militari. Anche gli imperatori Valentiniano, Valente e Graziano permisero il vaticinio per mezzo del fegato; Teodosio invece dispose le pene più severe per ogni genere di aruspicina con due decreti del 385 e del 392: chi chiedeva consiglio a un arùspice, era condannato a morire sul rogo.

Il figlio minore e suo successore Onorio, dietro consiglio del suo comandante germano Stilicone, mise al bando i libri della ninfa Vegoia, facendoli pubblicamente bruciare insieme con i libri sibillini, ereditati da Tarquinio il Superbo e custoditi nel tempio di Giove Capitolino.

Quando però nel 410 si riversarono su Roma le schiere gotiche di Alarico, i sacerdoti etruschi fecero nuovamente parlare di sé, offrendo a papa Innocenzo il loro aiuto e dichiarandosi pronti ad allontanare il pericolo incombente sulla città con l'invocare la caduta di fulmini sopra il nemico. Anche se non se ne fece nulla, perché il papa ricusò di accogliere la loro richiesta di esercitare pubblicamente l'arte, il fatto stesso che potessero presentarle e venire a colloquio col vescovo di Roma, dimostra quanto seriamente fosse presa in considerazione ancora nel v secolo dell'era cristiana la *Disciplina* etrusca.

La quale fu proibita definitivamente soltanto nel VII secolo mediante un decreto che ne fece *tabula rasa*. Fu la sentenza di morte che ne provocò l'annientamento totale: non un frammento dell'antica dottrina rimase infatti conservato. Essa sparì per sempre, insieme con gli estratti, i commentari e le traduzioni. Sopravvissero solo scarsissimi frammenti del testo latino.

La nuova chiesa dispiegò ogni sua energia nella lotta al paganesimo. La Toscana e i suoi abitanti, con i loro riti e culti misteriosi proprio alle porte di Roma, erano già da tempo sulla lista nera. Non aveva forse Arnobio giù tuonato nella sua *Apologia del cristianesimo*, scritta intorno al 295: « Etruria genetrix et mater superstitionum est? »

Riuscì però la nuova religione a liberare il mondo, nelle sue stesse chiese, dalle antichissime superstizioni e credenze miracolose così profondamente radicate?

Anche i romani, come prima gli etruschi, non avevano saputo sciogliersi dalle catene e dalle visioni di un tempo ancora arcaico, per fare il grande passo liberatore verso un altro, nuovo e moderno mondo di pensiero.

L'occasione sembrò giunta quando, dopo cinquecent'anni di guerre e di conquiste ininterrotte, lo stato militare sul Tevere, arrivato a essere padrone del mondo, vide ai suoi piedi l'*orbem terrarum*. In quel tempo i greci avevano sostituito gli etruschi come grandi maestri di Roma. I primi accenni si erano avuti con Cicerone, al quale riuscì, dopo che nel 161 a.C. la polizia aveva imprigionato e cacciato da Roma per ordine senatorio filosofi e retori greci, di diffonderne tra i romani la filosofia. Da quel momento lo smisurato tesoro delle conoscenze, della dottrina e del sapere greco si rovesciò sul paese con l'impeto di una slavina.

Per breve tempo sembrò che la scintilla avrebbe acceso una nuova luce vivida anche nella terra dei guerrieri sempre in marcia; che Roma fosse disponibile e capace di scuotere da una remota arcaicità il suo modo di pensare e di sentire, ancora primitivo e imprigionato nelle superstizioni.

Già Cesare e Sallustio avevano proclamato il loro scetticismo verso i prodigi, i segni celesti annunziatori della volontà degli dei. E non diceva anche Strabone che « le storie di miracoli vanno ora bene solamente per le donne e per la massa »?

Lucrezio, nel suo poema filosofico *De rerum natura*, si batte per una nuova chiarezza, illustrando nella sua opera la spiegazione puramente meccanica della formazione del mondo, basata sulla dottrina atomistica di Democrito e fatta propria dal maestro venerato, Epicuro. Secondo questa concezione, tutto al mondo nasce e muore seguendo leggi eterne, senza influssi soprannaturali e senza sopravvivenza dopo la morte; questo significava liberare finalmente l'umanità dalla follia del timore divino e dalla paura della morte. Livio considerava i segni premonitori una caratteristica della storiografia fino ai suoi tempi; e anche Tacito, sotto l'influsso delle nuove conoscenze venute dall'Ellade, si volge contro la ricerca del miracoloso praticata dai secoli ignoranti, non stancandosi mai di abbassare le spiegazioni soprannaturali di eventi storici al rango di follia soggettiva, tacciandoli di riflessi di stati d'animo e di suggestione di massa.

Quanti tentativi di rendere pubbliche le conoscenze rivoluzionarie dei grandi filosofi e scienziati greci, di ottener loro risonanza fra gli uomini!

Il gran salto, però, fallì: troppo esile la schiera degli spiriti che pensavano e sentivano modernamente, perché la loro voce, echeggiata solo tra poche persone colte, penetrasse in cerchie più ampie. I romani non potevano uscire dalla loro pelle. Membri di uno stato conquistatore, avvezzi per generazioni a sentirsi istillare solo la prona ubbidienza agli ordini al punto da averla ormai nel sangue, doveva loro rimanere per forza estraneo — in quanto sconosciuto e mai esercitato — un tipo di pensiero che conosce e pregia lo scetticismo, il dubbio e una libera manifestazione di opinioni personali.

Roma, a cominciare dai suoi imperatori per finire alle masse popolari, restò sempre terra terra, chiusa e sorda a tutto quanto non fosse materiale. Se è vero che era diventata smisuratamente ricca e si era data una veste di marmo, soffocando quasi nel fasto pomposo dei suoi palazzi, fori e terme, è anche vero che fra le sue mura non sorse mai un'accademia. La cura delle scienze: e a chi importava? Chi si occupava della grande arte, della cultura?

I cittadini romani non si interessavano di musica e ancor meno di teatro. Gli piacevano farse popolari grossolane, ma i grandi spettacoli, le grandi tragedie dell'Ellade non vennero mai messi in scena. E a che scopo, poi, quando la metropoli tiberina aveva già uno spettacolo da offrire, che corrispondeva in pieno al suo carattere e al suo gusto: i sanguinosi combattimenti fra gli animali e fra gladiatori nell'anfiteatro? Sangue animale e sangue umano, che sia la plebe sia i cittadini più eminenti correvano a veder scorrere.

Tremilacinquecento animali africani furono fatti uccidere nel circo per ordine di Augusto; e in uno spettacolo ordinato da Pompeo vennero ammazzati cinquecento leoni. Durante le feste per la vittoria di Traiano, nel 107 d.C., combatterono nell'arena diecimila uomini, gli uni con la rete e l'arpione, gli altri con la spada e il pugnale. Eliogàbalo ordinò di riempire di vino i grandi fossati del circo, facendovi svolgere regolari battaglie navali.

Secoli di guerra hanno avvezzato i romani a scene crudeli e anche ora, durante la pace del periodo imperiale, essi non vogliono perdere l'occasione di assistervi.

La grande eredità civilizzatrice dell'Etruria non fu mai raccolta da

Roma: la quale non costruì mai un'industria entro le sue mura e non coltivò neppure le campagne fuori di esse. Brulle si stendevano le aree dei latifondi giganteschi su terre rese feraci un tempo dalla laboriosità etrusca.

Come già il retaggio civilizzatore etrusco, così Roma dilapidò la grande unica eredità spirituale-culturale greca, che un giorno le cadde in grembo. In nessun campo: filosofia, scienze naturali, storia seppe raggiungere le altezze dell'Ellade. La sua fu solo opera di epigoni. Tutto ciò che la Grecia aveva donato al mondo, fu impoverito; e molte delle massime scoperte più ricche di avvenire non furono neppure conservate e tramandate ai posteri.

Roma, del resto, non era in condizione di poterlo fare: in questo campo le era mancato il grande esempio stimolatore. Anche i suoi primi maestri, malgrado tutti i progressi della loro civiltà altamente sviluppata, non avevano avuto notizia del possente slancio spirituale dei greci, e mai avevano compiuto il salto dal pensiero irretito nella mistica della fede e nel sentimento, a quello della ragione e dell'investigazione scientifica, irrigidendosi nel loro mondo mitico che ostinatamente e angosciosamente si chiudeva al *logos.* E qui i romani li seguirono, accettando un'eredità che avrebbe fatalmente influito sulla vita spirituale europea dei secoli venturi.

Nessuno storico romano, a eccezione di Tacito, seppe raggiungere il livello di un Erodoto o di un Tucidide; nessuno lavorò scientificamente e criticamente o si adoprò a una vera ricerca ed esplorazione del divenire storico.

Anche in campo scientifico, e specialmente nelle scienze naturali, Roma resta improduttiva, senza idee nuove. A essa il mondo non deve neppure una nuova scoperta. Ci si contentava infatti di riprodurre, di trascegliere fra i dati tramandati che, confluiti da tutto il mondo in giganteschi tesori, sonnecchiavano nella biblioteche imperiali.

Ciò che si scrive sono sommari e compendi, i cui compilatori si contentano di presentare ai contemporanei il materiale esistente, ordinato il più comodamente possibile. La grande *Storia Naturale* di Plinio il vecchio (75 d.C.), opera di immensa mole, manca di chiarezza di pensiero e di un giudizio autonomo. Ciò che l'autore, ufficiale veterano e ammiraglio della flotta imperiale, mette sulla carta sono pedissequi estratti da centinaia di libri di autori ottimi e pessimi, giustapposti senza spirito critico.

Al giudizio preciso di un Aristotele, Plinio accosta le favole più fanciullesche e ingenue, raccontando di popoli i cui membri nascono con una gamba sola, e di altri che possono avvolgersi nelle loro orecchie; e dell'alluce di re Pirro che aveva la capacità di guarire i malati, e della cattura, ancora in tempi recenti, di satiri e tritoni vivi! Le chiacchiere superstiziose del popolino, *Mirabilia* e *Paradoxa* come si chiamavano, interessavano sovente più delle leggi scientifiche.

Incredibile, ma vero: proprio questa compilazione straripante di inscientificità dovuta a un militare romano amante dello scrivere divenne, a partire dalla tarda antichità, il manuale scientifico per eccellenza, l'autorità dell'Europa medievale e in parte moderna! E venne detronizzato definitivamente solo dopo i risultati di una nuova scienza naturale empirica, anche se le sue idee dominarono in effetti fino a centoquarant'anni fa: intorno al 1839 si leggeva ancora Plinio il Vecchio, nelle scuole superiori non si conosceva altro materiale di studio per scienze naturali!

Plinio fu forse un'eccezione? Ciò che è vero per lui, vale egualmente per le *Naturales Questiones* del filosofo Seneca. Anche il portatore di un altro nome famoso, il medico romano Galeno, non era un ricercatore che si dedicasse a mettere a punto nuove conoscenze, ma uno che si limitava, come gli altri, a raccogliere e a riferire materiale già a disposizione. E perfino a un uomo di scienza quale Claudio Tolomeo, attivo ad Alessandria intorno al 150 d.C., i cui libri d'astronomia, matematica e geografia costituirono per l'Europa il *non plus ultra* fino in epoca moderna, bloccando ogni ulteriore progresso, sfuggì una delle massime e più rivoluzionarie scoperte dei greci. Ciò che egli raccolse e tramandò non oltrepassa le conoscenze dei dotti della Grecia più antica.

Egli non riuscì infatti ad afferrare ciò che Aristarco di Samo aveva intravvisto quattrocent'anni prima: cioè che non il sole gira intorno alla terra, ma la terra intorno al sole. Nella sua opera principale, l'*Almagesto*, egli fissò l'antichissima e arretrata teoria che la terra e l'uomo sono al centro dell'universo.

In tale modo egli offerse la base pseudo-scientifica alla fatale illusione antropocentrica della cosmologia scolastica del medioevo, che puniva ogni progresso. E tutto rimase così sin quando Copernico, basandosi per di più su fonti classiche, non riuscì faticosamente a riscoprire l'antico sistema eliocentrico dei greci!

Il pensiero subì un appiattimento anche in filosofia: mancava l'orizzonte e la capacità di formulare nuovi problemi, di immettere nel mondo idee nuove. Canonizzati gli antichi maestri, se ne rimasticarono le dottrine, anzitutto quelle del platonismo e della Stoa, accontentandosi con qualche ritocco di far passare per nuove vecchie teorie e di diffondere una serie di luoghi comuni filosofici di nessun valore. Nell'impero mondiale romano prese piede un regresso spirituale senza pari, un processo di dissoluzione e atrofia del pensiero scientifico venuto a fioritura secoli prima in Grecia e ormai da tempo ricco di immortali trionfi. La speculazione filosofica abbandonò la strada della ricerca pura, la posizione critica, per imboccare il sentiero di una vita di fantasia segnata dal sentimento e dalla religione.

La Stoa prese ad approfondire la credenza in tutte le possibili rivelazioni fornite da sogni e presagi, ispirazioni e visioni suggerite dal corso dei corpi celesti, la fede negli oracoli e nei vaticini; mescolando così ai concetti puramente scientifici dei greci rappresentazioni di una magica fede astrologico-oracolare. Già nel primo secolo dell'epoca imperiale trovano diffusione i precetti pitagorici: tutta una letteratura pseudo-filosofica fiorita abusivamente sotto il nome di Pitagora e dei suoi successori che cerca di contrabbandare nella filosofia la fede nei dèmoni e nella magia del numero. E lo scienziato Tolomeo scrisse un manuale di astrologia.

Così cominciò la parabola discendente. Il pensiero e lo spirito perdettero la loro capacità di resistenza alla fede nell'autorità e alla nuova mentalità, prigioniera del misticismo e della mitologia, che prendeva sempre più piede. Invece di proseguire sulla strada della ragione, l'uomo s'impelagò nella rete dei rapporti sovrannaturali, gettate dalla teologia, dalla superstizione e dalla credenza nei miracoli, sulla vita di questo mondo.

La linea di confine un tempo tracciata da Tucidide fra scienza e fede si confonde nuovamente e viene dimenticata l'esortazione di Epicarmo: « Impara a dubitare », che aveva spronato la scienza antica alle sue più alte prestazioni e conoscenze. E fu lo stesso non solo per la filosofia ma per tutte le discipline scientifico-intellettuali.

Non solo nelle biografie svetoniane dei Cesari vigoreggia la fede nei presagi e nei miracoli: persino il colto Plutarco ritiene che « non si possa così facilmente » respingere l'idea che anche le statue degli dei sudino e sospirino, parlino e chiudano gli occhi. Anch'egli si piega quando « la storia con molte e valide prove costringe a credere ».

Da queste credenze diffuse anche fra i pagani più colti alle reliquie miracolose il passo è breve; e l'apologetica cristiana se ne serve appunto a protezione e nobilitazione della nuova fede. Persino il vescovo Agostino, reputato sommo dottore della chiesa, non si perita di accogliere nella celebre opera *De civitate dei* le più viete storielle di miracoli e le più inverosimili guarigioni: anzi di spacciare per storia vera la resurrezione di morti per mezzo di reliquie!

Si erano così poste le basi dell'oscurantismo e delle tenebre medievali; si era prefigurato lo « sviluppo » spirituale che attendeva gli europei diventati cristiani, per più di millecinquecent'anni!

Roma non era stata in grado di proseguire e compiere l'alto volo dell'Ellade, perché non ne possedeva, a prescindere dalla capacità e dalla grandezza, né la volontà né la forza. L'Etruria invece, nel cui cerchio magico religioso lo stato militare era stato per secoli imprigionato, si dimostrò, anche molto dopo il suo tramonto, più forte e possente dell'Ellade. E, vinta, trionfò sulla vincitrice del mondo intero.

Allorché la dottrina di Gesù fu riconosciuta ufficialmente, i suoi rappresentanti innalzarono il loro proprio impero, quello cattolico-romano, partendo dalla medesima città fondata un tempo dagli etruschi e quindi divenuta il centro dell'*Imperium*. Sulle rive del Tevere s'insinua una nuova gerarchia sacerdotale, la cui dottrina si rivolge ai poveri e agli oppressi (dimentica dell'esteriore modestia e della semplicità esemplare del suo fondatore), con fasto solenne impadronendosi delle insegne dell'Oriente arcaico tramandate ai romani più di un millennio avanti da re e sacerdoti etruschi. La porpora dei lucumoni etruschi, che per secoli aveva ornato nei trionfi repubblicani e imperiali anche i comandanti romani vittoriosi, diventa il colore cardinalizio; e il bordone degli indovini e degli àuguri tusci diventa il pastorale dei vescovi. Quanto diverse nella sostanza, tanto si assomigliano la nuova e l'antichissima dottrina: nella forma esteriore e nella proclamazione della sua infallibilità.

« Tutto dominando, tutto ordinando, tutto esigendo, » dice il Dennis della religione etrusca, « la sua signoria fu tanto grande da formare il carattere nazionale e da procurare agli etruschi una fama religiosa di primo piano fra i popoli antichi. Era nota come la religione dei misteri, dei prodigi, della pompa cerimoniale e delle regole, allo stesso modo della cattolico-romana in epoca posteriore. » Tuttavia, precisa il Dennis, « l'Etruria fu inferiore alla Grecia, per il suo sistema di tirannia spirituale; possedette le stesse arti, un tesoro egualmente grande di conoscenze scientifico-pratiche, e un commercio più vivace e diffuso; in ogni campo lo spirito etrusco era libero di espandersi, salvo in quello dove risiede il più alto piacere e vanto dell'uomo.

« Dinanzi alla porta di quel paradiso dove l'intelletto, sgombro di catene, si nutre di speculazioni sulla sua natura, origine, esistenza, destinazione finale e suoi rapporti con la causa prima, stava il lucumone-sacerdote, brandente in una mano la spada a doppio taglio dell'autorità secolare e spirituale, nell'altra i libri di Tagete, esortando i sudditi in preda a sacro orrore a ‹*credere e ubbidire*›. La libertà del pensiero e dell'azione era incompatibile con la teoria dell'infallibilità dell'autorità dominante così ai giorni di Tarchon o di re Porsenna, come a quelli di Gregorio XVI.

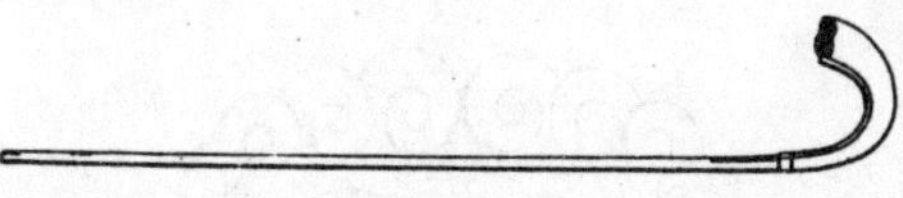

Tromba bronzea ricurva. La forma è identica a quella del « lituus », il bordone dei sacerdoti etruschi su cui è modellata la verga pastorale dei vescovi cristiani. Trovata a Vulci.

« Legato a tali catene, non fu possibile allo spirito etrusco » — come poté invece avvenire in Grecia — « attingere al sommo grado della cultura. »

E non doveva toccare altrimenti, per oltre un millennio, ai popoli cristianizzati d'Europa, che rimasero legati e si videro richiamati all'ordine da un edificio dottrinario teologico intollerante di ogni concezione diversa dalla cristiana, il quale, con la topografia del cielo e della terra, del paradiso e dell'inferno, era già superato, fin dal suo sorgere, dalla scienza greca!

La *Disciplina* etrusca venne soffocata, anche se è tuttora impossibile dire quanto possa aver influito sull'alchimia, la gnosi e i culti misterici, sulla vita spirituale della tarda antichità e quindi anche sulla dottrina della chiesa. Né è stato tramandato come si svolse la cristianizzazione nelle regioni già etrusche. Di sicuro si sa solamente che le antiche città-stato divennero sedi episcopali, fra cui Roselle, Volterra, Vulci e Orvieto.

Nelle località dove avevano regnato i lucumoni, risiedevano ora, circondati dalla pompa e da un cerimoniale solenne, i prìncipi spirituali della nuova gerarchia; e dove prima entro mura ciclopiche i templi coronavano poggi e colline, sorgevano ora le case del dio della nuova religione: spesso, anzi, sullo stesso posto, sulle medesime fondamenta. E in esse, come già nelle solennità religiose etrusche, oscillarono i turiboli bronzei, esalanti il dolciastro profumo dell'incenso.

Sotto il duomo di Perugia e di Orvieto si scoprirono i muri maestri di sacrari etruschi; e si può solo immaginare quanto di antichissime testimonianze etrusche riposi ancora sotto le chiese toscane. Mancano in queste zone ricerche sistematiche e complete. Persino i muri delle chiese potrebbero, sotto l'intonaco, celare resti interessanti.

Su queste miniere archeologiche ancora intatte gli etruscologi non hanno, a tutt'oggi, gettato uno sguardo. Eppure chi giri attento per l'Etruria antica, s'imbatte dovunque in luoghi che testimoniano irrefutabilmente dei molteplici rapporti fra il mondo cristiano medievale e l'etrusco arcaico.

Testa di górgone con possenti canini e lingua estroflessa. Bucchero dalla lucumonìa di Chiusi.

Sulla laguna saldata alla costa dallo scosceso promontorio del Monte Argentario sorge, sopra una stretta scogliera, cinta da mura ciclopiche, la cittadina di Orbetello. Sopra un alto basamento sta il duomo medievale, sotto il quale esisterebbero le basi di un tempio etrusco. Da alcuni ritrovamenti sembra che anche il castello spagnolo, posto sull'antica acropoli, sorga sopra i resti di un antico santuario etrusco.

Alta, sopra la roccia dirupata si annida, minacciata continuamente di frana, Civita di Bagnoregio, fatta sede episcopale nel VI secolo. Sulla porta vegliano leoni di pietra, con teste umane tra gli artigli, motivo frequente presso gli etruschi. Nell'interno crepuscolare della chiesa di San Donato corrono ampi festoni colorati, simili a quelli ornamentali, legati d'albero in albero, visibili negli affreschi delle tombe etrusche. Anche il duomo di San Pietro a Tuscania – a mezza via fra Tarquinia e Viterbo – fu probabilmente costruito sul luogo di un torrione etrusco. Su un bassorilievo incassato nel muro un danzatore etrusco lancia ritmicamente le braccia in alto, come in estasi. Sui braccioli degli stalli del coro si attorcono serpenti. Fuori, sulla facciata, il ghigno di un diavolo a tre facce: il quale, come i dèmoni, come il Charun delle tombe etrusche, regge un serpente nelle mani.

All'epoca del sorgere delle chiese tra le città etrusche distrutte e ricostruite, la conoscenza della loro storia si era ormai spenta da un pezzo: ma la regione era ancora permeata dei culti, dei riti e dei costumi antichissimi, e a ogni passo ci si imbatteva nelle loro tracce. In vista delle mura si stendevano le necropoli gigantesche, tombe dopo tombe su strade processionali in rovina, spesso per molti chilometri. Ciò che i legionari di Roma avevano abbattuto e distrutto sopra la terra, restava nelle necropoli, nelle tombe tagliate superbamente nella roccia, frescate e riccamente adorne di doni funebri: un riflesso, una fedele immagine della vita quotidiana e religiosa avviluppata nei riti. Come ombre inseparabili, i ricordi del grande popolo antico circondavano i vivi; e questo passato ancora così percepibile, così sinistramente vivo e onnipresente, seguitò a farsi sentire. I successori dei maestri etruschi che avevano dipinto le pareti degli ipogèi, fuso le porte bronzee dei templi e scolpito i rilievi sui sarcofaghi, foggiarono ora anche il patrimonio figurativo della nuova dottrina cristiana.

Quale stupore dunque se nell'arte religiosa delle chiese toscane e dell'Italia centrale e settentrionale ritroviamo le inquietanti rappresentazioni infernali del tempo etrusco? Se rispuntano le paurose figure demoniache e gli esseri alati che accompagnavano un tempo i defunti nel loro ultimo viaggio? Gli esseri che avevano popolato il mondo etrusco dei morti, trasmigrarono nelle nuove case di dio, sopravvivendo nelle rappresentazioni figurate delle chiese, così come simboli e immagini del regno etrusco delle ombre troviamo ancora presso i mistici medievali.

La raffigurazione degli orrori infernali, che, ignota all'Antico Testamento, fa il suo ingresso con il cristianesimo, trovò, sul suolo dell'Etruria antica, forma più violenta e sinistra che altrove. Immagini e concezioni sorte al tempo del tramonto e delle lotte mortali della nazione etrusca, ed entrate nelle dimore dei defunti, riemergono improvvise dal profondo e, interpretate in altro modo e caricate d'altra funzione, improntano di sé le macabre visioni della nuova religione. Figura dominante, troneggia fra i supplizi infernali e le angosce del purgatorio cristiano Satana, riflesso dei dèmoni dimoranti nelle camere funerarie della tarda Etruria, imitazione di Charun dal naso d'avvoltoio e dalle orecchie a punta. Persino il simbolo del possente martello col quale il mostro dava il colpo fatale, sopravvive nel rito della cerimonia funebre dopo il decesso del *Pontifex maximus.* Custodito nel Tesoro di San Pietro a Roma sta un martello d'argento con cui il decano del sacro collegio batte tre volte le tempie del papa morto!

Insieme a Caronte nel nuovo ruolo di Satana, ritornano altre figure dell'inferno etrusco. Gli esseri alati che accompagnavano i morti nel loro ultimo viaggio, riappaiono come angeli senza più i serpenti e con altra missione.

Antichissimi simboli cultuali, esseri favolosi e fiere orientali introdotte in Occidente e assimilate dagli etruschi fanno il loro ingresso nell'arte religiosa romanica e gotica: Scilla e i leoni, i serpenti e i grifi, i cavalli alati, i draghi e le chimere; le cui sinistre figure, nate in un mondo arcaico ed estraneo stanno accovacciate sui capitelli e sui cornicioni delle nuove case di dio dove si predica la dottrina cristiana; e appaiono, in sanguinose lotte fra loro, su pulpiti e portali. Dalla Toscana proseguono il loro viaggio per il nuovo impero, il cristiano-cattolico, che s'accinge da Roma a dominare il mondo.

Chimera sopra una moneta argentea etrusca. Tetradracma del V/IV secolo a.C.

La chimera etrusca compare nei mosaici del pavimento del duomo d'Aosta così come sul pulpito di Sant'Ambrogio a Milano. Le figure paurose scolpite nella pietra, vengono dipinte dai pittori sugli altari e sulle pareti di chiese e cattedrali come sui muri dei cimiteri, a illustrazione dell'inferno, per gli occhi del credente. Andrea Orcagna esegue gli affreschi della Cappella Strozzi di Firenze illustranti il giudizio universale e l'inferno, così come le rappresentazioni infernali del Camposanto di Pisa; nel Duomo che sorge sulla rocca tufacea della cittadina d'Orvieto, sparsa di tombe nella piana tutt'attorno, Luca Signorelli dipinse la fine del mondo; e Dante illustra nella *Divina Commedia* in tutto il loro orrore le pene e i tormenti delle anime colpevoli e dannate nel purgatorio e nell'inferno, il cui ingresso è sorvegliato da tre fiere: una pantera, un leone e una lupa.

Ma con Dante, nato a Firenze il 1265, siamo alla vigilia di un nuovo inaudito evento che trascinerà con sé l'Europa intera, aprendole il cammino, attraverso i secoli superstiziosi e ignoranti di un medioevo dominato dalla Roma pontificia e repressivo di ogni libero impulso spirituale, verso un'epoca nuova. Ora finalmente doveva cominciare la liberazione dalle conseguenze di un mondo prigioniero del mito e della magia, penetrato nel paese con gli etruschi.

In molte località, soprattutto al nord verso l'Appennino, la vita, nonostante gravi rovesci temporanei, aveva continuato a trascorrere ininterrotta dopo il tramonto dell'impero romano. Sugli stessi luoghi delle città federate etrusche, grandi e piccole città sorte a nuova fioritura sperimentavano un progresso per qualche parte notevole; nomi antichissimi ricevettero nuovo splendore: Arezzo e Perugia, Volterra e Cortona, Siena e, ai piedi dell'antichissima Fiesole, Firenze. Anch'esse formarono città-stato di maggiore o minor grandezza, ciascuna con la sua politica e con le sue caratteristiche: particolaristiche, insomma, come le lucumonie etrusche d'un tempo.

Nei pronipoti degli antichi signori della terra fra l'Arno e il Tevere, che seguitavano a vivere negli stessi centri urbani, si era conservato, malgrado qualche mistione con i coloni romani, lo spirito pionieristico e il talento antichi. Per lunghe generazioni si sono tramandati la sostanza e il genio dell'elemento etrusco; altrimenti come spiegarsi che proprio in queste città, e non a Roma o a Bisanzio, si sia venuti a una grande rinascita? La Toscana, infatti, la terra che serba ancora il nome dei suoi antichi abitanti, diventa il teatro del balzo nel futuro: qui soltanto si accende la scintilla che suscita una vivida luce in mezzo alle tenebre del tempo, quasi fosse concesso ai pronipoti degli etruschi di compiere quanto a quelli non era stato destinato: il salto dal mito al *logos,* da un'epoca arcaica a una nuova. Nelle loro città e nei loro paesi nacquero infatti gli uomini ai cui nomi è legata ancor oggi l'alba del mondo moderno.

Nel cuore della penisola appenninica si viene — contro il bavaglio e la tutela imposti da Roma alla scienza e alla vita religiosa — alla grande rinascita: l'antica terra degli etruschi diventa la culla dell'Umanesimo e del Rinascimento.

La riscoperta della letteratura classica quasi obliata nel primo medioevo si deve a Francesco Petrarca, il padre dell'Umanesimo.

Egli nasce nel 1304 ad Arezzo, la stessa città di Mecenate, che aveva tenuto a battesimo la fioritura di una prima poesia romana in epoca augustea. Con Dante Alighieri di Firenze e il conterraneo di famiglia toscana Giovanni Boccaccio, forma il grande triumvirato. Fiorentino fu pure il Machiavelli, il rappresentante « politico » dell'Umanesimo.

Nel medesimo periodo scaturiscono in Toscana nuovi impulsi creatori nell'arte plastica. « Fu sul suolo etrusco, » scrive il Dennis, « che il seme della cultura, dopo un lungo sonno durante l'inverno della barbarie, rigermogliò, sorridendo allo spirito umano, come una primavera calda di vita. Fu in Etruria dove venne consacrata per la prima volta all'immortalità la lira, la tela del pittore, il marmo, l'arte dell'Europa moderna. »

E non fu il modello romano né il greco-classico quello a cui s'accese la nuova scintilla, bensì le antichissime creazioni e opere etrusche, ancora visibili dappertutto, sopra e sottoterra. Si prosegue insomma, e si conduce a una nuova forma compiuta, quanto era stato cominciato e poi interrotto al soccombere della nazione etrusca sotto i colpi dei legionari romani. E il suolo dell'Etruria produce improvvisamente, in una generosità senza esempi, schiere di geni creatori.

A Firenze soprattutto la rinascenza celebra i suoi trionfi più superbi; nella città dove operano, come architetti scultori pittori e artefici del bronzo, i grandi maestri immortali: Leonardo, che vide la luce nel borgo di Vinci vicino a Firenze, e Michelangelo, nato nella cittadina toscana di Caprese; e con loro l'architetto fiorentino fondatore dell'architettura rinascimentale, Filippo Brunelleschi, e il fondatore della pittura italiana e della nuova arte toscana dell'affresco, Giotto di Bondone, originario di una piccola località presso Firenze.

Immensa la schiera di tutti gli altri artisti attivi in questo periodo: Nicola, Giovanni e Andrea Pisano, Duccio e Paolo Uccello, Masaccio e Signorelli, Jacopo della Quercia, Leon Battista Alberti e Donatello. Ai loro nomi si collegano i celebri palazzi, le sculture e le pitture di Firenze Pisa e Orvieto, di Siena e di Assisi, di Milano Venezia e Roma.

L'antica pianta circolare emersa in Occidente per la prima volta con le gigantesche tombe a tumulo etrusche, riceve ora la sua migliore e più matura compiutezza. I primi edifici a cupola romanici sono i superbi battisteri di Firenze, Pisa e Parma. Fra il 1420 e il 1434 sorge a Firenze la meravigliosa cupola brunelleschiana del duomo di Santa Maria del Fiore. Seguendo il modello fiorentino Michelangelo Buonarroti crea la possente cupola di San Pietro in Vaticano.

Sulla piazza di questa basilica, una delle più belle del mondo, risorge la colonna etrusca: il Bernini infatti scelse per il suo capolavoro, l'ambulacro del colonnato, non le colonne greche bensì quelle semplici e severe che avevano ornato una volta i templi dei tirreni.

Nei chiostri dell'antico museo-monastero di Viterbo stanno tuttora alle pareti tavole inscritte, sulle quali i cittadini dell'epoca rinascimentale si definiscono orgogliosamente discendenti degli etruschi: raramente la fierezza di esserne progenie è stata espressa altrove con tanta coscienza. E veramente l'attività creativa di quel tempo sarebbe impensabile senza i grandi modelli antichi della regione, come dimostrano le stupefacenti scoperte cui ha condotto l'esame dei rapporti e degli stretti legami fra l'arte etrusca e le opere rinascimentali.

Per anni l'innovatore della scultura italiana, Nicola Pisano, frequentò l'antica Volterra, nei cui palazzi e ville di campagna, come nelle strade e nei parchi, stavano migliaia di urne etrusche d'alabastro riportate alla luce. Lo studio dei loro stupendi rilievi con scene

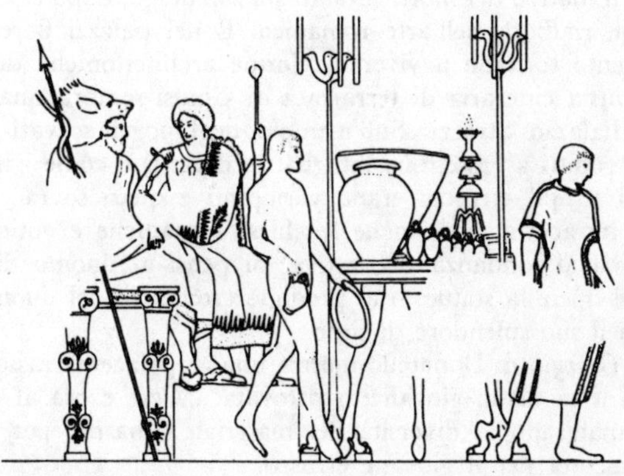

La vita terrena, secondo la credenza estrusca, proseguiva in tutto il suo fasto nell'Aldilà. Si spiegano così i ricchi corredi tombali. Nulla doveva mancare al defunto. In un vano oscuro ma rischiarato da alti candelabri, il morto è circondato dal lusso raffinato cui èra avvezzo da vivo. Due servi attendono al servizio. Vasi, brocche e una trousse — che nella sua casa erano d'oro, argento e avorio — stanno su un tavolo e accanto in un tripode brucia l'incenso dolciastro. Il tavolo, le cui tre gambe sono lavorate in forma di piede d'animale, mostra il consueto gusto, come anche i piedi di bronzo battuto della « kline ». Su di essa siedono i signori degl'inferi: Ade, una pelle di lupo in capo, e Persèfone. Pittura dalla Tomba Golini, Orvieto, IV secolo a.C.

della vita quotidiana e dell'oltretomba etruschi, influenzò profondamente l'opera del grande scultore, al quale dobbiamo il pulpito marmoreo del duomo di Siena e del battistero di Pisa. Anche Jacopo della Quercia e Michelangelo sono da annoverarsi fra gli ammiratori delle urne cinerarie etrusche, che essi visitarono sovente nella famosa città in val di Cécina.

Le opere di Michelangelo riflettono suggerimenti continui d'epoca etrusca: i rilievi della battaglia dei titani ricordano figurazioni di urne di Volterra, e così la sua *Pietà* del duomo di Firenze. In uno dei suoi disegni si vede il dio infernale etrusco col capo coperto da una testa di lupo a fauci spalancate, quale compare ripetutamente negli affreschi tombali dell'Etruria antica. Il gesto possente del Cristo giudice della Cappella Sistina evoca l'atteggiamento di Aita, Ade nella Tomba dell'Orco di Tarquinia; il quale, seduto su un trono, stende la mano destra accennando con la sinistra verso l'alto. La mano del *David* di Firenze, che diffuse la fama di Michelangelo fra i suoi contemporanei, ricorda molto da vicino la mano muliebre (che guidava forse un carro) trovata presso Orvieto.

Anche il motivo dei morti sdraiati sul sarcofago, dopo esser passato ai romani, riaffiora nell'arte romanica. E nei palazzi fiorentini del Rinascimento tornano a vivere le forme architettoniche degli etruschi. Un'urna cineraria di terracotta di Chiusi sembra quasi il modello di Palazzo Strozzi. Sull'esempio degl'ipogei scavati nel tufo sorgono i soffitti a cassettone intagliati e dipinti; e come i frontoni e i tetti dei templi etruschi erano variopinti e quasi sovraccarichi di figure di terracotta, così anche le chiese romaniche e gotiche riflettono questa abbondanza decorativa. Si pensi al duomo di Milano con le sue duemila statue, o al prodigio cromatico del duomo di Firenze con il suo splendore di tinte.

Il *San Giorgio* di Donatello mostra una stupefacente rassomiglianza con la testa di un giovanetto ritrovata a Cere e ora al museo di Firenze, malgrado la diversità del materiale: marmo per il Donatello, terracotta per il giovane etrusco.

Il parallelo potrebbe estendersi fino ai talenti tecnici: con un Leonardo che si occupa nuovamente del problema della coltivazione e del drenaggio, così magistralmente trattato dagli etruschi. Nella sua opera si trovano progetti, notizie e disegni tecnici sul trasporto di terra per via d'acqua dai monti, per rendere le valli paludose in tal guisa fertili e risanarne l'aria. La perduta scienza idraulica degli *aquilices* acquistava nuova attualità.

Non si sa dove cominciare con gli esempi e dove finire, anche perché scaturiscono da osservazioni soltanto occasionali e fortuite: finora, infatti, per quanto affascinante e sorprendente sia il riallacciarsi a un mondo di duemila anni fa, non si sono ancora condotte ricerche sistematiche. Resta comunque il fatto storico che la prima ascesa dell'Occidente inizia quando gli etruschi, ancora in epoca preistorica, diffondono in Italia la loro civiltà e cultura avanzata. *E accendono la luce!*

Confronto con gli altri alfabeti antichi (M. Lopes Pegna).

Fenicio	Ebraico	Protogreco	Etrusco	Latino
𐤀	𐤀	A	𐌀	A
𐤁	𐤁	B		B
𐤂	𐤂	Λ	𐌂	C
𐤃	𐤃	Δ		D
𐤄	𐤄	E	𐌄	E
𐤅	𐤅	F	𐌅 8	F
𐤆	𐤆	I	𐌆	Z
𐤇	𐤇	⊟	𐌇	H
𐤈	𐤈	⊕	⊗	
𐤉	𐤉	I	I	I
𐤊	𐤊	K	𐌊	K
𐤋	𐤋	Λ	𐌋	L
𐤌	𐤌	M	𐌌	M
𐤍	𐤍	N	𐌍	N
𐤎	𐤎	Ξ		
𐤏	𐤏	O		O
𐤐	𐤐	P	𐌐	P
𐤒	𐤒	Ϙ	𐌒	Q
𐤓	𐤓	P	𐌓	R
𐤑	𐤑	M	𐌑	
𐤔	𐤔	Σ	𐌔	S
𐤕	𐤕	T	T	T
		Y	𐌖	V
		X	X ↓	X

LE DATE DELLA STORIA ETRUSCA E DEGLI EVENTI STORICI CONTEMPORANEI

(a cura dell'Autore)

Etruria	Roma	Grecia e resto del mondo
VIII secolo a.C.		
750 c.: Comparsa della civiltà etrusca.	Villaggi di capanne sul Tevere.	Omero in Asia Minore. Colonie greche nell'Italia meridionale e in Sicilia. Fondazione di Cuma. Cartagine signora del Mediterraneo occidentale. *743*: Tiglatpileser III fonda l'impero assiro. *738-696*: Mida re della Frigia. *721*: Fine del regno d'Israele. *720*: Gli assiri conquistano Urartu.
707: Inizio del terzo Saeculum.		*715*: La Siria provincia assira.
VII secolo a.C.		
Tumuli e tombe affrescate. Tombe principesche con ricchi corredi. Prime iscrizioni. Città costiere etrusche con miniere, industrie, artigianato e commercio internazionale. Potenza marittima etrusca.	Espansione etrusca nel Lazio. *625 c.*: Inizio della signoria dei Tarquinii sul Tevere. Prosciugamento delle valli.	Impero dei lidî in Asia minore. *671*: Conquista assira dell'Egitto. *650*: Esiodo nomina i « tirseni ». *625-545*: Talete di Mileto. Inizio della filosofia naturalistica ionica. *612*: Caduta di Ninive, fine dell'impero assiro.
607: Inizio del quarto Saeculum.	*607-569*: Re Tarquinio Prisco.	*612-539*: Impero neo-babilonese.
VI secolo a.C.		
Massima espansione dell'impero etrusco. Leghe delle Dodici città etrusche nella Valle padana e in Campania. Primi commerci con l'Europa settentrionale, soprattutto coi celti. Rivoluzione dei fratelli Vibenna contro la monarchia sacerdotale. *550*: Alleanza etrusco-cartaginese contro i greci. *540*: Vittoria navale etrusco-cartaginese presso Alalia.	*575*: Costruzione del Foro a opera di Tarquinio Prisco. Fondazione di Roma. Fondamenta del tempio di Giove Capitolino. Costruzione del Circo Massimo. Introduzione dei trionfi e delle insegne dell'Etruria. *569-525*: Servio Tullio, secondo re etrusco. Costruzione del Vallo serviano. Ordinamento centuriato. *525-509*: Il terzo re etrusco Tarquinio il Superbo.	*600*: I focesi fondano Massilia (Marsiglia). *594*: Legislazione di Solone. *587*: Distruzione di Gerusalemme. *560-543*: Creso, re di Lidia. *538*: I persiani conquistano la Lidia. *625*: Cambise conquista l'Egitto.

Etruria	Roma	Grecia e resto del mondo
507: Inizio del quinto Saeculum. *504*: Porsenna conquista Roma. Bloccata la via di terra per la Campania.	Costruzione del tempio di Giove Capitolino e della Cloaca Massima. *509*: Cacciata dei Tarquinii. Nobili etruschi proclamano la repubblica.	*522-486*: Il re persiano Dario.
v secolo a.C.		
482-474: Inizio delle lotte fra Veio e Roma. *474*: Vittoria di Siracusa sulla flotta etrusca presso Cuma. *453*: La flotta siracusana sopraffà le città costiere etrusche, l'Elba e la Corsica. *438-425*: Seconda guerra tra Veio e Roma. *430*: Cade Capua. I sanniti conquistano le Dodici città campane etrusche. *428*: Morte di L. Tolumnio, re di Veio. *414-413*: Gli etruschi combattono con Atene contro Siracusa. *406*: Inizio dell'assedio di Veio.	*494*: Sedizione della plebe. *477*: Catastrofe dei Fabî. Lotte con etruschi, sabini, equi, volsci. *450*: Leggi delle xii tavole. *449*: Fine delle guerre sabine.	*500-494*: Rivolta ionica. *494*: Distruzione di Mileto. *490-448*: Guerre persiane. *486-465*: Serse. *480*: Vittoria greca a Salamina sulla flotta persiana, vittoria dei greci di Sicilia a Imera sui cartaginesi. *499-429*: Erodoto. *478-467*: Gerone di Siracusa. *447-432*: Costruzione del Partenone. *446-429*: Pèricle ad Atene. *431*: Inizio della guerra del Peloponnesso. *427-347*: Platone. *414-413*: Spedizione greca in Sicilia. *403*: Dionisio i di Siracusa signore di Sicilia.
iv secolo a.C.		
396: Caduta di Veio e di Melpum. Invasione celtica della Valle padana. Battaglie di Sutri e Nepi nell'Etruria meridionale. *384*: Inizio del sesto Saeculum. *374*: Saccheggio di Pyrgi da parte di Dionisio i di Siracusa. Fine della signoria marittima etrusca nel Tirreno. *358*: Guerra di Tarquinia e Cere contro Roma. *351*: Armistizio quarantennale concesso a Tarquinia. Ambasceria etrusca a Babilonia ad Alessandro Magno. *308*: Tarquinia ottiene un armistizio quarantennale. *302*: Disordini sociali ad Arezzo.	*387*: Battaglia dell'Allia. I celti al comando di Brenno mettono Roma a ferro e fuoco. *343-341*: Prima guerra sannitica. *340-338*: Guerra latina. *336-304*: Seconda guerra sannitica. *310*: Incursione nella Selva cimina. *306*: Trattato fra Roma e Cartagine.	*399*: Morte di Socrate. *387*: Platone fonda l'Accademia. *384-322*: Aristotele. *350*: Eraclito. *336-323*: Conquiste di Alessandro Magno. *323-280*: Lotte dei diàdochi.
iii secolo a.C.		
300: Colonia romana a Pyrgi. Coalizione etrusco-gallo-sannitica.	*298-290*: Terza guerra sannitica.	

Etruria	Roma	Grecia e resto del mondo
295: Sconfitta di Sentino.		
283: Vittoria romana su etruschi e galli alleati.	*282*: Venuta di Pirro in Italia.	
280: Caduta di Vulci e di Volsinii.		
273: Fondazione della colonia romana di Cosa.		*270-100*: Fioritura ed espansione dell'ellenismo.
265: Distruzione e sacco di Volsinii.	*264-241*: Prima guerra punica.	
265: Inizio del settimo Saeculum.	*264*: Giochi etruschi a Roma.	
247: Colonia romana di Alsium.		
245: Colonia romana di Fregene.		
225: Irruzione celtica in Etruria. Battaglia di Talamone. Gli etruschi simpatizzano per Annibale. Atti di sabotaggio contro Roma.	*218-211*: Seconda guerra punica. Annibale in Italia. *216*: Battaglia di Canne.	
209: Torbidi ad Arezzo. Volontari etruschi presso Asdrubale e Magone. Processi per alto tradimento in Etruria.		
205: Tributi di guerra delle città etrusche.	*202*: Battaglia di Zama.	
II secolo a.C.		
191: Colonie romane di Pyrgi e di Castrum Novum. *183*: Colonia romana di Saturnia. *181*: Colonia romana di Graviscae. *146*: Inizio dell'ottavo Saeculum.	*149-146*: Terza guerra punica. *146*: Distruzione di Cartagine. *133*: Legge agraria di Tiberio Gracco.	
I secolo a.C.		
88: Inizio del nono Saeculum. *82*: Carneficina di Silla in Etruria. *79*: Capitolazione di Volterra. *44*: Inizio del decimo Saeculum. *40*: Guerra di Perugia. L'Etruria diventa la Regione VII. Mecenate consigliere d'Augusto.	*90-88*: Guerra sociale. Silla contro Mario. *83*: Incendio del tempio di Giove Capitolino. *44*: Morte di Cesare. *42*: Battaglia di Filippi.	
I secolo dopo Cristo		
54: Fine del decimo Saeculum.	Claudio compone i *Tyrrhenikà*. *54*: Morte di Claudio.	

GUIDA ALLE LOCALITÀ ETRUSCHE

(zone archeologiche e musei), compilata da Helga Keller.

Abbreviazioni: A: autostrada; c.: circa; d.: destra; prov.: provincia; s.: sinistra; SS: strada statale.

ADRIA (prov. Rovigo). SS 16 opp. A 13, partenza da Rovigo. Museo archeologico: resti locali etruschi.

ANSEDONIA (Cosa, prov. Grosseto). SS 1 (Via Aurelia), partenza km 137,7. Mura ciclopiche, rovine di torri, porte. « Tagliata etrusca », canale di deviazione del lago di Burano.

AREZZO (Arretium). Autostrada del Sole Firenze-Roma. Museo archeologico « Mecenate »: buccheri, bronzi, vasi aretini. Resti di mura vicino alla rocca.

BOLOGNA (Felsina). Autostrada del Sole. Museo civico: resti delle necropoli di Felsina; situla di bronzo.

BLERA (prov. Viterbo). SS 2 (Via Cassia) Viterbo-Roma, partenza a 3,3 km dopo Vetralla, a d. Necropoli: tombe con facciate architettoniche scavate nella roccia. Ponte etrusco sul Biedano. Resti di mura.

BOLSENA (Volsinii, prov. Viterbo). SS 2 (Via Cassia) Viterbo-Chianciano. Tombe, mura, tempio fuori della città.

BOMARZO (prov. Viterbo). SS 204 (Viterbo-Orte), partenza a 16,1 km a s. Resti di mura e di impianti di drenaggio. Tombe: Grotta dipinta, Grotta della Colonna.

BRESCIA: A 4 Milano-Venezia. Museo archeologico: vasi etruschi, resti da Arezzo e Orvieto.

CAPUA (prov. Caserta). A 2 Roma-Napoli, partenza da Caserta o da Santa Maria Capua Vètere. Museo provinciale campano: terrecotte.

CERVETERI (Cisra, Caere; presso Roma). SS 1 (Via Aurelia) o A 16. Necropoli della Banditaccia: tombe e tumuli. Tomba Regolini-Galassi.

CHIUSI (Chamars, Clusium, prov. Siena). SS 71 Orvieto-Cortona o Autostrada del Sole, partenza da Chianciano. Museo archeologico nazionale: bucchero. Tombe: della Scimmia, del Granduca, del Colle. Tomba di Porsenna di Poggio Gaiella (5 km da Chiusi).

CIVITA CASTELLANA (Falerii, prov. Viterbo). SS 3 (Via Flaminia), da Roma, partenza km 54,4. Necropoli e rovine di templi.

CORCHIANO (prov. Viterbo) SS 3 (Via Flaminia), partenza da Civita Castellana in direzione Carbognano; girare a d. dopo circa 11 km. Tombe con iscrizioni e resti d'impianti di drenaggio.

CORTONA (Curtuna, prov. Arezzo) SS 71 Arezzo-Viterbo, 28 km dopo Arezzo. Museo dell'Accademia Etrusca: lampada bronzea. Tombe: Grotta di Pitagora, del Sodo, di Melone di Camucia.

COSA V. ANSEDONIA.

FERRARA SS 16 (Via Adriatica) o A 13 Padova-Bologna. Museo archeologico nazionale: resti da Spina.

FIESOLE (Faesulae, a nord-est di Firenze). Resti di templi etruschi. Museo: resti romano-etruschi.

FIRENZE Autostrada del Sole. Museo archeologico: urne, bronzi (chimera e arringatore), oreficeria e monete etrusche. Ricostruzioni di tombe.

GROSSETO SS 1 (Via Aurelia) Livorno-Roma. Museo nel Palazzo delle Scuole Classiche: resti da Roselle e Vetulonia.

MILANO. Museo archeologico: monete etrusche.

MANTOVA (Mantua). A 22 Verona-Modena. Museo nel Palazzo Ducale: antichità etrusche.

MARSILIANA D'ALBEGNA (prov. Grosseto). SS 1 (Via Aurelia) fino alla diramazione della SS 74 in direzione Manciano; girare a d. dopo 14 km. Necropoli: Poggio Macchiabuia e Banditella.

MARZABOTTO (Misa, presso Bologna). Autostrada del Sole Bologna-Firenze; partenza da Sasso Marconi, poi SS 63 (Via Porrettana), a c. 8 km necropoli e resti della città e dei templi. Museo Pompeo Aria: resti locali.

MASSA MARITTIMA (prov. Grosseto). SS 1 (Via Aurelia) fino alla deviazione per Follonica; poi SS 439; a c. 18 km rovine etrusche nei dintorni.

MONTEPULCIANO (prov. Siena). Autostrada del Sole Firenze-Roma; partenza da Chianciano sulla SS 146, a 9 km dietro Chianciano. Urne con iscrizioni sulla facciata di Palazzo Bucelli. Raccolta etrusca a Palazzo Tarugi.

NEPI (Nepet, prov. Roma). SS 2 (Via Cassia) Roma-Viterbo; partenza presso Gabelletta sulla SS 311; dopo 6 km a d. mura e tombe.

NORCHIA (prov. Viterbo). SS 2 (Via Cassia) Roma-Viterbo con partenza da Vetralla, a s. nella laterale per Casalone. Dopo 10 km necropoli: tombe nella roccia con facciate a forma di tempio.

ORVIETO. Autostrada del Sole Firenze-Roma. Necropoli al Crocefisso del Tufo. Tre tombe affrescate nelle zone: Castel Rubello, Poggio dei Sette Camini.

PALERMO SS 113 (Sicilia). Museo archeologico nazionale: resti archeol. da Chiusi.

PAVIA. A 7 Milano-Genova. Sezione antiquaria dell'Istituto archeologico dell'Università: bronzi etruschi della Padania.

PERUGIA (Perusia). Autostrada del Sole Firenze-Roma, uscita per Betolle. Museo archeologico nazionale dell'Umbria: Urne. Arco d'Augusto, Porta Marzia. Tombe nel circondario: dei Volumni, di S. Manno.

PIACENZA (Placentia). Autostrada del Sole Milano-Bologna. Museo civico: fegato di bronzo.

POPULONIA (Pupluna, prov. Livorno). SS 1 (Via Aurelia) Livorno-Grosseto. Partenza da San Vincenzo in direzione Piombino; girare a d. dopo 12,3 km. Mura dell'acropoli. Necropoli a Porto Baratti: tumuli.

PORTO CLEMENTINO (Graviscae, prov. Viterbo). SS 1 (Via Aurelia) Roma-Orbetello; partenza da Tarquinia in direzione mare. Resti dell'antico porto di Tarquinia.

ROMA 1) Museo capitolino: lupa e resti archeol. da Cere; 2) Museo Baracco: rilievi tombali di Chiusi; 3) Museo etrusco gregoriano (Vaticano): tomba Regolini-Galassi, Marte di Todi; 4) Museo nazionale delle Antichità del Lazio (Villa Giulia): corredi della tomba Barberini di Palestrina (Preneste); resti da Cere: cista Ficoroni, sarcofago di terracotta; resti da Veio: Apollo e testa di Ermete; 5) Museo di Villa Albani: affreschi da Vulci; 6) Museo preistorico-etnografico Luigi Pigorini: corredi della Tomba Bernardini di Palestrina.

ROSELLE (Rusellae, presso Grosseto). SS 223 (Via Rosellana), con partenza da Grosseto a c. 8 km sulla d. (cartello indicatore: Rovine di Roselle). Mura ciclopiche, resti di porte.

SANTA MARIA CAPUA VETERE (Capua,

prov. Caserta). A 2 Roma-Napoli. Museo antiquario: resti da Capua.

SANTA SEVERA (Pyrgi, prov. Roma). SS 1 (Via Aurelia) partenza da Santa Marinella a sud di Civitavecchia. Resti del porto di Cere.

SIENA SS 2 (Via Cassia) o A da Firenze. Museo archeologico: buccheri, urne, sculture e bronzi.

SOVANA (Suana, prov. Grosseto). SS 74, partenza a s. poco prima di Pitigliano presso S. Lucia su strada non asfaltata. Dopo 8 km, necropoli: tombe nella roccia con facciate architettoniche, e altre camere tombali.

SUTRI (Sutrium, prov. Viterbo). SS 2 (Via Cassia) Roma-Viterbo. Necropoli e anfiteatro etrusco-romano.

TALAMONACCIO (Telamon, prov. Grosseto). SS 1 (Via Aurelia) Grosseto-Orbetelo, poco dopo la deviazione per Talamone, a d. colle con sito di scavi. Resti di antiche fortificazioni.

TARQUINIA (Tarquinii, prov. Viterbo). SS 1 (Via Aurelia) Roma-Orbetello. Museo nazionale tarquiniese: sarcofaghi. Necropoli: famose tombe frescate. Resti murari della città antica.

TODI (prov. Perugia). SS 3 bis Perugia-Sangemini; partenza dalla SS 79 bis. Museo civico: resti d'oro e di ferro, bronzi, terrecotte, collezione di monete etrusche.

TORINO (Augusta Taurinorum). A 4. Museo archeologico nel Palazzo dell'Accademia delle Scienze: vasi e urne etrusche.

TUSCANIA (prov. Viterbo). SS 1 (Via Aurelia) Orbetello-Tarquinia, con partenza poco prima di Tarquinia sulla laterale, 29 km; oppure SS 2 (Via Cassia), con partenza da Vetralla, 21 km. Tombe: Grotta della Regina con cunicoli sotterranei su più piani, del Carcarello, della Televisione.

VEIO (Veii, presso Roma). SS 2 (Via Cassia), verso Isola Farnese, e di qui per 17 km a d.: resti di templi. Cunicoli e impianti idrici sotterranei. Ponte Sodo (sul Cremera). Tombe: Campana, delle Anatre (ambedue affrescate).

VETULONIA (Vetluna, prov. Grosseto). SS 1 (Via Aurelia) Follonica-Grosseto; partenza da Grilli in direzione Castiglione della Pescaia; subito dopo piegare a s. Resti di mura cittadine. Necropoli: Tomba della Pietrera, Tomba del Diavolino.

VITERBO (Surino). SS 2 (Via Cassia). Museo civico: sarcofaghi e iscrizioni, ponte etrusco (Ponte del Castello).

VOLTERRA (Velathri, Volaterrae, prov. Pisa). SS 68 da Cecina per Colle Val d'Elsa. Resti murari. Porta dell'Arco e Porta Diana. Museo Guarnacci: resti villanoviani, urne e sarcofaghi d'alabastro, bronzi, terrecotte, ecc.

VULCI (prov. Viterbo, rovine). SS 1 (Via Aurelia) a sud di Orbetello; partenza da Montalto di Castro sulla SS 312, girare a s. dopo 13,5 km. Necropoli: tumuli e tombe parzialmente dipinte: Cucumella, Cucumelletta, Tomba-François, ponte romano-etrusco (Ponte della Badia). Resti della città.

d'Achiardi: *L'industria mineraria e metallurgica in Toscana al tempo degli Etruschi*. In: Stud. Etr. 1 (1927): 411 sg.
—: *L'industria metallurgica a Populonia*. In: Stud. Etr. 3 (1929): 397 sg.
Akerström A.: *Studien über die etruskischen Gräber*. Lund 1934.
Altheim F.: *Italien und Rom*. Amsterdam 1937.
—: *Der Ursprung der Etrusker*. Baden-Baden 1950.
—: *Römische Geschichte*. Frankfurt am Main 1953.

Banti L.: *Il mondo degli etruschi*, Roma 1960.
Behn F.: *Die Schiffe der Etrusker*. Röm. Mitt. 34 (1919): 1 sg.
Blakeway A.: *Prolegomena to the Study of Greek Commerce with Italy, Sicily and France in the Eighth and Seventh Centuries B.C.* In: Ann. British School Ath. 33 (1932-33): 170 sg.
Bloch R.: *Les Etrusques*. Paris 1956.
—: *L'art et la civilisation étrusque*. Paris 1955.
—: *Les origines de Rome*. Paris 1963.
—: *Die Kunst der Etrusker*. Wien 1958.
Boethius A.: *Etruskernas konstliv*. Stockholm 1958.
Boni G.: *Scavi nel Foro Romano*. Roma 1902.
Buonamici G.: *Fonti di storia etrusca*. Firenze e Roma 1939.
Busatti B.: *Di alcune coltivazioni minerarie nel territorio dell'antica Heba (Magliano in Toscana)*. In: Stud. Etr. 17 (1927): 411 sg.
Byres J.: *Hypogaei*. London 1842.

Cesano S.L.: *Tipi monetali etruschi*. Roma 1926.
Clemen K.: *Die Religion der Etrusker*. Bonn 1936.
Cles-Reden S. v.: *Das versunkene Volk*. Frankfurt a. M. 1956.
Corpus Inscriptionum Etruscarum. 1898 sg.

Demus-Quatember M.: *Etruskische Grabarchitektur*. Baden-Baden 1958.
Dempster Th.: *De Etruria regali*. 1726.
Dennis G.: *The cities and cemeteries of Etruria*. 2 voll. London 1883.
Dionisio di Alicarnasso: 'Αρχαιολογία (« Urbinas 105 ») dall'ed. Reiske, 6 voll., Leipzig 1774-77.
Dompè L.: *Antichi depositi di scorie ferrifere presso i ruderi della città etrusca di Populonia*. In: Miniera Italiana 5. Roma 1921.
Ducati P.: *Etruria antica*. 2 voll. Torino 1927.

Etruscan Culture. Columbia University Press. New York 1962.

Fondation Hardt: *Les origines de la république Romaine*. Tome XIII. Genève 1966.
Fossa Mancini E.: *L'arte mineraria e metallurgica al tempo degli Etruschi: ciò che hanno rivelato gli scavi di Populonia*. In: Miniera Italiana 6. Roma 1922.

Gargana A.: *La casa etrusca*. In: Historia, Stud. stor. 8 (1934): 204 sg.
Gerhard E.: *Etruskische Spiegel*. 5 voll. Berlin 1839-69.
Giglioli Q.G.: *La religione degli etruschi*, in P. Tacchi Venturi, *Storia delle religioni*. Vol. II, Torino 1962.
—: *L'arte etrusca*. Milano 1935.
Gjerstad E.: *Early Rome*. London 1953.
Grimal P.: *Auf der Suche nach dem antiken Italien*. Frankfurt a.M. 1965.
—: *Römische Kulturgeschichte*. München 1961.

Herbig R.: *Götter und Dämonen der Etrusker*. Heidelberg 1948.
Heuss A.: *Römische Geschichte*. Braunschweig 1960.

Inghirami G.: *Monumenti etruschi*, 10 voll. Firenze 1810.

Jacobsthal P. e A. Langsdorf: *Die Bronzeschnabelkannen. Ein Beitrag zur Geschichte des vorrömischen Imports nördlich der Alpen*. Berlin 1929.
Johnstone M.A.: *The Dance in Etruria - a Comparative Study*. Firenze 1956.

Kunst und Leben der Etrusker. Katalog. Zürich 1955.

Lawrence D.H.: *Etruscan Places*, London 1932 (Penguin Book 1950).
Lerici C.M.: *Nuove testimonianze dell'arte e della civiltà etrusca*. Milano 1960.
Livio T.: *Ab urbe condita libri*. 15 voll. Stuttgart 1820-28.
Lopes Pegna M.: *Storia del popolo etrusco*. Firenze 1959.
Lukan K.: *Land der Etrusker*. Wien 1962.

Miltner F.: *Über die Herkunft der etruskischen Schiffe*. In: Österr. Jahresh. 37 (1948): 113 sg.
Minto A.: *L'antica industria mineraria in Etruria ed il porto di Populonia*. In: Stud. Etr. 23 (1954): 291 sg.
Moretti M.: *La tomba delle Olimpiadi*. Milano 1960.
Mostra dell'Etruria Padana e della Città di Spina. Catalogo. Bologna 1960.
Müller K.O., e W. Deecke: *Die Etrusker*. 2 voll. Breslau 1828, Stuttgart 1877, Graz 1965.

Nachod H.: *Der Rennwagen bei den Italikern und ihren Nachbarn*. Diss. Lpz. Leipzig 1909.
Nogara B.: *Gli Etruschi e la loro civiltà*. Milano 1953.

Pallottino M.: *Etruscologia*. Milano 1968.
Pareti L.: *Le miniere della Tolfa ed i loro centri di esportazione*. - *La tomba Regolini-Galassi*. 16 sg. (cap. 2). Roma 1941.
Perkins J.B. Ward: *Etruscan and Roman roads in Southern Etruria*. In: Journal of Roman Studies 47 (1957): 139-143.

Pfiffig A.J.: *Die Ausbreitung des römischen Stadtwesens in Etrurien.* Firenze 1966.
—: *Die Haltung Etruriens im 2. Punischen Krieg.* In: Historia xv (1966): 193 sg.
—: *Das Verhalten Etruriens im Samnitenkrieg und bis zum 1. Punischen Krieg.* In: Historia xvii (1968): 307 sg.
—: *Bibliographischer Überblick über die Fachliteratur seit Müller-Deecke.* In: Müller-Deecke: *Die Etrusker.* Graz 1965.
Pfister K.: *Die Etrusker.* München 1940.
Picard G.: *Das wiederentdeckte Karthago.* Frankfurt a. M. 1957.
Plinio il Vecchio: *Naturalis Historia.* 6 voll., Leipzig 1892-1933.
Powel I.G.E.: *Die Kelten.* Köln 1960.

Randall-MacIver D.: *Villanovans and early Etruscans.* Oxford 1924.
—: *Italy before the Romans.* Oxford 1928.
—: *The Etruscans.* Oxford 1927.
Richardson E.: *The Etruscans.* Chicago University Press 1964.
Riis P.J.: *An Introduction to Etruscan Art.* Kopenhagen 1953.
Rodenwaldt E., e H. Lehmann: *Die antiken Emissäre von Cosa-Ansedonia in etruskischer Zeit.* Akademie der Wissenschaften. Heidelberg 1962.
Rostovtzeff U.: *The Social and Economic History of Hellenistic World.* London 1941.

Santangelo M.: *Museen und Baudenkmäler etruskischer Kunst.* München 1961.
Schachermeyer F.: *Etruskische Frühgeschichte.* Berlin 1929.
Solari A.: *Topografia e Storia dell'Etruria.* Pisa 1920.
—: *La vita pubblica e privata degli Etruschi.* Firenze 1928.
Studi Etruschi. Rivista. 1927 sg.

Tyrrhenica. Saggi di studi etruschi. Milano 1957.

Vacano O.-W. v.: *Die Etrusker.* Stuttgart 1955.
Vitruvio: *De Architectura.* Leipzig 1667.

INDICI

INDICE ANALITICO[1]

1 I numeri con l'asterisco (*) si riferiscono ai disegni.

INDICE GENERALE

Finito di stampare il 12 aprile 1999
dalle Industrie per le Arti Grafiche Garzanti-Verga s.r.l.
Cernusco s/N (MI)